NORA ROBERTS SCHREIBT ALS
J. D. Robb
Spiel mit dem Mörder

Buch

Die Premiere der neuen Aufführung am New Yorker Globe-Theater findet ein unerwartetes Ende: Auf offener Bühne wird der berühmte Hauptdarsteller erstochen. Jetzt ist Eve Dallas in einer neuen Rolle: Sie ist Augenzeugin und ermittelnde Polizeibeamtin zugleich. Und außerdem hat Eve Dallas einen Fall in der Hand, bei dem die Öffentlichkeit jeden ihrer Schritte beobachten wird. Als dann noch bekannt wird, dass ausgerechnet ihrem Mann Roarke das Theater gehört, steht Eve mehr im Zentrum des Medieninteresses, als ihr lieb ist. Und es gibt nur einen Ausweg, der unerwünschten Aufmerksamkeit zu entfliehen: Sie muss den Täter verhaften. Doch es gibt viel zu viel Verdächtige, denn der berühmte Star hat mehr Feinde als Freunde. Und Eve stellt sich bei ihren Befragungen plötzlich ein völlig unbekanntes Problem: Ihre Verdächtigen sind alle Schauspieler auf der Suche nach Ruhm und Medienaufmerksamkeit. Eve muss sich bald bei jedem sensationellen Geständnis fragen: Spricht er die Wahrheit – oder ist es richtig gute – und verlogene – Schauspielkunst ...

Autorin

J. D. Robb ist das Pseudonym der internationalen Bestsellerautorin Nora Roberts. Ihre überaus spannenden Kriminalromane mit der Heldin Eve Dallas wurden von den amerikanischen Lesern bereits mit größter Begeisterung aufgenommen und haben seit der Veröffentlichung von »Rendezvous mit einem Mörder« auch in Deutschland immer mehr Fans gewonnen. Vor rund 20 Jahren begann Nora Roberts zu schreiben und hoffte inständig, überhaupt veröffentlicht zu werden. Heute ist sie einer der meist verkauften Autorinnen der Welt und wird in mehr als 25 Sprachen übersetzt. Weitere Romane von J. D. Robb und Nora Roberts sind bei Blanvalet in Vorbereitung.

www.noraroberts.com

Von J. D. Robb ist bereits erschienen

Rendezvous mit einem Mörder (1; 35450) · Tödliche Küsse (2; 35451) Eine mörderische Hochzeit (3; 35452) · Bis in den Tod (4; 35632) · Der Kuss des Killers (5; 35633) · Mord ist ihre Leidenschaft (6; 35634) Liebesnacht mit einem Mörder (7; 36036) · Der Tod ist mein (8; 36027) Ein feuriger Verehrer (9; 36028)

Nora Roberts schreibt als

J. D. Robb

Spiel mit dem Mörder

Roman

Aus dem Amerikanischen
von Uta Hege

blanvalet

Die amerikanische Originalausgabe erschien 2000
unter dem Titel »*Witness in Death*«
bei Berkley Books, The Berkley Publishing Group,
a division of Penguin Putnam Inc., New York.

Umwelthinweis:
Alle bedruckten Materialien dieses Taschenbuches
sind chlorfrei und umweltschonend

1. Auflage
Taschenbuchausgabe April 2006 bei Blanvalet Verlag
einem Unternehmen der Verlagsgruppe
Random House GmbH, München
Copyright © by Nora Roberts 2000
Published by arrangement with Eleanor Wilder.
Copyright © der deutschsprachigen Ausgabe 2005
by Verlagsgruppe Random House GmbH
Dieses Werk wurde vermittelt durch die
Literarische Agentur Thomas Schlück, Garbsen.
Umschlaggestaltung: Design Team, München
Umschlagfoto: photonica/Valentini
MD · Herstellung HN
Satz: Buch-Werkstatt GmbH, Bad Aibling
Druck und Bindung: GGP Media GmbH, Pößneck
Printed in Germany
ISBN-10: 3-442-36321-7
ISBN-13: 978-3-442-36321-6
www.blanvalet-verlag.de

The play's the thing.
Das Schauspiel sei das Werkzeug.
 – William Shakespeare, Hamlet

This reasonable moderator,
and equal piece of justice, Death.
Dieser einsichtige Mittler
und gleichmütige Richter, Tod.
 – Sir Thomas Browne,
 Religio Medici

I

Für Mord gab es immer ein Publikum.

Die Menschen zeigten Entsetzen oder Schadenfreude, Sarkasmus oder stille Trauer, stets aber waren sie von diesem ultimativen Verbrechen derart fasziniert, dass es sowohl in der Realität als auch in der Fiktion regelmäßig ein ergiebiges Thema war.

Über die Jahrhunderte hinweg hatte man mit Mord die Theater zuverlässig bis an den Rand gefüllt. Schon im alten Rom hatte das Kolosseum dadurch wahre Menschenmassen angelockt, dass man Gladiatoren hatte einander in blutige Stücke hacken lassen, oder dass man den Leuten die Langeweile mit einer Matinee vertrieb, in der man unglückliche Christen, um das grölende Publikum zu unterhalten, gegen hungrige Löwen antreten ließ.

Da der Ausgang dieser ungleichen Kämpfe ziemlich sicher abzusehen gewesen war, hatten die Zuschauer das Amphitheater eindeutig nicht deshalb bis auf den letzten Platz gefüllt, um zu sehen, ob vielleicht zur Abwechslung doch einmal ein Christ gewann. Sie hatten das zu erwartende Ergebnis und all das damit einhergehende Blutvergießen eindeutig gewollt.

Anschließend waren die Leute heimgegangen und hatten sich nicht nur darüber freuen können, dass man sie bestens unterhalten hatte, sondern auch, dass ihnen selbst nicht das geringste Leid geschehen war. Durch die Ermordung eines anderen Menschen wurden die eigenen Probleme, die man eventuell hatte, angenehm relativiert.

Die Natur des Menschen und sein unstillbares Verlangen nach dieser Form der Unterhaltung hatte sich in den letzten zwei Jahrtausenden nicht wesentlich verändert. Selbst wenn man kurz vor Winterende 2059 nicht mehr Christen gegen Löwen kämpfen ließ, verkaufte Mord sich nach wie vor sehr gut.

Wenn auch auf eine deutlich zivilisiertere Art.

Familien, junge Paare, Schöngeister und Landeier, sie alle standen an den Ticketschaltern Schlange und gaben bereitwillig ihr schwer verdientes Geld aus, damit man sie mit dem *Gedanken* an Mord und Totschlag unterhielt.

Die Ahndung wirklicher Verbrechen, vorzugsweise Mord, war Lieutenant Eve Dallas' Geschäft. Heute Abend aber saß sie auf einem bequemen Stuhl in einem bis auf den letzten Platz besetzten Haus und verfolgte interessiert, wie man auf der Bühne das schmutzige Geschäft des Mords betrieb.

»Er war es.«

»Hm?« Roarke fand die Reaktion seiner Gattin auf das Schauspiel mindestens genauso interessant wie das Stück selbst. Sie hatte sich auf ihrem Stuhl nach vorn gebeugt, ihre Arme auf dem schimmernden Geländer der Privatloge gekreuzt und verfolgte, nachdem der Vorhang zu Beginn der Pause heruntergelassen worden war, mit hellwachen, leuchtend braunen Augen, was dort unten geschah.

»Dieser Vole. Er hat die Frau getötet. Er hat ihr des Geldes wegen den Schädel eingeschlagen. Stimmt's?«

Roarke schenkte ihnen beiden eisgekühlten Champagner ein. Er war sich nicht sicher gewesen, ob es ihr gelingen würde, einen Abend lang Mord als etwas Unterhaltsames zu sehen, und es freute ihn zu sehen, dass sie wie gebannt verfolgte, was auf der Bühne geschah. »Möglich.«

»Du brauchst gar nichts zu verraten. Ich weiß es sowieso.« Eve ergriff das Glas, das er ihr reichte, und betrachtete versonnen sein Gesicht.

Ein unbestreitbar umwerfend attraktives Gesicht. Es wirkte wie von Zauberhand gemeißelt, und die überwältigende maskuline Schönheit seiner Züge rief garantiert im Innern jeder Frau sofortige Sehnsucht wach. Eine dichte, dunkle Mähne rahmte seinen elegant geformten Schädel; und als er sie ansah, spielte der Hauch eines Lächelns um seinen festen, vollen Mund. Er streckte eine Hand aus und strich liebevoll mit seinen langen, schlanken Fingern über eine Strähne ihres Haars.

Bei einem Blick in seine Augen, seine leuchtend, ja beinahe lodernd blauen Augen, stolperte wie zu Anfang auch heute noch ihr Herzschlag.

Es war peinlich, dass sie sich von diesem Mann lediglich durch seinen Blick derart aus der Fassung bringen ließ.

»Was starrst du mich so an?«

»Es macht mir einfach Spaß, dich anzusehen.« Auch mit dieser schlichten Feststellung, gesprochen mit dem ihm eigenen, leichten, melodischen, irischen Akzent, brachte er sie völlig aus dem Konzept.

»Ach, ja?« Sie legte ihren Kopf ein wenig schräg. Es war wunderbar entspannend, den ganzen Abend lang nichts anderes zu tun, als das Zusammensein mit ihrem Gatten zu genießen, dachte sie, als er mit seinen Lippen über ihre Knöchel strich, und fragte leise: »Willst du etwa irgendwelche Spielchen mit mir spielen?«

Ohne sie aus den Augen zu lassen, stellte er sein Glas ab und strich mit den Fingerspitzen an ihrem langen Bein hinauf in Richtung ihrer Hüfte, wo der Schlitz in ihrem engen Rock zusammenlief.

»Du bist ja pervers. Vergiss es.«

»Du hast darum gebeten.«

»Du hast nicht das geringste Schamgefühl.« Lachend drückte sie ihm sein Champagnerglas wieder in die Hand. »Mindestens die Hälfte der Leute, die in deinem schicken Theater sitzen, glotzen uns momentan durch ihre Operngläser an. Sie alle wollen den berühmten Roarke einmal mit eigenen Augen sehen.«

»Sie gucken nicht auf mich, sondern auf diese wunderschöne Frau vom Morddezernat, die mich eingefangen hat.«

Als sie wie erwartet schnaubte, beugte er sich vor, biss leicht in ihre weiche Unterlippe und bekam dafür zu hören: »Wir sollten vielleicht Eintrittskarten verkaufen, wenn du so weitermachst.«

»Wir sind praktisch noch immer frisch verheiratet. Und es ist durchaus akzeptabel, wenn sich ein frisch verheiratetes Paar in der Öffentlichkeit küsst.«

»Als ob dich interessieren würde, ob etwas akzeptabel ist.« Sie legte eine Hand auf seine Brust und schob ihn ein Stückchen von sich fort. »Du hast also heute Abend ein volles Haus. Allerdings hatte ich kaum was anderes erwartet.« Sie ließ ihren Blick erneut über die Zuschauerränge wandern und musste unumwunden zugeben, dass sie – obwohl sie keine Ahnung von Architektur oder Innendekoration hatte – gebannt war von dem eleganten Ambiente. Wahrscheinlich hatte Roarke wieder einmal nur die allerbesten Leute engagiert, damit der alte Bau die Pracht von einst zurückgewann.

Während der Pause schlenderten die Menschen

durch das riesige, mehrgeschossige Theater und füllten das Gebäude mit ihren aufgeregten und fröhlichen Stimmen. Einige Besucher hatten sich – um einen zu einem Kriminalstück passenden Ausdruck zu verwenden – echt todschick gemacht, andere liefen lässig in Airboots und altmodischen, überdimensionalen kugelsicheren Westen herum, wie man sie in diesem Winter allerorten sah.

Mit seinen hohen, handbemalten Wänden, den kilometerlangen roten Teppichen und den vergoldeten Bögen hatte man das Theater entsprechend Roarkes anspruchsvollen Vorgaben restauriert. Alles, was ihm gehörte, wurde entsprechend seinen Vorstellungen gestaltet – und, ging es Eve flüchtig durch den Kopf, ihm gehörte so gut wie alles, was im bekannten Universum zu besitzen war.

Daran hatte sie sich noch immer nicht gewöhnt, und sie hegte ernste Zweifel, ob es ihr jemals tatsächlich gefallen würde. Doch gehörte dieser Reichtum einfach zu Roarke dazu, und sie hatte versprochen, im Guten wie im Bösen seine Partnerin zu sein.

In dem Jahr seit ihrem Kennenlernen hatten sie von beidem mehr als genug erlebt.

»Ein wirklich tolles Haus. Die Holographie-Modelle haben bei weitem keinen derartigen Eindruck auf mich gemacht.«

»Modelle zeigen nur die Struktur und gewisse Elemente, die man für die Schaffung einer bestimmten

Einrichtung braucht. Ein Theater benötigt zusätzlich Menschen, ihren Geruch und ihre Geräusche, damit es voll zur Wirkung kommt.«

»Das glaube ich dir gern. Weshalb hast du ausgerechnet dieses Stück für die Eröffnung ausgesucht?«

»Es ist eine faszinierende Geschichte, und, wie die meisten wirklich guten Geschichten, hat sie ein Thema, das völlig zeitlos ist. Liebe, Verrat und Mord, all das in einem vielschichtigen, undurchsichtigen Paket. Und die Besetzung ist fantastisch.«

»Schließlich hast du die Akteure auch persönlich ausgesucht. Trotzdem hat Leonard Vole den Mord begangen.« Sie blinzelte zu dem sanft schimmernden, rot-goldenen Vorhang, als könnte sie den Tathergang deutlich dahinter sehen. »Seine Frau ist supercool. Ich bin sicher, dass sie noch irgendetwas vorhat. Der Anwalt ist ebenfalls nicht schlecht.«

»Verteidiger«, verbesserte ihr Mann. »Das Stück spielt Mitte des zwanzigsten Jahrhunderts in London. Dort haben die Angeklagten in Strafverhandlungen speziell ausgebildete Verteidiger gehabt.«

»Wie auch immer. Die Kostüme sind echt klasse.«

»Und vor allem authentisch. So liefen die Leute in den fünfziger Jahren des letzten Jahrhunderts wirklich rum. Als *Zeugin der Anklage* verfilmt wurde, war es ein Riesenhit. Auch damals hatten sie phänomenale Schauspieler engagiert.« Roarke hatte eine Vorliebe für die alten Schwarz-Weiß-Streifen des frühen und mittleren zwanzigsten Jahrhunderts, und natürlich hatte er diesen Film daheim auf DVD.

Manche Menschen entdeckten, wenn sie diese Filme sahen, tatsächlich nur Schwarz und Weiß. Er jedoch nahm zahllose Schattierungen bei den Aufnahmen wahr. Das war etwas, worauf seine Frau sich ebenso hervorragend verstand.

»Wir haben uns bemüht, Schauspieler zu engagieren, in denen sich etwas von den Originalschauspielern widerspiegelt, während sie zugleich ihren eigenen Stil erhalten«, erklärte er ihr jetzt. »Irgendwann müssen wir uns mal den Film angucken, damit du dir selbst ein Urteil bilden kannst.«

Er musterte prüfend die Gäste. So sehr er es genoss, einen Abend mit seiner Gattin zu verbringen, war er doch gleichzeitig Geschäftsmann. Und dieses Stück eine teure Investition. »Ich glaube, dass das Stück recht lange laufen wird.«

»He, da ist ja Dr. Mira.« Eve beugte sich etwas nach vorn, als sie die Polizeipsychologin, elegant wie gewohnt, in einem winterweißen Futteralkleid, mit einer kleinen Gruppe in einer Ecke stehen sah. »Sie ist mit ihrem Mann und irgendwelchen anderen Leuten da.«

»Soll ich ihr eine Nachricht zukommen lassen? Wir könnten sie nach Ende der Aufführung auf einen Drink einladen.«

Eve sah ihn von der Seite an. »Nein, heute Abend nicht. Ich habe andere Pläne.«

»Ach ja?«

»Allerdings. Hast du damit irgendein Problem?«

»Nicht das geringste.« Er schenkte ihnen beiden nach. »Tja, wir haben noch ein paar Minuten, bevor es weitergeht. Warum erzählst du mir nicht, weshalb du dir so sicher bist, dass Leonard Vole der Mörder ist?«

»Er ist einfach zu glatt, um es nicht zu sein. Nicht so glatt wie du«, fügte sie hinzu und brachte Roarke dadurch zum Grinsen. »Er ist – wie soll ich sagen? – bei ihm ist die Glätte nur Fassade. Bei dir dagegen kommt sie irgendwie von innen, ist Teil deiner Person.«

»Ich fühle mich geschmeichelt.«

»Auf alle Fälle ist er raffiniert. Er spielt die Rolle des hoffnungsvollen, vertrauensseligen, zugleich jedoch vom Pech verfolgten Mannes geradezu perfekt. Aber ein so fantastisch aussehender Typ führt eindeutig irgendwas im Schilde, wenn er statt mit seiner eigenen, wunderschönen Gattin seine Zeit mit einer wesentlich älteren, deutlich weniger attraktiven Frau verbringt. Und es ging ihm hundertprozentig nicht einfach darum, dass er ihr irgendein blödes, von ihm selbst erfundenes Küchengerät aufschwatzen wollte, wie er vor Gericht behauptet hat.«

Sie nippte an ihrem Champagner und lehnte sich, als das Signal zum Pausenende kam, auf ihrem Stuhl zurück. »Seine Frau weiß, dass er es war. Sie, nicht er, ist der Schlüssel zu dem Ganzen. Wenn ich in dem Fall ermitteln würde, würde ich erst mal sie genauer durchleuchten. Ja, ich würde ein nettes, langes Gespräch mit Christine führen statt mit ihrem Mann.«

»Dann scheint dir das Stück also zu gefallen.«

»Das Ganze ist echt clever gemacht.«

Als sich der Vorhang öffnete, beobachtete Roarke, statt sich auf das Gerichtsdrama zu konzentrieren, seine Frau.

Nie in seinem ganzen Leben hatte er einen faszinierenderen Menschen kennen gelernt. Als sie vor ein paar Stunden vom Dienst gekommen war, hatte sie große Blutflecken auf ihrem Hemd gehabt. Zum Glück hatte das Blut nicht von ihr selbst gestammt. Sie hatte den Fall, aufgrund dessen sie sich diese Flecken eingehandelt hatte, innerhalb von einer Stunde, nachdem das Verbrechen begangen worden war, durch Entlocken eines Geständnisses zum Abschluss gebracht.

So schnell ging das selten. Oft kämpfte sie bis zur Erschöpfung oder brachte ihr eigenes Leben in Gefahr, um dafür zu sorgen, dass einem Toten Gerechtigkeit widerfuhr.

Dies war nur eine von unzähligen Facetten, die er an ihr bewunderte.

Jetzt saß sie hier in einem schmal geschnittenen, eleganten schwarzen Kleid, trug als einzigen Schmuck den Diamanten, den er ihr einmal geschenkt hatte und der wie eine Träne zwischen ihren Brüsten hing, sowie ihren Ehering. Ihr kurz geschnittenes Haar, das Dutzende von Brauntönen aufwies, fiel ihr seidig schimmernd um den Kopf.

Er verfolgte, wie sie ihre Lippen aufeinander presste und mit blitzenden, zusammengekniffenen Augen mitverfolgte, wie Christine Vole den Zeugenstand betrat und ihren Ehemann verriet.

»Sie führt etwas im Schilde. Habe ich es nicht gesagt? Sie führt etwas im Schilde.«

Roarke ließ seine Finger über ihren Nacken gleiten und nickte grinsend. »Das hast du.«

»Sie lügt«, murmelte Eve. »Oder besser, sie sagt nicht die ganze Wahrheit. Was zum Beispiel hat das Messer mit der ganzen Sache zu tun? Okay – er hat sich damit geschnitten. Selbst wenn, ist das absolut unwichtig. Das Messer ist ein Ablenkungsmanöver. Es ist nicht die Mordwaffe. Übrigens haben sie die Mordwaffe bisher überhaupt noch nicht ins Spiel gebracht. Das ist ein grober Fehler. Aber wenn er sich mit dem Messer beim Brotschneiden geschnitten hat – und darin sind sich alle einig –, wozu brauchen sie es dann?«

»Entweder er hat sich absichtlich damit geschnitten, um das Blut auf seinem Ärmel zu erklären, oder es ist, wie er behauptet, rein zufällig passiert.«

»Das ist doch egal. Es ist ein reines Ablenkungsmanöver.« Sie runzelte die Stirn. »Oh, er ist wirklich gut.« Ihr war deutlich anzuhören, was für eine Abneigung sie Leonard Vole gegenüber empfand. »Guck nur, wie er da auf der Anklagebank sitzt. Als würde ihre Aussage ihn total schockieren.«

»Tut sie das denn nicht?«

»Irgendetwas stimmt nicht. Was, finde ich noch raus.«

Es machte ihr Spaß, darüber nachzudenken, wie man der Lösung des Rätsels näher kommen könnte, bis man schließlich wüsste, von wem die Tat begangen worden war. Bevor sie Roarke getroffen hatte, hatte sie niemals eine richtige Theateraufführung besucht. Manchmal hatte sie sich irgendwelche Filme angesehen oder ihre Freundin Mavis hatte sie ins Holographie-Theater mitgeschleppt. Aber leibhaftige Schauspieler in den Szenen agieren zu sehen und die Texte sprechen zu hören, war Unterhaltung auf einem gänzlich anderen Niveau.

Wenn man im Dunkeln saß und das Treiben auf der Bühne direkt mitverfolgte, wurde man ein Teil der Inszenierung, blieb jedoch zugleich gerade weit genug davon entfernt, um nicht hautnah vom Ausgang des Geschehens betroffen zu sein.

Es enthob einen jeglicher Verantwortung, überlegte Eve. Die dumme, wohlhabende Witwe, der der Schädel eingeschlagen worden war, wandte sich nicht hilfesuchend an Lieutenant Eve Dallas von der New Yorker Polizei. Deshalb war die Suche nach dem Täter ein interessantes Spiel.

Ginge es nach Roarke – und das tat es fast immer –, würde die reiche Witwe über einen möglichst langen Zeitraum jede Woche an sechs Abenden und zweimal vormittags ermordet, zur Unterhaltung eines Publikums, das aus lauter Hobby-Polizisten und -Polizistinnen bestand.

»Er ist es nicht wert«, grummelte Eve. Das Schauspiel zog sie derart in seinen Bann, dass sie eine geradezu persönliche Beziehung zu den dargestellten Charakteren empfand. »Sie opfert sich. Sie spielt den Geschworenen was vor, damit sie sie als Opportunistin sehen, als einen Menschen, der andere benutzt, als kaltherzige Hexe. Weil sie ihn liebt. Und dabei ist der Kerl das überhaupt nicht wert.«

»Es wäre genauso denkbar«, raunte Roarke, »dass sie ihn einfach betrogen hat und an ihrer Stelle ins Messer laufen lassen will.«

»Nie und nimmer. Sie hat die ganze Sache rumgedreht, damit es aussieht, als ob sie der Schurke wäre. Wen gucken die Geschworenen jetzt an? Sie steht im Mittelpunkt des allseitigen Interesses, und er wirkt wie ein armer Tropf. Wirklich clever, wenn der Kerl es wert wäre, aber wie gesagt, das ist er sicher nicht. Wird ihr das selbst noch klar?«

»Warte es ab.«

»Sag mir nur, ob ich Recht habe mit dem, was ich vermute.«

Er beugte sich zu ihr herüber, küsste sie auf die Wange und flüsterte fröhlich: »Nein.«

»Nein, ich habe Unrecht?«

»Nein, ich verrate es dir nicht. Und wenn du die ganze Zeit so weiterredest, kriegst du von den Dialogen nichts mehr mit.«

Sie runzelte die Stirn, verfolgte jedoch schweigend weiter, wie das Drama seinen Lauf nahm, und verzog, als die Geschworenen den Urteilsspruch verlasen, angewidert das Gesicht. Auf Geschworene war selbst in einem Schauspiel kein Verlass. Eine Jury aus zwölf anständigen Polizisten hätte den Schweinehund verurteilt. Gerade, als sie diese Gedanken äußern wollte, schob sich Christine Vole durch eine Gruppe von Zuschauern, die sie offenbar am liebsten in der Luft zerrissen hätten, in den fast leeren Gerichtssaal.

Eve nickte, denn es freute sie, als die Frau Voles Verteidiger gestand, dass alles, was sie vorgetragen hatte, gelogen gewesen war. »Sie wusste, dass ihr Mann die Tat begangen hatte. Sie wusste es die ganze Zeit und hat gelogen, um seinen Hals zu retten. Diese Närrin. Jetzt wird er sie fallen lassen wie eine heiße Kartoffel. Wart's ab.«

Als Roarke neben ihr leise lachte, sah sie ihn fragend an. »Was, bitte, ist so lustig?«

»Ich habe das Gefühl, dass Agatha Christie von dir total begeistert wäre.«

»Wer zum Teufel ist das? Pst! Da kommt er. Guck nur, wie gemein er grinst.«

Leonard Vole schlenderte nach seinem Freispruch lässig durch den Saal. An seinem Arm hing eine junge, brünette Frau. *Er hat eine andere*, dachte Eve, war jedoch nicht besonders überrascht. Trotzdem empfand sie Mitleid und ein Gefühl der Frustration, als sich Christine ihm an die Brust warf und ihm unglücklich die Arme um den Nacken schlang.

Eve sah seine arrogante Miene, Christines schockiertes, ungläubiges Gesicht und Sir Wilfreds unverhohlenen Zorn. Eve hatte allerdings nichts anderes erwartet.

Dann aber sprang sie mit einem Mal von ihrem Stuhl.

»Verdammt!«

»Immer mit der Ruhe, Mädel.« Grinsend zog Roarke Eve zurück auf ihren Platz.

Unten auf der Bühne stieß Christine ihrem Mann das Messer, das sie von dem Tisch mit den Beweismitteln gerissen hatte, mitten in sein rabenschwarzes Herz.

»Verdammt«, entfuhr es Eve ein zweites Mal. »Das habe ich nicht kommen sehen. Sie hat ihn hingerichtet.«

Ja, dachte Roarke noch einmal, Agatha Christie hätte ihre helle Freude an seiner Frau gehabt. Sir Wilfred sprach genau dieselben Worte, als eine Gruppe von Leuten auf die Bühne stürzte, sich entsetzt über den Leichnam beugte und man Christine eilig fortzog.

»Da stimmt was nicht.« Erneut sprang Eve auf, umklammerte mit beiden Händen das Geländer und verfolgte wie gebannt, was weiter geschah. »Da stimmt absolut etwas nicht. Wie kommen wir nach unten?«

»Eve, das ist alles nur gespielt.«

»Nicht alles.« Sie schob ihren Stuhl zur Seite und marschierte bereits aus der Loge, als Roarke sah, wie einer der knienden Komparsen eilig aufstand und mit schreckgeweiteten Augen auf das Blut an seinen Händen sah.

Er lief Eve hastig hinterher und packte sie am Arm. »Hier entlang. Da drüben ist ein Fahrstuhl, mit dem man direkt hinter die Bühne kommt.« Er gab einen Code ein, und gleichzeitig vernahmen sie das Schreien einer Frau.

»Gehört das auch zum Stück?«, fragte Eve, als sie den Lift betraten.

»Nein.«

»Okay.« Sie zog ihr Handy aus dem kleinen Abendtäschchen und hielt es an ihr Ohr. »Hier spricht Lieutenant Eve Dallas. Ich brauche eine Sanitätseinheit ins New Globe Theater, Ecke Achtunddreißigste-Broadway. Art der Verletzung und Zustand des Verletzten bisher nicht bekannt.«

Als die Tür des Fahrstuhls aufging, warf sie das Handy zurück in ihre Tasche und befahl angesichts des panischen Durcheinanders, das hier unten herrschte: »Schaff all die Leute raus, aber guck, dass niemand unbemerkt verschwindet. Ich will nicht, dass irgendjemand das Gebäude verlässt. Kannst du mir sagen, wie viele Schauspieler und Angestellte heute Abend hier sind?«

»Ich werde mich erkundigen.«

Sie trennten sich, und Eve bahnte sich einen Weg zur Bühne. Jemand hatte die Geistesgegenwart besessen, den Vorhang heruntergehen zu lassen, dahinter aber hielt sich mindestens ein Dutzend mehr oder weniger hysterischer Menschen auf.

»Alle zurücktreten!«, schnauzte sie die Leute an.

»Wir brauchen einen Arzt.« Die Blondine mit dem kühlen Blick, die die Rolle der Christine gespielt hatte, rang unglücklich die Hände. Sowohl an ihrem Kostüm als auch an ihren Fingern klebte jede Menge Blut. »Oh, mein Gott. Ruf doch endlich jemand einen Arzt.«

Eve hockte sich neben den Mann, der bäuchlings auf dem Boden lag, und wusste, es war bereits zu spät. Sie richtete sich wieder auf, zückte ihren Dienstausweis und meinte: »Ich bin Lieutenant Dallas von der New Yorker Polizei. Ich möchte, dass jeder einen Schritt zurück macht. Fassen Sie nichts an, nehmen Sie nichts von der Bühne mit.«

»Es war ein Unfall.« Der Darsteller des Sir Wilfred hatte sich seine Perücke abgenommen, weil ihm der Schweiß in Strömen über das Bühnen-Make-up lief. »Ein grauenhafter Unfall.«

Eve blickte auf die Blutlache und das bis zum Griff besudelte Messer. »Dies ist ein Tatort. Treten Sie also endlich einen Schritt zurück. Wo zum Teufel ist der Sicherheitsdienst von diesem Laden?«

Sie streckte eine Hand aus und legte sie derjenigen unsanft auf die Schulter, die für sie noch immer so was wie die Frau des Opfers war. »Ich habe gesagt, zurück.« Als sie Roarke mit drei uniformierten Männern aus der Seitenkulisse eilen sah, winkte sie ihm zu.

»Schafft die Leute von der Bühne. Ich will, dass sie alle einzeln irgendwo warten, bis ich mit ihnen reden kann. Es gibt doch sicher Garderobenräume oder so. Führt sie dorthin und lasst sie dort bewachen. Das gilt ebenso für die anderen Angestellten.«

»Ist er tot?«

»Das, oder er gewinnt den Preis des besten Schauspielers des Jahrhunderts.«

»Wir müssen auch das Publikum entfernen. Seht zu, dass keine Panik ausbricht und dass niemand das Theater unbemerkt verlässt.«

»Das übernimmst am besten du. Guck, ob Dr. Mira noch irgendwo ist. Ich könnte sie brauchen.«

»Ich habe ihn umgebracht.« Die Blonde machte schwankend zwei Schritte zurück, hielt ihre blutgetränkten Hände in die Höhe und starrte sie mit großen Augen an. »Ich habe ihn umgebracht«, röchelte sie noch einmal und fiel dann schlicht um.

»Super. Klasse. Roarke?«

»Ich kümmere mich um sie.«

»Sie.« Sie piekste einem der Wachmänner mit dem Finger in die Brust. »Leiten Sie diese Leute in ihre Garderobe und sorgen Sie dafür, dass sie dort bleiben. Und Sie ...«, sie wandte sich dem zweiten Wachmann zu, »... Sie trommeln sämtliche Angestellten des Hauses zusammen. Ich will, dass die Türen gesichert werden. Niemand kommt herein, und niemand geht hinaus.«

Eine Frau fing an zu schluchzen, mehrere Männer begannen lautstark zu diskutieren, und Eve zählte bis fünf, hielt dann ihren Ausweis in die Luft und brüllte: »Jetzt hören Sie mir mal alle zu! Dies sind polizeiliche Ermittlungen. Jeder, der sich weigert, meine Anweisungen zu befolgen, stört die Arbeit der Polizei und wird deshalb umgehend zur nächsten Wache transportiert. Ich will, dass Sie alle die Bühne räumen, und zwar auf der Stelle!«

»Gehen wir.« Die Brünette mit der kleinen Rolle der Geliebten stakste elegant und achtlos über die ohnmächtige Christine hinweg. »Ein paar von euch starken Männern bringen unsere Hauptdarstellerin mit, ja? Ich brauche erst mal einen Drink.« Sie bedachte Eve mit einem kühlen, klaren Blick aus leuchtend grünen Augen. »Ist das erlaubt, Lieutenant?«

»Solange Sie nicht hier am Tatort trinken.«

Dann zog Eve erneut ihr Handy aus der Tasche,

rief die Zentrale an und sagte, während sie erneut neben dem Leichnam in die Hocke ging: »Hier spricht Lieutenant Eve Dallas. Ich brauche sofort ein Team von der Spurensicherung.«

»Eve.« Eilig kam Dr. Mira hinter den Vorhang auf die Bühne. »Roarke hat mir gesagt ...« Sie verstummte, blickte auf den Toten und atmete hörbar ein. »Großer Gott.« Dann wandte sie sich abermals an Eve. »Was kann ich tun?«

»Erst mal einfach nur da sein. Ich habe Arbeitswerkzeug dabei. Peabody ist schon unterwegs, und außerdem habe ich die Spurensicherung und einen Krankenwagen bestellt. Bis die jedoch hier sind, brauche ich Sie sowohl als Ärztin als auch als offizielle Sicherheitskraft, damit hier nicht alles völlig drunter und drüber geht. Tut mir Leid, dass ich Ihnen Ihren Abend ruiniere.«

Dr. Mira schüttelte den Kopf und wollte sich gerade neben die Leiche knien, als Eve hastig warnte: »Nein, passen Sie auf. Sie könnten Spuren am Tatort hinterlassen, und außerdem ruinieren Sie mit dem Blut Ihr Kleid.«

»Wie ist es passiert?«

»Das wissen Sie genauso gut wie ich. Wir alle haben es gesehen. Aufgrund meiner scharfen Beobachtungsgabe habe ich das Messer als die Mordwaffe identifiziert.« Eve lachte humorlos und spreizte ihre

Hände. »Ich habe nicht mal eine verdammte Dose Versiegelungsspray dabei. Wo in aller Welt bleibt Peabody?«

Frustriert, weil sie ohne ihr Werkzeug nicht mit der Untersuchung des Tatortes beginnen konnte, wirbelte sie herum und entdeckte dabei Roarke. »Würden Sie wohl bitte eine Minute die Stellung halten, Dr. Mira?«

Ohne eine Antwort abzuwarten, marschierte Eve über die Bühne auf ihren Gatten zu. »Sag mir, die Stelle mit dem Messer in der letzten Szene, wie funktioniert sie richtig?«

»Man nimmt ein Messer aus der Requisite, dessen Klinge in den Griff geschoben wird, sobald sie auf eine feste Oberfläche trifft.«

»Dieses Mal hat das eindeutig nicht funktioniert«, murmelte Eve. »Das Opfer, wie ist sein richtiger Name?«

»Richard Draco. Eine echte Berühmtheit.«

»Wie gut hast du ihn gekannt?«

»Nicht gut. Ich habe ihn ab und zu auf irgendwelchen Festen getroffen, aber vor allem kannte ich seine Arbeit.« Roarke steckte die Hände in die Hosentaschen, wippte auf den Fersen und studierte die weit aufgerissenen Augen in Dracos leblosem Gesicht. »Er hat viermal den Tony gewonnen und für sämtliche Filmrollen, die er gespielt hat, ausnahmslos hervorragende Kritiken eingeheimst. Auf der Bühne und beim

Film war er seit Jahren ein Publikumsmagnet. Er stand in dem Ruf, schwierig, arrogant und kindisch zu sein. Hat angeblich mit den Frauen gespielt und eine Vorliebe für gewisse chemische Stimulanzien gehabt, die vielleicht nicht immer ganz legal gewesen sind.«

»Und die Frau, die ihn erstochen hat?«

»Areena Mansfield. Brillante Schauspielerin. Sie ist wenig temperamentvoll, was in ihrem Metier nur selten anzutreffen ist, und geht ganz in ihrer Arbeit auf. In Theaterkreisen ist sie äußerst angesehen. Sie lebt und arbeitet hauptsächlich in London, ließ sich aber dazu überreden, für diese Rolle vorübergehend hierher nach New York zu ziehen.«

»Von wem?«

»Teilweise von mir. Wir kennen uns seit ein paar Jahren. Und, nein«, fügte er hinzu, während er die Hände aus den Hosentaschen zog. »Ich habe nie mit ihr geschlafen.«

»Danach habe ich dich nicht gefragt.«

»Doch, das hast du.«

»Okay, wenn ja, kommt auch noch die nächste Frage. Warum hast du nie mit ihr geschlafen?«

Er verzog den Mund zu einem leichten Lächeln. »Anfangs, weil sie verheiratet war, und dann, als sie es nicht mehr war ...« Er strich mit einem Finger über das kleine Grübchen an Eves Kinn. »... war ich es. Und meiner Frau gefällt es nicht, wenn ich mit anderen schlafe. Darin ist sie sehr streng.«

»Wird notiert.« Sie wog die verschiedenen Möglichkeiten, diese Unterhaltung fortzusetzen, gegeneinander ab, erklärte jedoch schließlich: »Du kennst ziemlich viele dieser Leute und hast dir zumindest ein Bild von ihnen gemacht. Ich werde also später noch mit dir sprechen müssen.« Sie seufzte leise auf. »Und zwar offiziell.«

»Natürlich. Ist es möglich, dass es ein Unfall war?«

»Alles ist möglich. Ich muss das Messer untersuchen, aber ich kann das verdammte Ding nicht mal anfassen, bis Peabody endlich mit den Arbeitsutensilien erscheint. Warum gehst du nicht los, tröstest die Leute ein bisschen und hörst dich dabei unauffällig um?«

»Bittest du mich etwa, dir offiziell bei deinen Ermittlungen zu helfen?«

»Nein, tue ich nicht. Ich habe nur gesagt, dass du die Ohren offen halten sollst.« Sie tippte ihm mit einem Finger in die Brust. »Und halt dich möglichst von mir fern. Ich bin nämlich im Dienst.«

Als sie das harte Klackern von Polizeischuhen vernahm, drehte sie sich um.

Wie gewohnt hatte Peabody ihre Schuhe frisch poliert. Ihr etwas gedrungener Körper steckte bis zum Hals im dicken Wintermantel ihrer Uniform, und ihre Kappe saß genau im richtigen Winkel auf ihrem glatten, dunklen Haar.

Sie gingen von den beiden Seiten der Bühne aufeinander zu und trafen sich in der Mitte, dort, wo der Tote lag. »Hi, Dr. Mira.« Peabody schaute auf den Leichnam und meinte: »Scheint eine wirklich aufregende Premiere gewesen zu sein.«

Eve streckte eine Hand nach ihrem Untersuchungsbeutel aus. »Schalten Sie den Rekorder an, Peabody.«

»Sehr wohl, Madam.« Peabody zog wegen der Hitze, die die Scheinwerfer verströmten, ihren Mantel aus, legte ihn ordentlich zusammen und klemmte das Aufnahmegerät am Kragen ihrer Uniformjacke fest.

»Rekorder an«, meldete sie, während Eve großzügig Seal-It auf ihre Hände und Abendschuhe gab.

»Lieutenant Eve Dallas auf der Bühne des New Globe Theater. Ebenfalls anwesend Officer Delia Peabody und Dr. Charlotte Mira. Das Opfer ist ein gewisser Richard Draco, männlich, gemischtrassig, Alter Ende vierzig bis etwa Anfang fünfzig.«

Sie warf Peabody das Seal-It zu. »Die Todesursache ist eine einzelne Stichwunde. Die Platzierung des Stichs und der relativ geringe Blutverlust des Opfers deuten auf eine Herzverletzung hin.«

Sie ging in die Hocke und hob mit ihren versiegelten Fingern die Tatwaffe vom Boden auf. »Die Verletzung wurde dem Opfer mit einem, wie es scheint, gewöhnlichen Küchenmesser beigebracht. Die gezackte Klinge ist ungefähr zwanzig Zentimeter lang.«

»Ich werde das Messer vermessen und eintüten, Lieutenant.«

»Noch nicht«, murmelte Eve, blickte auf das Messer, zog eine Vergrößerungsbrille aus der Tasche und inspizierte die Waffe genauer. »Erste Untersuchung zeigt, dass es keinen Rückzugsmechanismus für die Klinge gibt. Dies ist eindeutig keine Requisite.«

Sie schob sich die Brille auf den Kopf und drückte das Messer in Peabodys ebenfalls versiegelte Hand. »Und keine Requisite heißt, es war kein Unfall, sondern Mord.«

2

»Ich könnte Sie brauchen«, sagte Eve zu Dr. Mira. Dracos Leichnam war inzwischen auf dem Weg ins Leichenschauhaus, und die Leute von der Spurensicherung nahmen sich des Tatorts an.

»Was kann ich für Sie tun?«

»Ungefähr ein Dutzend uniformierter Beamter nehmen die Namen und Adressen der Zuschauer auf und lassen sie dann gehen.« Sie wollte gar nicht daran denken, wie viele Leute und Stunden sie benötigen würden, um zweitausend potenzielle Zeugen zu vernehmen, und was für ein Papierberg bei diesen Vernehmungen entstand. »Die Schauspieler aber würde ich gerne persönlich noch befragen, bevor ich sie entlasse. Ich will nämlich nicht, dass einer von ihnen sich einen Anwalt nimmt, bevor ich nicht wenigstens ansatzweise herausgefunden habe, wie das Verhältnis zwischen diesen Leuten ist.«

Ein öffentlicher Mord, dachte Eve, während sie den Blick über die Bühne, die Kulissen und die unzähligen Reihen bequemer samtbezogener Stühle im Zuschauerraum wandern ließ. Irgendjemand war unglaublich cool, dreist. Und vor allen Dingen smart.

»In Ihrer Gegenwart fühlen die Menschen sich wohl«, fuhr sie nach einer kurzen Pause fort. »Und ich möchte, dass sich Areena Mansfield wohl fühlt, wenn ich mit ihr rede.«

»Ich werde tun, was in meiner Macht steht.«

»Danke. Peabody, Sie kommen mit.«

Eve überquerte die Bühne und trat hinter die Kulissen, wo man eine Reihe uniformierter Beamter durch die Gegend schwirren sah.

Die Zivilpersonen saßen entweder hinter geschlossenen Türen in ihren Garderoben oder standen unglücklich zusammen.

»Wie groß schätzen Sie unsere Chancen ein, dass diese Sache den Medien bis morgen früh verborgen bleibt?«

Peabody schielte ihre Vorgesetzte von der Seite her an. »Ich würde sagen, null, aber das ist noch optimistisch.«

»Ja. Officer.« Eve winkte einem der Beamten. »Ich möchte, dass an allen Ein- und Ausgängen jemand postiert wird.«

»Wurde bereits erledigt, Madam.«

»Ich will, dass die Wachen innerhalb des Gebäudes stehen. Niemand darf raus, nicht mal ein Kollege. Und niemand darf herein, vor allem keine Journalisten. Klar?«

»Sehr wohl, Madam.«

Hinter den Kulissen verlief ein schmaler Gang. Eve betrachtete die Türen und grinste leicht angesichts der goldenen Sterne, die an einigen befestigt waren. Ebenso waren Namensschilder an den Türen angebracht. Sie erreichte die Tür mit der Aufschrift Areena Mansfield, klopfte kurz und trat sofort ein.

Sie zog wortlos eine Braue in die Höhe, als sie ihren Mann auf einem königsblauen Diwan sitzen und mit Areena Händchen halten sah.

Die Schauspielerin war noch nicht abgeschminkt, und obwohl ihr Make-up infolge ihrer Tränen etwas verlaufen war, sah sie fantastisch aus. Ihr Blick fiel auf Eve, und sie verzog panisch das Gesicht.

»O Gott. Oh, mein Gott. Werde ich jetzt etwa verhaftet?«

»Ich muss Ihnen ein paar Fragen stellen, Ms Mansfield.«

»Ich durfte mich nicht umziehen. Sie haben gesagt, dass ich es nicht darf. Sein Blut.« Ihre Hände flatterten über ihr Kostüm, sie ballte die Fäuste und schluchzte dramatisch: »Ich ertrage es nicht mehr.«

»Tut mir Leid. Dr. Mira, würden Sie Ms Mansfield beim Umziehen behilflich sein? Peabody steckt das Kostüm dann ein.«

»Selbstverständlich.«

»Roarke, warte bitte draußen.« Eve öffnete unmissverständlich die Tür.

»Keine Sorge, Areena. Der Lieutenant klärt die Sache auf.« Er drückte Areena ein letztes Mal die Hand, stand auf und ging an Eve vorbei hinaus.

»Ich hatte dich darum gebeten, die Ohren aufzusperren, und nicht, dass du es dir mit einer Verdächtigen gemütlich machst.«

»Der Versuch, eine hysterische Frau zur Besinnung zu bringen, ist nicht unbedingt gemütlich.« Er atmete hörbar aus. »Jetzt könnte ich wirklich einen großen Brandy vertragen.«

»Gut, dann fahr nach Hause und genehmige dir einen. Ich weiß nicht, wie lange es bei mir dauern wird.«

»Ich glaube, das, was ich suche, finde ich auch hier.«

»Fahr nach Hause«, wiederholte sie. »Hier gibt es für dich nichts mehr zu tun.«

»Da ich nicht zu den Verdächtigen gehöre«, wandte er mit leiser Stimme ein, »und da dieses Theater mir gehört, glaube ich, dass ich kommen und gehen kann, wie es mir beliebt.«

Er strich mit einem Finger über ihre Wange und schlenderte davon.

»Das tust du doch immer«, grummelte sie und kehrte in die Garderobe zurück.

Eve hatte den Eindruck, dass die Bezeichnung *Garderobe* eine ziemlich bescheidene Bezeichnung für ein derart geräumiges, luxuriöses Zimmer war. Auf einem langen cremefarbenen Tresen, über dem ein dreiteiliger, von schlanken weißen Lampen gerahmter Spiegel hing, waren eine Unzahl von Töpfen, Tiegeln, Stiften und Flaschen präzise wie Soldaten nebeneinander aufgereiht.

Es gab besagten Diwan, auf dem Raorke gesessen hatte, mehrere bequeme Stühle, einen AutoChef, einen Kühlschrank und ein modernes, kleines Kommunikations-System. In dem mit Kostümen und Areenas Straßenkleidung gefüllten, offen stehenden Schrank herrschte genau die gleiche tadellose Ordnung wie auf dem langen Tisch.

Überall standen Blumen, und ihr schwerer süßer Duft rief in Eve Gedanken an Hochzeiten – und an Beerdigungen – wach.

»Danke. Vielen Dank.« Zitternd schob Areena ihre schlanken Arme in den langen, weißen Morgenmantel, der von Dr. Mira aus dem Schrank gezogen worden war. »Ich habe keine Ahnung, wie lange ich das noch ertragen hätte ... ich würde mich gern abschminken.« Sie legte eine Hand um ihren Hals. »Ich wäre gern wieder ich selbst.«

»Machen Sie nur.« Eve machte es sich auf einem Stuhl bequem. »Dieses Gespräch wird aufgezeichnet werden. Haben Sie verstanden?«

»Ich verstehe überhaupt nichts.« Seufzend nahm Areena auf dem gepolsterten Hocker vor dem Spiegel Platz. »Ich fühle mich völlig betäubt, als würde alles einen Schritt später passieren, als es passieren sollte.«

»Das ist eine ganz normale Reaktion«, versicherte ihr Dr. Mira. »Häufig hilft es, über das zu reden, was den Schock verursacht hat, und sich an die Einzelheiten zu erinnern, weil man sie dann besser verarbeiten kann.«

»Ja, ich nehme an, Sie haben Recht.« Im Spiegel blickte Arrena auf Eve. »Sie müssen mir Fragen stellen und das muss aufgenommen werden. Also gut. Bringen wir es hinter uns.«

»Rekorder an, Peabody. Lieutenant Eve Dallas im Gespräch mit Areena Mansfield in deren Garderobe im New Globe Theater. Ebenfalls anwesend sind Officer Delia Peabody und Dr. Charlotte Mira.«

Während Areena ihr Make-up entfernte, klärte Eve sie ordnungsgemäß über ihre Rechte und Pflichten auf. »Haben Sie verstanden, Ms Mansfield?«

»Ja. Das ist ein weiterer Teil dieses Albtraums.« Sie schloss die Augen, versuchte, sich eine reine weiße Fläche vorzustellen, eine ruhige, friedliche Szene – und sah nichts anderes als Blut. »Ist er wirklich tot? Ist Richard wirklich tot?«

»Ja.«

»Ich habe ihn getötet. Ich habe ihn erstochen.« Ein sichtbarer Schauder rann von ihren Schultern abwärts über ihren Rücken. »Mindestens ein Dutzend Mal«, sagte sie, schlug die Augen wieder auf und sah Eve erneut im Spiegel an. »Wir hatten diese Szene mindestens ein Dutzend Mal geprobt. Wir hatten alles sorgfältig inszeniert, um die größtmögliche Wirkung zu erzielen. Was ist schief gegangen heute Abend? Warum ist die Klinge des Messers nicht im Griff verschwunden?« Zum ersten Mal blitzte in ihren Augen eine Spur von Ärger auf. »Wie konnte das passieren?«

»Erzählen Sie mir alles ganz genau. Beschreiben Sie die Szene. Sie sind Christine. Sie haben ihn beschützt, haben für ihn gelogen. Sie haben sich ihm zuliebe ruiniert. Und dann, nach allem, was Sie für ihn geopfert haben, stolziert er mit einer anderen, einer Jüngeren an.«

»Ich habe ihn geliebt. Ich war von ihm regelrecht besessen. Er war mein Geliebter, mein Mann, mein Kind, alles in einem.« Sie zuckte mit den Schultern. »Vor allem anderen hat Christine Leonard Vole bedingungslos geliebt. Sie wusste, was für ein Typ er war, wusste, was er verbrochen hatte. Doch das war ihr egal. Sie wäre für ihn gestorben, so besessen war sie von diesem Mann.«

Areena hatte sich etwas beruhigt. Sie warf die benutzten Papiertücher in den Recycler und drehte sich auf ihrem Hocker zu Eve um. Trotz ihrer Totenblässe und ihrer rot verschwollenen Augen war sie nach wie vor eine wunderschöne Frau.

»In diesem Moment verstehen alle Frauen im Publikum, was Christine empfindet. Entweder haben oder aber hätten sie eine solche Liebe selber gern einmal erlebt. Als ihr klar wird, dass er sie, nach allem, was sie für ihn getan hat, einfach wegwirft, als sie endlich begreift, was für ein Schwein er ist, schnappt sie sich das Messer.«

Areena hob eine geballte Faust, als hielte sie die Waffe in der Hand. »Tut sie es aus Verzweiflung? Nein, sie ist stets aktiv, niemals passiv. Es ist ein Impuls, ein innerer Impuls. Sie rammt ihm das Messer in die Brust, während sie ihn gleichzeitig umarmt. Liebe und Hass, beide in ihrer höchsten Form, sind in diesem Augenblick in ihr vereint.«

Sie starrte auf die Hand, die sie hatte heruntersausen lassen, und fing an zu zittern. »Großer Gott!« Mit einer fahrigen Bewegung riss sie eine Schublade des Schminktischs auf.

Sofort war Eve auf den Beinen und umklammerte Areenas Handgelenk.

»Ich – es – eine Zigarette«, stieß sie verzweifelt aus. »Ich weiß, dass das Rauchen hier verboten ist, aber ich will eine Zigarette.« Sie schlug Eve auf die Hand. »Ich will eine verdammte Zigarette.«

Eve spähte in die Schublade, in der tatsächlich eine teure Zehnerpackung der Kräuterstängel lag. »Das Gespräch wird gerade aufgenommen. Sie bekommen also automatisch eine Geldstrafe auferlegt.« Trotzdem trat sie einen Schritt zurück.

»Meine Nerven.« Sie nestelte umständlich mit dem Feuerzeug herum, bis Dr. Mira auf sie zutrat, es ihr sanft aus der Hand nahm und ihr Feuer gab. »Es tut mir Leid. Normalerweise bin ich nicht derart ... zerbrechlich. Wenn man zerbrechlich ist, macht einen das Theater innerhalb kürzester Zeit kaputt.«

»Sie halten sich sehr gut«, erklärte Dr. Mira ihr mit ruhiger Stimme. »Es wird Ihnen helfen, wenn Sie mit Lieutenant Dallas über alles reden.«

»Ich weiß nicht, was ich sagen soll.« Areena bedachte Dr. Mira mit dem von Eve erhofften, vertrauensvollen Gesichtsausdruck. »Es ist einfach passiert.«

»Als Sie das Messer vom Tisch genommen haben«, unterbrach sie Eve. »Ist Ihnen dabei irgendetwas aufgefallen, was anders war als sonst?«

»Anders?« Blinzelnd wandte Areena sich ihr wieder zu. »Nein. Es lag genau dort, wo es liegen sollte, mit dem Griff in meine Richtung, damit ich es mit einer schnellen, geschmeidigen Bewegung in die Hand nehmen konnte. Ich habe es hochgehalten, damit das Publikum die Klinge sehen kann. Die Beleuchtung ist extra so eingestellt, dass der Stahl der Klinge aufblitzt. Dann stürze ich los. Es sind nur zwei Schritte vom Tisch bis zu Richard. Ich nehme mit der linken Hand seinen rechten Arm, zwischen Ellbogen und Schulter, halte ihn fest, hole mit der Rechten aus und dann ... stoße ich zu«, sagte sie nach einem gierigen Zug an ihrer Zigarette. »Durch das Auftreffen des falschen Messers auf seiner Brust wird das Päckchen mit dem falschen Blut geöffnet. Wir bleiben eine Sekunde lang direkt voreinander stehen, und dann kommen schon die anderen auf die Bühne gerannt und reißen mich fort.«

»Was hatten Sie für eine Beziehung zu Richard Draco?«

»Was?« Areena sah sie aus glasigen Augen an.

»Ihre Beziehung zu Draco. Erzählen Sie mir davon.«

»Von meiner Beziehung zu Richard?« Areena presste die Lippen aufeinander und massierte sich den Hals, als steckten die Worte in ihrer Kehle fest. »Wir kannten uns seit mehreren Jahren, haben schon vorher miteinander auf der Bühne gestanden, zuletzt in einer Londoner Produktion von *Twice Owned*.«

»Und persönlich?«

Areena zögerte nur kurz, kaum merklich, Eve fiel es trotzdem auf.

»Wir kamen ganz gut miteinander zurecht. Wie gesagt, wir kannten einander seit Jahren. Die Medien in London haben uns während unseres letzten gemeinsamen Stückes sogar eine Romanze angedichtet. Das Stück war eine Liebesgeschichte. Wir fanden das recht praktisch, denn diese Story hat uns zusätzliches Interesse und dadurch zusätzliche Zuschauer eingebracht. Ich war zu dem Zeitpunkt noch verheiratet, aber das hat die Leute nicht daran gehindert, uns auch außerhalb des Theaters als Liebespaar abzustempeln. Wir fanden das durchaus amüsant.«

»Aber in Wirklichkeit sind Sie beide niemals ein Liebespaar gewesen?«

»Wie gesagt, ich war verheiratet, Lieutenant, und vor allem klug genug, um zu wissen, dass Richard nicht die Art von Mann war, dessentwegen man eine Ehe wegwerfen sollte.«

»Warum nicht?«

»Er ist ein guter Schauspieler, das heißt, er war«, verbesserte sie sich und schluckte, ehe sie ein letztes Mal an ihrer Zigarette zog. »Aber er war kein besonders feiner Mensch. Oh, das klingt grässlich und gemein.« Wieder hob sie ihre Hand an ihren Hals und trommelte rastlos mit ihren schmalen Fingern auf ihrer nackten Haut. »Ich fühle mich grässlich und gemein, weil ich so etwas sage, aber – ich will Ihnen gegenüber ehrlich sein. Ich habe Angst. Ich habe schreckliche Angst, dass Sie womöglich denken, dass ich wollte, dass es zu diesem Unfall kommt.«

»Zurzeit denke ich gar nicht. Ich möchte, dass Sie mir von Richard Draco erzählen.«

»Also gut. Also gut.« Sie atmete tief durch. »Andere werden es Ihnen sowieso erzählen. Richard war selbstsüchtig und egozentrisch wie ... viele andere ebenso in unserem Metier. Das habe ich ihm nie zum Vorwurf gemacht. Und ich habe die Chance, mit ihm gemeinsam in diesem Stück zu spielen, begeistert aufgegriffen.«

»Können Sie sich irgendjemanden vorstellen, der

es ihm eventuell – anders als Sie – zum Vorwurf gemacht hat, dass er kein besonders netter Mensch gewesen ist?«

»Ich nehme an, Richard hat so ziemlich alle, die an dieser Produktion beteiligt sind, irgendwann einmal beleidigt oder desavouiert.« Sie presste eine Fingerspitze gegen die Innenseite ihres Auges, als verspüre sie dort einen schmerzhaften Druck. »Auf alle Fälle gab es jede Menge verletzter Gefühle, Beschwerden, böses Gemurmel und Anschuldigungen gegen ihn. Aber so laufen diese Dinge nun mal in der Theaterwelt.«

Eve kam zu dem Schluss, dass die Welt des Theaters von lauter Verrückten bevölkert war. Die Leute heulten sich die Augen aus und hielten, als sie sie befragte, ausgedehnte Monologe, obgleich ihnen sicher jeder nur halbwegs vernunftbegabte Anwalt hätte erklären können, dass es das Klügste war, wenn man sich bei seinen Antworten auf ein Ja oder Nein beschränkte und ansonsten die Klappe hielt. Sie ergingen sich in ausschweifenden Reden, und viele von ihnen schafften es sogar, den Tod eines Kollegen in ein Drama zu verwandeln, in dem ihnen selbst eine Hauptrolle sicher war.

»Neunzig Prozent von dem, was sie erzählen, ist der totale Schwachsinn, Peabody.«

»Das schätze ich genauso ein.« Peabody durchquerte den Bereich hinter der Bühne und sah sich dabei mit großen Augen um. »Trotzdem ist das alles irgendwie faszinierend, finde ich. All die Lichter, das Holoboard und jede Menge fantastischer Kostüme, wenn man alte Klamotten mag. Glauben Sie nicht, dass es etwas ganz Besonderes ist, dort draußen zu stehen und von all den Leuten angesehen zu werden, während man seine Rolle spielt?«

»Ich finde das eher unheimlich. Wir müssen ein paar der Leute gehen lassen, bevor sie anfangen zu jammern, weil wir ihre bürgerlichen Freiheiten beschneiden.«

»Ich hasse es, wenn das passiert.«

Grinsend schaute Eve auf ihren Block. »Das Bild, das die Beteiligten von dem Opfer gezeichnet haben, ist ziemlich interessant. Auch wenn es keiner ausdrücklich sagen wollte, war der Tote offenkundig alles andere als beliebt. Obwohl sie alle um den heißen Brei herumgeredet und sogar jede Menge Tränen bei den Gesprächen vergossen haben, hat anscheinend niemand Draco nur ansatzweise gemocht. Ich gucke mich hier noch ein wenig um. Gehen Sie schon mal los und sagen den Beamten, dass sie die Leute gehen lassen sollen. Vergewissern Sie sich aber, dass wir sämtliche Namen und Adressen haben, dass sie alle über ihre Rechte und Pflichten aufgeklärt worden sind, und machen Sie, auch mit Areena Mansfield, für morgen Gesprächstermine aus.«

»Auf der Wache oder bei den Leuten zu Hause?«

»Um die Sache nicht zu dramatisieren, fahren wir vielleicht besser zu ihnen. Zumindest denke ich, dass das vorläufig das Geschickteste ist. Danach haben Sie frei. Wir treffen uns morgen früh um acht auf dem Revier.«

Peabody trat von einem Fuß auf den anderen und fragte: »Und Sie? Fahren Sie ebenfalls nach Hause?«

»Irgendwann bestimmt.«

»Ich kann gerne noch bleiben, bis Sie fertig sind.«

»Für Sie gibt es momentan nichts mehr zu tun, und ich möchte, dass Sie morgen, wenn wir weitermachen, halbwegs ausgeschlafen sind. Vereinbaren Sie also bitte nur noch die Gesprächstermine, und danach fahren Sie heim. Ich möchte so bald wie möglich mit so vielen Leuten wie möglich reden.«

»Sehr wohl, Madam. Tolles Kleid«, fügte Peabody hinzu. »Sie sollten schauen, dass Sie das Blut und das Versiegelungsspray rauswaschen, bevor es zu sehr eingetrocknet ist.«

Eve blickte stirnrunzelnd an sich herab. »Verdammt. Ich hasse es, wenn ich für meine Arbeit nicht passend angezogen bin.« Sie machte kehrt und marschierte entschlossenen Schrittes in Richtung eines von einem uniformierten Beamten bewachten, riesengroßen, abgeschlossenen Schranks.

»Schlüssel.« Sie streckte eine Hand aus, worauf der Beamte in einer Plastiktüte nach dem Schlüssel grub. »Hat irgendwer versucht, an den Schrank heranzukommen?«

»Der Requisiteur – ein alter Mann, der ziemlich erschüttert aussah. Aber er hat mir keinerlei Schwierigkeiten gemacht.«

»Gut. Gehen Sie nach vorne und sagen Sie den Leuten von der Spurensicherung, dass sie in zirka zehn Minuten den Bereich hier hinten durchkämmen können.«

»Sehr wohl, Madam.«

Eve drehte den Schrankschlüssel im Schloss, zog die beiden Türen auf und runzelte, als sie die Zigarrenschachtel, das altmodische Telefon und ein paar andere ordentlich in einem Fach mit der Aufschrift ›Sir Wilfreds Büro‹ abgelegte Dinge entdeckte, die Stirn.

In einem anderen Fach lagen die Requisiten, die in der Bar-Szene verwendet worden waren. Das Fach mit der Aufschrift ›Gerichtssaal‹ war leer. Anscheinend hatte der Requisiteur sofort nach Beendigung jeder einzelnen Szene die nicht mehr benötigten Gegenstände ordentlich an ihren Platz zurückgelegt.

Ein so penibler Mensch hätte ein Küchenmesser nie mit einer Attrappe verwechselt, überlegte sie.

»Lieutenant Dallas?«

Eve wandte sich um und sah, dass die junge Brünette aus dem letzten Akt aus der Kulisse ins Rampenlicht der Bühne getreten war. Sie hatte ihr Kostüm gegen einen schlichten, schwarzen Einteiler getauscht, und ihr während der Aufführung in straffen Wellen zurückgekämmtes Haar hing wie ein seidig weicher, glatter Vorhang fast bis auf ihr wohlgeformtes Hinterteil herab.

»Ich hoffe, ich störe Sie nicht bei der Arbeit.« Sie hatte einen kaum hörbaren, weichen Südstaatenakzent und sah Eve lächelnd an. »Ich hatte gehofft, ich könnte kurz mit Ihnen reden. Obwohl Ihre Assistentin meinte, ich könnte erst mal gehen.«

»Das stimmt.« Eve hatte nach dem Mord schnell das Programm gelesen, und jetzt fiel ihr der Name ihres Gegenübers ein. »Miss Landsdowne.«

»Carly Landsdowne, die Diane in dieser tragischen Produktion.« Sie lenkte den Blick ihrer großen grünen Augen auf den offenen Schrank. »Ich hoffe, Sie denken nicht, dass Pete etwas damit zu tun hat, was Richard widerfahren ist. Der alte Pete würde nicht mal einer Fliege, die ihm pausenlos um den Kopf schwirrt, etwas zuleide tun.«

»Pete ist der Requisiteur?«

»Ja. Und so harmlos, wie es irgend geht. Was man nicht von allen Beteiligten in diesem kleinen Zirkus behaupten kann.«

»Offensichtlich nicht. Gibt es etwas Bestimmtes, was Sie mir sagen wollen?«

»Etwas, von dem ich bezweifle, dass es die meisten anderen zumindest jetzt schon offen sagen. Richard wurde von allen hier gehasst.«

»Einschließlich Ihnen?«

»Oh, auf jeden Fall.« Immer noch hatte sie ein strahlendes Lächeln im Gesicht. »Er ist einem ins Wort gefallen, sobald er die Chance dazu bekam. Hat einen ausgebremst, hat nie etwas unversucht gelassen, um die Aufmerksamkeit des Publikums von den anderen fort auf sich selbst zu lenken. Vor allem aber wenn er nicht auf der Bühne stand, war er ein bösartiger kleiner Wurm. Seine Welt hat sich ausschließlich um ihn selbst gedreht, um sein aufgeblähtes Ego.«

Sie zuckte mit den Schultern. »Früher oder später wird es Ihnen sowieso jemand anderes erzählen, also dachte ich, ist es das Beste, Sie hören es gleich heute Abend von mir selbst. Wir hatten ein kurzes Verhältnis miteinander. Es endete vor ein paar Wochen, mit einer hässlichen kleinen Szene. Richard hatte eine Vorliebe für hässliche kleine Szenen und hat diese extra so inszeniert, damit er die größtmögliche Wirkung damit erzielt. Es war während unserer ersten großen Kostümprobe.«

»Ich nehme an, er hat die Sache beendet.«

»Das hat er«, erklärte sie mit gleichmütiger Stimme, doch das Blitzen ihrer Augen verriet Eve, dass sie deshalb noch heißen Zorn empfand. »Erst hat er nichts unversucht gelassen, um mich zu becircen, und dann hat er sich mindestens genauso viel Mühe gegeben, mich vor den Kollegen und den

Technikern zu erniedrigen. Dies ist meine erste Broadway-Produktion.«

Sie sah sich um, und ihr Lächeln wirkte scharf wie zerbrochenes Glas. »Ich war ziemlich naiv, Lieutenant, aber ich habe schnell gelernt. Ich werde nicht behaupten, dass mir sein Tod Leid tut, aber ich kann Ihnen versichern, dass er es meiner Meinung nach absolut nicht wert gewesen ist, einen Mord zu begehen.«

»Haben Sie ihn geliebt?«

»An diesem Punkt meiner Karriere habe ich für Liebe keinen Platz, aber ich war von ihm ... beeindruckt. Ich glaube, ganz ähnlich wie Diane von Leonard Vole beeindruckt war. Sicher hat so ziemlich jeder hier irgendeinen Groll gegen Richard gehegt, und ich dachte, es ist besser, wenn ich Ihnen sofort sage, weshalb auch ich total sauer auf ihn war.«

»Ich weiß Ihre Offenheit zu schätzen. Sie sagten, er hätte Sie erniedrigt. Auf welche Art?«

»In seiner letzten Szene, in der ich mit ihm in den Gerichtssaal komme und er Christine brüskiert, ist er mir ins Wort gefallen, ist quer über die Bühne gestürmt und hat erklärt, meine Darstellung wäre absolut flach.«

Sie presste die Lippen aufeinander, und ihre Augen bildeten zwei schmale Schlitze. »Er hat erklärt, ich wäre auf der Bühne genauso leidenschafts- und stillos wie im Bett. Er hat mich einen hirnlosen Bauerntrampel genannt und behauptet, ich würde versuchen, meinen Mangel an Talent durch ein recht nettes Äußeres und zwei hübsche Brüste zu kaschieren.«

Carly strich sich die Haare aus der Stirn, und die beinahe gleichmütige Geste stand zu dem zornigen Flackern ihrer Augen in deutlichem Kontrast. »Er meinte, ich wäre langweilig, und auch wenn er mich eine Zeit lang durchaus amüsant gefunden hätte, würde er dafür sorgen, dass jemand mich ersetzt, der diese kleine Rolle wenigstens halbwegs angemessen spielt.«

»Und das alles kam für Sie völlig überraschend?«

»Er war eine Schlange. Schlangen sind feige und schlagen deshalb stets unvermutet zu. Ich habe mich zur Wehr gesetzt, aber ich war nicht wirklich gut. Ich war total überrumpelt und dazu verlegen. Richard ist von der Bühne marschiert und hat sich in seiner Garderobe eingesperrt. Der Regieassistent ist hin, um zu versuchen, ihn zu beruhigen, und wir haben währenddessen die Szene mit der Zweitbesetzung des Leonard geprobt.«

»Und wer ist das?«

»Michael Proctor. Er ist übrigens sehr gut.«

»Und wenn das Stück jetzt weiterläuft, spielt er den Leonard?«

»Ich schätze, das entscheiden die Produzenten. Aber es würde mich nicht überraschen, wenn er den Part zumindest übergangsweise übernähme.«

»Danke, dass Sie mir das alles mitgeteilt haben, Miss Landsdowne«, sagte Eve und dachte, dass es immer verdächtig war, wenn ihr jemand – unaufgefordert – so viele Informationen gab.

»Kein Problem. Ich habe nicht das Geringste zu verbergen.« Erneut zuckte Carly mit den Schultern und musterte Eve dabei aus ihren großen, grünen Augen. »Ich nehme an, wenn ich etwas zu verbergen hätte, fänden Sie das sowieso früher oder später heraus. In den letzten Monaten habe ich so einiges über die Polizistin, die mit Roarke verheiratet ist, gehört. Glauben Sie nicht, dass man eine gewisse Arroganz benötigt, um ausgerechnet einen Abend für den Mord zu wählen, an dem Sie unter den Zuschauern sind?«

»Man braucht in jedem Fall eine gewisse Arroganz, um einem anderen das Leben zu nehmen. Ich werde mich wieder bei Ihnen melden, Miss Landsdowne.«

»Ich habe nichts anderes erwartet.«

Eve wartete, bis die Frau fast in der Kulisse verschwunden war, ehe sie ihr nachrief: »Eins noch.«

»Ja?«

»Sie scheinen Areena Mansfield ebenfalls nicht sonderlich zu mögen.«

»Ich empfinde ihr gegenüber weder große Sympathie noch eine sonderliche Abneigung.« Carly legte den Kopf auf die Seite und fragte mit hochgezogenen Brauen: »Warum fragen Sie danach?«

»Sie waren nicht besonders mitfühlend, als sie ohnmächtig geworden ist.«

Jetzt war das Lächeln wieder da, und es war so breit, dass man beinahe Carlys Backenzähne sah. »Sie sah dabei umwerfend elegant aus, finden Sie nicht auch? Schauspieler, Lieutenant Dallas, man kann ihnen nicht trauen.«

Sie warf lässig ihr Haar über die Schulter und trat endgültig von der Bühne.

»Tja«, murmelte Eve. »Wer von euch schauspielert nicht?«

»Lieutenant.« Eine junge, frischgesichtige Frau von der Spurensicherung kam mit einem leisen Rascheln ihres weiten Schutzanzugs auf Eve zumarschiert. »Ich habe hier ein kleines Spielzeug, das Sie sicher interessiert.«

»Aber hallo.« Eve spitzte die Lippen, nahm die ihr gereichte Plastiktüte, betrachtete das darin verwahrte Messer von allen Seiten und befingerte vorsichtig die Klinge, die sofort im Griff verschwand. »Wo haben Sie das Ding gefunden, äh ...«, sie spähte auf das Namensschild, das in Brusthöhe an dem langweilig grauen Overall befestigt war, »Lombowsky.«

»In einer Vase voller echter, langstieliger, roter Rosen. Wirklich hübsche Blumen. Der Raum ist damit angefüllt wie bei einer Beerdigung. Es ist die Garderobe von Areena Mansfield.«

»Gute Arbeit.«

»Danke, Lieutenant.«

»Wissen Sie, wo Mansfield zurzeit ist?«

»Im Pausenraum. Sie wird dort gut betreut.«

»Von Peabody?«

»Nein, Madam. Von Ihrem Mann.« Lombowsky wartete, bis Eve stirnrunzelnd auf das unechte Messer blickte, bevor sie ihre Brauen in die Höhe zog. Sie hatte Roarke an diesem Abend seit langer Zeit zum ersten Mal wieder persönlich getroffen und war wohl zu dem Schluss gekommen, dass er ein lohnendes Objekt war.

»Schließen Sie die Spurensuche ab, Lombowsky.«

»Schon dabei, Lieutenant.«

Eve verließ die Bühne ebenfalls und fing Peabody ab, die aus einer der Garderoben kam. »Bisher habe ich vier Gesprächstermine vereinbart.«

»Gut. Die Pläne für heute Abend haben sich noch mal geändert.« Eve hielt ihrer Assistentin das falsche Messer hin. »Das hier hat die Spurensicherung in Mansfields Garderobe in einem Rosenstrauß entdeckt.«

»Nehmen Sie sie fest?«

»Ihr Anwalt würde sie wieder freibekommen, bevor ich sie auf der Wache hätte. Es passt einfach zu gut, finden Sie nicht auch? Sie ermordet ihn vor einem vollen Haus und versteckt das falsche Messer in ihrer eigenen Garderobe. Entweder superclever oder superblöd.« Eve drehte die Tüte mit dem Messer in ihren Händen hin und her. »Lassen Sie uns sehen, was sie dazu zu sagen hat. Wo ist der Pausenraum?«

»In der unteren Etage. Wir können die Treppe nehmen.«

»Meinetwegen. Kennen Sie sich mit Schauspielern aus?«

»Ja, klar. In meiner Familie hat man sich von jeher für die schönen Künste interessiert. Meine Mutter hat ein bisschen Theater gespielt, als ich noch ein Kind war, und zwei meiner Cousins verdienen als Schauspieler ihren Lebensunterhalt. Sie treten sowohl im Theater als auch ab und zu in irgendwelchen Filmen auf. Meine Urgroßmutter war eine Performancekünstlerin in San Francisco, und mein …«

»Okay, schon gut.« Kopfschüttelnd lief Eve die Treppe hinunter. »Wie ertragen Sie es bloß, Mitglied einer derart unüberschaubaren Familie zu sein?«

»Ich mag Menschen«, antwortete Peabody gut gelaunt.

»Warum?«

Da eine solche Frage nicht wirklich eine Antwort verlangte, wies Peabody, als sie am Fuß der Treppe ankamen, nach links und meinte: »Sie mögen sie genauso. Sie tun nur ständig so knurrig.«

»Weil ich knurrig bin. Falls ich die Mansfield nachher gehen lasse oder falls sie einen Anwalt nimmt, heften Sie sich ihr bitte an die Fersen. Wenn sie nach Hause fährt, rufen Sie ein paar Beamte, die ihre Wohnung bewachen sollen. Ich will wissen, wohin sie geht und was sie tut.«

»Soll ich vielleicht jetzt gleich prüfen, was ich über sie in Erfahrung bringen kann?«

»Nein, das erledige ich selber.«

Eve öffnete die Tür der so genannten Lounge. Wie beim gesamten übrigen Theater hatte Roarke auch bei der Gestaltung dieser Örtlichkeit die Hand im Spiel gehabt. Offensichtlich sollten es die Darsteller behaglich haben, und er hatte zur Erreichung dieses Ziels weder Kosten noch Mühen gescheut.

Es gab zwei getrennte Sitzecken, in denen man es sich auf weichen Plüschsofas gemütlich machen konnte, bis einer der bereitstehenden Droiden zur Aufnahme der Bestellung kam. Entlang der kurzen Wand des L-förmigen Raums fanden sich ein, wie Eve annahm, bis zum Rand gefüllter AutoChef, ein vorn verglaster Kühlschrank, aus dem man sich die verschiedensten kalten Getränke auswählen konnte, sowie ein kleiner, etwas abseits aufgestellter, mit einer hochmodernen Computeranlage bestückter Tisch.

Roarke saß, wie Eve fand, gemütlich neben Areena auf einem der Sofas und hielt ein großes Glas Brandy in der Hand. Als er sie entdeckte, fingen seine strahlend blauen Augen an zu leuchten und riefen die Erinnerung an ihre erste Begegnung in ihr wach.

Damals hatte er sich nicht um jemanden gekümmert, der eines Mordes verdächtig gewesen war, sondern hatte selber unter Mordverdacht gestanden.

Er verzog den Mund zu einem selbstbewussten Lächeln, grüßte »Hallo, Peabody«, sah dabei jedoch weiter seine Gattin an.

»Ich habe noch ein paar Fragen an Sie, Ms Mansfield.«

Areenas Hände fingen an zu flattern, und sie sah Eve blinzelnd an. »Oh, aber ich dachte, wir wären fürs Erste fertig. Roarke hat mir gerade ein Taxi für die Fahrt in mein Penthouse bestellt.«

»Das Taxi kann bestimmt warten. Rekorder an, Peabody. Muss ich Sie noch einmal über Ihre Rechte und Pflichten aufklären, Miss Mansfield?«

»Ich ...« Eine flatternde Hand landete auf ihrer Kehle. »Nein. Ich weiß nur nicht, was ich Ihnen noch erzählen kann.«

»Erkennen Sie das hier?« Eve warf das versiegelte, unechte Messer vor ihr auf den Tisch.

»Sieht aus wie ...« Rastlos streckte sie die Hand aus, ballte sie zur Faust und zog sie hastig zurück. »Das ist die Requisite. Das ist das unechte Messer, das ich hätte benutzen sollen, als ... O Gott. Wo haben Sie es gefunden?«

»In Ihrer Garderobe. Es war in einem Strauß roter Rosen versteckt.«

»Nein. Nein.« Areena schüttelte wie in Zeitlupe

den Kopf, kreuzte die Arme vor der Brust, vergrub die Finger in den Schultern und erklärte: »Das ist völlig unmöglich.«

Falls sie spielte, dachte Eve, dann war sie tatsächlich gut. Die glasigen Augen, der zitternde Mund, die bebenden Finger wirkten völlig echt. »Es ist nicht nur möglich, sondern wahr. Und ich frage mich, wie es dorthin gekommen ist.«

»Ich habe keine Ahnung. Ich sage Ihnen, ich habe keine Ahnung.« Plötzlich sprang Areena auf die Füße und starrte Eve aus wilden Augen an. »Jemand hat es dort platziert. Wer auch immer die Messer vertauscht hat, hat das falsche Messer dort platziert. Er will, dass ich die Schuld an Richards Tod bekomme. Er will, dass ich dafür leide. Himmel, war es nicht genug, war es nicht bereits genug, dass er durch meine Hand gestorben ist?«

Sie streckte ihre Hand aus wie Lady Macbeth, als klebe dort nach wie vor das längst abgewaschene Blut.

»Warum?«, fragte Eve sie ungerührt. »Warum wurde das falsche Messer nicht einfach in eine Ecke oder in einen Mülleimer geworfen? Warum wurde es stattdessen in Ihrer Garderobe versteckt?«

»Ich habe keine Ahnung, wer … mich genug hassen könnte, um so etwas zu tun. Und Richard …« Tränen schimmerten in ihren Augen und rannen ihr, als sie sich abwandte, geradezu prachtvoll über das Gesicht. »Roarke. Du kennst mich. Bitte, hilf mir.

Sag ihr, dass ich nicht in der Lage wäre, etwas so Schreckliches zu tun.«

»Egal, was es für Antworten auf diese Fragen gibt, meine Frau wird sie finden.« Er erhob sich ebenfalls von seinem Platz, nahm Areena tröstend in die Arme und blickte über ihren Kopf hinweg auf seine Frau. »Da kannst du dir ganz sicher sein. Nicht wahr, Lieutenant?«

»Bist du vielleicht ihr Rechtsbeistand?«, schnauzte Eve ihn an und handelte sich dadurch eine hochgezogene Braue ein.

»Wer außer Ihnen selbst hat Zugang zu Ihrer Garderobe, Ms Mansfield?«

»Ich habe keine Ahnung. Im Grunde jeder von meinen Kollegen oder von den Angestellten des Theaters. Ich schließe niemals ab. Es ist nicht praktisch.« Den Kopf an Roarkes Schulter gelehnt, atmete sie, um sich zu beruhigen, mehrmals tief durch.

»Wer hat Ihnen die roten Rosen geschickt? Und wer hat sie in den Raum gebracht?«

»Ich weiß nicht. Es gab so viele Blumen. Meine Garderobiere hat die Karten abgenommen. Sicher hat sie die verschiedenen Sträuße auf den Karten vermerkt. Einer der Laufburschen hat ein paar der Lieferungen gebracht. Bis dreißig Minuten vor Beginn der Aufführung gingen ständig irgendwelche Leute bei mir aus und ein. Dann habe ich um Ruhe gebeten, um mich vorbereiten zu können.«

»Nach der ersten Szene und auch später waren Sie ein paar Mal zum Kostümwechsel in Ihrer Garderobe.«

»Das stimmt.« Etwas ruhiger machte sich Areena von Roarke los. »Ich habe insgesamt fünfmal das Kostüm gewechselt. Meine Garderobiere war jedes Mal dabei.«

Eve zog ihren Notizblock aus der Tasche. »Und wie heißt Ihre Garderobiere?«

»Tricia. Tricia Beets. Sie wird Ihnen sagen, dass ich das falsche Messer nicht in den Blumen versteckt habe. Sie wird es Ihnen sagen. Fragen Sie sie.«

»Das werde ich ganz sicher tun. Meine Assistentin wird Sie jetzt nach Hause bringen.«

»Ich kann also endlich gehen?«

»Ja. Aber ich werde mich wieder bei Ihnen melden. Rekorder aus, Peabody. Fahren Sie Ms Mansfield heim.«

»Sehr wohl, Madam.«

Areena nahm ihren Mantel, der über der Sofalehne hing, und reichte ihn mit bewundernswerter Lässigkeit weiter an Eves Mann. Es war die Geste einer Frau, die zuversichtlich wusste, dass stets ein Gentleman zur Stelle war, der ihr in die Garderobe half.

»Ich möchte, dass Sie denjenigen erwischen, der das getan hat, Lieutenant. Ich möchte es um jeden Preis. Aber selbst wenn die Person bestraft ist, die für Richards Tod gesorgt hat, werde ich bis an mein Lebensende wissen, dass es meine Hand gewesen ist, die die Tat vollbracht hat. Dieses Wissen lässt mich niemals wieder los.«

Sie strich mit ihren Fingerspitzen über Roarkes rechte Hand. »Danke, Roarke. Ohne dich hätte ich diesen Abend niemals überstanden.«

»Am besten ruhst du dich jetzt erst mal etwas aus.«

»Ich hoffe, dass mir das gelingt.« Dicht gefolgt von Peabody ging sie gesenkten Hauptes aus dem Raum.

Stirnrunzelnd verstaute Eve das Messer in der Tasche, die bereits ihr Untersuchungsset enthielt. »Inzwischen tut ihr Leid, dass du nicht mit ihr geschlafen hast.«

»Glaubst du?«

Der leicht amüsierte Klang seiner Stimme rief ein diffuses Gefühl des Ärgers in Eve wach. »Und du findest das natürlich toll.«

»Männer sind nun mal Schweine.« Er grinste und strich mit seinen Fingern über ihre Wange. »Eifersüchtig, liebste Eve?«

»Wenn ich auf alle Frauen eifersüchtig wäre, mit denen du im Bett gewesen bist oder die sich wünschen, dass du es tust, hätte ich bis an mein Lebensende ein giftgrünes Gesicht.«

Sie wollte sich abwenden, als er sie am Arm zurückhielt, und so fauchte sie nur: »Nimm deine Hände weg.«

»Ich glaube nicht.« Zum Beweis seiner Behauptung

nahm er noch ihren anderen Arm und zog sie eng an seine Brust. Seine Miene war belustigt, zugleich jedoch so zärtlich, dass sie völlig wehrlos war, als er ihr erklärte: »Eve, ich liebe dich.«

»Ja, ja.«

Er neigte seinen Kopf, biss sie zärtlich in die Unterlippe und stellte lachend fest: »Du bist wirklich unglaublich romantisch.«

»Weißt du, was dein Problem ist, Kumpel?«

»Warum sagst du es mir nicht?«

»Du bist ein wandelnder Orgasmus.«

Zu ihrer großen Freude riss er verdutzt die Augen auf. »Das klingt nicht wirklich schmeichelhaft.«

»Das war auch der Zweck.« Sie schaffte es nur selten, die Gelassenheit ihres Mannes zu durchbrechen und ihn tatsächlich zu treffen, deshalb genoss sie so etwas doppelt. »Ich werde noch mit Mansfields Garderobiere sprechen, um zu sehen, ob sie die Geschichte bestätigt. Dann bin ich für heute Abend hier im Theater fertig. Auf dem Weg nach Hause kann ich anfangen, mir ein paar Hintergrundinformationen zu den Leuten zu besorgen.«

Er holte ihre beiden Mäntel und fand dabei allmählich sein Gleichgewicht wieder. »Ich glaube, du wirst auf der Fahrt nach Hause zu beschäftigt sein, um irgendwelche Recherchen anzustellen.«

»Und womit?«

Ehe sie sich ihren Mantel schnappen konnte, um

ihn selber anzuziehen, hielt er ihn ihr bereits auf. Sie rollte mit den Augen, wandte ihm den Rücken zu, schob den ersten Arm in den dicken Wollstoff und rang, als er ihr flüsternd einen besonders einfallsreichen Vorschlag unterbreitete, erstickt nach Luft.

»Das kannst du unmöglich im Fond einer Limousine machen.«

»Wollen wir wetten?«

»Zwanzig Dollar.«

»Abgemacht.« Entschieden nahm er ihre Hand und führte sie hinaus.

Sie verlor, doch waren ihre zwanzig Dollar bestens angelegtes Geld.

Wär's abgetan, so wie's getan ist, dann wär's gut, man tät es schnell. Nun, es ist getan, und zwar gut und schnell. Und nun, da ich allein bin, wage ich aus dem schottischen Drama zu zitieren. Mörder. Oder lediglich Vollstrecker, so wie Christine Vole in unserem klugen Stück?

Es ist närrisch von mir, meine Gedanken aufzunehmen. Doch sind diese Gedanken derart lau, enorm und leuchtend bunt gefärbt, dass es mich überrascht, dass die Welt sie nicht aus meinem Schädel bersten sieht. Ich hoffe, dass diese Gedanken vielleicht ruhiger werden, wenn ich sie laut ausspreche, während mich niemand hört. Ich muss diese Gedanken zum Verstummen bringen, muss sie tief in meinem Inners-

ten begraben. Dies ist eine riskante Zeit. Ich brauche Nerven wie aus Stahl.

Die Gefahren wurden vor der Tatvollbringung sorgfältig abgewogen. Doch woher sollte ich wissen, wie hätte ich mir je vorstellen können, wie es wäre, ihn tot und blutend mitten auf der Bühne liegen zu sehen? So still. Er lag so völlig still im grellen Rampenlicht.

Es ist das Beste, nicht daran zu denken.

Jetzt ist es an der Zeit, an mich selbst zu denken. Vorsichtig, clever und vor allem ruhig zu sein. Mir ist kein Fehler unterlaufen. Und so muss es auch bleiben. Ich werde meine Gedanken tief in meinem Herzen begraben, damit sie niemand hört.

Dabei würde ich am liebsten lautstark jubilieren.

Richard Draco ist tot.

3

Angesichts des Zustands der Geräte, die sie auf der Wache zur Verfügung hatte, ersparte sich Eve die Frustration und führte die Suche nach Hintergrundinformationen in ihrem privaten Arbeitszimmer durch. Roarke war halt ein Mann, der sein Spielzeug liebte, und im Vergleich mit dem Computer und dem Kommunikationssystem in ihrem heimischen Büro nahm sich der Müll auf dem Revier wie ein trauriges Überbleibsel aus dem vergangenen Jahrtausend aus.

Was es auch beinahe war.

Sie stapfte mit der zweiten Tasse Kaffee durch den Raum und lauschte dem Computer, der die offiziellen Daten von Areena Mansfield herunterleierte:

Areena Mansfield, geborene Jane Stoops. Geboren am achten November 2018 in Wichita, Kansas. Eltern Adalaide Munch und Joseph Stoops, nichteheliche Gemeinschaft wurde 2027 aufgelöst. Ein Bruder, Donald Stoops, geboren am zwölften August 2022.

Der Form halber hörte sie sich zusätzlich die Informationen über ihre Ausbildung an – auf den ersten Blick alles normal bis zu ihrem Eintritt ins New Yorker Institut für dramatische Künste, als sie fünfzehn gewesen war.

Hat bei der ersten sich bietenden Gelegenheit Kansas den Rücken zugewandt, überlegte Eve und konnte es ihr nicht verdenken. Was machten die Menschen dort mit all dem Weizen und dem Mais?

Bereits als junge Frau hatte Areena beruflich beachtlichen Erfolg gehabt. Teeny-Model, Rollen in diversen Stücken, ein kurzer Ausflug nach Hollywood, bevor sie ans Theater zurückgegangen war.

»Ja, ja, blah, blah.« Eve wanderte zurück an das Gerät. »Computer, ich brauche das Strafregister, eine Auflistung sämtlicher Verhaftungen, die es möglicherweise gab.«

Suche ...

Der Computer summte leise vor sich hin. Bei dem Gedanken an den elendigen Schrotthaufen, der ihre Geißel auf der Wache war, stieß Eve ein lautes Knurren aus.

»Heutzutage muss man schon einen Milliardär zum Mann haben, damit man ein ordentliches Arbeitsgerät bekommt.«

Suche abgeschlossen ...
Anklage wegen Betäubungsmittelbesitzes, New Los Angeles, 2040.

»Das ist doch schon mal was.« Fasziniert nahm Eve hinter ihrem Schreibtisch Platz. »Weiter.«

Das Schuldeingeständnis führte zu einer Bewährungsstrafe mit der Auflage, eine Entziehungskur zu machen. Die Auflage wurde im Keith-Richard-Memorial-Rehabilitationszentrum, New Los Angeles, erfüllt.
Anklage wegen Betäubungsmittelmissbrauchs und unsittlichen Verhaltens, New York City, 2044. Wieder wurde die Angeklagte zu einer Entziehungskur verpflichtet und kam dieser Verpflichtung in der New-Life-Klinik, New York City, nach.
Weitere strafbare Handlungen sind in ihrer Akte nicht vermerkt.

»Das ist schon mal nicht schlecht. Was für Drogen hat sie konsumiert?«

Suche ... Laut Akte ging es in beiden Fällen um eine Mischung aus Ecstacy und Zoner.

»Die haut einen doch garantiert um.«

Bitte formulieren Sie die Frage neu.

»Egal. Jetzt brauche ich noch eine Liste aller möglichen eheähnlichen Verbindungen und/oder Ehen, die sie jemals eingeganen ist.«

Suche ... Im Juni 2048 wurde in New Los Angeles eine offizielle Lebensgemeinschaft zwischen Areena Mansfield und Broderic Peters registriert. Die Auflösung im gegenseitigen Einverständnis erfolgte im April 2049. September 2053, Hochzeit zwischen Areena Mansfield und Lawrence Baristol in London, England. Einvernehmliche Scheidung Januar 2057. Kinder gingen weder aus der Lebensgemeinschaft noch aus der Ehe hervor.

»Okay. Suche sämtlicher Produktionen, an denen sie gemeinsam mit Richard Draco beteiligt war.«

Suche ... Broadway-Produktion des Dramas Broken Wings *von Mai bis Oktober 2038. Die betreffende Person und Richard Draco hatten während der gesamten Spielzeit Nebenrollen in dem Stück. Video-Produktion.* Die for Love, *mit der betreffenden Person und Richard Draco in den Hauptrollen, aufgenommen 2040 in New Los Angeles. Video-Produktion.* Check Mate *im Februar 2044 in New York, mit der betreffenden Person und Richard Draco in den Haupt-*

rollen. Theaterproduktion des Dramas Twice Owned *in London, Februar bis Juni 2054, mit der betreffenden Person und Richard Draco in den Hauptrollen.*

»Interessantes Timing«, murmelte Eve und kraulte den fetten Kater, der auf ihren Schreibtisch gesprungen war, nachdenklich hinter dem Ohr. Während es sich Galahad direkt vor dem Computermonitor gemütlich machte, kam Roarke durch die Verbindungstür zwischen ihren beiden Büros.

»Du hast mir gar nicht erzählt, dass Areena Rauschgift genommen hat.«

»Wobei die Vergangenheitsform des Verbs das Wichtigste an deiner Feststellung ist. Ist das denn von Bedeutung?«

»Alles kann von Bedeutung sein. Bist du dir ganz sicher, dass sich ihre Vorliebe für verbotene Rauschmittel nicht bis heute erhalten hat?«

»Meines Wissens nach ist sie seit über zwölf Jahren clean.« Als er sich auf die Schreibtischkante setzte, schmiegte der Kater seinen Kopf an seine langgliedrige Hand. »Glaubst du etwa nicht an die dauerhafte Wirkung von Rehabilitation?«

»Ich habe dich geheiratet, oder etwa nicht?«

Als er daraufhin nur grinste, erklärte sie mit schräg gelegtem Kopf: »Außerdem hast du mir nicht erzählt, dass sie und Draco im Verlauf der Jahre ab und zu gemeinsam aufgetreten sind.«

»Du hast mich nicht danach gefragt.«

»Die beiden Verurteilungen wegen Betäubungsmittelmissbrauchs fallen jeweils in einen Zeitraum, in dem sie mit ihm zusammengearbeitet hat.«

»Ah. Hmmm.« Galahad geriet in animalische Verzückung, als Roarke ihm mit einem seiner Finger über den Rücken strich.

»Also, Roarke, wie nahe haben die beiden sich gestanden?«

»Vielleicht hatten sie mal ein Verhältnis. Während ihres letzten gemeinsamen Projekts in London gab es jede Menge dementsprechender Gerüchte. Ich habe Areena erst vor ein paar Jahren kennen gelernt, als sie in London verheiratet war. Und ich habe sie und Richard erst bei den Proben zu unserem Stück zum ersten Mal zusammen gesehen.« Er zuckte mit der linken Schulter und trank den Rest des Kaffees seiner Gattin aus.

»Wenn ich das Opfer überprüfe, werde ich dann eventuell Anklagen wegen Betäubungsmittelmissbrauchs finden?«

»Wahrscheinlich. Falls Areena irgendetwas nimmt, ist sie dabei sehr diskret und passt vor allen Dingen auf, dass ihre Arbeit nicht darunter leidet. Sie hat niemals eine Probe versäumt und nie irgendein besonderes Aufhebens um sich gemacht. Draco hätte ich nie als *diskret* oder zurückhaltend bezeichnet, aber er hat seine Arbeit trotzdem gut gemacht. Falls die beiden also etwas miteinander hatten, hat sich das hinter verschlossenen Türen abgespielt.«

»Niemand ist jemals diskret genug. Wenn die beiden miteinander in die Kiste gesprungen sind, weiß das bestimmt irgendwer. Und sollte sie dabei irgendwelche Drogen eingeworfen haben, wirft das ein neues Licht auf das, was heute Abend vorgefallen ist.«

»Soll ich das für dich herausfinden?«

Sie sprang von ihrem Stuhl, beugte sich so weit über den Tisch, dass ihre Nasenspitzen sich berührten, und erklärte grollend: »Oh, nein, ganz sicher nicht. Für den Fall, dass du das nicht verstanden hast, lass es mich wiederholen. Nein! Kapiert?«

»Ich glaube, ja. Ich habe in ein paar Stunden eine Konferenz in San Francisco. Summerset weiß, wie du mich erreichen kannst, falls du mich brauchst.«

Wie von Roarke vorhergesehen, verzog sie bei der Erwähnung seines verkniffenen Butlers angewidert das Gesicht. »Das wird sicher nicht nötig sein.«

»Ich müsste spätestens um neun wieder zu Hause sein.« Er stand auf, ließ seine Hände über ihren Körper gleiten und fügte noch hinzu: »Falls es später werden sollte, rufe ich dich an.«

Sie wusste, dass er ihr auf diese Weise deutlich machen wollte, dass sie in der Nacht – wenn die Albträume sie womöglich plagten – nicht alleine wäre. »Du brauchst dir um mich keine Gedanken zu machen«, erklärte sie deshalb.

»Ich mache es aber gern.«

Er neigte seinen Kopf, um sie sanft zu küssen, doch sie veränderte die Art des Kusses, indem sie ihn entschieden an sich zog, die Fäuste fest in seinem Haar vergrub und ihren Mund heiß und begierig auf seine Lippen presste, ehe sie ihn gehen ließ.

Es war äußerst befriedigend für sie zu sehen, dass sein Blick leicht verhangen war und sein Atem merklich schneller ging als noch ein paar Sekunden zuvor.

»Aber hallo. Wofür war denn das?«

»Das mache ich halt einfach gern.« Sie nahm ihre leere Kaffeetasse in die Hand, meinte lässig: »Also dann, bis später«, und warf ihm, als sie in Richtung Küche ging, um ihre Tasse neu zu füllen, lächelnd einen Blick über die Schulter zu.

Eve ging in ihrem Polizeibüro am nächsten Morgen die Anrufe durch, die für sie auf ihrem Privatanschluss, ihrem Handy, in ihrem Wagen und ihrem Büro auf der Wache eingegangen waren. Wenn sie richtig zählte, hatten seit Mitternacht allein dreiundzwanzig Journalisten mit ihr sprechen wollen und dabei mit allem – von Charme über Bitten und vage Drohungen bis hin zu kleineren Bestechungsangeboten – ihr Glück bei ihr versucht. Sechs der Anrufe waren von Nadine Furst vom Channel 75, und es war nicht zu überhören, dass sie mit jedem vergeblichen Anlauf ungeduldiger geworden war.

Selbst wenn sie – zu Eves großer Überraschung – tatsächlich miteinander befreundet waren, trennten sie die Freundschaft rigoros vom Geschäft. Nadine wollte ein Interview mit der Ermittlungsleiterin in Sachen Richard Draco, Eve hingegen hatte es allein auf die Ergreifung seines Mörders abgesehen.

Sie löschte die Nachrichten sämtlicher Reporter und winkte, als sie die angespannte Stimme ihres Vorgesetzten hörte, Peabody zu sich heran.

Die Botschaft war unmissverständlich. Er verlangte sie umgehend zu sehen.

Es war nicht einmal acht Uhr, und trotzdem winkte Whitneys Sekretärin Eve bei ihrem Erscheinen sofort durch in das Büro, in dem der Commander hinter seinem Schreibtisch saß und telefonierte.

Seine großen Hände trommelten auf der Schreibtischplatte, doch als Eve den Raum betrat, hob er einen Finger und wies damit auf einen Stuhl. Gleichzeitig sprach er mit ruhiger Stimme weiter.

»Wir werden um zwei Uhr eine Pressekonferenz abhalten. Nein, Sir, früher geht es nicht. Mir ist durchaus bewusst, dass Richard Draco eine Berühmtheit war und dass die Medienvertreter Einzelheiten hören wollen. Wir werden ihnen diesen Wunsch um vierzehn Uhr erfüllen. Die Ermittlungsleiterin wird gewappnet sein. Ihr Bericht liegt bereits auf meinem Schreibtisch«, sagte er und schaute Eve auffordernd an.

Sie stand auf und legte ihm eine Diskette in die ausgestreckte Hand.

»Ich werde mich bei Ihnen melden, sobald ich die Situation analysiert habe.« Zum ersten Mal, seit Eve den Raum betreten hatte, verriet das Gesicht ihres Vorgesetzten einen gewissen Zorn. »Bürgermeister Bianci, auch wenn Draco ein Stern am Himmel der schönen Künste gewesen ist, ist er jetzt mausetot. Ich habe einen Mordfall, und die Ermittlungen werden energisch und mit der gebotenen Eile vorangetrieben werden. Das ist richtig. Vierzehn Uhr«, wiederholte er, beendete das Gespräch und legte sein Headset auf den Tisch.

»Politiker«, war alles, was er sagte.

Er lehnte sich zurück, massierte sich den steifen Nacken und erklärte: »Ich habe Ihren vorläufigen Bericht von gestern Nacht bereits gelesen. Scheint eindeutig ein Mord gewesen zu sein.«

»Ja, Sir. Und das Opfer wird, wie ich hoffe, inzwischen im Leichenschauhaus untersucht.«

Er verzog den Mund zu einem schmalen Lächeln. »Sie gehen nicht oft ins Theater, oder, Dallas?«

»Ich finde bereits genügend Unterhaltung auf der Straße.«

»Die ganze Welt ist eine Bühne«, murmelte Whitney. »Inzwischen ist Ihnen sicher hinlänglich bewusst, dass das Opfer eine Berühmtheit war. Sein Tod an einem derart öffentlichen Ort und, sagen wir, in einem derart dramatischen Rahmen ist mehr als eine kurze Erwähnung wert. Die Nachricht hat eingeschlagen wie eine Bombe. Schließlich sind neben Draco auch Areena Mansfield, Roarke und Sie selber in die Sache involviert.«

»Roarke hat nichts damit zu tun.« Noch während Eve dies sagte, schossen ihr ein Dutzend Flüche durch den Kopf.

»Ihm gehört das Theater, er hat die Aufführung finanziert, und nach allem, was mir bisher zu Ohren gekommen ist, hat er persönlich sowohl Draco als auch Mansfield engagiert. Ist das richtig, Lieutenant?«

»Ja, Sir. Commander Whitney, wenn Roarke eine Verbindung zu jedem Verbrechen hätte, das in einem Gebäude begangen wird, das ihm gehört, hätte er mit jedem Polizisten und jedem Verbrecher nicht nur auf unserem Planeten, sondern wahrscheinlich im gesamten bewohnten Universum zu tun.«

Jetzt fing Whitney richtig an zu lächeln. »Was für ein Gedanke. Trotzdem.« Sein Lächeln war bereits wieder verflogen. »In diesem Fall ist nicht zu leugnen, dass es eine Verbindung zwischen ihm, Ihnen und dem Opfer gibt. Sie waren eine direkte Zeugin. Das stufe ich momentan als Vorteil ein. Die Tatsache, dass Sie bei der Tat zugegen waren und den Tatort auf der Stelle sichern konnten, hat uns sicherlich genützt. Trotzdem bekommen wir mit den Medien wahrscheinlich ein Problem.«

»Mit Verlaub, Sir, die Medien sind *immer* ein Problem.«

Er musterte sie ein paar Sekunden schweigend. »Ich nehme an, Sie haben bereits etliche der ersten Schlagzeilen gesehen.«

Allerdings, das hatte sie. Und sie hatten sie nicht gerade erfreut. Unter reißerischen Überschriften wie ›Draco stirbt für die Kunst‹ hatten die Zeitungen ärgerliche Sätze abgedruckt wie: ›Was für eine verruchte Tat! Der bekannte Schauspieler Richard Draco wurde gestern Abend auf brutale Weise direkt vor den Augen einer der Top-Ermittlerinnen der New Yorker Polizei, Lieutenant Eve Dallas, mit einem Messer niedergestreckt.‹

Es war eben unmöglich, alles unter Kontrolle zu halten.

»Wenigstens haben sie erst im dritten Absatz erwähnt, dass ich mit Roarke verheiratet bin.«

»Sie werden ihn und Sie benutzen, um die Story am Köcheln zu halten.«

Das wusste sie – und hasste es, selbst wenn sie tapfer sagte: »Ich bin auch schon vorher unter Druck der Medien meiner Arbeit nachgegangen, Commander.«

»Das ist allerdings richtig.« Er drückte einen Knopf des Links, das vor ihm auf dem Tisch stand, und brachte das Läuten dadurch zum Verstummen. »Dallas, dies ist weder ein gewöhnlicher noch ein sozusagen ungewöhnlicher Mord. Es ist, wie meine Enkel sich ausdrücken würden, eine wirklich heiße Story, und Sie sind ein Teil davon. Bereiten Sie sich also bitte sorgfältig auf die Pressekonferenz um vierzehn Uhr vor. Glauben Sie mir, die involvierten Schauspieler werden vor den Kameras alle irgendwelche Rollen spielen. Sie können gar nicht anders, und dadurch wird die ganze Sache zusätzlich kompliziert.«

Er lehnte sich zurück und legte die Fingerspitzen aneinander. »Mir ist außerdem bewusst, dass Sie kein besonderes Interesse an all dem Medienrummel haben. Trotzdem müssen Sie ihn besonders in diesem Fall als festen Teil Ihrer Arbeit sehen. Geben Sie vor der Pressekonferenz keine Interviews, und sprechen Sie vorher mit keinem Journalisten über diesen Fall.«

»Nein, Sir.«

»Ich möchte, dass die Sache möglichst schnell erledigt wird. Ich habe bereits darum gebeten, dass die Autopsie sofort vorgenommen wird. Das Labor ist in Alarmbereitschaft. Wir werden uns bei unserer Arbeit streng an die Vorschriften halten, aber gleichzeitig versuchen, möglichst schnell irgendwelche Resultate zu erzielen. Hat Areena Mansfield schon einen Anwalt?«

»Noch nicht.«

»Interessant.«

»Ich glaube nicht, dass es noch lange dauern wird,

bis sie sich einen nimmt. Sie war erschüttert, aber ich hatte den Eindruck, dass sie sich, sobald sie wieder zu sich kommt, vertreten lassen wollen wird. Ihre Garderobiere hat bestätigt, dass sie bei jedem Kostümwechsel mit Areena in deren Garderobe war. Aber das muss nicht viel heißen. Die Frau betet die Mansfield nämlich an. Außerdem sammel ich Hintergrundinformationen über sämtliche Schauspieler und Angestellten des Theaters. Das wird ein bisschen dauern, weil es jede Menge Verdächtige in dieser Sache gibt. Gleich heute Morgen fangen wir mit den Verhören an.«

»Ist es richtig, dass es fast dreitausend Zeugen gibt?«

Bereits bei dem Gedanken fing Eves Schädel an zu brummen. »Ich fürchte, ja, Commander. Natürlich konnten wir die Zuschauer nicht lange in dem Theater festhalten. Wir haben uns ihre Namen und Adressen geben lassen, und dann konnten sie gehen. Ein paar der Leute haben bereits Aussagen bei der Presse gemacht, wie Sie lesen durften. Bisher allerdings ist das, was ich gehört habe, nur unwichtiges Zeug.«

»Lassen Sie die Zeugen aus dem Publikum trotzdem kurz befragen. Ich teile Ihnen dafür ein paar Kollegen aus anderen Bereichen zu. Wir sollten die Zahl der Zeugen möglichst schnell herunterfahren.«

»Ich fange gleich damit an.«

»Tragen Sie diese Arbeit jemand anderem auf«,

wies Whitney sie fast rüde an. »Sie haben keine Zeit, um selbst solche Laufarbeit zu übernehmen. Sagen Sie Feeney, dass er so viel wie möglich über die Schauspieler und Angestellten des Theaters in Erfahrung bringen soll. Wie gesagt, ich will, dass dieser Fall zügig abgeschlossen wird. Er soll seine momentane Arbeit vorläufig zurückstellen, denn diese Sache hat Priorität.«

Das wird ihm nicht gefallen, dachte Eve, freute sich jedoch, diesen Teil der Arbeit dem elektronischen Ermittler aufhalsen zu können. »Ich werde es ihm ausrichten, Commander, und ihm eine Liste mit den Namen schicken.«

»Und von allem geht sofort eine Kopie an mich. Übrigens, nach der Pressekonferenz geben Sie ohne meine Zustimmung ebenfalls kein einziges Interview. Sie machen sich am besten darauf gefasst, ständig etwas über sich und Ihren Mann im Fernsehen oder in den Zeitungen zu sehen, bis der Fall abgeschlossen ist. Falls Sie Verstärkung brauchen, geben Sie mir Bescheid.«

»Vielen Dank, aber ich fange erst mal mit den Leuten an, die ich habe.«

»Ich erwarte Sie um dreizehn Uhr dreißig noch mal hier, damit wir kurz besprechen können, was Sie den Journalisten mitteilen.«

Damit war Eve entlassen, und sie verließ das Büro und schwang sich auf das Gleitband in Richtung der

Etage, in der ihre eigene Abteilung lag. Dabei zog sie ihr Handy aus der Tasche und rief Captain Feeney in der Abteilung für elektronische Ermittlungen an.

»He, Dallas. Ich habe gehört, dass du gestern Abend eine wirklich mörderische Theateraufführung gesehen hast.«

»Die Kritiken waren tödlich. Okay, Schluss mit lustig. Ich habe direkte Anweisung vom Commander, dir eine vollständige Liste sämtlicher Schauspieler und Theaterangestellter zukommen zu lassen, damit du sie überprüfst. Ich brauche alle Verbindungen, die es zwischen jedem dieser Menschen und Richard Draco und/oder Areena Mansfield gab.«

»Ich würde dir ja gerne helfen, Dallas, aber ich stecke bis zum Hals in Arbeit.«

»Wie gesagt, das ist eine direkte Anweisung des Commanders«, wiederholte sie. »Er hat dich für diese Sache ausgesucht, mein Freund, nicht ich.«

»Tja, verdammt.« Feeneys bereits von Natur aus trauriges Hundegesicht wurde tatsächlich noch trauriger, und er fuhr sich mit der Hand durch das drahtige, rostrote Haar. »Um wie viele Leute geht es?«

»Einschließlich der Komparsen, Techniker, Reinigungskräfte und so? Ungefähr vierhundert.«

»Meine Güte, Dallas!«

»Mit der Mansfield habe ich mich schon beschäftigt, aber vielleicht findest du ja noch ein bisschen mehr über die Frau heraus.« Statt Mitgefühl empfand sie eine gewisse Erheiterung bei dem Gedanken an die Arbeit, die sie Feeney aufgeladen hatte. Gut gelaunt winkte sie Peabody, als sie deren Arbeitsplatz passierte, während des Telefonats hinter sich her. »Whitney will, dass dieser Fall so schnell wie möglich abgeschlossen wird. Um vierzehn Uhr gibt es eine Pressekonferenz. Bis dahin brauche ich so viel, wie du in Erfahrung bringen kannst. Du kannst für diese Arbeit so viele Leute abstellen, wie deiner Meinung nach erforderlich sind.«

»Ist das nicht praktisch?«

»Ich finde das gut. Ich selber werde unterwegs sein. Peabody schickt dir die Liste unverzüglich zu. Such nach allem, was mit Sex zu tun hat, Feeney.«

»Wenn man in meinem Alter ist, lässt das Interesse daran langsam nach.«

»Haha. Sex und Drogen. Ich habe bereits eine derartige Verbindung gefunden. Lass uns gucken, ob vielleicht noch mehr hinter dieser Sache steckt. Ich werde mich wieder bei dir melden.«

Sie steckte ihr Handy in die Tasche und ging mit ihrer Assistentin hinunter in die Polizeigarage, wo ihr Fahrzeug stand. »Schicken Sie Feeney die Liste der Zeugen und Verdächtigen zu. Hintergrundinformationen sucht ab jetzt die Abteilung für elektronische Ermittlungen für uns zusammen.«

»Das ist gut.« Peabody zog ihr eigenes Handy aus der Tasche und fing auf der Stelle mit der Datenübertragung an. »Und ... nimmt er für diese Sache auch McNab?«

»Danach habe ich ihn nicht gefragt.« Eve schaute ihre Assistentin von der Seite her an und schüttelte, während sie die Türen ihres Wagens öffnete, den Kopf.

»Sie wollen es wirklich wissen, oder?«

Eve schwang sich hinter das Lenkrad und ließ den Motor an. »Ich habe keine Ahnung, was Sie damit sagen wollen.«

»Sie wollen wissen, was zwischen uns beiden läuft.«

»Aus meiner Sicht sollte möglichst gar nichts zwischen Ihnen laufen. Es ist doch unmöglich, dass meine Assistentin irgendein krankes Verhältnis mit dem Schönling aus der Abteilung für elektronische Ermittlungen hat.«

»Es ist wirklich seltsam«, gab Peabody seufzend zu.

»Wir werden nicht darüber reden. Nennen Sie mir die erste Adresse.«

»Kenneth Stiles, alias Sir Wilfred, 828 Park Avenue. Und der Sex ist echt phänomenal.«

»Peabody!«

»Das fragen Sie sich doch garantiert die ganze Zeit.«

»Tu ich nicht.« Eve zuckte geradezu, als sie unvermittelt ein Bild von Peabody zusammen mit McNab vor ihrem geistigen Auge sah. »Konzentrieren Sie sich auf die Arbeit.«

»Ich habe durchaus die Fähigkeit, mich auf verschiedene Dinge gleichzeitig zu konzentrieren.« Mit einem nochmaligen Seufzer lehnte ihre Assistentin sich auf ihrem Platz zurück. »Es passt alles gleichzeitig in meinen Kopf.«

»Ich hoffe, Sie haben auch noch Raum für Kenneth Stiles. Ich möchte nämlich, dass Sie mir kurz sagen, was es über ihn zu wissen gibt.«

»Sehr wohl, Madam.«

Gehorsam zog Peabody ihren Taschencomputer hervor. »Kenneth Stiles, sechsundfünfzig Jahre, einer der ganz Wenigen, die tatsächlich hier in New York geboren sind. Wuchs mitten in der City auf. Eltern waren Entertainer. Keine Vorstrafen vermerkt. Wurde im Anschluss an die Grundschule von Privatlehrern unterrichtet und bekam zusätzliche Stunden in Schauspielerei, Bühnendesign, Kostümbildnerei und Rhetorik.«

»Na super. Dann haben wir es also mit einem waschechten Schauspieler zu tun.«

»Erster Auftritt im Alter von zwei Jahren. Der Typ hat jede Menge Preise für seine Arbeit eingeheimst. War bisher nur am Theater, hat nie in irgendwelchen Filmen mitgewirkt. Wenn Sie mich fragen, ein echter Künstler. Wahrscheinlich äußerst temperamentvoll und emotional.«

»Das wird also sicher lustig. Hat er vorher schon mal mit Draco zusammen irgendwo gespielt?«

»Sogar mehrmals. Und ein paar Mal mit der Mansfield. Das letzte Mal in London. Ist augenblicklich unverheiratet, hat aber zwei Exfrauen und einmal mit einer Frau in einer offiziell registrierten Lebensgemeinschaft gelebt.«

Eve suchte nach einem Parkplatz, verwarf dann den Gedanken und stellte ihr Fahrzeug direkt vor dem Gebäude in der Park Avenue ab. Ehe sie jedoch Gelegenheit zum Aussteigen bekam, ragte bereits der uniformierte Türsteher des Hauses über ihr.

»Tut mir Leid, Madam, aber dies ist eine Parkverbotszone.«

»Und das hier ist mein Dienstausweis.« Sie hielt ihm ihre Marke vor die Nase. »Wie komme ich zu Kenneth Stiles?«

»Mr Stiles bewohnt das Apartment in der fünfzigsten Etage. Nummer fünftausend. Unsere Empfangsdame wird Sie gerne melden. Gnädige Frau –?«

»Steht hier gnädige Frau?«, fragte Eve und wartete geduldig, bis der Blick des Türstehers erneut auf ihren Ausweis fiel.

»Ich bitte um Verzeihung, Lieutenant, dürfte ich vielleicht Ihr Fahrzeug während Ihres Besuchs in der Garage unterbringen lassen? Einer unserer Hausdiener wird es zurückbringen, sobald Ihr Besuch beendet ist.«

»Das ist ein nettes Angebot, aber wenn ich Ihnen den Code des Anlassers verraten würde, müsste ich mich selbst verhaften. Also bleibt das Fahrzeug schlicht hier stehen.«

Ohne ihren Dienstausweis wieder einzustecken, kletterte Eve aus dem Wagen, marschierte in das Gebäude, und der Türsteher bedachte ihr erbsengrünes Polizeifahrzeug mit einem unglücklichen Blick.

Sie konnte es ihm nicht verdenken. Das Foyer des Hauses war mit schimmerndem Messing und hohen, leuchtend weißen Blumen elegant geschmückt. Große, blank polierte, schwarze Fliesen bildeten den Bodenbelag, und hinter einem langen weißen Tresen saß eine hoch gewachsene, schlanke Frau kerzengerade auf einem Hocker und lächelte sie freundlich an.

»Guten Morgen. Was kann ich für Sie tun?«
»Kenneth Stiles.« Eve legte ihren Dienstausweis neben einer üppig bepflanzten Messingschale auf den Tisch.

»Werden Sie erwartet, Lieutenant Dallas?«
»Das will ich doch wohl hoffen.«
»Eine Sekunde, bitte.« Nach wie vor lächelnd drehte sie sich zu einem Link, und ihre Stimme behielt während des Gesprächs mit dem Bewohner ihres Hauses den weichen, angenehmen Ton eines teuren, gut programmierten Droiden bei. »Guten Morgen, Mr Stiles. Hier unten sind ein Lieutenant Dallas und

Begleitung. Darf ich sie zu Ihnen heraufschicken?« Sie wartete einen Moment und fügte dann hinzu: »Vielen Dank. Ich wünsche Ihnen noch einen wunderbaren Tag.«

Sie wandte sich den beiden Frauen wieder zu und deutete in Richtung einer Reihe bereitstehender Lifts. »Der Fahrstuhl ganz rechts steht Ihnen zur Verfügung, Lieutenant. Ich wünsche Ihnen einen angenehmen Tag.«

»Den habe ich bestimmt. Ich habe mich manchmal gefragt, weshalb Roarke nicht mehr Droiden bei sich zu Hause einsetzt«, sagte sie auf dem Weg über die schimmernden Fliesen zu ihrer Assistentin. »Aber wenn ich auf einen wie den hier treffe, kann ich ihn verstehen. So viel Höflichkeit ist einfach unheimlich, finden Sie nicht auch?«

Die Fahrt hinauf in die fünfzigste Etage war schnell genug, um Eves Magen einen Satz machen und sie schlucken zu lassen, damit der Druck auf ihren Ohren, oben angekommen, wieder nachließ. Sie würde nie verstehen, weshalb für manche Menschen Höhe gleichbedeutend mit Luxus war.

Als die Tür des Fahrstuhls aufglitt, wartete dort ein weiterer Droide. Er gehörte sicher Stiles. Im Vergleich zu ihm nahm sich der steife Summerset wie der reinste Penner aus, überlegte Eve. Die stahlgrauen Haare waren sorgfältig aus der hohen Stirn gekämmt, ein farblich identischer, schwerer, dichter Schnurrbart beherrschte das schmale, knochige Gesicht, und schneeweiße Glaceehandschuhe hoben sich beinahe leuchtend von seinem schwarzen Anzug ab.

Er machte eine förmliche Verbeugung und sagte mit unüberhörbar britischem Akzent: »Lieutenant Dallas, Officer. Mr Stiles erwartet Sie bereits. Wenn Sie mir bitte folgen würden?«

Er ging vor ihnen durch den Korridor zu einer Flügeltür, durch die man in das Eck-Apartment kam. Das Erste, was Eve bei Betreten des Wohnzimmers bemerkte, war die verglaste Wand, durch die man den regen Luftverkehr von New York City ganz aus der Nähe sah. Weshalb hatte Stiles nicht den Sichtschutz vorgezogen, dachte sie stirnrunzelnd.

Im Zimmer selbst herrschte ein wildes Durcheinander an Rot und Grün und Blau. Es gab eine breite, u-förmige Konversationskonsole und einen weißen Marmorpool, in dem eine Reihe fetter Goldfische gelangweilt zwischen Lilienblättern ihre Kreise zogen.

Ein kleiner Wald aus Zwergorangen- und Zitronenbäumen verströmte einen starken Duft, und der Boden war mit einem leuchtend bunten Mosaik gefliest, dessen Motiv, wenn man genauer hinsah, eine erotische Orgie nackter Leiber in fantasievollen Variationen des Geschlechtsakts war.

Eve schlenderte über blaue Brüste und blaue

Schwänze zu Stiles, der in einem knöchellangen, safrangelben Morgenmantel in Positur gegangen war.

»Was für eine Wohnung.«

Als er sie lächelnd ansah, wirkten seine eigentlich eher schroffen Züge überraschend sanft. »Weshalb sollte man ohne Theatralik leben? Darf ich Ihnen etwas anbieten, bevor wir das Gespräch beginnen, Lieutenant?«

»Nein, danke.«

»Das ist dann erst mal alles, Walter.« Mit einer kurzen Handbewegung entließ er den Droiden und bot den beiden Frauen höflich zwei Plätze an. »Mir ist bewusst, dass das hier für Sie reine Routinearbeit ist, Lieutenant Dallas, ich aber bewege mich mit einem Mal auf einem völlig fremden und, wie ich zugeben muss, aufregenden Terrain.«

»Sie finden es also aufregend, dass vor Ihren Augen ein Kollege ermordet worden ist?«

»Nachdem ich den ersten Schock darüber überwunden hatte, ja. Es liegt in der Natur des Menschen, dass er einen Mord aufregend und faszinierend findet, glauben Sie nicht auch? Weshalb sonst werden die Theater bereits seit Jahrtausenden mit diesem Thema derart gut gefüllt?« Seine dunkelbraunen Augen blitzten sie fast fröhlich an.

»Ich hätte mir für dieses Gespräch alle möglichen Masken aufsetzen können. Ich bin als Schauspieler sehr gut. Ich hätte so tun können, als wäre ich total niedergeschmettert, nervös, verängstigt, verwirrt oder zutiefst betroffen von dem, was vorgefallen ist. Aber ich bin zu dem Schluss gekommen, dass es das Beste ist, wenn ich von Anfang an einfach völlig ehrlich bin.«

Sie dachte an Carly Landsdowne. »Das steckt offenbar an. Rekorder an, Peabody«, bat sie ihre Assistentin, nahm Stiles gegenüber Platz ... und versank in einer Wolke weicher Kissen. Sie unterdrückte einen Fluch, kämpfte sich wieder in eine aufrechte Position, schob sich an den Rand der Couch und klärte Kenneth Stiles, nachdem sie ihr Gleichgewicht zurückgewonnen hatte, über seine Rechte und Pflichten auf.

»Haben Sie verstanden, Mr Stiles?«

»Natürlich.« Er verzog sein Gesicht zu diesem süßen Lächeln. »Dürfte ich mir die Bemerkung erlauben, dass Sie Ihren Text sehr überzeugend sprechen, Lieutenant?«

»Himmel, vielen Dank. Also: Wie sah Ihre Beziehung zu Richard Draco aus?«

»Wir waren Kollegen. Im Verlauf der Jahre haben wir ab und zu gemeinsam auf der Bühne gestanden, zuletzt in dem Stück, dessen ungewöhnliche Premiere gestern Abend stattfand.«

O ja, dachte Eve. *Ihm macht diese Sache Spaß. Er nutzt die Gelegenheit zur Selbstdarstellung weidlich aus.* »Und Ihre persönliche Beziehung?«

»Ich würde nicht behaupten, dass wir eine hatten, zumindest eine solche, wie Sie vermutlich meinen. Schauspieler ...« Er wedelte mit der Hand und brachte dadurch sein vielfarbiges Steinarmband zum Klingeln. »... Schauspieler fühlen sich häufig voneinander angezogen, nach dem Motto: Gleich und Gleich gesellt sich gern. Wir heiraten einander mit geradezu betrüblicher Regelmäßigkeit. Diese Ehen halten meistens nicht sehr lange, und genau dasselbe gilt für die Freundschaften und anderen intimen Beziehungen, die es zwischen Beteiligten an einer Produktion immer wieder einmal gibt.«

»Aber Sie kannten ihn seit vielen Jahren.«

»Ich habe ihn gekannt, aber sagen wir es so: Wir standen einander nie besonders nah. Tatsache ist sogar ...« Er legte eine dramatische Pause ein, und das Blitzen seiner Augen wirkte genauso unbeschwert und fröhlich wie das Klingeln seines Schmucks. »Ich habe ihn verabscheut. Habe ihn verachtet. Fand, dass er einer besonders niederen Gattung von Säugetieren angehört.«

»Gab es dafür einen bestimmten Grund?«

»Dafür gab es jede Menge Gründe.« Stiles beugte sich vertraulich vor. »Er war egoistisch, egozentrisch, unhöflich und arrogant. All diese Eigenschaften könnte ich verzeihen, ja vielleicht sogar bewundern, weil man als Schauspieler einer gewissen Eitelkeit bedarf. Aber hinter der glatten Fassade verbarg sich bei Richard eine durch und durch gemeine Art. Er hat andere benutzt, Lieutenant, er hat vorsätzlich und genüsslich die Herzen und die Seelen anderer zerstört. Nicht die Tatsache, dass er tot ist, sondern einzig der Zeitpunkt seines Ablebens tut mir Leid.«

»Weshalb das?«

»Das Stück war brillant, und mir hat meine Rolle großen Spaß gemacht. Dieser Zwischenfall wird dazu führen, dass die weiteren Aufführungen verschoben, wenn nicht sogar ganz vom Spielplan genommen werden. Und das kommt mir absolut nicht zupass.«

»Das Stück wird durch den Mord jede Menge Publicity bekommen. Das ist doch nicht schlecht.«

Stiles strich sich mit einer Fingerspitze über das breite Kinn. »Selbstverständlich nicht.«

»Und wenn Sie schließlich weiterspielen, haben Sie unter Garantie Abend für Abend ein bis auf den letzten Platz besetztes Haus.«

»Das mag sein.«

»Weshalb sein Tod dadurch, dass er derart öffentlich und dramatisch eingetreten ist, in gewisser Hinsicht für alle anderen Beteiligten an diesem Stück durchaus ein Vorteil ist.«

»Clever«, murmelte er und fixierte sie genauer. »Wirklich gut durchdacht. Wir haben ein Stück innerhalb des Stückes, Lieutenant. Hervorragend inszeniert.«

»Sie hatten Zugang zu dem falschen Messer. Und genügend Zeit, um es zu vertauschen.«

»Ich schätze, ja. Was für ein Gedanke.« Er blinzelte ein paar Mal und meinte, als ihm die Bedeutung ihrer Worte gänzlich aufgegangen war: »Ich bin also verdächtig. Wie unterhaltsam! Bisher hatte ich mich nur in der Rolle des Zeugen gesehen. Aber gut. Ja, ich nehme an, ich hätte die Möglichkeit gehabt, nur leider kein richtiges Motiv.«

»Sie haben selbst zu Protokoll gegeben, Sie hätten Richard Draco gehasst.«

»Oh, mein lieber Lieutenant, wenn ich jeden Menschen, den ich nicht leiden kann, ermorden lassen würde, wäre die Bühne allabendlich mit Leichen übersät. Aber so sehr ich Richard auf menschlicher Ebene verabscheut habe, habe ich doch gleichzeitig sein Talent bewundert. Er war ein außergewöhnlicher Künstler, und nur deshalb war ich zu einer erneuten Zusammenarbeit mit dem Mann bereit. Die Welt hat sich eines gemeinen Schurken entledigt, aber das Erlöschen dieses Sterns ist für das Theater ein unglaublicher Verlust.«

»Und Sie selbst sind einen Ihrer größten Konkurrenten los.«

Stiles zog seine Brauen in die Höhe. »Nein, das bin ich nicht. Richard und ich waren völlig verschiedene Typen. Ich kann mich nicht entsinnen, dass uns beiden je dieselbe Rolle angeboten worden wäre.«

Eve nickte. Es wäre ein Kinderspiel, das zu überprüfen, dachte sie und sprach deshalb ein anderes Thema an. »Was haben Sie für eine Beziehung zu Areena Mansfield?«

»Sie ist eine Freundin, der sowohl als Frau als auch als Kollegin meine Bewunderung gebührt.« Er blickte zu Boden und schüttelte den Kopf. »Diese Sache ist für sie sehr schwer. Hinter der kühlen Fassade ist sie sehr zerbrechlich. Ich hoffe, das lassen Sie, wenn Sie mit ihr sprechen, nicht völlig außer Acht.«

Als er wieder aufsah, blitzte in seinen Augen eine Spur von Zorn. »Jemand hat sie auf grauenhafte Art benutzt. Eins kann ich Ihnen versichern, Lieutenant. Wenn ich beschlossen hätte, Richard Draco zu ermorden, hätte ich ganz sicher nicht eine Freundin darin involviert. Gestern Abend hat es auf der Bühne zwei Opfer gegeben, und der Gedanke an Areena bricht mir regelrecht das Herz.«

»Er ist wirklich raffiniert«, murmelte Eve, als sie mit dem Fahrstuhl zurück nach unten fuhren. »Aalglatt, clever und durch und durch von sich überzeugt. Von all den Schauspielern, die gestern Abend auf der Bühne standen, hat er die meiste Erfahrung. Er kennt sich hervorragend mit der Welt des Theaters aus.«

»Wenn er wirklich mit der Mansfield befreundet ist, hätte er dann dafür gesorgt, dass sie es ist, die

Draco umbringt? Hätte er das falsche Messer in ihrer Garderobe versteckt?«

»Weshalb nicht?« Eve marschierte aus dem Haus und bedachte den Türsteher mit einem herablassenden Blick. »Das ist doch alles bloß Theater und die belastenden Indizien gegen Mansfield wirken derart konstruiert, dass ...«, sie schob sich auf ihren Sitz, trommelte mit den Fingern auf das Lenkrad und runzelte die Stirn, »... wer auch immer das Messer in den Rosenstrauß gesteckt hat, uns wahrscheinlich wissen lassen wollte, dass er es absichtlich dort versteckt hat, damit der Verdacht auf die Mansfield fällt. Wenn nicht, war es lediglich blöd, das Messer ausgerechnet dort zu platzieren. Aber derjenige, der – oder die – diesen Mord geplant hat, ist ganz bestimmt nicht dumm. Ich will wissen, wer hinter der Bühne gearbeitet und vor allem, wer sich freiwillig für diesen Dienst gemeldet hat. Wollen wir doch mal sehen, wie viele verhinderte oder frustrierte Schauspieler es unter den Hilfskräften möglicherweise gibt.«

Eve lenkte den Wagen auf die Straße. »Lassen Sie das Feeney übernehmen«, bat sie ihre Assistentin und rief selbst über ihr Autotelefon im Leichenschauhaus an.

Chefpathologe Morse hatte seine dichten Haare zu einem Pferdeschwanz gebunden, damit das goldene und silberne Gehänge an seinem rechten Ohr vorteilhaft zur Geltung kam. »Ich habe bereits mit Ihrem Anruf gerechnet, Dallas. Ihr Bullen seid reichlich anspruchsvoll.«

»Es macht uns einfach Spaß, euch Leichenschnipplern auf den Geist zu gehen. Was haben Sie über Draco rausgefunden?«

»Er ist hundertprozentig tot.« Morse grinste schmal. »Man hat ihn mit einer einzigen Stichwunde ins Herz rasch und nach allen Regeln der Kunst erledigt. Andere Verletzungen oder Wunden gab es nicht. Hatte im Verlauf der Jahre ein paar wirklich gute schönheitschirurgische Eingriffe und erst vor kurzem eine Bauchstraffung. Meiner Meinung nach wurden diese OPs von einem erstklassigen Chirurgen durchgeführt, denn die Schnittstellen sind mikroskopisch klein. Seine Leber sieht etwas angegriffen aus. Unser Mann war also ein harter Säufer, der mindestens einmal wiederbelebt worden ist. Außerdem hatte er noch kurz vor seinem Tod eine hübsche, kleine Mixtur aus Exotica, Zing und einer Spur von Zeus mit einem doppelten Scotch runtergespült.«

»Was für eine Mischung.«

»Allerdings. Der Kerl war eindeutig süchtig und hat regelmäßig dafür bezahlt, dass man seinen Körper wieder in Form bringt. Früher oder später hätte sich der Teufelskreis geschlossen, aber selbst bei seinem Lebenswandel hätte er noch gut und gerne zwanzig Jahre vor sich gehabt.«

»Okay, danke, Morse.«

»Besteht vielleicht die Möglichkeit, mir zwei Karten zu besorgen, wenn das Stück wieder auf den Spielplan genommen wird? Sie haben doch Beziehungen?«, fügte er augenzwinkernd hinzu.

Sie seufzte leise. »Ich werde sehen, was ich tun kann«, erklärte sie und legte auf.

4

Nur wenige Blocks trennten Stiles' elegante, teuer parfümierte Wohnung von Alphabet City, einer Gegend, in der es geradezu betäubend nach Müll und ungewaschenen Obdachlosenleibern stank. Eve und Peabody ließen die exklusiven Gebäude mit ihren uniformierten Türstehern, die blitzsauberen Schwebekarren und den gedämpften Luftverkehr hinter sich zurück und bogen in ein mit rußgeschwärzten Fertighäusern lieblos bebautes Viertel, in dem man sich vorsehen musste, nicht ausgeraubt zu werden, und wo man über dem Getöse unzähliger Maxibusse kaum sein eigenes Wort verstand.

Sofort fühlte Eve sich wohler.

Michael Proctor lebte im vierten Stock eines der Gebäude, die nach den Verheerungen der Innerstädtischen Revolten eilig hochgezogen worden waren. Vor jeder Wahl hielten die Politiker der Stadt hochtrabende Reden über die Revitalisierung dieser Gegend und gaben rührende Versprechen ab, tatkräftig gegen die Vernachlässigung, die hohe Verbrechensrate und den allgemeinen Verfall dieses kränkelnden Abschnitts ihrer Stadt einschreiten zu wollen. Nach der Wahl wurde die gesamte Angelegenheit blitzartig aus dem Bewusstsein der Verantwortlichen verdrängt, und das Viertel verrottete weiterhin.

Trotzdem brauchten die Menschen ein Dach über dem Kopf. Eve nahm an, dass ein kleiner Schauspieler, der mit Glück gelegentlich kleine Statistenrollen irgendwo ergatterte, es sich nicht leisten konnte, allzu viel für eine Wohnung zu bezahlen.

Sie hatte herausgefunden, dass Michael bereits seit sechs Wochen keine Miete hatte mehr bezahlen können und dass inzwischen Wohngeld von ihm beantragt worden war.

Er war also ziemlich verzweifelt, überlegte sie. Menschen, die so weit gesunken waren, dass sie Hilfe bei der Zahlung ihrer Miete brauchten, wurden von den Hürden, die die Bürokraten rund um ihre Amtsstuben errichtet hatten, derart abgeschreckt, dass sie meist blind die Flucht ergriffen und auf eine jämmerliche Weise dankbar waren, wenn sich ein Bett in einem der elendigen Asyle für sie fand.

Sie nahm an, dass es Proctor deutlich besser gehen würde, wenn es ihm gelänge, in Dracos blutige Fußstapfen zu treten. Geld war ein uraltes, wenn auch ziemlich abgedroschenes, aber doch nach wie vor gängiges Motiv.

Eve erwog, ihr Fahrzeug einfach in der zweiten Reihe abzustellen, als sie eine Lücke in der oberen Parkebene am Straßenrand entdeckte und Peabody dadurch erschreckte, dass sie den Wagen plötzlich in die Vertikale gehen und dann einen Satz nach vorne machen ließ, bis er zwischen einer rostübersäten, uralten Limousine und einem verbeulten Airbike zum Stehen kam.

»Gratuliere.« Um ihr Herz wieder in Schwung zu bringen, schlug sich Peabody mit einer Faust gegen die Brust.

Eve schaltete das lautlose Blaulicht ein, damit kein Verkehrsdroide ihr einen Strafzettel verpasste, und joggte dann die Auffahrtsrampe hinunter auf die Straße.

»Dracos Tod könnte für diesen Typen durchaus von Nutzen sein. Er hat momentan die reelle Chance, einmal eine Hauptrolle zu spielen. Das würde nicht nur seinem Ego, sondern auch seiner Karriere und vor allem seinem Konto einigen Auftrieb geben. Bisher ist er niemals auffällig geworden, aber für jeden Kriminellen ist irgendwann das erste Mal.«

»Ihr optimistisches Menschenbild hat mich immer schon beeindruckt.«

»Ja, ich bin eine echte Menschenfreundin, wie man so schön sagt.« Sie verfolgte mit den Augen einen Kerl auf einem Luftbrett, dem eine ausgebeulte Leinentasche über die Schulter hing. »He!« Als er die

Schultern hochzog und sie beleidigt ansah, piekste sie ihm mit einem Finger in die Brust. »Falls du allen Ernstes vorhast, hier in dieser Ecke eines von deinen illegalen Spielchen aufzuziehen, werte ich das als persönliche Beleidigung. Schaff dich also mindestens zwei Blöcke weiter, und ich werde so tun, als hätte ich deine hässliche Visage nie gesehen.«

»Von irgendetwas muss ich ja wohl leben.«

»Meinetwegen, aber wie gesagt, mindestens zwei Blöcke von hier entfernt.«

»Scheiße.« Er rückte seine Tasche zurecht und schoss durch den dichten Qualm eines Schwebegrills Richtung Westen davon.

Peabody schnupperte hoffnungsvoll. »Diese Soja-Würstchen riechen richtig frisch.«

»Die sind schon vor zehn Jahren nicht mehr frisch gewesen. Sagen Sie Ihrem Magen, dass er Ruhe geben soll.«

»Das geht nicht. Er macht einfach, was er will.« Mit einem letzten wehmütigen Blick in Richtung Schwebegrill folgte Peabody ihrer Vorgesetzten in das schmutzstarrende Haus.

Früher einmal hatte das Gebäude offenbar ein gewisses Maß an Sicherheit geboten, irgendwann jedoch hatte wahrscheinlich irgendein aktives Kind, das inzwischen alt genug war, um Rente zu beziehen, das Schloss der Haustür aufgebohrt. Der Eingangsbereich hatte die Breite einer Gästetoilette, die Wände hatten die Farbe getrockneten Schlamms und sämtliche Briefkästen – von denen einer mit hoffnungsfroher roter Tinte mit dem Namen M. Proctor beschriftet worden war – waren aufgebrochen und verkratzt.

Eve spähte zu dem winzigen Fahrstuhl, aus dessen Kontrollpaneele man diverse Drähte ragen sah, und marschierte schnurstracks auf die Treppe zu.

Irgendwo stieß jemand laute, jämmerliche Schluchzer aus. Hinter einer Tür im zweiten Stock hörte man den Lärm eines im Fernsehen übertragenen Footballspiels und das laute Fluchen dessen, der das Spiel verfolgte. Es roch süßlich nach Fäulnis, altem Zoner und abgestandenem Urin.

In der dritten Etage drang neben klassischer Musik – einem Stück, das Eve auch Roarke schon hatte spielen hören – rhythmisches Stampfen an ihr Ohr. »Ein Tänzer oder eine Tänzerin«, stellte Peabody mit Kennermiene fest. »Eine Cousine von mir hat es sogar bis ins Regionalballett von Denver geschafft. Jemand übt Jetés. Ich wollte früher auch mal Ballett-Tänzerin werden.«

»Ballett-Tänzerin?« Eve starrte Peabody, deren Wangen vom Treppensteigen hübsch gerötet waren, sprachlos an.

»Tja, nun, als ich noch ein Kind war. Aber ich habe dafür halt nicht die richtige Figur. Tänzerinnen sind eher gebaut wie Sie. Vor ein paar Wochen habe ich mir mit Charles eine Ballett-Aufführung angesehen. Sämtliche Ballerinas waren groß und schlank. Wenn ich solche Frauen sehe, macht mich das richtiggehend krank.«

»Hmmm.« Dies war die sicherste Antwort, wenn Peabody auf ihre Beziehung zu dem lizensierten Gesellschafter Charles Monroe zu sprechen kam.

»Ich bin mehr wie eine Opernsängerin gebaut. Klein und kräftig«, fügte Peabody hinzu und verzog grimmig das Gesicht.

»Haben Sie plötzlich etwa auch noch eine Vorliebe für Opern, oder was?«

»Ich war ein paar Mal dort. Es ist durchaus okay.« Sie schnaufte erleichtert, als sie den vierten Stock erreichten, und versuchte, sich nicht darüber zu ärgern, dass Eve nicht im Geringsten aus der Puste war. »Charles hat dieses Faible für derartige Veranstaltungen.«

»Sie müssen ziemlich beschäftigt damit sein, ständig zwischen zwei Männern hin und her zu wechseln.«

Peabody sah sie grinsend an. »Ich dachte, dass es ein ›Ich und McNab‹ für Sie überhaupt nicht gibt.«

»Ach, halten Sie die Klappe.« Eve klopfte an Proctors Tür. »War das etwa ein Schnauben?«

»Nein, Madam.« Peabody atmete tief durch und versuchte ernst zu gucken, als sie meinte: »O nein, ganz sicher nicht. Ich glaube, das war nur mein Magen, der so vor Hunger knurrt.«

»Sorgen Sie dafür, dass auch er die Klappe hält.«
Als sie Schritte hinter der Wohnungstür vernahm –
das Gebäude war eindeutig nicht schallisoliert –,
hielt sie ihren Dienstausweis vor den Spion.

Es folgte ein mehrmaliges Klicken und ein wiederholtes Klirren, und Eve zählte, dass fünf Schlösser entriegelt wurden, bevor endlich die Wohnungstür einen Spaltbreit aufgezogen wurde und sie in das Gesicht ihres Gegenübers sah.

Das Gesicht war der Beweis für die Großzügigkeit der Schöpfung, überlegte sie. Oder aber das Ergebnis einer wahrhaftig gelungenen Schönheitsoperation. Blassgoldene Haut spannte sich straff und faltenlos über langen Jochbeinen und einem heroischen, leicht kantigen Kinn, in dessen Mitte ein kleines Grübchen blitzte. Der Mund war voll und fest, die Nase schmal und gerade, die Augen waren leuchtend grün wie echte Smaragde, und seidig weiche, dunkelbraune, jungenhafte Locken rahmten die makellosen Züge, mit denen Michael Proctor gesegnet war. Während er zwischen Eve und ihrer Assistentin hin und her sah, fuhr er sich mit langen Fingern durch die dichte, braune Masse und strich sie, während er zögernd lächelte, unruhig aus der Stirn.

»Äh ... Lieutenant Houston.«

»Dallas.«

»Ach ja, richtig. Ich wusste, dass es irgendwo in Texas war.« Seine Stimme klang vor lauter Aufregung ein wenig heiser, doch trat er einen Schritt zurück und ließ die beiden Frauen ein. »Ich bin immer noch vollkommen erschüttert. Ich denke die ganze Zeit, dass es bestimmt ein grauenhafter Unfall war.«

»Selbst wenn, ist das Ergebnis nicht mehr umkehrbar.« Eve musterte die wenigen Möbel, mit denen das kleine Ein-Zimmer-Apartment eingerichtet war. Es gab einen durchgelegenen Schlafsessel, auf dem Proctors Bettzeug lag, einen winzigen Tisch, auf dem eine billige Computer-und-Kommunikations-Anlage stand, eine Kommode mit drei Schubladen und eine Stehlampe mit einem zerschlissenen Schirm.

Die Schauspielerei war offensichtlich nicht für jeden ein einträgliches Geschäft.

»Äh ... lassen Sie mich ... äh.« Leicht errötend öffnete Proctor eine Tür des Einbauschranks, wühlte kurz darin herum und zog schließlich einen zusammenfaltbaren Stuhl daraus hervor. »Tut mir Leid. Ich komme fast nur zum Schlafen her. Gäste empfange ich hier für gewöhnlich nicht.«

»Betrachten Sie uns bitte nicht als Gäste. Rekorder an, Peabody. Setzen Sie sich, Mr Proctor. Vielleicht fühlen Sie sich dann ja etwas wohler.«

»Ich ...« Das Trommeln seiner Fingerspitzen machte deutlich, wie nervös er war. Trotzdem meinte er: »Ich bin in Ordnung. Ich habe nur keine Ahnung, was ich jetzt machen soll. Ich habe noch nie in einem Krimi mitgespielt. Meistens werde ich für die

Rollen in irgendwelchen historischen Stücken oder romantischen Komödien ausgewählt.«

»Ich kenne mich mit Krimis aus«, erklärte Eve milde. »Sie brauchen nur auf meine Fragen antworten, und schon kommen wir bestens miteinander aus.«

»Okay. Also gut.« Er blickte sich in seinem Zimmer um, als hätte er es nie zuvor gesehen, nahm schließlich auf dem kleinen Faltstuhl Platz, schlug die Beine übereinander, stellte die Füße dann wieder nebeneinander auf den Boden und wandte sich Eve mit einem hoffnungsvollen Lächeln zu.

Er sah aus wie ein Schüler, der wegen eines Streiches beim Direktor seiner Schule saß.

»Lieutenant Eve Dallas, im Gespräch mit Michael Proctor in dessen Wohnung. Außerdem anwesend Officer Delia Peabody als meine Assistentin.«

Ohne Proctor aus den Augen zu lassen, klärte sie ihn über seine Rechte und Pflichten auf. Er trommelte weiter nervös mit den Fingerspitzen auf seinen Knien herum und hatte eine derart schuldbewusste Miene, als hätte er in jeder seiner Hosentaschen zweihundert Gramm Zeus vor ihr versteckt.

»Haben Sie verstanden?«

»Ja, ich glaube. Brauche ich jetzt einen Anwalt?« Er guckte wie ein junges Hündchen, das die Hoffnung hatte, es würde dafür, dass es auf den neuen Teppich gepinkelt hatte, nicht allzu hart bestraft. »Oder sollte ich meine Agentin anrufen?«

»Die Entscheidung liegt bei Ihnen.« Durch einen derartigen Anruf verlören sie natürlich Zeit und vor allem würde dadurch alles unnötig verkompliziert. »Sie können sie aber auch jederzeit während des Gesprächs kontaktieren. Oder, wenn Ihnen das lieber ist, kommen Sie mit auf die Wache, und wir unterhalten uns dort.«

»Tja. Hmm.« Er blickte auf sein Link und atmete hörbar aus. »Ich schätze, jetzt störe ich sie vielleicht besser nicht. Sie hat nämlich stets alle Hände voll zu tun.«

»Warum fangen Sie dann nicht einfach an, mir zu erzählen, was gestern Abend vorgefallen ist?«

»Sie meinen ...« Ein sichtbarer Schauder rann ihm über den Rücken, und er blinzelte Eve unglücklich an. »Ich stand in der Kulisse links der Bühne. Er war brillant, einfach brillant. Ich kann mich noch daran erinnern, dass ich dachte, wenn das Stück lange auf dem Spielplan stünde, hätte ich eventuell mal irgendwann die Chance, den Vole zu spielen, weil Draco sicher mal irgendwie nicht kann ...«

Er brach ab. »Damit habe ich nicht sagen wollen ... Ich habe mir nie gewünscht, dass ihm etwas Schlimmes widerfährt. Ich hatte gedacht, dass er vielleicht mal einen Schnupfen kriegen oder einen freien Abend würde haben wollen, etwas in dieser Art.«

»Sicher. Und was haben Sie von Ihrem Platz in der

Kulisse links der Bühne in der letzten Szene gesehen?«

»Er war einfach perfekt«, murmelte Proctor abermals und bekam einen träumerischen Blick. »Arrogant, aalglatt, gefühllos. Die Art, in der er seinen Freispruch gefeiert hat und gleichzeitig Christine wie einen abgenagten Knochen fortgeworfen hat. Seine Freude darüber, dass er gewonnen, dass er alle hintergangen, alle hinters Licht geführt hatte. Dann der Schock, der Schock in seinem Blick, in seiner Haltung, als sie mit dem Messer auf ihn zukommt. Ich habe ihn beobachtet und genau gewusst, so gut wäre ich nie. Das hätte ich einfach nicht in mir. Mir ist gar nicht klar geworden ... selbst als alle aufhörten zu spielen, ist mir erst gar nicht klar geworden, was dort geschehen war.«

Er hob die Hände und ließ sie wieder sinken. »Ich bin mir nicht sicher, ob es mir inzwischen klar geworden ist.«

»Wann wurde Ihnen bewusst, dass Draco nicht mehr spielte?«

»Ich glaube – ich glaube, als Areena schrie. Zumindest wusste ich in dem Moment, dass irgendetwas nicht in Ordnung war. Dann ging alles furchtbar schnell. Leute rannten zu ihm, schrien herum, der Vorhang wurde eilig heruntergelassen«, erinnerte er sich. »Und er lag völlig reglos da.«

Es ist auch ziemlich schwer, vom Boden aufzu-

springen und sich zu verbeugen, wenn man ein zwanzig Zentimeter langes Messer im Herzen stecken hat, ging es Eve zynisch durch den Kopf. »Wie sah Ihre persönliche Beziehung zu Richard Draco aus?«

»Ich schätze, dass es gar keine persönliche Beziehung zwischen uns beiden gab.«

»Sie haben also nie Privatgespräche mit ihm geführt, hatten nie etwas privat mit ihm zu tun?«

»Tja, hm ...« Wieder fingen seine Finger an zu trommeln. »Sicher, wir haben ein paar Mal miteinander gesprochen. Allerdings fürchte ich, habe ich ihn verärgert.«

»In welcher Beziehung?«

»Sehen Sie, Lieutenant, ich bin jemand, der gerne andere beobachtet«, erklärte er und schaute Eve mit einem unsicheren Lächeln an. »Um bestimmte Charaktereigenschaften zu entwickeln, um etwas zu lernen. Ich schätze, es hat Draco gestört, dass ich ihn beobachtet habe, denn er hat mir erklärt, wenn ich nicht sofort verschwinde, würde er ... hmmm, würde er dafür sorgen, dass man mich in Zukunft als Schauspieler höchstens noch für irgendwelche billigen Sex-Hologramme engagiert. Ich habe mich sofort bei ihm entschuldigt.«

»Und?«

»Er hat mit einem Briefbeschwerer nach mir geworfen. Dem Ding, das auf Sir Wilfreds Schreibtisch steht.« Bei der Erinnerung schüttelte es Proctor. »Er hat mich nicht getroffen. Und wahrscheinlich hat er das auch gar nicht gewollt.«

»Das muss Sie doch maßlos geärgert haben.«

»Nein, nicht wirklich. Es war mir peinlich, dass ich ihn während der Probe gestört hatte. Er nahm den Rest des Tages frei, um sich zu beruhigen.«

»Sie werden von einem Kerl bedroht und mit einem schweren Gegenstand beworfen und sind deshalb nicht sauer?«

»Der *Kerl* war Richard Draco«, erklärte Proctor in ehrfürchtigem Ton. »Er ist – er war – einer der besten Schauspieler dieses Jahrhunderts. Er hatte den Gipfel des Ruhms erreicht. Sein Temperament ist – war – Teil dessen, was ihn zu dem gemacht hat, der er war.«

»Sie haben ihn bewundert.«

»O ja. Ich habe mich, seit ich denken kann, mit seiner Arbeit befasst. Ich habe Disketten und Aufnahmen von jedem Stück, in dem er jemals aufgetreten ist. Als mir angeboten wurde, die Zweitbesetzung des Vole zu übernehmen, habe ich die Chance mit Begeisterung ergriffen. Ich glaube, dies ist der Wendepunkt in meiner Karriere.« Seine Augen fingen an zu glänzen. »Mein Leben lang habe ich davon geträumt, auf derselben Bühne zu stehen wie Richard Draco, und endlich ist es mir vergönnt.«

»Aber damit Sie die Gelegenheit bekommen, tatsächlich auf der Bühne zu stehen, musste ihm erst was passieren.«

»Auch so habe ich denselben Text wie er gelernt, dieselben Stichworte, genau dieselbe Rolle.« Vor lauter Begeisterung beugte sich Proctor so weit auf dem billigen Stuhl nach vorn, dass der bedrohlich knirschte. »Wissen Sie, es war fast, als wäre ich mit ihm verschmolzen.«

»Und jetzt erhalten Sie die Chance, zudem vor Publikum in seine Fußstapfen zu treten, nicht wahr?«

»Ja.« Proctor lächelte strahlend, was jedoch genauso schnell wieder vorbei war. »Ich weiß, wie egoistisch und kalt das für Sie klingen muss. So meine ich es nicht.«

»Sie haben finanzielle Schwierigkeiten, Mr Proctor.«

Er errötete und betrachtete sie mit seinem scheuen Lächeln. »Tja, nun ... man geht nicht des Geldes wegen zum Theater, sondern, weil man es liebt.«

»Aber Geld ist äußerst praktisch, wenn es darum geht, Essen zu kaufen und eine Wohnung zu bezahlen. Sie sind mit der Miete schon seit Monaten im Rückstand.«

»Ein wenig.«

»Der Job als zweite Besetzung wird doch wohl gut genug bezahlt, als dass man davon seine Miete zahlen kann. Spielen Sie, Mr Proctor?«

»Oh, nein. Nein, das tue ich ganz sicher nicht.«

»Dann gehen Sie vielleicht einfach schlecht mit dem Geld um, das Sie verdienen?«

»Ich glaube nicht. Wissen Sie, ich investierte viel in Schauspiel- und Rhetorikunterricht, in den Erhalt meiner Gesundheit und die Verschönerung meines Aussehens. Das ist, vor allem in New York, nicht gerade billig. Ich nehme an, das wirkt auf Sie ziemlich frivol, Lieutenant, aber das ist alles Teil meiner Kunst. Mein Werkzeug, wenn Sie so wollen. Ich hatte sogar bereits erwogen, mir einen Nebenjob zu suchen, damit ich all diese Dinge finanzieren kann.«

»Das ist nun, da Draco nicht mehr da ist, wahrscheinlich nicht mehr nötig.«

»Ich schätze, nicht.« Er machte eine nachdenkliche Pause. »Ich war mir nicht sicher, wie ich das zeitlich hätte hinbekommen sollen. Jetzt ist es deutlich einfacher …« Er brach ab und atmete erschrocken ein. »Ich meine es nicht so, wie es in Ihren Ohren vielleicht klingt. Aber, um Ihren Gedankengang weiterzuverfolgen, natürlich nimmt mir das einen Teil von meinem Stress. Ich bin es gewohnt, ohne Geld zurechtzukommen, Lieutenant. Und vor allem hat die Theaterwelt einen ihrer ganz Großen verloren und ich eins von meinen persönlichen Idolen. Trotzdem will ich so ehrlich sein und offen eingestehen, dass ein Teil von mir begeistert davon ist, dass ich, wenn auch möglicherweise nur vorübergehend, Dracos Rolle übernehmen kann.«

Er stieß einen langen, abgrundtiefen Seufzer aus und schloss die Augen. »Ja, ja, jetzt fühle ich mich besser. Auch wenn ich mir wünschen würde, dass er wirklich nur eines banalen Schnupfens wegen nicht mehr auf der Bühne steht.«

Gequält von leichtem Kopfweh lief Eve zurück zu ihrem Wagen. »Niemand ist derart naiv«, murmelte sie wütend. »Niemand ist so arglos, wie der Typ uns das eben vorgegaukelt hat.«

»Er stammt aus Nebraska«, stellte Peabody nach einem Blick auf ihren Taschencomputer fest.

»Woher?«

»Aus Nebraska.« Peabody machte eine vage Handbewegung Richtung Westen. »Er kommt von einem Bauernhof. Hat am Regionaltheater und in ein paar Videos gespielt, Werbung gemacht und war ab und zu als Statist im Fernsehen. Er ist erst seit drei Jahren in New York.« Sie stieg in den Wagen. »In Nebraska sind alle Menschen arglos. Ich glaube, das liegt an all dem Soja und dem Mais, den es dort gibt.«

»Er bleibt trotzdem auf der Liste der Verdächtigen. Das, was er verdient, wenn er den Vole spielt, ist schließlich deutlich mehr als das, was er bekommt, wenn er einem anderen aus den Kulissen heraus zusieht. Er lebt so, als ob er in der Bruchbude, in der er haust, nur auf Durchgangsstation ist. Neben Geld ist Ehrgeiz ebenfalls ein mögliches Motiv. Er wollte

Draco sein, und wie wäre das besser möglich als dadurch, dass er Draco selbst eliminiert?«

»Ich habe da eine Idee.«

Eve sah auf ihre Uhr und fädelte sich mit dem Wagen in den fließenden Verkehr. Die gottverdammte Pressekonferenz saß ihr im Nacken. »Und die wäre?«

»Okay, es ist eher eine vage Theorie.«

»Spucken Sie sie aus.«

»Wenn sie gut ist, kann ich mir dann ein Soja-Würstchen besorgen?«

»Himmel. Nun schießen Sie schon los.«

»Sie sind alle Schauspieler in einem Stück. Ein guter Schauspieler schlüpft während der Aufführung in die Haut dessen, den er spielt, während gleichzeitig ein Teil von ihm Distanz zu allem wahrt und versucht zu beurteilen, wie die Aufführung läuft, versucht sich einzuprägen, wie das Publikum auf die verschiedenen Szenen reagiert und so weiter und so fort. Meine Theorie ist die, dass, wer auch immer die Messer vertauscht hat, eine Rolle gespielt hat.«

»Nur war der Mord nachgewiesenermaßen real.«

»Sicher, aber das spielt sich auf einer anderen Ebene ab. Vielleicht hat der Täter in dem Stück mitgespielt und den Mord mit angesehen, ohne das Verbrechen selbst zu begehen. Er hat sein Ziel erreicht, und trotzdem ist das alles für ihn nichts anderes als ein Spiel. Selbst wenn einer der Angestellten die Tat vorbereitet hat, gehört das alles zu dem Stück. Vole ist tot. Das soll er auch sein. Die Tatsache, dass dazu Draco nicht mehr lebt, macht das alles noch befriedigender für ihn.«

Eve dachte kurz darüber nach und brachte den Wagen am Straßenrand neben einem qualmenden Schwebegrill zum Stehen.

»Dann gefällt Ihnen die Theorie also?«

»Sie ist zumindest nicht schlecht. Also los, holen Sie sich ihr Soja-Würstchen.«

»Wollen Sie eventuell auch was?«

»Kaffee, aber nicht von diesem total verdreckten Stand.«

Peabody stieß einen Seufzer aus. »Wow, ein solcher Satz macht echten Appetit.« Trotzdem stieg sie aus, schob sich zwischen den Fußgängern hindurch und bestellte zu ihrem doppelt großen Soja-Dog eine große Diät-Cola, denn schließlich achtete sie stets auf ihr Gewicht.

»Und, sind Sie jetzt zufrieden?«, fragte Eve, als Peabody sich wieder auf den Beifahrersitz warf und herzhaft in ihr Würstchen biss.

»Hmmm. Gut. Wollen Sie mal beißen?«

Eine angeekelte Antwort blieb Peabody nur deswegen erspart, weil in dieser Sekunde das Gesicht von Nadine Furst, Reporterin vom Channel 75, auf dem Monitor des Auto-Link erschien. »Dallas. Ich muss mit Ihnen reden, und zwar so bald wie möglich.«

»Das glaube ich gern.« Ohne den Anruf entgegenzunehmen, fuhr Eve weiter in Richtung des Reviers. »Aber mir ist völlig schleierhaft, weshalb sie sich einbildet, dass sie schon vor der Pressekonferenz ein Interview von mir bekommt.«

»Vielleicht, weil sie eine Freundin von Ihnen ist?«, fragte Peabody mit vollem Mund.

»So gut bin ich mit niemandem befreundet.«

»Dallas.« Nadines hübsches, telegenes Gesicht wirkte ungewöhnlich angespannt, bemerkte Eve leicht überrascht, und ihre Stimme hatte einen etwas schrillen Klang. »Es ist wirklich wichtig. Es geht um eine ... persönliche Angelegenheit. Bitte. Falls Sie mich hören, kommen Sie bitte an den Apparat. Ich treffe Sie, wo und wann Sie wollen.«

Fluchend drückte Eve den Annahmeknopf des Links. »Im Blue Squirrel. Jetzt, sofort.«

»Dallas ...«

»Ich gebe Ihnen zehn Minuten. Also beeilen Sie sich.«

Es war eine ganze Weile her, seit sie zum letzten Mal im Blue Squirrel gewesen war. Es gab schlimmere Etablissements, doch Eve hatte ein geradezu sentimentales Verhältnis zu der schmuddeligen Bar. Es hatte eine Zeit gegeben, in der ihre Freundin Mavis hier grölend, sich in den Hüften wiegend und in unbeschreiblichen Kostümen aufgetreten war.

Und einmal, während eines besonders schwierigen, verwirrenden Falls, war Eve einzig mit dem Ziel hierher gekommen, sich so heftig zu betrinken, dass sie alles um sich herum vergaß.

Nur, dass sie, bevor sie dieses Ziel hatte erreichen können, von Roarke aufgespürt, hinausgezerrt und dann zum ersten Mal mit ihm intim geworden war.

Sex mit Roarke lenkte sie weitaus besser von ihren Problemen ab als ein halbes Dutzend Cocktails, hatte sie entdeckt.

Also rief das Squirrel mit seiner eher dürftigen Getränkekarte und seinem völlig gleichgültigen Personal zuverlässig ein paar schöne Erinnerungen in ihr wach.

Sie setzte sich an einen Tisch und überlegte gerade, ob sie der guten alten Zeiten wegen wirklich den hier angebotenen grauenhaften Kaffee trinken sollte, als Nadine ins Lokal fegte.

»Danke«, schnaufte Nadine, schälte sich aus einem leuchtend bunten, meterlangen Schal und zupfte nervös mit ihren schmalen Fingern an den langen dunklen Fransen. »Peabody, würde es Ihnen etwas ausmachen, uns eine Minute allein zu lassen?«, wandte sie sich etwas verlegen Eves Assistentin zu.

»Kein Problem.« Peabody stand auf und drückte der Reporterin, als sie ihre unglückliche Miene sah, kurz aufmunternd den Arm. »Ich setz mich solange an die Theke und gucke mir eine Seifenoper an.«

»Danke. Ist schon eine ganze Weile her, seit wir zuletzt zusammen hier gewesen sind.«

»So oft brauche ich diese Umgebung wirklich nicht«, antwortete Eve, als Nadine ihr gegenüber Platz nahm, und legte, als ein Ober kam, ihren Dienstausweis unübersehbar mitten auf den wackeligen Tisch. Sie selber hatte keinen Hunger, und sie glaubte nicht, dass Nadine an einem Snack oder gar an einem der grässlichen Getränke interessiert war, die es in dieser Beize gab. »Also, was haben Sie für ein Problem?«

»Ich bin mir nicht ganz sicher. Vielleicht gar keins.« Nadine schloss die Augen und schüttelte unglücklich den Kopf.

Sie hatte ein paar blonde Strähnen, merkte Eve und fragte sich, weshalb so viele Leute die naturgegebene Farbe ihrer Haare änderten, obwohl das doch ein ziemlich großer Aufwand war.

»Richard Draco.« Nadine schlug die Augen wieder auf.

»Dazu hören Sie von mir kein Wort.« Eve steckte ihren Dienstausweis ungeduldig wieder ein. »Kommen Sie zur Pressekonferenz um vierzehn Uhr.«

»Ich habe mit ihm geschlafen.«

Eve hielt mitten im Aufstehen inne, sank zurück auf ihren Stuhl und starrte Nadine verdutzt an. »Wann?«

»Nicht lange, nachdem ich einen Job beim Channel 75 angetreten hatte. Damals habe ich noch keine

Kriminalsachen gemacht, sondern mich vor allem mit irgendwelchem banalen Kram wie Porträts irgendwelcher tatsächlichen oder vermeintlichen Berühmtheiten befasst. Tja, damals hat er mich kontaktiert. Wollte mir sagen, wie gut ich ihm gefalle und was für einen Spaß er an meinen Reportagen hat. Und dafür, dass ich die Themen regelrecht gehasst habe, mit denen ich mich zu der Zeit befassen musste, waren sie auch wirklich gut.«

Sie schlang sich ihren Schal um eine Hand, wickelte ihn wieder los und legte ihn erneut vor sich auf den Tisch. »Er hat mich zum Essen eingeladen. Ich fühlte mich geschmeichelt, denn er war ein beeindruckender, ausnehmend attraktiver Mann. Und dann führte eins zum anderen.«

»Okay. Das muss doch inzwischen ein paar Jahre her sein.«

»Sechs, um genau zu sein.« Nadine fuhr sich mit der Hand über den Mund. Eine derartige Geste hatte Eve nie zuvor bei ihr erlebt. Live-Reporterinnen achteten nämlich stets sorgfältig auf ihr Make-up.

»Wie gesagt, eins führte zum anderen«, fuhr die Journalistin fort. »Aber auf eine echt romantische Art. Wir sind nicht holterdiepolter in die Kiste gesprungen. Vorher gingen wir ein paar Wochen miteinander aus. Wir haben uns zu romantischen Abendessen getroffen, sind spazieren gegangen, waren im Theater oder auf irgendwelchen Partys. Dann hat er mich gebeten, mit ihm übers Wochenende nach Paris zu fliegen.«

Jetzt ließ sie ihren Kopf auf ihre Hände sinken und meinte mit erstickter Stimme: »Oh, verdammt. Verdammt.«

»Und da haben Sie sich in ihn verliebt.«

»O ja, und zwar bis über beide Ohren. Himmel, ich war völlig hin und weg von diesem Hurensohn. Wir waren drei Monate zusammen und ich ... meine Güte, Dallas ... ich dachte allen Ernstes an Hochzeit, Kinder, ein Häuschen auf dem Land.«

Eve rutschte unbehaglich auf ihrem Platz herum. Wenn jemand Emotionen zeigte, rief das in ihr selbst regelmäßig ein Gefühl der Unsicherheit wach. »Aber daraus ist offensichtlich nichts geworden.«

Nadine starrte sie eine Zeit lang reglos an, warf dann ihren Kopf zurück und fing hysterisch an zu lachen. »So könnte man es formulieren. Ich fand heraus, dass er mich die ganze Zeit über nicht nur mit einer, sondern mit zwei, drei, vier anderen hinterging. Ich bekam einen Kurzbericht herein, den ich senden sollte, und darin war Richard eng umschlungen mit einer großbusigen Blondine in irgendeinem schicken Club zu sehen. Als ich ihn zur Rede stellte, hat er nur gelächelt und gesagt: ›Na und? Mir machen Frauen nun mal einfach Spaß.‹

Na und?«, murmelte sie zornig. »Das Schwein hat mir das Herz gebrochen und besaß nicht mal genügend Anstand, um mich zu belügen. Er hat mich sogar dazu überredet, noch mal mit ihm ins Bett zu gehen. Dafür schäme ich mich heute noch. Ich habe mich tatsächlich von ihm dazu überreden lassen, noch einmal mit ihm zu schlafen, und während ich noch nass von seinem Schweiß neben ihm gelegen habe, bekam er einen Anruf von einer anderen Frau, mit der er sich prompt für den nächsten Abend verabredet hat.«

»Und wie viele Wochen hat er daraufhin im Krankenhaus verbracht?«

Nadine zwang sich zu einem schwachen Lächeln. »Das ist ja gerade das Bedauerliche an der Sache. Statt ihm den Kopf abzureißen, habe ich geheult. Ich habe auf seinem Bett gesessen und mir die Augen ausgeheult.«

»Okay, das tut mir Leid. Das war bestimmt ein harter Schlag. Aber das ist Jahre her.«

»Ich habe ihn an dem Abend, an dem er getötet worden ist, gesehen.«

»Oh, verdammt, Nadine.«

»Er hat mich angerufen.«

»Halten Sie den Mund. Halten Sie sofort den Mund. Erzählen Sie mir nichts mehr und besorgen Sie sich auf der Stelle einen Anwalt.«

»Dallas.« Nadines rechter Arm schoss quer über den Tisch, und sie umklammerte Eves Handgelenk. »Bitte. Ich muss Ihnen alles erzählen. Und dann müssen Sie mir sagen, in was für Schwierigkeiten ich möglicherweise bin.«

»Verdammt. Verdammt. Verdammt.« Jetzt bestellte sich Eve doch einen Kaffee. »Ich habe Sie nicht über Ihre Rechte aufgeklärt und werde das, solange wir hier sitzen, auch nicht tun. Auf diese Weise kann ich nichts von dem, was Sie mir erzählen, gegen Sie verwenden.«

»Er hat mich angerufen. Meinte, er hätte an mich und die alten Zeiten gedacht und sich gefragt, ob ich Lust hätte, ihn mal wieder zu sehen. Erst wollte ich ihm sagen, dass er sich zum Teufel scheren soll, aber dann wurde mir klar, dass ich selbst nach all den Jahren etwas unternehmen wollte, um mich an ihm zu rächen. Ich wollte ihm endlich ins Gesicht sagen, was für ein Schwein er ist. Also habe ich gesagt, ich käme zu ihm ins Hotel. Ich bin bestimmt auf den Überwachungsdisketten im Foyer und im Flur vor seiner Tür zu sehen.«

»Bestimmt.«

»Er hatte ein Abendessen für zwei Personen auf sein Zimmer bestellt. Der Widerling hatte sich sogar genau daran erinnert, was wir bei unserer ersten Verabredung gegessen hatten. Vielleicht hat er beim ersten Mal immer das gleiche Menü genommen. Hätte ihm durchaus ähnlich gesehen. Ich hoffe, dass er in der Hölle schmort.«

Sie atmete keuchend aus. »Ich hatte alle Register

gezogen und mich wirklich schick gemacht. Neues Kleid. Neue Frisur. Ich habe mir von ihm Champagner einschenken lassen und, während wir tranken, Smalltalk gemacht. Ich kannte seine Vorgehensweise, ich erinnerte mich an jeden einzelnen Schritt. Als er mit seinen Fingerspitzen über meine Wange strich und mich mit seinem langen, seelenvollen Blick bedachte, habe ich ihm meinen Champagner ins Gesicht gekippt und ihm all die Dinge gesagt, die ich bereits sechs Jahre früher zu ihm hätte sagen sollen. Wir hatten einen fürchterlichen Streit. Es gab zerbrochene Gläser und Geschirr, und wir haben jede Menge böse Worte und sogar ein paar kleine Schläge ausgetauscht.«

»Er hat Sie tätlich angegriffen?«

»Ich schätze, dass es eher andersherum gewesen ist. Ich habe ihm eine Ohrfeige gegeben, er hat zurückgeschlagen, und dann habe ich ihm einen solchen Hieb in die Magengrube verpasst, dass es ihn beinahe umgeworfen hat. Noch während er nach Luft rang, bin ich aus seiner Suite marschiert und habe mich hervorragend gefühlt.«

»Werden Sie auf den Überwachungsdisketten zerzaust und aufgeregt aussehen?«

»Ich habe keine Ahnung.« Wieder fuhr sie sich mit der Hand über den Mund. »Vielleicht. Daran habe ich keine Sekunde gedacht. Aber egal, was passieren mag – ich bin froh, dass ich hingegangen bin. Endlich ist es mir gelungen, mich gegen diesen Typen zu behaupten. Aber dann ist mir ein Riesenfehler unterlaufen.«

Der widerliche Kaffee glitt aus dem Servierschlitz auf den Tisch. Eve schob ihn zu Nadine und wartete schweigend, bis die Freundin nach dem Becher griff.

»Ich war gestern Abend im Theater. Ich wollte mir beweisen, dass es mir nicht länger etwas ausmacht, den Kerl irgendwo zu sehen.« Das Gebräu war bestenfalls lauwarm, linderte jedoch die grauenhafte Eiseskälte, die Nadine in ihrem Innersten empfand. »Und es hat geklappt. Ich habe ihn gesehen und tatsächlich nicht das Mindeste gespürt. Es war mir ein innerer Vorbeimarsch, dass ich endlich völlig über ihn hinweggekommen war. Ich ging sogar … o Gott, ich bin unter Vorlage meines Presseausweises in der Pause hinter die Bühne gegangen, um ihm noch mal mitzuteilen, dass er für mich von jetzt an nicht mehr existiert.«

»Sie haben gestern Abend hinter der Bühne mit Draco gesprochen?«

»Nein. Als ich dort hinten war und in Richtung seiner Garderobe gehen wollte, kam mir der Gedanke, dass es ihn aufwerten würde, wenn ich noch mal mit ihm sprach. Das hätte ihm wahrscheinlich geschmeichelt, dem Hurensohn. Also bin ich wieder gegangen. Ich bin durch die Hintertür nach draußen und habe einen langen Spaziergang gemacht. Ich habe mir ein paar Schaufenster angeguckt, bin dann in eine Hotelbar und habe mir dort ein Glas Wein bestellt. Dann bin ich nach Hause. Als ich heute Morgen hörte, was passiert war, bin ich ... in Panik ausgebrochen. Ich habe mich krankgemeldet und war tatsächlich krank, bis mir klar wurde, dass ich, so schnell es geht, mit Ihnen reden muss. Ich musste es Ihnen dringend sagen. Ich habe keine Ahnung, was ich jetzt machen soll.«

»Als Sie hinter der Bühne waren, wollten Sie zu den Garderoben. Woanders waren Sie nicht?«

»Nein, ich schwöre.«

»Hat irgendjemand Sie gesehen?«

»Ich habe keine Ahnung. Ich schätze, ja. Ich habe nicht versucht, mich unsichtbar zu machen.«

»Ich möchte, dass wir eine förmliche Vernehmung miteinander machen. Ich möchte, dass es offiziell wird, dass Sie mit diesen Informationen von sich aus zu mir gekommen sind. Das ist das Beste, was ich für Sie tun kann. In der Zwischenzeit sollten Sie sich einen guten Anwalt nehmen. Tun Sie das in aller Stille und erzählen Sie ihm alles, was Sie auch mir erzählt haben.«

»Okay.«

»Haben Sie irgendetwas ausgelassen, Nadine? Vielleicht irgendeine Kleinigkeit, die Ihnen möglicherweise unwichtig erscheint?«

»Nein. Das war alles. Ich habe ihn nur das eine

Mal in seiner Suite und dann noch einmal auf der Bühne im Theater gesehen. Vermutlich war ich vor sechs Jahren noch fürchterlich naiv, aber ich habe mich entwickelt. Und vor allem bin ich ganz bestimmt nicht feige. Wenn ich den Mistkerl hätte ermorden wollen, hätte ich das eigenhändig erledigt und nicht dafür gesorgt, dass jemand anderes die Tat für mich vollbringt.«

»O ja.« Eve nickte, nahm die zwischen ihnen stehende Tasse und hob sie an ihren Mund. »Das ist mir bewusst. Sprechen Sie trotzdem mit einem Anwalt, und kommen Sie danach morgen zu mir aufs Revier.« Sie stand auf und tätschelte Nadine nach kurzem Zögern begütigend die Schulter. »Es wird alles gut.«

»Wissen Sie, was das Gemeine an dieser Sache ist? Ich habe mich so richtig gut gefühlt, als ich aus dem Hotel gekommen bin. So gut ist es mir nicht mehr gegangen, seit – Sie wissen, dass ich eine Therapie bei Dr. Mira mache ...«

Eve trat unbehaglich von einem Bein aufs andere. »Ja.«

»Eins der Dinge, die wir dabei herausgefunden haben, war, dass ich seit der Sache mit Richard nicht mehr offen war für echte Liebe. Er hat mich total kaputtgemacht. Und dann, gestern Abend, als ich in der Hotelbar saß, wurde mir bewusst, dass das eventuell wieder anders werden könnte. Das hatte ich mir die ganze Zeit gewünscht. Nur habe ich mir für meine Genesung einen reichlich dämlichen Zeitpunkt ausgewählt. Danke fürs Zuhören.«

»Nicht der Rede wert.« Eve gab Peabody das Zeichen, dass sie fertig war. »Und da es gerade ums Reden geht – verlieren Sie über diese ganze Angelegenheit niemandem außer Ihrem Anwalt gegenüber ein Sterbenswörtchen.«

5

Laut Kalender stand der Frühling vor der Tür, doch er machte seinem Namen keine Ehre. Zumindest passte der dünne, widerliche Schneeregen, durch den Eve nach Hause fuhr, hervorragend zu ihrer Stimmung.

Pressekonferenzen müsste man schlichtweg verbieten.

Das einzig Gute an der letzten Pressekonferenz war ihrer Meinung nach, dass sie vorüber war. Da sie abgesehen von dem Bericht an die Journalisten den ganzen Tag damit hatte verbringen müssen, Verdächtige beziehungsweise Zeugen zu befragen, ohne dabei mehr als eine schwammige Vorstellung von den Menschen und den Ereignissen zu bekommen, war sie unzufrieden und gereizt.

Tatsache war, sie sollte nicht nach Hause fahren. Es gab noch jede Menge Arbeit. Doch sie hatte Peabody zu deren unverhohlener Freude ebenfalls bis morgen heimgeschickt.

Sie würde eine Stunde Pause machen, allerhöchstens zwei. Würde in ihrem Zimmer auf und ab gehen und mit ihren Gedanken spielen, bis eine gewisse Ordnung in ihre Überlegungen kam. Sie schlängelte sich im Zickzack durch den wieder einmal stockenden Verkehr und versuchte nicht darauf zu achten, dass direkt über ihrem Kopf aus einem Werbeluftschiff heraus eine grelle Stimme die neue Bloomingdale'sche Frühjahrsmode pries.

Schließlich wurde sie an einer Ampel aufgehalten und in die stinkenden Rauchschwaden eines in Flammen stehenden und von seinem unglücklichen Betreiber dick mit Schaum besprühten Schwebegrills gehüllt. Da das Feuer jedoch offensichtlich bereits am Erlöschen war, rief sie, statt auszusteigen und dem armen Mann zu helfen, über ihr Auto-Link bei Feeney an.

»Habt ihr schon irgendwelche Fortschritte erzielt?«

»Ein paar. Inzwischen sind sowohl die Schauspieler als auch die Angestellten des Theaters überprüft.«

Eves Stimme wurde etwas ruhiger. »Alle?«

»Ja.« Feeney rieb sich müde das Kinn. »Obwohl nicht mir das Lob dafür gebührt. Wie gesagt, haben wir auch ohne deinen neuen Fall schon alle Hände voll zu tun. Deshalb waren wir ziemlich dankbar, als uns Roarke die gewünschten Informationen übermittelt hat.«

Sofort kehrte die schlechte Laune zurück. »Roarke?«

»Er hat sich heute am frühen Nachmittag bei mir gemeldet, weil er bereits annahm, dass ich die Hintergrundinformationen zu den Leuten liefern soll. Er hatte bereits sämtliche Infos zur Hand und mir dadurch eine Menge Arbeit erspart.«

»Ist er nicht ein wirklich hilfsbereiter Mensch?«, murmelte Eve giftig.

»Ich habe die Dateien an deinen Computer zu Hause geschickt.«

»Super, klasse.«

Immer noch rieb Feeney sich das Kinn, und Eve kam langsam der Verdacht, dass er hinter dieser Geste ein Grinsen vor ihr verbarg. »Ich habe McNab auf die Suche nach bestimmten Mustern und auf die Wahrscheinlichkeitsberechnungen angesetzt. Es ist eine ziemlich lange Liste, weshalb es sicher eine Zeit lang dauern wird. Aber ich denke, dass wir dir morgen sagen können, wer als Täter auszuschließen ist und welche Personen unserer Meinung nach am verdächtigsten sind. Und wie kommst du voran?«

»Langsam.« Sie schob sich zentimeterweise über die breite Kreuzung, entdeckte eine Lücke, trat aufs Gas und verzog den Mund zu einem schmalen Lächeln, da das einsetzende wilde Hupkonzert die erlaubte Lärmobergrenze eindeutig überstieg. »Immerhin ist es uns gelungen, rauszufinden, woher die Mordwaffe stammt. Ein ganz normales Küchenmesser. Es kam aus der Küche des Theaters.«

»Hat dort jeder freien Zugang?«

»Die Öffentlichkeit nicht, aber sämtliche Schauspieler und Angestellten gelangen problemlos rein. Ich habe von einem Beamten die Überwachungsdisketten holen lassen. Wir werden sehen, ob darauf etwas zu entdecken ist. Hör zu, ich werde selbst ein paar Wahrscheinlichkeitsberechnungen durchführen und dann gucken, ob die Ergebnisse zu den von euch erzielten Resultaten passen. Dr. Mira erstellt mir bis morgen ein Profil. Lass uns gucken, ob man die Zahl der Verdächtigen dann nicht noch weiter reduzieren kann. Wie weit ist McNab bisher?«

»Er hat eine Menge geschafft, bevor er von mir für den Rest des Tages freibekommen hat.«

»Du hast ihn einfach gehen lassen?«

»Er hatte eine Verabredung«, erklärte Feeney und sah Eve endlich offen grinsend an.

Sie schnaubte. »Halt die Klappe, Feeney«, wies sie den Kollegen rüde an und brach die Übertragung ab.

Sie haderte ein wenig mit sich selbst, weil sie sich danach gewöhnlich besser fühlte, und schoss endlich durch die Tore des wunderbaren Anwesens, das inzwischen ihr Zuhause war. Selbst bei fürchterlichem Wetter war es einfach umwerfend. Oder vielleicht hob sich die Pracht des Gebäudes vom Grau des Himmels besonders deutlich ab.

Die ausgedehnten Rasenflächen wirkten infolge des Winters etwas verblichen, den kahlen Bäumen allerdings verlieh die Nässe einen seidig weichen Glanz. Es hatte *Atmosphäre*, würde Roarke wahrscheinlich sagen. Stets ging es ihm um die Schaffung von Atmosphäre, was dem herrlichen aus Stein und Glas errichteten Haus mit seinen Türmchen und Zinnen, seinen Terrassen und Balkonen, dem seine eigenen Entwürfe zugrunde lagen, deutlich anzusehen war.

Eigentlich hätte das Haus irgendwo am Rande einer Klippe stehen sollen, überlegte sie, mit Blick auf ein wild tosendes Meer. Die Großstadt mit ihrem Gedränge, ihrem Lärm und der schleichenden Verzweiflung blieb durch eine hohe Mauer und hohe Eisentore aus der Oase verbannt, die von ihm mit der ihm eigenen Gewitztheit, Skrupellosigkeit, Willenskraft und aus dem schmerzlichen Verlangen, das Elend seiner Kindheit zu begraben, geschaffen worden war.

Jedes Mal, wenn sie das Haus anschaute, hatte sie widerstreitende Gefühle. Ein Teil von ihr blieb steif und fest bei der Behauptung, sie gehöre nicht hierher. Der andere jedoch erklärte mit derselben Überzeugung, dass sie ausschließlich hierher gehörte und an keinen anderen Ort der Welt.

Da sie wusste, dass Summerset den Anblick ihres erbsengrünen Gefährts als regelrechte Beleidigung empfand und es deshalb aus Prinzip blitzartig in der Garage verschwinden lassen würde, ließ sie den Wagen absichtlich direkt vor der Eingangstreppe stehen.

In ihren verkratzten Stiefeln rannte sie die Stufen zur Haustür hinauf und trat in die Wärme, die Schönheit und den Stil, der für sehr viel Geld zu kaufen und nur mit Macht und Einfluss aufrechtzuerhalten war.

Summerset stand mit sauertöpfischer Miene und zusammengepressten Lippen direkt hinter der Tür. »Lieutenant. Sie überraschen mich. Sie erscheinen ja tatsächlich mal fast zu einer normalen Zeit.«

»Haben Sie eigentlich nichts Besseres zu tun, als mich ständig zu kontrollieren?« Sie zog ihre Jacke aus und warf sie, um ihn zu ärgern, betont achtlos über den Treppenpfosten. »Sie können doch stattdessen beispielsweise durch die Straßen laufen und irgendwelche Kleinkinder erschrecken.«

Summerset rümpfte die Nase, nahm, um sie ebenfalls zu ärgern, mit spitzen Fingern ihre feuchte Lederjacke vom Geländer und fixierte sie missbilligend. »Was? Heute mal kein Blut an Ihren Kleidern?«

»Das kann sich durchaus noch ändern. Ist Roarke da?«

»Er ist im Freizeitbereich in der unteren Etage.«

»Jungs und ihr Spielzeug.« Sie marschierte entschlossen an Summerset vorbei.

»Sie tropfen alles nass.«

Sie sah hinter sich auf den Boden. »Gut, dann haben Sie wenigstens was zu tun.«

Durchaus zufrieden mit dem kleinen Scharmützel

verschwand Summerset und hängte ihre Jacke zum Trocknen auf.

Sie lief die Treppe hinunter durch das Schwimmbad, in dem wohlig warmer Dampf einladend über dem mit leuchtend blauem Wasser gefüllten großen Becken waberte, und überlegte kurz, ob sie sich einfach ausziehen und ein paar Runden schwimmen sollte, doch sie hatte noch zu tun.

Also ging sie weiter am Fitnessraum, den Umkleidekabinen und einem kleinen Gewächshaus vorbei und öffnete die Tür des von einem Höllenlärm erfüllten Freizeitraums.

Ihrer Meinung nach war dieser Raum die Erfüllung aller feuchten Träume eines zwölfjährigen Jungen. Sie selbst hatte mit zwölf schon lange aufgehört von Spielsachen zu träumen. Roarke vermutlich ebenso, was vielleicht der Grund war, überlegte sie, dass er diese Dinge als Erwachsener so genoss.

Es gab zwei Billardtische, drei Virtual-Reality-Röhren für jeweils mehrere Benutzer, eine Vielzahl von Bildschirmen entweder für Übertragungen oder für irgendwelche Spiele, eine Hologramm-Station und leuchtend bunte, lärmende Spielgeräte aller Art.

An einem der Geräte stand ihr Mann. Er hatte die Beine leicht gespreizt, seine eleganten Hände lagen zu beiden Seiten eines langen, hüfthohen, mit einem Glasdeckel versehenen Kastens, seine Finger drückten rhythmisch auf zwei große, runde Knöpfe, und an der Stirnseite des Kastens blitzten unzählige grelle Lichter auf.

Räuber und Gendarm, las sie, spähte auf die Reihe blauer und roter Lampen am oberen Kastenrand und rollte mit den Augen, als das schrille Heulen einer Sirene an ihre Ohren drang. Dann hörte sie Gewehrsalven, das wilde Quietschen von Reifen auf Asphalt.

Eve schob die Daumen in die Vordertaschen ihrer Jeans und schlenderte zu Roarke hinüber. »Das also tust du in deiner Freizeit.«

»Hallo, Liebling«, grüßte er, ohne dass er dabei für den Bruchteil einer Sekunde die beiden Silberkugeln, die unter dem Glasdeckel von einer Ecke in die nächste schossen, aus den Augen ließ. »Du bist früh zu Hause.«

»Ich fahre gleich auch noch mal weg. Ich bin nur hier, weil ich mit dir reden muss.«

»Mmm-hmm. Eine Sekunde.«

Sie öffnete den Mund, um zu widersprechen, zuckte dann aber vor Schreck zurück, als urplötzlich unzählige Glöckchen klirrten und der Kasten grelle Lichtblitze in ihre Richtung schoss. »Was zum Teufel ist das für ein Ding?«

»Eine echte Antiquität – und in hervorragendem Zustand. Kam – Mist – heute erst herein.« Er stieß leicht mit der Hüfte gegen das Gerät. »Das ist ein Flipperautomat, Ende zwanzigstes Jahrhundert.«

»Räuber und Gendarm?«

»Wie hätte ich da widerstehen sollen?« Der Kasten befahl drohend: »Rühr dich nicht vom Fleck!« Roarke aber schoss seine letzte Kugel über eine steile Rampe ab, ließ sie gegen drei diamantförmige Hindernisse krachen und versenkte sie in ein Loch.

»Extraball.« Er trat einen Schritt zurück und ließ die Schultern kreisen. »Aber der kann warten.« Als er sich jedoch zu ihr hinunterneigte, um sie liebevoll zu küssen, schob sie ihn entschieden von sich fort.

»Einen Moment, Kumpel. Wie kommst du dazu, einfach bei Feeney anzurufen?«

»Ich habe lediglich den Ordnungshütern unserer Stadt meine Hilfe angeboten«, erklärte er in leichtem Ton. »Ich habe meine Bürgerpflicht erfüllt. Lass mich mal probieren.« Damit zog er sie an seine Brust, nagte kurz an ihrer Unterlippe und bat sie amüsiert: »Los, spiel eine Runde mit.«

»Ich bin der Boss.«

»Das bist du auf jeden Fall.«

»Ich meine, bei den Ermittlungen, du Schlaukopf.«

»Auch dort. Und in deiner Funktion als Ermittlungsleiterin hättest du die Unterlagen des Theaters angefordert und Feeney zur Auswertung gegeben. Diese Arbeit habe ich für dich erledigt. Dein Haar ist etwas feucht«, meinte er und schnupperte an ihrem Kopf.

»Schneeregen.« Sie hätte gern mit ihm gestritten, doch das wäre völlig sinnlos, denn er hatte schlicht Recht. »Warum hast du so genaue Informationen über alle, die an der Produktion des Globe beteiligt sind?«

»Weil alle, die an dieser Produktion beteiligt sind, auf meiner Gehaltsliste stehen.« Er trat einen Schritt zurück und griff nach der Bierflasche, die neben dem Flipperautomaten stand. »Hast du einen schlechten Tag gehabt?«

»Überwiegend, ja.« Als er ihr die Flasche hinhielt, wollte sie den Kopf schütteln, zuckte dann aber mit den Schultern und setzte sie sich an den Mund. »Ich brauche etwas Zeit, um wieder einen klaren Kopf zu kriegen«, meinte sie.

»Ich auch. Und ich weiß genau, wie das am besten geht. Nämlich mit einer Runde Strip-Flipper.«

Sie schnaubte verächtlich. »So ein Blödsinn.«

»Tja, wenn du Angst hast zu verlieren, gebe ich dir einen kleinen Vorsprung«, erwiderte er lächelnd, denn er kannte sie nur zu genau.

»Ich habe keine Angst zu verlieren.« Sie drückte ihm die Flasche wieder in die Hand, kämpfte kurz mit sich, verlor. »Wie viel Vorsprung kriege ich?«

Grinsend zog er seine Schuhe aus. »Das und fünfhundert Punkte pro Ball – das erscheint mir fair, denn schließlich bist du eine Anfängerin bei diesem Spiel.«

Sie betrachtete nachdenklich das Gerät. »Und du hast das Ding tatsächlich heute erst bekommen?«

»Vor ein paar Stunden, ja.«

»Du fängst an.«

»Mit Freude.«

Und es war eine Freude zu verfolgen, wie sie kämpfte, fluchte und sich ganz in diese Situation verlor. Innerhalb von zwanzig Minuten hatte sie ihre Stiefel, ihre Strümpfe, ihr Waffenhalfter abgelegt und verlöre sicher gleich ihr Hemd.

»Verdammt! Das Ding ist manipuliert.« Ungeduldig warf sie sich gegen die Maschine und stieß, als sich die Hebel nicht mehr bewegen ließen, ein erbostes Zischen aus. »Gesperrt? Warum ist das blöde Ding plötzlich gesperrt?«

»Vielleicht bist du etwas zu aggressiv. Weshalb helfe ich dir nicht ein bisschen?«, bot er an und griff nach dem ersten Knopf ihres Hemds.

Sie schlug ihm auf die Finger. »Das kann ich auch alleine. Du mogelst.« Während sie ihr Hemd auszog, funkelte sie ihn stirnrunzelnd an. Inzwischen trug sie nur noch ein ärmelloses Unterhemd und ihre abgewetzte Jeans. »Ich weiß nicht wie, aber es ist sicher, dass du mogelst.«

»Nein.«

Lachend zog er sie vor sich. »Wie gesagt, ich werde dir ein bisschen helfen. Jetzt.« Er legte seine Hände über ihre Finger, die schon wieder auf die Knöpfe drückten, und erklärte: »Du musst lernen, feinfühlig mit diesem Kasten umzugehen, statt ihn die ganze Zeit zu attackieren. Es geht darum, dass man die Kugeln so lange wie möglich in Bewegung hält.«

»Das ist mir durchaus klar. Die Kugeln sollen möglichst alles umhauen.«

Klugerweise schluckte er das leise Lachen, das in seiner Kehle aufstieg, runter. »Mehr oder weniger. Also gut, hier kommt der nächste Ball.«

Er schoss die Kugel ab, stellte sich hinter sie, lehnte sich an ihren Rücken und blickte über ihre Schulter. »Nein, nein, warte. Du sollst nicht einfach wie wild auf die beiden Knöpfe drücken. Du musst warten, bis die Kugel anrollt.« Er drückte genau im rechten Augenblick auf ihre Finger und die kleine Silberkugel schoss, begleitet von Gewehrsalven, kreuz und quer über das Feld.

»Ich will die Goldbarren da drüben.«

»Alles zu seiner Zeit.« Er strich mit seinen Lippen über ihren Hals. »So, jetzt bist du dem Polizeiwagen entwischt und hast fünftausend Punkte dafür einkassiert.«

»Ich will das Gold.«

»Weshalb überrascht mich das bloß nicht? Lass uns sehen, was wir für dich tun können. Spürst du meine Hände?«

Sie spürte ihn warm und weich in ihrem Rücken und wandte ihren Kopf. »Das sind nicht deine Hände.«

Er sah sie grinsend an. »Das stimmt. Das hier sind meine Hände.« Langsam strich er mit besagten Händen über ihren Körper bis hinauf zu ihren Brüsten und spürte durch den dünnen Baumwollstoff des Unterhemds, wie sich ihr Herzschlag vor Freude beschleunigte. »Du könntest aufgeben.« Jetzt glitt sein Mund in ihren Nacken, und er nagte sanft an ihrem warmen Fleisch.

»Nie im Leben.«

Er umfing ihr Ohrläppchen mit seinen Zähnen, sie zuckte zusammen, drückte dabei aus Versehen auf die Knöpfe, und noch während sie vor Wonne stöhnte, schien der Flipperautomat zu explodieren.

»Himmel. Was ist das?«

»Du hast das Gold und damit jede Menge Bonuspunkte gewonnen.« Er fummelte am Knopf ihrer Jeans. »Extraball. Gut gemacht.«

»Danke.« Glöckchen klingelten nicht nur in der Maschine, sondern ebenso in ihrem Kopf, und obwohl sie meinte »Das Spiel ist vorbei«, wehrte sie sich nicht, als er sie herumdrehte, sodass sie mit dem Rücken zu dem Automaten stand.

»Nein, es fängt zum Glück gerade erst an.« Heiß und besitzergreifend küsste er sie auf den Mund, glitt mit seinen Händen unter den Stoff ihres Unterhemds, umfasste ihre Brüste und erklärte: »Ich will dich so, wie ich dich immer will.«

Atemlos zerrte sie an seinem Hemd. »Du hättest

ein paar Mal verlieren sollen. Dann hättest du nicht mehr so viele Kleider an.«

»Das werde ich mir merken.« Das Verlangen kam so schnell und heftig, dass es ihn regelrecht verbrannte. Ihr Körper – die langen, klaren Linien, die geschmeidigen und zugleich straffen Muskeln, die überraschende Zartheit ihrer Haut – war für ihn ein Schatz. Er zog sie eng an seine Brust.

Sie wollte geben. Nie zuvor in ihrem Leben hatte ein Mensch das verzweifelte Verlangen zu geben – alles, was sie hatte, alles, was er wollte – in ihr geweckt. Inmitten all des Grauens ihres Lebens, inmitten all des Elends ihrer Arbeit war das, was sie einander unentwegt gaben, das ganz private Wunder, das ihr widerfahren war.

Sie glitt mit ihren Händen über sein festes, warmes Fleisch und stieß einen tiefen Seufzer aus. Dann fand sie seinen Mund mit ihren rauen hungrigen Lippen und stöhnte lustvoll auf.

Statt sich von ihr auf den Boden ziehen zu lassen, drehte er sich um, stolperte mit ihr zusammen durch den Raum, presste ihren Rücken gegen etwas Kaltes, Hartes und bat sie: »Sieh mich an.«

Sie stieß heiser seinen Namen aus, und als er mit seinen Fingern über ihren Körper und dann in sie hineinglitt, versank sie in einem Strudel der Gefühle, der unendlich wilder als das Rotieren der Silberkugeln in dem Flipperkasten war.

Ihr Blick wurde verhangen. »Mehr. Noch mal.« Und während sie erschauderte, während ihre Finger sich in seine Schultern gruben, bedeckte er mit seinen Lippen ihren Mund und schluckte ihren Schrei.

Keuchend packte er ihre Hüfte, hob sie ein wenig in die Höhe und schob sich tief in sie hinein.

Er rief eine derart heiße Freude in ihr wach, dass sie mit dem Verstand nicht mehr zu fassen war. Verlieh ihr eine derart unbändige Energie, dass sie darum kämpfte, ihm genauso viel zurückzugeben, wie ihr durch ihn zuteil geworden war. Sie nahm ihre Hände von seinen breiten Schultern, ballte die Fäuste in der schwarzen Seide seines Haars ... und dann trieben sie einander in wilder Ekstase weiter, bis er zur gleichen Zeit wie sie im Meer der Glückseligkeit versank.

»Ich habe nicht verloren.«

Roarke blickte lächelnd auf ihren hübschen, nackten Hintern, als sie sich nach ihren Kleidern bückte, und meinte großmütig: »Das habe ich auch nicht gesagt.«

»Aber du denkst es. Ich kann regelrecht hören, dass du das denkst. Es ist nur so, dass ich keine Zeit habe, um dieses blöde Spiel zu Ende zu spielen.«

»Das kann locker warten.« Er knöpfte seine Hose zu. »Ich habe Hunger. Lass uns etwas essen.«

»Ich schiebe mir nur schnell irgendwas zwischen

die Zähne. Ich habe noch zu tun. Ich will noch mal los und mir Dracos Hotelzimmer ansehen.«

»Kein Problem.« Roarke trat vor den AutoChef, kam nach kurzem Überlegen zu dem Schluss, dass an einem kalten, regnerischen Abend etwas Deftiges genau das Richtige wäre, und bestellte für sie beide einen Rindfleisch-Gerstentopf. »Ich werde dich begleiten.«

»Das ist Sache der Polizei.«

»Natürlich. Ich werde lediglich abermals meine Bürgerpflicht erfüllen, Lieutenant«, meinte er und fügte, da er wusste, dass sie das ärgern würde, grinsend hinzu: »Denn schließlich ist es mein Hotel.«

»Das hätte ich mir denken können.« Da sie wusste, dass er sie ärgern wollte, schob sie sich, statt ihn weiter anzufauchen, den ersten Löffel Eintopf in den Mund. Verbrannte sich die Zunge und beruhigte sich, während sie, um die Suppe etwas abzukühlen, auf den Löffel blies, mit der Tatsache, dass ja in dem Zimmer kein Verbrechen begangen worden war. Und auch wenn sie es nicht gerne zugab, wären Roarkes aufmerksamer Blick und sein wacher Verstand ihr bestimmt von Nutzen.

»Meinetwegen.« Sie zuckte mit den Schultern. »Aber komm mir ja nicht in die Quere.«

Er nickte zufrieden. Nicht, dass er die Absicht hatte, sich tatsächlich im Hintergrund zu halten. Wo bliebe dann der Spaß? »Nehmen wir Peabody mit?«

»Sie hat frei. Sie hatte eine Verabredung.«
»Ah. Mit McNab?«

Schlagartig verspürte Eve nicht mehr den geringsten Appetit. »Die beiden haben keine Verabredungen, wie du dir das vorstellst.« Auf Roarkes überraschten Blick hin schob sie sich missmutig einen weiteren Löffel Eintopf in den Mund. »Hör zu, möglicherweise gehen die beiden in einem völlig fremden, weit, weit entfernten Universum gelegentlich miteinander ins Bett. Mehr läuft da nicht.«

»Meine liebe Eve, auch wenn das noch so traurig ist, kommt früher oder später unweigerlich der Zeitpunkt, an dem eine Mutter ihre Kinder ziehen lassen muss.«

»Halt die Klappe.« Sie piekste ihm mit ihrem Löffel in die Brust. »Ich meine es ernst. Mehr als eine lächerliche, vorübergehende Bettgeschichte läuft zwischen den beiden eindeutig nicht.«

Vielleicht hätten manche Menschen Ian McNabs schäbiges Apartment in der Lower West Side als fremdes Universum tituliert. Es war eben die Bleibe eines Mannes – voll gestopft mit irgendwelchen Sporttrophäen, dreckiger Wäsche, schmutzigem Geschirr, und ansonsten eher spärlich dekoriert.

Ab und zu dachte er daran, einen Teil des Unrats in den staubigen Kleiderschrank zu stopfen, wenn er Damenbesuch erwartete. Seine Wohnung war halt etwas völlig anderes als der weitläufige Prachtbau, in dem Roarke zu Hause war. Doch trotz des Durcheinanders und des Geruchs nach verkochtem Gemüse, der ständig in den Zimmern hing, fühlte er sich in seinen vier Wänden durchaus wohl.

In diesem Moment, mit heftig klopfendem Herzen und von ausgedehntem Sex schweißbedeckter Haut, fühlte er sich sogar regelrecht fantastisch.

»Himmel, Peabody.« Wie eine gestrandete Forelle warf er sich auf den Rücken. Doch es war ihm egal, dass er kaum noch Luft bekam. Eine wundervolle, nackte Frau lag in seinem Bett. Wenn er in diesem Moment stürbe, stürbe er als durch und durch glücklicher Mann. »Damit haben wir bestimmt einen Rekord gebrochen. Wir sollten aufschreiben, wie wir das alles machen.«

Da es für sie wie jedes Mal völlig unbegreiflich war, was zwischen ihr und diesem Mann geschah, blieb sie so liegen, wie sie lag, und meinte: »Ich kann meine Füße nicht mehr spüren.«

Er stützte sich auf einen Ellenbogen, da sie aber über Kreuz auf der Matratze lagen, konnte er nicht weiter sehen als bis zu ihren Knien. Sie hatte wirklich hübsche Knie, fiel ihm auf. »Ich glaube nicht, dass ich sie abgerissen habe. Daran würde ich mich noch erinnern.« Trotzdem hob er mühsam seinen Kopf und schielte, um ganz sicherzugehen, an ihren Knien vorbei. »Sie sind genau da, wo sie hingehören, und zwar alle beide.«

»Gut. Schließlich brauche ich sie noch.«

Als die Betäubung langsam nachließ, fing sie an zu blinzeln, starrte auf McNabs anziehendes Profil und fragte sich zum wiederholten Mal, ob sie verrückt geworden war.

Ich liege nackt neben McNab im Bett. Nackt. Neben McNab. Im Bett. Oh, Gott.

In dem Bewusstsein ihrer körperlichen Mängel zerrte sie an dem zerwühlten Laken und murmelte verlegen: »Hier drinnen ist es ganz schön kalt.«

»Der blöde Hausmeister hat am ersten März die Heizung abgestellt. Als wäre es sein Geld. Sobald ich die Zeit dazu habe, werde ich sie eigenhändig wieder anstellen.«

Er riss den Mund zu einem Gähnen auf und fuhr sich mit beiden Händen durch sein langes, zerzaustes blondes Haar, das, wie es aussah, schwer auf seinen schmalen Schultern lag. Peabody musste sich zwingen, nicht ebenfalls die Finger in den rotgoldenen Locken zu vergraben. Um sich von dem Verlangen abzulenken, blickte sie an ihm herab. In seine knochigen Hüften war zurzeit ein silberner Blitz tätowiert, der farblich zu den vier kleinen Ringen passte, die er in seinem linken Ohrläppchen trug.

Seine Haut war weiß wie Milch, seine Augen leuchtend grün. Sie hätte nach wie vor nicht sagen können, was am Körper dieses Mannes ihr überhaupt gefiel. Und vor allem, wie es kam, dass sie regelmäßig fantastischen Sex miteinander hatten, während sie doch außerhalb des Bettes die meiste Zeit damit verbrachten, sich auf die Nerven zu gehen.

Sie hätte gern gesagt, er wäre nicht ihr Typ, doch es wäre bestimmt vermessen, legte sie sich typenmäßig fest. Für gewöhnlich hatte sie bei Männern nämlich nicht das geringste Glück.

»Ich sollte langsam los.«

»Warum? Es ist noch früh.« Er beugte sich, als sie sich aufsetzte, eilig zu ihr hinüber, knabberte lasziv an ihrer Schulter und erklärte: »Ich habe Appetit.«

»Himmel, McNab, wir haben doch gerade erst mit unseren Spielchen aufgehört.«

»Darauf habe ich sowieso pausenlos Appetit, aber ich dachte eher an eine Pizza.« Er kannte ihre Schwäche. »Mit doppeltem Belag. Also, lass uns neue Kräfte tanken.«

Sofort waren ihre Geschmacksknospen sensibilisiert, doch sie erklärte tapfer: »Ich bin gerade auf Diät.«

»Warum denn das?«

Sie rollte mit den Augen, schlang sich das Betttuch um den Leib und stand entschieden auf. »Weil ich eindeutig zu dick bin.«

»Nein, das bist du nicht. Du bist einfach gut gebaut.« Er packte einen Zipfel des von ihr umklammerten Lakens und zog es, bevor sie reagieren konnte, bis auf ihre Hüfte herab. »Nein, sogar phänomenal.«

Während sie versuchte, das Laken wieder hochzuziehen, sprang er auf und nahm sie so zärtlich in den Arm, dass sie gleichermaßen entwaffnet wie auch leicht erschrocken war. »Komm, lass uns etwas essen, und dann sehen wir weiter. Ich habe sogar noch etwas Wein im Haus.«

»Falls er dem Wein, den du mir letztes Mal serviert hast, auch nur ansatzweise ähnelt, kippst du ihn am besten gleich weg.«

»Es ist eine neue Flasche.« Er hob seinen leuchtend orangefarbenen Overall vom Boden auf und stieg hinein. »Willst du vielleicht eine Hose?«

Dafür, dass er ihr eine seiner langen, schmalen Hosen anbot, hätte sie ihn am liebsten geküsst. »McNab, ich hätte schon als Zwölfjährige in keine Hose von dir mehr gepasst. Im Gegensatz zu dir habe ich nämlich eindeutig einen Hintern.«

»Das stimmt. Aber kein Problem, ich liebe Frauen in Uniform.« Er hoffte, dass sie ihm nicht angesehen hatte, wie enttäuscht er war, weil er sie jedes Mal mühsam überreden musste, damit sie nach dem Sex noch etwas blieb.

Er ging in die kleine Kochnische hinüber und holte die Weinflasche, die er am Vortag kurz entschlossen gekauft hatte, als er an sie denken musste. Es war nahezu demoralisierend, wie oft er an sie dachte. Wenn es ihm gelänge, sie ans Bett zu fesseln, hätten sie beide kein Problem. Dort brauchte er nie zu überlegen, was er als Nächstes tun sollte, weil es schlichtweg geschah.

Er griff nach seinem Link, in dem die Nummer des Pizzaservice, da er dort regelmäßig anrief, zuoberst eingegeben war, bestellte eine Pizza mit doppeltem Belag und kramte einen Korkenzieher hervor.

Der verdammte Wein hatte deutlich mehr gekostet, als er für solche Dinge normalerweise ausgab. Aber um einem aalglatten, erfahrenen lizensierten Gesellschafter die Stirn bieten zu können, musste man eben einiges tun. Charles Monroe kannte sich bestimmt hervorragend mit Weinen aus. Wahrscheinlich badeten er und Peabdoy regelmäßig in Champagner.

Da ihn die Vorstellung wütend machte, leerte er das erste voll geschenkte Glas auf einen Zug. Dann drehte er sich um, als Peabody aus dem Badezimmer kam. Sie trug ihre Uniformhose und ihr bis kurz unter dem Halsansatz zugeknöpftes Hemd. Am liebsten hätte er sie dort geleckt, wo oberhalb des steifen Kragens ihre weiche Haut herausblitzte.

Verdammt, verdammt.

»Was ist los?«, fragte sie, als sie seine böse Miene sah. »Haben sie vielleicht keine Salami mehr gehabt?«

»Nein, die Pizza kommt.« Er reichte ihr ihr Glas. »Ich dachte gerade an ... die Arbeit.«

»Mmm.« Sie nippte an dem Wein und verzog angesichts des angenehmen, etwas fruchtigen Geschmacks anerkennend das Gesicht. »Der ist wirklich gut. Du sammelst Hintergrundinformationen zu den Leuten im Fall Draco, stimmt's?«

»Ist bereits erledigt. Dallas müsste die Infos inzwischen haben.«

»Dann warst du echt fix.«

Er zuckte mit den Schultern. Er brauchte ihr ja nicht zu sagen, dass ihm das Material von Roarke sozusagen in den Schoß geworfen worden war. »Stets zu Diensten, wie man so schön sagt. Aber selbst wenn man einen Großteil der Verdächtigen ausschließt und sämtliche Wahrscheinlichkeitsberechnungen anstellt, wird es noch Tage dauern, bis man eine übersehbare Zahl von Leuten rausgefiltert hat. Dadurch, dass der Kerl sich vor ein paar Tausend Leuten hat niederstechen lassen, wird die Sache ungeheuer verkompliziert.«

»Ja.« Wieder nippte Peabody an ihrem Wein, schlenderte durch das Zimmer und machte es sich in einem Sessel bequem. Ohne sich dessen bewusst zu sein, fühlte sie sich in dem Durcheinander von McNabs kleinem Apartment genauso wohl wie bei sich daheim. »Irgendetwas geht da vor sich.«

»Es geht immer irgendetwas vor sich.«

»Nein, ich meine nicht wie sonst.« Sie starrte grüblerisch in ihren Wein. Wenn sie nicht mit jemandem spräche, würde sie explodieren. Und, verdammt, Ian war schließlich gerade da. »Hör zu, die Sache ist vertraulich.«

»Okay.« Da die Pizza frühestens in zehn Minuten käme, holte McNab eine offene Tüte Sojachips und setzte sich auf die Lehne des Sessels, in dem Peabody saß. »Worum geht's?«

»Ich weiß nicht. Nadine Furst hat heute den Lieutenant angerufen. Sie, ich meine, Nadine, war völlig durch den Wind.« Geistesabwesend griff Peabody in die Tüte. »Das erlebt man bei Nadine nicht gerade häufig. Sie hat sich mit Dallas getroffen – mit Dallas allein. Es ging um irgendetwas Ernstes. Mich haben sie fortgeschickt, aber ich habe es von meinem Platz aus deutlich mitbekommen, wie angespannt sie waren. Und danach hat Dallas mir gegenüber kein Wort über das Gespräch verloren.«

»Vielleicht ging es um irgendeine banale private Angelegenheit.«

»Nein, Nadine hätte nicht um eine solche Zusammenkunft gebeten, wenn sie nicht in irgendwelchen Schwierigkeiten stecken würde.« Die Journalistin war auch ihre Freundin, und es tat Peabody weh, dass sie von ihr nicht in die Unterhaltung mit einbezogen worden war. »Ich glaube, es hängt mit dem Fall zusammen. Dallas hätte es mir sagen sollen.« Sie kaute nachdenklich auf ihren Chips herum. »Sie sollte mir vertrauen.«

»Soll ich gucken, was ich rausfinden kann?«

»Das kann ich auch alleine. Ich habe es nicht nötig, dass irgendein Heißsporn aus der Abteilung für elektronische Ermittlungen mir bei solchen Sachen hilft.«

»Das kannst du selbstverständlich halten, wie du willst.«

»Reg dich ab. Ich weiß noch nicht mal, warum ich dir das überhaupt erzählt habe. Wahrscheinlich, weil es mich einfach belastet. Nadine ist eine Freundin, oder zumindest habe ich das bisher gedacht.«

»Du bist eifersüchtig.«

»Schwachsinn.«

»Doch, natürlich bist du das.« Er hatte inzwischen einige Erfahrung mit diesem unschönen Gefühl. »Dallas und Nadine lassen dich nicht mitspielen, weshalb du eifersüchtig bist. So ist es sehr häufig zwischen Frauen.«

Sie schubste ihn unsanft von der Sessellehne und erklärte: »Du bist und bleibst ein Arschloch.«

»Und da«, entgegnete er, als die Klingel an der Wohnungstür erklang, »serviert man uns auch schon unser Abendbrot.«

6

»Fass ja nichts an und komm mir bloß nicht in die Quere.«

»Liebling, du wiederholst dich.« Roarke sah zu, wie Eve ihren Generalschlüssel ins Schloss der von Draco vor seinem Tod bewohnten Penthousewohnung schob.

»Das tue ich nur deshalb, weil du mir nie zuhörst.« Bevor sie die Tür aufschob, drehte sie sich zu ihm um. »Warum lebt ein Mann, der seinen Erstwohnsitz und seine meisten Engagements hier hat, statt in einer Privatwohnung lieber in einem Hotel?«

»Erstens hat es gut geklungen, wenn man gesagt hat: ›Mr Draco residiert, wenn er in der Stadt ist, in der Penthouse-Suite des Palace.‹ Zweitens war es praktisch. Er brauchte nur mit dem Finger zu schnipsen, und schon wurde alles für ihn erledigt. Vor allem aber, und das ist eventuell das Wichtigste, war es herrlich unverbindlich. Nie ging er bezüglich seiner Wohnung die geringste Verantwortung ein.«

»Nach allem, was ich bisher über diesen Draco

habe in Erfahrung bringen können, scheint das tatsächlich der Hauptgrund gewesen zu sein.« Sie öffnete die Tür und trat ein.

Die Suite gehörte Roarke, und deshalb war sie mondän, luxuriös und rundherum perfekt. Das hieß, wenn einem so etwas gefiel.

Das Wohnzimmer war riesengroß und elegant möbliert. Seidentapeten schmückten die Wände, und um den ausladenden Glas-und-Gold-Kronleuchter herum war die gewölbte Decke mit aufgemalten Früchten und Blumen dekoriert.

Auf den drei breiten, mit warmem, dunkelrotem Stoff bezogenen Sofas waren leuchtend bunte, juwelenfarbene Kissen aufgetürmt. Die Tische – sie nahm an, dass sie aus echtem Holz und deshalb echte Antiquitäten waren – waren genau wie die Spiegel und der Boden frisch poliert. Der Teppich war mindestens zweieinhalb Zentimeter dick und wies dasselbe Muster wie die Decke auf.

Eine Wand bestand durchgehend aus Glas. Der Sichtschutz war vorgezogen, sodass man zwar die Lichter und die Silhouetten der Großstadt sehen konnte, jedoch niemand von außen einen Einblick in den Raum bekam. Hinter der Glasfront fand sich eine mit Steinen ausgelegte Terrasse, die offenbar beheizt war, denn sonst hätten um diese Jahreszeit die üppigen Pflanzen in den hübschen Steintöpfen sicher nicht geblüht.

An einem Ende des Raums stand ein schimmernd weißer Flügel, und am anderen war hinter mit Schnitzwerk verzierten Paneelen wahrscheinlich eine Entertainment-Anlage versteckt. Es gab Grünpflanzen mit dicken, glänzenden Blättern, in einem Glasschrank wurden diverse Staubfänger – wahrscheinlich irgendwelche Kunstwerke – zur Schau gestellt, nirgends jedoch war eine Spur von Leben.

»Wahrscheinlich ist die Putzkolonne hier gewesen, nachdem er zur Vorstellung ins Theater aufgebrochen ist«, erklärte Roarke, »ich kann die Leute, die an dem Abend Dienst hatten, heraufbitten und fragen, in welchem Zustand die Suite zu jenem Zeitpunkt war.«

»Ja.« Sie dachte an Nadine. So, wie sie die Journalistin kannte, hatte es bestimmt so ausgesehen, als wäre ein Tornado durch das Wohnzimmer getobt. Sie trat vor die Paneele, zog sie auf und musterte die Anlage, die sich, wie sie bereits vermutet hatte, dahinter verbarg. »Gerät an«, befahl sie, und der Bildschirm leuchtete in einem weichen Blau. »Wiederholung des letzten Programms.«

Sofort erwachte die Einheit zum Leben, und Eve sah zwei Figuren in einem Meer aus glänzendem, schwarzem Satin. »Was finden Männer bloß daran, anderen beim Vögeln zuzusehen?«

»Wir sind krank, widerlich und schwach. Du solltest uns bedauern.«

Sie fing an zu lachen, dann jedoch drehte das Paar auf dem Bett sich Richtung Kamera, und sie erkannte das selig lächelnde Gesicht der Frau. »Verdammt. Das ist Nadine. Das sind Nadine und Draco.«

Roarke legte begütigend eine Hand auf ihre Schulter. »Die Aufnahme stammt nicht von hier. Das ist ein anderes Schlafzimmer. Auch ihre Frisur ist völlig anders. Ich glaube nicht, dass dieses Video vor kurzem aufgenommen worden ist.«

»Ich muss es mitnehmen, um zu beweisen, dass es tatsächlich eine alte Aufnahme ist. Himmel, jetzt habe ich einen verdammten Sexfilm, in dem eine der bekanntesten Journalistinnen der Stadt zu sehen ist, als Beweismittel in einem Mordfall.« Sie stoppte den Film, zog die Diskette aus dem Schlitz und schob sie in eine Tüte, die sie ihrem Untersuchungsset entnahm.

»Verdammt. Verdammt. Verdammt.«

Sie begann im Zimmer auf und ab zu laufen. All diese Beziehungsgeschichten waren so entsetzlich kompliziert und würden ihr ewig fremd bleiben. Nadine hatte sich als Freundin an sie gewandt. Vertraulich. Der Mensch, der sie in diesem Moment geduldig ansah, war ihr Ehemann.

Liebe, Ehre und all das andere Zeug, das mit Beziehungen zusammenhing, waren fürchterlich verwirrend.

Wenn sie ihm von Nadine und Draco erzählte, missbrauchte sie dann das Vertrauen einer Freundin? Oder täte sie einfach etwas, was in einer Ehe normal war?

Wie zum Teufel, überlegte sie, kamen die Leute nur durchs Leben, wenn es ständig derart zu jonglieren galt?

»Meine liebste Eve.« Roarke wartete mitfühlend ab, bis sie stehen blieb und ihn endlich wieder ansah. »Du machst dir lauter unnötige Gedanken. Ich kann es dir leichter machen. Ich möchte nicht, dass du dich gezwungen fühlst, mir irgendetwas zu erzählen, wenn dir dabei unbehaglich ist.«

Sie runzelte die Stirn und fixierte ihn aus zusammengekniffenen Augen. »Irgendwie höre ich ein *Aber* am Ende dieses Satzes.«

»Du hast wirklich gute Ohren. Aber«, fuhr er deshalb fort und trat dabei auf sie zu. »Ich habe aus dem Film geschlossen, dass Nadine und Draco irgendwann mal ein Verhältnis miteinander hatten. Dein sorgenvoller Blick macht deutlich, dass erst vor kurzer Zeit irgendetwas zwischen den beiden vorgefallen ist.«

»Ach, verflixt.« Am Ende folgte sie ihrem Instinkt und vertraute sich ihm an.

Er hörte aufmerksam zu und schob dann eine Strähne ihrer Haare hinter ihr linkes Ohr. »Du bist eine gute Freundin.«

»Sag das nicht. Das macht mich nervös.«

»Also gut. Aber eines ist gewiss: Nadine hat mit dem Mord an Draco nicht das Mindeste zu tun.«

»Das weiß ich, und es gibt auch keinerlei Indizien dafür, dass das der Fall gewesen ist. Trotzdem wird es für sie persönlich bestimmt nicht leicht. Okay, was gibt es sonst noch in dieser Suite?«

»Ah, wenn ich mich recht entsinne, geht es dort entlang zur Küche.« Er wies mit einer Hand auf eine Tür. »Dann gibt es noch ein Arbeitszimmer, ein Schlaf- und ein Ankleidezimmer, eine Gästetoilette und ein Bad.«

»Ich fange im Arbeitszimmer an. Ich will mir sein Link angucken, um zu sehen, ob dort vielleicht irgendwelche Drohungen oder Streitereien aufgezeichnet sind. Tu mir bitte einen Gefallen.« Sie drückte ihm ihren Untersuchungsbeutel in die Hand. »Tüte auch die anderen Disketten ein.«

»Sehr wohl, Madam. Lieutenant.«

Sie grinste, schwieg aber.

Er liebte es, sie bei ihrer Arbeit zu beobachten. Sie ging systematisch vor, logisch und äußerst konzentriert.

Hätte man ihm vor noch nicht allzu langer Zeit erklärt, dass er einmal eine Polizistin und deren Arbeit sexy finden würde, hätte er das als persönliche Beleidigung empfunden.

»Starr mich nicht so an.«

Er lächelte. »Tue ich das?«

Sie schnaubte lediglich. »Er hat anscheinend ständig am Telefon gehangen. Wenn ich Psychologin wäre, würde ich vermuten, dass er es nicht ausgehalten hat, mit sich allein zu sein. Brauchte ständig Kontakt zu anderen Menschen. Allerdings ist nichts Ungewöhnliches dabei, wenn man von den zahlreichen Einkäufen absieht, die er über das Internet getätigt hat – acht Paar Schuhe, drei schicke Anzüge, eine alte Armbanduhr.« Sie richtete sich auf. »Aber das findest du wahrscheinlich vollkommen normal.«

»Ganz im Gegenteil. Ich würde nie im Leben irgendwelche Anzüge über das Internet bestellen. Schließlich ist das Wichtigste an einem Anzug, dass er richtig sitzt.«

»Haha. Dann gibt es noch ein kurzes, zorniges Gespräch mit seinem Agenten. Sieht aus, als hätte er herausgefunden, dass die Dame, die die weibliche Hauptrolle spielt, das gleiche Salär einstrich wie er. Das hat ihn total erbost, und er wollte, dass sein Agent noch einmal verhandelt und mehr für ihn herausschlägt. Und sei es bloß ein Dollar pro Aufführung.«

»Ja, ich weiß. Aber darauf hätte ich mich niemals eingelassen.«

Sie wandte sich von dem aufgeräumten, kleinen Schreibtisch ab und blinzelte Roarke verwundert an. »Du hättest ihm nicht einen Dollar mehr bezahlt?«

»Im Umgang mit einem Kind«, erklärte er milde, »muss man Grenzen setzen. In diesem Fall war die Grenze der Vertrag. Die Höhe des geforderten Betrags war demnach völlig egal.«

»Du bist manchmal ziemlich hart.«

»Allerdings.«

»Hat er dir deshalb Schwierigkeiten gemacht?«

»Nein. Vielleicht hatte er die Absicht, die Sache weiterzuverfolgen, aber wir selbst haben nie miteinander darüber gesprochen. Tatsache ist, sein Agent hat sich an meine Anwälte gewandt, die sich an mich und dann wieder an ihn. Weiter war es bis zum Abend der Premiere nicht gegangen.«

»Okay, damit bist du sauber. Jetzt will ich mir mal das Schlafzimmer ansehen.« Sie ging an ihm vorbei durch einen kleinen, runden Flur und dann durch eine Tür.

Das Bett war breit, bequem, hatte ein hohes, gepolstertes Kopfbrett, und die Kissen und Decken hatten einen unifarbenen, rauchgrauen Bezug, der den Eindruck erweckte, als ob man, wenn man sich schlafen legte, in einer weichen Nebelbank versank.

Sie betrat das angrenzende Ankleidezimmer und schüttelte angesichts der unzähligen dort verteilten Kleidungsstücke verständnislos den Kopf. Auf einem an der Wand stehenden Spiegeltisch waren diverse bunte Flaschen und Tuben mit Make-up, Hautcreme, Parfüm und Puder aufgereiht.

»Okay, er war also ein eitler, egoistischer, egozentrischer, kindischer und zugleich offensichtlich unsicherer Mensch.«

»Da kann ich dir schwerlich widersprechen. All diese Eigenschaften sind Grund genug, um einen Menschen nicht zu mögen, aber reichen sie für einen Mord?«

»Manchmal ist bereits die Tatsache, dass ein Mensch zwei Füße hat, ein ausreichendes Motiv für einen Mord.« Sie kehrte ins Schlafzimmer zurück. »Ein Mann, der ein solches Ego hat und zugleich so unsicher ist wie Draco, schläft ganz bestimmt nicht oft allein. Carly Landsdowne hatte er abserviert, aber ich bin der festen Überzeugung, dass längst eine andere bereitstand, um ihren Platz zu übernehmen.« Sie zog das obere Schubfach des Nachttischs auf. »Aber hallo, guck dir das mal an.«

Die Schublade war in einzelne Fächer aufgeteilt, und jedes dieser Fächer war mit verschiedenen erotischen Spielzeugen entweder für zwei oder auch für einen alleine angefüllt.

»Lieutenant, ich glaube, diese Dinge solltest du genauer untersuchen.«

»Nichts anfassen.« Als ihr Mann den Arm ausstreckte, schlug sie ihm rasch auf die Hand.

»Spielverderberin.«

»Zivilpersonen. Was zum Teufel macht man denn mit so was?« Sie hielt ein langes, kegelförmiges Gebilde aus Gummi in die Luft, das, als sie es schüttelte, ein fröhliches Klingeln ertönen ließ.

Roarke setzte sich grinsend auf den Rand des Betts. »Tja, im Interesse der Ermittlungen wäre ich durchaus bereit, es dir zu zeigen.« Lächelnd klopfte er neben sich auf die Matratze.

»Nein, ich meine es ernst.«

»Ich auch.«

»Egal.« Trotzdem dachte sie noch immer über die Funktion des Gegenstandes nach, als sie ihn zurücklegte und die untere der beiden Schubladen aufzog. »Ah, das ist ja eine regelrechte Goldmine, auf die ich hier gestoßen bin. Sieht aus wie ein Monatsvorrat an Exotica, ein bisschen Zeus und ...« Sie öffnete ein kleines Fläschchen, schnupperte vorsichtig daran und schüttelte dann angeekelt den Kopf. »Scheiße. Wild Rabbit.«

Sie machte das Fläschchen schnell wieder zu und stopfte es in eine ihrer Plastiktüten.

»Und sogar unverdünnt.« Sie atmete hörbar aus. »Kein Wunder, dass er als regelrechter Sex-Gott galt, wenn er das Zeug bei seinen Dates verwendet hat. Ein oder zwei Tropfen Rabbit, und du würdest dich von einem Türknauf vögeln lassen. Wusstest du, dass er so was benutzt?«

»Nein.« Roarkes Grinsen war verflogen, und er stand auf. »Ich finde an den meisten Drogen keinen besonderen Gefallen. Aber der Gebrauch von diesem

Zeug ist meiner Meinung nach so, als ob man jemanden vergewaltigt. Bist du okay?«

»Ja, ja.« Ein bisschen schwindlig, dachte sie, und entsetzlich geil. Und das bereits, nachdem sie nur kurz an dem Gift geschnuppert hatte. »In unverdünntem Zustand zahlt man für das Zeug pro Unze, das heißt für dreißig Gramm, mindestens zehntausend. Und man kommt nur sehr schwer dran. Es wirkt nur bei Frauen«, murmelte sie. »Ein Tropfen zu viel, und schon hat das Opfer eine Überdosis erwischt.«

Roarke legte eine Hand unter ihr Kinn, hob ihren Kopf vorsichtig an und sah ihr in die Augen. Sie wirkte noch vollkommen klar. »Es war nie die Rede davon, dass er etwas in der Art benutzt. Wenn ja, und wenn ich herausgefunden hätte, dass es stimmt, hätte ich ihn nicht nur sofort an die Luft gesetzt, sondern ihm wahrscheinlich auch noch beide Arme gebrochen.«

»Okay.« Sie drückte ihm die Hand. »Für heute haben wir genug hier drin gesehen. Bitte halt die Suite noch ein, zwei Tage frei. Ich möchte, dass sich die Drogenfahndung noch einmal gründlich alles ansieht.«

»Kein Problem.«

Sie schob das Fläschchen in die Tasche und hoffte, Roarkes Stimmung aufhellen zu können, indem sie beiläufig fragte: »Und was wird dich das kosten?«

»Wie bitte?«

»Wie viel es dich kostet, wenn die Räume leer stehen? Wie viel muss man hinlegen, wenn man hier übernachten will?«

»Hier in dieser Suite? Ich glaube, um die achttausendfünfhundert, obwohl ich davon ausgehe, dass es auch Wochen- und Monatspreise gibt.«

»Das ist ja regelrecht geschenkt. Die Mansfield hat ebenfalls eine Suite hier im Hotel, oder?«

»Penthouse B, im anderen Turm.«

»Lass sie uns doch kurz besuchen. Sie und Draco haben schließlich früher gemeinsam mit Drogen zu tun gehabt.« Eve sammelte ihre Sachen ein und wandte sich zum Gehen. »Vielleicht kennt sie ja seine Quellen. Möglicherweise läuft am Ende alles auf einen schief gelaufenen Drogendeal hinaus.«

»Das glaube ich nicht.«

»Okay, ich auch nicht, aber der Großteil unserer Arbeit besteht darin, Möglichkeiten auszuschließen.« Sie schloss die Tür hinter sich und zog ein Polizeisiegel aus ihrem Untersuchungsset.

»Muss das sein?« Er bedachte das Siegel mit einem geradezu feindseligen Blick. »Das könnte die anderen Gäste stören.«

»Es muss sein. Außerdem werden die anderen Gäste wahrscheinlich sogar eher begeistert davon sein, nach dem Motto ›Sieh nur, George, dort hat der tote Schauspieler gewohnt. Hol schnell die Videokamera.‹«

»Deine Einstellung den meisten Menschen gegenüber ist erschreckend zynisch.«

»Aber vor allem zutreffend.« Sie trat vor ihm in den Fahrstuhl, wartete, bis sich die Tür geschlossen hatte, und ... stürzte urplötzlich auf ihn zu. »Nur ein schneller – Himmel ...« In dem verzweifelten Verlangen, Erleichterung zu finden, rieb sie sich an seinem Körper, biss ihm in die Lippe, vergrub stöhnend ihre Finger in seinem straffen Hintern und schob ihn dann genauso plötzlich wieder von sich fort.

»Wow.« Sie ließ ihre Schultern kreisen und erklärte: »Jetzt geht es mir wieder besser.«

»Dir vielleicht.« Er wollte sie zurück an seine Brust ziehen, doch sie wies ihn rüde ab.

»Keine Spielchen in einem öffentlichen Fahrstuhl. Weißt du nicht, dass das verboten ist? Turm A, Penthouse Level«, befahl sie, und der Lift setzte sich lautlos in Bewegung.

»Dafür wirst du noch bezahlen.«

Sie lehnte sich gegen die Wand, als der Fahrstuhl in der Horizontale weiterglitt. »Bitte, du machst mir Angst.«

Lächelnd schob er eine Hand in seine Tasche und spielte mit dem Gummikegel, der von ihm aus der Schublade entwendet worden war. »Das kannst du auch ruhig«, murmelte er, worauf sie lachend fragte: »Ich musste doch wohl einen klaren Kopf bekommen, bevor ich mich mit einer Zeugin unterhalte, oder etwa nicht?«

»Mmm-hmmm.«

»Hör zu, du kennst diese Mansfield ziemlich gut. Ich würde gerne wissen, was du für einen Eindruck von ihr hattest, wenn wir hier fertig sind.«

»Ah, da haben wir's. Dir geht es ausschließlich darum, ob ich dir etwas nutzen kann. Alles andere ist dir egal.«

Sie stieg aus dem Lift, drehte sich zu ihm herum und tätschelte ihm liebevoll die Wange. »Manchmal kann ich dich tatsächlich gut gebrauchen.« Er strich mit seinen Lippen über ihre Handballen und rief dadurch einen wohligen Schauder in ihr wach. »Halt dich zurück«, wies sie ihn an, trat entschlossen vor Areenas Tür, klingelte und wartete, bis Areena in einem langen weißen Morgenrock erschien.

Sie wirkte erhitzt, offenkundig überrascht und alles andere als erfreut. »Lieutenant Dallas, Roarke. Ich ... ich hatte niemanden erwartet ...« Dann aber fingen ihre Augen an zu leuchten. »Gibt es irgendwelche Neuigkeiten? Haben Sie denjenigen gefasst, der ...«

»Nein. Tut mir Leid, Sie abermals zu stören, aber ich habe noch ein paar Fragen.«

»Oh, ich dachte, ich hatte gehofft, es wäre vorbei. Tja.«

Sie hob eine Hand und drückte, wie, um irgendeinen Schmerz zu lindern, einen pinkfarben lackierten Fingernagel leicht gegen ihre Stirn. Tatsächlich zeigten die dunklen Ringe, die sie unter den Augen hatte, dass sie in keinem guten Zustand war. »Ich fürchte, dies ist ein ungünstiger Zeitpunkt. Ist es wirklich unvermeidbar?«

»Tut mir Leid, wenn ich unpassend komme, aber es wird nicht lange dauern.«

»Natürlich. Nur ist es mir ein bisschen peinlich. Wissen Sie, ich bin nicht alleine. Ich ...« Areena ergab sich in ihr Schicksal, ließ die Arme sinken und trat einen Schritt zurück. »Bitte, kommen Sie herein.«

Eve trat durch die Tür. Die Wohnung war in Schnitt und Größe identisch mit der Suite, aus der sie gerade kam. Die Einrichtung jedoch war weicher, irgendwie weiblicher, und die vorherrschenden Töne waren cremefarben und blau.

Auf einem der drei Sofas saß – elegant wie üblich und in seinem schwarzen Qutfit prachtvoll anzusehen – Charles Monroe und blickte sie lächelnd an.

Na super, dachte Eve und hätte ihm am liebsten einen Tritt in seine teure Leistengegend verpasst.

Als er ihren kalten Blick bemerkte, wandelte sich seine Freude in lässige Belustigung, und er stand geschmeidig auf. »Lieutenant. Es ist mir stets eine Freude, Sie zu sehen.«

»Charles. Haben Sie immer noch genügend Nachtschichten?«

»Zum Glück. Roarke, schön, Sie wieder mal zu sehen.«

»Charles.«

»Kann ich Ihnen einen frischen Drink besorgen, Areena?«

»Was?« Sie hatte zwischen den dreien hin und her gesehen und spielte nervös mit der Silberkette, die sie trug. »Nein, nein, danke. Aha, Sie kennen einander bereits.«

Die bisher leichte Röte ihrer Wangen verstärkte sich, und sie hob erneut hilflos die Hände in die Luft.

»Der Lieutenant und ich sind einander schon ab und zu begegnet, und außerdem haben wir eine gemeinsame Freundin.«

»Passen Sie auf, was Sie sagen«, zischte Eve ihn leise an. Ihre Augen blitzten zornig, und es fehlte nicht mehr viel, dass sie vollends die Kontrolle verlor. »Ist dies ein Höflichkeitsbesuch, Charles, oder sind Sie im Dienst?«

»Sie sollten wissen, dass ein Mann in meiner Position über so etwas nicht spricht.«

»Bitte, das alles ist mir furchtbar peinlich.« Wieder spielte Areena nervös mit ihrer Kette. Sie merkte nicht, dass Charles zynisch die Lippen aufeinander presste, Eve hingegen fiel es sofort auf. »Ihnen ist offenbar bekannt, was Charles beruflich macht. Ich wollte nicht allein sein. Ich brauchte einfach ... Gesellschaft. Charles – Mr Monroe – kam mit den besten Empfehlungen zu mir.«

»Areena.« Roarke trat einen Schritt nach vorn. »Ich hätte furchtbar gerne einen Kaffee. Hättest du etwas dagegen, wenn ich ...«

»Oh, natürlich. Verzeih mir. Ich kann ...«

»Weshalb mache ich das nicht einfach?« Charles strich mit einer Hand über Areenas Arm und wandte sich in Richtung Küche.

»Ich werde ihm helfen.« Mit einem letzten Blick auf Eve schlenderte auch Roarke zur Küche und ließ die beiden Frauen miteinander allein.

»Ich weiß, was das für einen Eindruck auf Sie machen muss«, begann Areena. »Es wirkt sicher furchtbar kalt und egozentrisch, dass ich in der Nacht, nachdem ... einen Sexualpartner angeheuert habe.«

»Es erscheint mir eher seltsam, dass eine Frau wie Sie jemanden engagieren muss, um nicht allein zu sein.«

Mit einem leisen Lachen nahm Areena ein Weinglas in die Hand, trank einen kleinen Schluck und lief dann mit einem leisen Rascheln ihres Seidenmorgenmantels nervös im Zimmer auf und ab. »Ein hübsches Kompliment, das zugleich einen bösen Verdacht zum Ausdruck bringt. Außerdem hervorragend formuliert.«

»Ich bin nicht hier, weil ich Ihnen Komplimente machen will.«

»Nein.« Das leicht amüsierte Blitzen in Areenas Augen erlosch. »Nein, natürlich nicht. Die schlichte Antwort auf Ihre Frage ist die, dass ich relativ zurückgezogen lebe. Das liegt wahrscheinlich daran, dass ich in meiner Jugend allzu oft auf irgendwelchen Partys und mit irgendwelchen Cliquen zusammen gewesen bin. Sicher haben Sie inzwischen erfahren, dass ich damals ein Drogenproblem hatte. Das liegt inzwischen hinter mir.«

Sie wandte sich Eve wieder zu und reckte stolz das Kinn. »Es war nicht leicht, die Sucht zu überwinden, aber ich habe es geschafft. Wobei ich eine Reihe von Menschen, die damals meine Freunde waren, verloren habe. Erst hat meine Sucht wichtige Beziehungen zerstört, und dann habe ich durch die Überwindung meiner Sucht die Leute verloren, die mir sowieso niemals etwas hätten bedeuten sollen, mit denen ich aber trotzdem jahrelang herumgelaufen bin. Und jetzt bin ich an einem Punkt in meinem Leben angekommen, an dem meine Karriere meine gesamte Aufmerksamkeit erfordert. Sie lässt mir nicht viel Zeit für Freundschaften oder gar für eine Liaison.«

»Waren Sie und Draco einmal miteinander liiert?«
»Nein. Niemals. Wir haben vor Jahren mal miteinander geschlafen, aber auf die Art und Weise, die weder das Herz noch die Gedanken involviert. Dann hatten wir lange nur beruflich miteinander zu tun. Ich kam zurück nach New York, Lieutenant, weil ich

in diesem Stück mitspielen wollte und weil mir bewusst war, dass Richard in seiner Rolle glänzen würde, was mir durchaus gefiel. Auf der Bühne gibt es keinen anderen als ihn. Himmel.«

Sie kniff die Augen zusammen und erschauderte. »Es ist einfach entsetzlich. Grauenhaft. Um den Schauspieler tut es mir mehr Leid als um den Privatmann. Das klingt sicher herzlos, aber so ist es nun mal. Nein, ich kann nicht alleine sein.« Sie sank ermattet auf das Sofa. »Ich halte es allein nicht aus. Ich kann nicht schlafen. Immer, wenn ich einschlafe, wache ich sofort wieder auf und sehe vor mir meine blutbedeckten Hände. Richards Blut. Die Albträume sind grausig.«

Sie hob den Kopf und blickte Eve aus tränennassen Augen an. »Jedes Mal, wenn ich mich hinlege, fangen sofort die Albträume an. Grauenhafte Albträume. Ich sehe fürchterliche Bilder, und dann wache ich schreiend auf und habe das Gefühl, als wäre ich von Kopf bis Fuß mit seinem Blut bedeckt. Sie können sich nicht vorstellen, wie das ist.«

O doch, das konnte Eve. In ihren Albträumen gab es immer dasselbe kleine, kalte Zimmer und hinter dem Fenster immer dasselbe schmutzig-rote Licht. Immer wieder erlebte sie das Grauen der Vergewaltigung, den Schmerz in ihrem Arm, der ihr, als sie sich hatte wehren wollen, von ihm gebrochen worden war. Jedes Mal sah sie das Blut, sah sie überall Blut, sah, wie es an ihren Händen klebte und von dem Messer tropfte, während sie auf allen vieren durch das Zimmer kroch.

Sie war acht Jahre jung gewesen. Und in ihren Träumen bliebe sie bis an ihr Lebensende das hilflose kleine Kind.

»Ich will, dass Sie herausfinden, wer das getan hat«, wisperte Areena. »Sie müssen denjenigen finden, der dafür verantwortlich ist. Dann hören die Albträume doch sicher auf. Nicht wahr? Dann hören sie doch sicher auf.«

»Ich weiß es nicht.« Eve zwang sich, die eigenen Erinnerungen zu verdrängen, die Kontrolle zu behalten und in der Gegenwart zu bleiben, im Hier und Jetzt. »Erzählen Sie mir, was Sie über seinen Drogenkonsum wissen. Wer waren seine Kontaktpersonen, wer hat ihn beliefert, wer hat mit ihm zusammen mit dem Zeug gespielt?«

In der Küche nippte Charles an seinem Wein, und Roarke begnügte sich mit dem halbwegs anständigen Kaffee-Ersatz, der ihm vom AutoChef zubereitet worden war.

»Areena hat momentan eine schwere Zeit«, begann Charles das Gespräch.

»Das kann ich mir vorstellen.«

»Es gibt kein Gesetz, das es verbieten würde, dafür zu bezahlen, dass man nicht alleine ist.«

»Nein.«

»Ich verdiene mit dieser Arbeit auf ehrliche Art und Weise meinen Lebensunterhalt.«

Roarke nickte. »Monroe, Eve führt keinen persönlichen Feldzug gegen Menschen mit Ihrem Beruf.«

»Dann anscheinend ausschließlich gegen mich.«

»Sie will Peabody beschützen.« Roarke trank einen Schluck von seinem Kaffee. »Und das möchte ich genauso.«

»Ich mag Delia. Ich mag sie sogar sehr. Ich würde ihr niemals wehtun. Ich habe sie niemals getäuscht.« Mit einem angewiderten Schnauben wandte Charles sich ab und blickte durch das Fenster auf die Lichter von New York. »Ich habe vorher einmal eine Frau getäuscht und dadurch die Chance auf eine rein private Beziehung und damit auf ein Leben außerhalb meines Berufs vertan. Mir lag so viel an ihr, dass ich es nicht wagte, ihr gegenüber völlig ehrlich zu sein. Doch daraus habe ich gelernt. Ich bin nun einmal, was ich bin, und mache keinem Menschen gegenüber mehr einen Hehl daraus.«

Er wandte sich Roarke wieder zu und verzog den Mund zu einem schiefen Lächeln. »Ich mache meine Arbeit gut, und das hat Delia problemlos akzeptiert.«

»Vielleicht. Aber Frauen sind nun einmal seltsame Geschöpfe. Wir Männer kennen uns auf Garantie nie wirklich bei ihnen aus. Was, wie ich glaube, einer der Gründe dafür ist, dass sie uns derart reizen. Ein Rätsel ist schließlich nur so lange interessant, bis man es vollständig gelöst hat.«

Mit einem halben Lachen blickte Charles über die Schulter, als Eve zu ihnen in die Küche kam.

Sie hätte nicht sagen können, weshalb es sie störte, dass Charles und ihr Gatte sich miteinander amüsierten. Da es sie nun aber einmal störte, sah sie Roarke stirnrunzelnd an.

»Verzeihung, dass ich eure nette Unterhaltung unterbreche, aber könntest du vielleicht kurz Areena Gesellschaft leisten, während ich mit Charles hier spreche?«

»Natürlich. Der Kaffee ist durchaus genießbar.«

Sie wartete, bis er den Raum verlassen hatte, und trat dann, weil sie etwas Zeit gewinnen wollte, um sich zu beruhigen, vor den AutoChef. »Wann hat Ms Mansfield den Termin mit Ihnen gemacht?«

»Heute Nachmittag. Ich glaube, gegen zwei.«

»Ist das nicht ein bisschen kurzfristig?«

»Ja.«

Eve zog den Kaffee aus dem Schlitz, lehnte sich gegen die Wand und hob das dampfende Gebräu an ihren Mund. »Waren Sie nicht schon anderweitig gebucht?«

»Den anderen Termin habe ich verlegt.«

»Warum? Areena hat behauptet, Sie hätten sich weder privat noch beruflich je zuvor gesehen. Weshalb also haben Sie sich einer Fremden wegen eine solche Mühe gemacht?«

»Weil sie das Doppelte bezahlt hat«, erklärte er schlicht.

»Was hat sie dafür gekauft? Bloßen Sex oder eventuell eine ganze Übernachtung?«

Er starrte in sein Weinglas, und als er sie wieder ansah, war seine Miene merklich abgekühlt. »Darauf muss ich Ihnen keine Antwort geben. Und werde es auch gewiss nicht tun.«

»Ich ermittele in einem Mordfall. Ich kann Sie zu einem Gespräch auf das Revier bestellen.«

»Ja, das können Sie. Und, werden Sie das tun?«

»Sie machen es mir schwer.« Sie stellte ihren Kaffee auf die Anrichte und marschierte auf dem schmalen Streifen zwischen Wand und Esstisch auf und ab. »Schlimm genug, dass ich Sie in meinem Bericht erwähnen muss. Aber wenn Sie mich zwingen, Sie auf die Wache zu bestellen, wird das Ganze offiziell. Dann bekommt Peabody Wind davon, dass Sie heute Abend hier gewesen sind.«

»Und das will natürlich keiner von uns beiden«, murmelte er und seufzte leise auf. »Hören Sie, Dallas. Ich bekam ganz normal einen Anruf. Eine Kundin von mir hat mich Areena empfohlen. Sie war eindeutig unglücklich und wollte jemanden, mit dem sie einen netten, ruhigen Abend verbringen kann. Ich hatte von der Sache mit Draco gehört, also habe ich sie nicht nach dem Grund für ihre Niedergeschlagenheit gefragt. Sie wollte jemanden für ein gemeinsames Abendessen, für eine Unterhaltung und für Sex. Um mich für meinen Aufwand zu entschädigen, hat sie meine normale Gebühr für eine Übernachtung verdoppelt. So einfach ist das gewesen.«

»Haben Sie sich über Draco unterhalten?«

»Nein. Wir haben über Kunst gesprochen, über das Theater. Sie hat drei Gläser Wein getrunken und eine halbe Packung Kräuterzigaretten geraucht. Ihre Hände haben ungefähr zwanzig Minuten, bevor Sie hier erschienen sind, aufgehört zu zittern. Sie reißt sich so gut es geht zusammen, aber sie ist ein emotionales Wrack.«

»Okay. Danke für diese Auskunft.« Sie stopfte ihre Hände in die Taschen ihrer Jeans. »Peabody wird diesen Bericht zu sehen bekommen.«

Langsam wurde er wütend. »Delia kennt meinen Beruf.«

»Genau.« Dieses Wissen rief das allergrößte Unbehagen in ihr wach.

»Sie ist eine erwachsene Frau, Dallas.«

»Erwachsen, dass ich nicht lache.« Sie gab auf und trat gegen die Wand. »Ein Typ wie Sie ist für jemanden wie Peabody ein paar Nummern zu groß. Verdammt, sie stammt aus einer Hippie-Familie und kommt aus der tiefsten Provinz.« Sie machte eine vage Handbewegung Richtung Westen. »Sie ist eine gute Polizistin. Sie ist grundsolide, aber manchmal blind. Und sie wird sich bestimmt nicht freuen, wenn sie weiß, dass ich mit Ihnen über sie geredet habe. Sie wird ein verkniffenes Gesicht kriegen und sich hinter kalter Höflichkeit verschanzen, aber, verdammt ...«

»Sie ist Ihnen wichtig«, fauchte er zurück. »Sie ist Ihnen sehr wichtig. Aber ist Ihnen bisher noch nicht der Gedanke gekommen, dass sie mir vielleicht genauso wichtig ist?«

»Frauen sind für Sie doch nur ein Geschäft.«

»Wenn sie mich dafür bezahlen. Mit Delia ist es anders. Um Himmels willen, wir gehen nicht mal miteinander ins Bett.«

»Was? Sind Sie etwa so teuer, dass sie Sie nicht bezahlen kann?« Sobald der Satz heraus war, hasste sie sich dafür. Und hasste sich noch mehr, als sie die Verletztheit in seinen Augen sah. »Tut mir Leid. Entschuldigung. Das war total daneben. Das war eindeutig total daneben.«

»Ja, das war es.«

Unvermittelt sank sie erschöpft an der Wand herunter und setzte sich auf den Boden. »Ich will diese Dinge gar nicht wissen. Ich will noch nicht einmal dran denken. Eigentlich finde ich Sie nämlich durchaus nett.«

Fasziniert nahm er ihr gegenüber auf dem Küchenboden Platz. »Wirklich?«

»Ja, zumindest meistens. Sie treffen sich seit Weihnachten mit ihr und haben kein einziges Mal ... Was stimmt denn nicht mit ihr?«

Dieses Mal klang sein Lachen tief und voll. »Himmel, Dallas, wie soll es denn nun laufen? Wenn ich mit ihr schlafe, bin ich für Sie ein Schwein. Wenn nicht, bin ich es auch. Roarke hatte eindeutig Recht.«

»Was wollen Sie damit sagen, Roarke hatte eindeutig Recht?«

»Damit, dass man aus euch Frauen nicht schlau wird.« Er trank einen Schluck von seinem Wein. »Sie ist eine Freundin. Das hat sich einfach so ergeben. Ich habe nicht gerade viele Freundinnen, die nicht entweder Kundinnen oder in derselben Branche tätig sind.«

»Passen Sie auf. Wenn man sich nicht vorsieht, werden es plötzlich immer mehr. Dadurch wird das Leben ungeheuer verkompliziert.«

»Sie sind eine wirklich gute Freundin. Nur eins noch, Lieutenant Sugar«, meinte er und tätschelte ihr sanft den Fuß. »Ich finde Sie meistens ebenfalls sehr nett.«

Der Albtraum setzte ein. Sie hätte es wissen müssen, dass der Albtraum kommen würde. Areenas Worte von Träumen und Blut und Entsetzen hatten ihn ausgelöst.

Sie sah ihn ins Zimmer kommen. Ihren Vater. In den schrecklichen kleinen Raum in Dallas, in dem man selbst bei voll aufgedrehter Heizung so entsetzlich fror. Doch als sie ihn sah, als sie ihn roch, als sie merkte, dass er zwar getrunken hatte, aber nicht genug, brach der Schweiß auf ihren kalten Armen aus.

Sie ließ das Messer fallen. Sie war so hungrig gewesen, dass sie es gewagt hatte, auf die Suche nach etwas Essbarem zu gehen. Einem kleinen Stückchen Käse, weiter nichts. Das Messer fiel ihr aus der Hand und brauchte Tage, Jahre, Jahrhunderte, bis es auf der Erde aufkam. Und in ihrem Traum war das Klirren, mit dem es auf den Boden fiel, so laut wie ein Donner und hallte endlos in ihren Ohren nach.

Während er auf sie zukam, tauchte das rote Licht des Schildes gegenüber sein Gesicht abwechselnd in rotes, weißes, rotes Licht.

Bitte nicht bitte nicht bitte nicht.

Doch ihr Flehen hatte ihr niemals etwas genützt.

Es würde wieder passieren, wieder und wieder und wieder. Der Schmerz, als er ihr beinahe lässig eine Ohrfeige verpasste. Als sie so schwer auf dem Boden auftraf, dass ihre Knochen aneinander schlugen. Und dann sein Gewicht, als er sich auf sie schob.

»Eve. Beruhig dich. Eve, komm zu mir zurück. Du bist zu Hause.«

Ihre Kehle brannte, und sie kämpfte verzweifelt gegen die Arme, die sie hielten. Plötzlich aber wurde ihr bewusst, dass dies Roarkes warme, ruhige, wunderbare Stimme war, dass sie tatsächlich geborgen war.

»So ist's recht. Halt dich an mir fest.« Er zog sie eng an seine Brust und wiegte sie zärtlich, bis die Schauder verebbten. »Jetzt ist alles gut.«

»Lass mich nicht los.«

»Nein. Bestimmt nicht.« Er küsste sie auf die Schläfe …

… und als sie am Morgen erwachte und der Traum nur noch eine vage Erinnerung war, hielt er sie immer noch fest umschlungen.

7

Eve schaffte es noch früher als ihre Assistentin aufs Revier. Auch wenn sie eine ganze Stunde Schlaf dafür geopfert hatte, war sie absichtlich so früh, weil sie hoffte, dass sie ihren Bericht aktualisieren und zu den Akten geben könnte, ehe Peabody erschien. Mit ein bisschen Glück käme es auf diese Weise zu keiner Charles Monroe betreffenden Diskussion.

Trotz der frühen Stunde herrschte auf der Wache bereits reger Betrieb. Detective Zenos Frau war in der Nacht von einem Mädchen entbunden worden, und er hatte aus diesem Anlass zwei Dutzend frische Gebäckteilchen mitgebracht. Da Eve die Gefräßigkeit ihrer Kollegen kannte, schnappte sie sich schnell eins davon.

»Und wer hat die Wette, wann das Baby kommt, gewonnen?«

»Ich.« Baxter schob sich grinsend eine mit Brombeergelee gefüllte Zimtschnecke in den Mund. »Sechshundertdreißig Dollar.«

»Verdammt. Ich habe noch nie gewonnen.« Um

sich zu trösten, nahm sich Eve noch einen Krapfen, biss herzhaft hinein und dachte, *der gute alte Baxter*. Er konnte einem total auf die Nerven gehen, aber er war gründlich und achtete bei der Arbeit stets sorgsam auf Details.

Er war genau der Richtige. »Sieht aus, als wäre dies Ihr Glückstag.«

»Allerdings. Ich habe ein Auge auf diese neue Auto-Entertainmentanlage geworfen, und mit den sechs Scheinchen ist das Ding bereits so gut wie in meine Kiste eingebaut.«

»Super, Baxter, aber ich meine, dass dies *wirklich* Ihr Glückstag ist.« Sie zog die Diskette mit den Namen sämtlicher Zeugen im Mordfall Draco aus der Tasche und hielt sie ihm hin. »Sie haben das große Los gezogen. Sie dürfen nämlich die Zeugen im Fall Draco überprüfen. Wir haben fast dreitausend Namen. Trommeln Sie ein paar andere Detectives und, wenn nötig, ein paar uniformierte Beamte zusammen und lassen Sie die Leute befragen. Wäre schön, wenn Sie es schaffen würden, die Zahl der Namen bis Ende der Woche zu halbieren.«

Er schnaubte verächtlich auf. »Haha, wirklich witzig, Dallas.«

»Ich habe Anweisung von Whitney, jemanden für diese Aufgabe zu suchen. Und das habe ich gerade getan. Sie sind derjenige, den ich dafür gefunden habe, Baxter.«

»Das ist ja wohl nicht wahr.« Als sie die Diskette auf seinen Schreibtisch warf, starrte er sie entgeistert an. »Das können Sie mir doch nicht antun.«

»Ich kann, und ich habe es getan. Sie krümeln Ihren Schreibtisch voll. Achten Sie darauf, dass er, wenn Sie sich an die Arbeit machen, wieder sauber ist.«

Verfolgt von seinen Flüchen marschierte sie zufrieden in Richtung ihres eigenen Büros.

Die Tür stand offen, und von drinnen drangen verdächtige Geräusche an ihr Ohr. Eve drückte sich mit dem Rücken an die Wand und zückte ihre Waffe. Endlich hatte sie diesen verdammten Hurensohn erwischt. Endlich hatte sie den verdammten Schokoriegel-Dieb auf frischer Tat ertappt.

Sie sprang durch die Tür und packte den Eindringling beim Kragen. »Erwischt!«

»He!«

Sie war mindestens fünfzehn Zentimeter größer und zehn Kilo schwerer. Wahrscheinlich könnte sie das Kerlchen sogar problemlos aus dem winzigen Fenster werfen, mit dem ihr Zimmer ausgestattet war, und es hinterließe unten auf dem Gehweg höchstens einen fast unsichtbaren Fleck.

»Ich erspare es mir, dich extra über deine Rechte aufzuklären«, erklärte sie und drückte ihn unsanft gegen den Aktenschrank. »Dort, wo ich dich hinschicke, brauchst du das nämlich nicht mehr.«

»Rufen Sie Lieutenant Dallas an!«, stieß er mit

schriller Stimme aus. »Rufen Sie Lieutenant Dallas an.«

Sie drehte ihn zu sich herum und starrte in seine vor Panik weit aufgerissenen, hinter der Mikro-Brille doppelt großen Augen. »Ich *bin* Lieutenant Dallas, du gemeiner Schokoriegel-Dieb.«

»Meine Güte. Himmel. Meine Güte. Ich bin Lewis. Tomjohn Lewis, aus der Instandhaltung. Ich habe Ihr neues Gerät vorbeigebracht.«

»Was erzählst du da für einen Blödsinn? Hauch mich erst mal an. Wenn dein Atem nach Schokolade riecht, ziehe ich dir die Zunge raus und wickel sie dir um den Hals, bis du daran erstickst.«

Seine Beine baumelten bereits zwei Zentimeter über der Erde, als er sie anhauchte und erstickt erklärte: »Ich habe unten in der Kantine Waffeln und einen Früchtebecher gegessen. Keine Schokolade. Das schwöre ich bei Gott.«

»Nein, aber vielleicht solltest du dir mal ein Mundwasser besorgen. Was sollte das heißen, du hast mein neues Gerät vorbeigebracht?«

»Da. Direkt vor Ihnen auf dem Tisch. Ich wollte es gerade anschließen.«

Ohne ihn auf dem Boden abzusetzen, schaute sie zu ihrem Schreibtisch. Dann klappte ihr die Kinnlade herunter, sie ließ den armen Lewis einfach fallen und hechtete auf den mattgrauen neuen Computer zu. »Er gehört mir? Er gehört tatsächlich mir?«

»Ja, Madam, Lieutenant, Madam. Er gehört tatsächlich Ihnen.«

Sie schlang besitzergreifend beide Arme um den Kasten und wandte sich dem unglücklichen Kerlchen wieder zu. »Hör zu, falls das ein Scherz sein soll, beiße ich dir die Ohren ab und verarbeite sie zu Eintopf.«

»Ich kann es beweisen.« Vorsichtig zog er ein elektronisches Notizbuch aus der Tasche, gab seinen Code ein und erklärte: »Sehen Sie, hier: Morddezernat, Lieutenant Eve Dallas. Sie haben einen brandneuen XE-5000 bei uns bestellt.«

»Das ist zwei Jahre her.«

»Tja, nun.« Er bedachte sie mit einem hoffnungsvollen Lächeln. »Und jetzt ist er da. Ich muss ihn nur noch fertig anschließen. Soll ich das vielleicht sofort tun?«

»Ja, das sollen Sie sofort tun.«

»Okay. Dauert nur ein paar Minuten, und schon bin ich wieder weg.« Dankbar machte er einen Satz unter den Tisch.

»Tomjohn. Was zum Teufel ist das für ein Name?«

»Meiner, Lieutenant. Das Benutzerhandbuch liegt dort drüben.«

Schnaubend blickte sie auf das dreißig Zentimeter dicke Buch. »Ich weiß, wie diese Kiste funktioniert. Ich habe dieses Modell bereits zu Hause.«

»Ein wirklich gutes Gerät. Sobald Sie mit dem

Mainframe verbunden sind, brauchen wir nur noch Ihren Code und Ihre Daten von dem alten Computer zu übertragen. Dauert höchstens eine halbe Stunde.«

»Ich habe alle Zeit der Welt.« Sie blickte auf ihr verbeultes, verkratztes, verabscheuungswürdiges bisheriges Gerät. Ein paar der Beulen hatte sie der Kiste aus lauter Frust mit ihren Fäusten zugefügt. »Und was wird aus der alten Kiste?«

»Wenn Sie wollen, nehme ich sie mit.«

»Gerne – das heißt, nein. Ich möchte sie behalten. Ich nehme sie mit heim.« Sie würde den Kasten eigenhändig auseinander nehmen und hoffen, dass er dabei recht intensiv litt.

»Kein Problem.« Da er annahm, dass sowohl seine Zunge als auch seine Ohren nicht länger gefährdet waren, machte er sich eifrig an die Arbeit. »Das Ding hätte bereits vor fünf Jahren verschrottet werden müssen. Ich frage mich wirklich, wie Sie all die Zeit damit zurechtgekommen sind.«

Mit einem dumpfen Grollen wandte Eve sich ab.

Als Peabody eine Stunde später in ihrem Büro erschien, saß Eve grinsend wie ein Honigkuchenpferd hinter ihrem Schreibtisch. »Peabody, sehen Sie sich das an. Dieses Jahr ist Weihnachten bereits im März.«

»Wow.« Peabdoy trat näher und trabte einmal ehrfürchtig um das Gerät herum. »Wow zum Quadrat. Das Teil ist wunderschön.«

»Ja. Und es gehört tatsächlich mir. Tomjohn Lewis, mein neuer bester Freund, hat es für mich angeschlossen. Es gehorcht aufs Wort. Es tut alles, was ich sage.«

»Das ist wunderbar, Madam. Ich weiß, Sie beide werden glücklich miteinander sein.«

»Okay, genug gescherzt.« Sie griff nach ihrer Kaffeetasse, wies zum Zeichen, dass auch ihre Assistentin sich bedienen dürfe, mit dem Daumen auf den AutoChef und meinte beiläufig: »Ich habe mich gestern Abend noch in Dracos Apartment umgesehen.«

»Ich wusste gar nicht, dass Sie das noch wollten, sonst hätte ich nicht freigenommen.«

»War nicht erforderlich.« Eve dachte erschaudernd an die Szene, die sich bei Areena abgespielt hätte, hätte Peabody sie begleitet.

»Draco hatte eine Reihe illegaler Rauschmittel, darunter fast eine Unze reines Wild Rabbit, in seinem Penthouse versteckt.«

»Was für ein Schwein.«

»Das finde ich ebenfalls. Außerdem hatte er diverses Sexspielzeug, wie selbst ich es zum Teil bis dahin noch nie gesehen hatte, sowie eine Sammlung von Videodisketten, auf denen er mit verschiedenen Bettgenossinnen zu sehen ist.«

»Dann haben wir es also mit einem toten Sexualstraftäter zu tun.«

»Gegen die Spielsachen und die Disketten ist von Rechts wegen nichts einzuwenden, aber der Besitz von Rabbit ist eindeutig kriminell. Also kommt zu den bisherigen möglichen Motiven noch ein weiteres hinzu. Aber allmählich haben wir fast so viele verschiedene mögliche Motive, wie man Hippies auf irgendwelchen Protestkundgebungen trifft. Ich hoffe, das nehmen Sie nicht persönlich.«

»Schon in Ordnung.«

»Mögliche Gründe für den Mord können Ehrgeiz, die Erlangung eines persönlichen Vorteils, Geld, Sex, Drogen sowie die Tatsache, dass er die Frauen schlecht behandelt hat oder dass er ganz allgemein nicht sonderlich beliebt war, sein. Es hat ihm Spaß gemacht, Frauen zu quälen, und er hat auch Männern häufig das Leben schwer gemacht. Er hat regelmäßig Drogen genommen. Er war ein unangenehmer Kerl, und so ziemlich jeder, der ihn kannte, hätte ihn zu irgendeinem Zeitpunkt am liebsten eigenhändig erwürgt. Dadurch ist die Zahl der möglichen Verdächtigen beinahe unbegrenzt. Aber ...« Sie rutschte auf ihrem Stuhl herum. »Ich habe letzte Nacht ein paar Wahrscheinlichkeitsberechnungen angestellt. Mein toller neuer XE-5000 wird die Ergebnisse dieser Berechnungen an Sie weiterleiten, damit Sie weitermachen können. Ich habe nachher ein Gespräch mit Dr. Mira. Vielleicht helfen uns ihre Erkenntnisse dabei, die Liste weiter zu verkürzen. Machen Sie für elf einen Termin mit unseren Freunden aus der Abteilung für elektronische Ermittlungen, damit wir sehen, wie weit sie inzwischen mit ihrer Arbeit sind.«

»Und die Gespräche, die wir heute Nachmittag noch führen wollten?«

»Finden natürlich statt. Ich bin in einer, spätestens zwei Stunden wieder da.« Sie schob ihren Stuhl zurück und stand auf. »Falls ich aufgehalten werde, rufen Sie bitte im Labor an und bringen den Sturschädel dazu, dass er die Drogen untersucht, die er heute Morgen von mir bekommen hat.«

»Gerne. Soll ich ihn bestechen oder ihn lieber bedrohen?«

»Wie lange arbeiten Sie schon mit mir zusammen?«

»Fast ein Jahr.«

Eve nickte. »Also lange genug, um das selber zu entscheiden. Meinen Sie nicht auch?«

Verglichen mit dem übrigen Revier war der Bereich, in dem die Psychologin Dr. Mira residierte, ein Hort der Zivilisation. Eine Oase der Ruhe, überlegte Eve, vor allem, wenn man nicht wusste, was hinter den Türen des Testbereichs geschah.

Eve kannte das Verfahren, und sie hoffte, dass sie nie wieder gezwungen wäre, diese Untersuchung durchzustehen.

Dr. Miras persönliches Besprechungszimmer war mit bequemen blauen Sesseln eingerichtet, und den großen, an einer Wand hängenden Stimmungsmonitor hatte sie meistens auf beruhigendes Meeresrauschen eingestellt.

Wie so häufig trug die Ärztin auch an diesem Tag ein weiches, elegantes, pastellfarbenes Kostüm, dessen hoffnungsvoller Grünton einen an frische Frühlingsknospen denken ließ. Ihr sorgfältig frisiertes Haar rahmte ihr kluges, gleichmäßiges Gesicht, und an ihrer schmalen Goldkette hing die gleiche tropfenförmige Perle wie die, die sie als Ohrschmuck trug.

In Eves Augen war sie das perfekte Beispiel weiblicher Eleganz.

»Vielen Dank, dass Sie mich heute Morgen dazwischengeschoben haben.«

»Als Augenzeugin habe ich ein persönliches Interesse an dem Fall.« Dr. Mira programmierte ihren AutoChef auf Tee. »In all den Jahren, in denen ich für die Polizei tätig gewesen bin, habe ich niemals selber einen Mord erlebt.« Mit zwei Tassen des blumig duftenden Gebräus kehrte sie zu Eve zurück. »Richard Draco wurde im Grunde aber nicht ermordet. Er wurde hingerichtet, Eve.«

Sie nahm Eve gegenüber Platz und reichte ihr den Tee, von dem sie beide wussten, dass Eve ihn niemals trank. »Ich befasse mich mit Mord und Mördern. Ich höre ihnen zu, analysiere sie, erstelle ihr Profil. Als Ärztin kenne, verstehe und respektiere ich den Tod. Die Vorstellung jedoch, einen Mord mit eigenen Augen mit angesehen zu haben, ohne mir bewusst zu sein, dass er wirklich echt war ... Nun, das macht mir zu schaffen. Damit komme ich nur schwer zurecht.«

»Ich fand das Vorgehen des Täters oder der Täterin äußerst raffiniert.«

»Na ja.« Der Hauch eines Lächelns huschte über Dr. Miras Gesicht. »Wir beide betrachten diese Dinge aus verschiedenen Perspektiven, nehme ich an.«

»Ja.« Eve stand oft mit blutbefleckten Stiefeln direkt über den Toten und sah ihnen ins Gesicht. Jetzt erst kam ihr der Gedanke, dass es die Psychologin vielleicht überfordert hatte, als sie an dem Abend im Theater in die Sicherung des Tatorts mit einbezogen worden war.

»Es tut mir Leid. Das hatte ich nicht bedacht. Ich habe Ihnen keine Wahl gelassen und Sie einfach dazu gezwungen, sich den Toten aus der Nähe anzusehen.«

»Sie hätten keinen Grund gehabt, darüber nachzudenken. Und auch ich habe zu dem Zeitpunkt keinen einzigen Gedanken darauf verwandt, ob mich die direkte Konfrontation mit einem Mordopfer eventuell überfordern würde, sondern mich auf meine Arbeit konzentriert.« Sie schüttelte den Kopf und trank einen Schluck Tee. »Sie waren sehr rasch hinter der Bühne. Wie schnell ist Ihnen aufgefallen, dass das Messer echt war?«

»Leider nicht schnell genug, um den Mord zu verhindern. Ich habe inzwischen mit den Verhören angefangen. Als Erstes konzentriere ich mich auf die Schauspieler.«

»Ja, dieser Mord war sowohl von der Methode als auch vom Timing und dem Ort des Geschehens her regelrecht theatralisch.« Nun, da sie die analytische Distanz zu dem Verbrechen zurückgewonnen hatte, lehnte sich Dr. Mira bequem in ihrem Sessel zurück und ging die Szene in Gedanken durch. »Es wäre also durchaus vorstellbar, dass ein Schauspieler oder jemand, der Schauspieler werden wollte oder will, der Täter ist. Andererseits wurde die Tat sorgfältig geplant und sauber ausgeführt. Das Vorgehen Ihres Mörders, Eve, war also nicht nur kühn, sondern auch bis ins Kleinste durchdacht.«

»Musste der Täter zwingend sehen, wie der Mord geschieht?«

»Ja, ich glaube, dass er miterleben wollte, wie Draco im Rampenlicht das Messer in die Brust gestochen wird und das Publikum erschreckt nach Luft ringt. Meiner Meinung nach war das für ihn genauso wichtig wie Dracos Tod. Er hat die Aufregung genossen. Und sein Schock und sein Entsetzen infolge der Tat waren sorgfältig geprobt.«

Sie dachte nach und fügte hinzu: »Das Ganze lief einfach zu glatt, um nicht geprobt worden zu sein. Draco galt als einer der größten Schauspieler unserer Zeit. Ihn zu töten war nur der erste Schritt. Der zweite war, ihn, wenn auch vielleicht nur in Gedanken, zu ersetzen.«

»Sie sagen, der Mord war beruflich motiviert.«

»Ja. Zugleich jedoch war er sehr persönlich. Wenn es sich bei unserem Täter wirklich um einen Schauspieler, eine Schauspielerin oder jemanden mit schauspielerischen Ambitionen handelt, gehen berufliche und persönliche Motive wahrscheinlich Hand in Hand.«

»Der Einzige, der auf den ersten Blick beruflich von Dracos Ableben profitiert, ist Michael Proctor, die Zweitbesetzung des Vole.«

»Richtig, aber wie Sie selber sagen, auf den ersten Blick. Wenn man genauer hinschaut, profitieren alle an dem Stück Beteiligten von Dracos Tod. Es gibt einen enormen Medienrummel, die Namen sämtlicher Darsteller prägen sich den Leuten unauslöschlich ein, und alles in allem wurde die Aufführung durch die Ermordung des Hauptdarstellers zu einem unvergesslichen Erlebnis. Ist das nicht genau das, was ein Schauspieler sich wünscht? Dass er oder sein Werk niemals in Vergessenheit gerät?«

»Ich weiß nicht. Ich verstehe nicht, wie Menschen ticken, die ihr Leben damit zubringen, Rollen anderer zu spielen.«

»Die Kunst besteht darin, die Zuschauer tatsächlich glauben zu machen, dass man ein anderer ist. Für diejenigen, die ihre Sache gut machen, die ihr ihr Leben widmen, ist das Theater mehr als eine bloße Arbeit. Und an dem Abend, an dem Draco ermordet wurde, standen sämtliche an dem Stück Beteiligten in einem gleißenderen Licht als sonst.«

»Sie sprechen von den Leuten, die an der Aufführung beteiligt waren. Und was ist mit den Zuschauern?«

»Nach allem, was ich bisher weiß, kann ich natürlich nicht hundertprozentig ausschließen, dass jemand aus dem Publikum der Täter oder die Täterin ist, aber für wahrscheinlich halte ich es nicht.« Dr. Mira stellte ihre Tasse hin und ergriff Eves Hand. »Sie machen sich Sorgen um Nadine.«

Eve öffnete den Mund, klappte ihn dann aber wortlos wieder zu.

»Nadine ist meine Patientin und mir gegenüber völlig offen. Ich weiß über ihre Beziehung zu dem Opfer Bescheid und bin notfalls bereit, in meiner Eigenschaft als Psychologin eidesstattlich zu versichern, dass sie zur Planung und Durchführung eines Gewaltverbrechens nicht in der Lage ist. Wenn sie Draco hätte bestrafen wollen, hätte sie einen Weg gefunden, um das über die Medien zu tun. Damit hätte sie nicht das mindeste Problem.«

»Okay, gut.«

»Ich habe mit ihr gesprochen«, fuhr die Ärztin fort. »Ich weiß, dass Sie sie heute offiziell verhören.«

»Sobald mein Gespräch mit Ihnen beendet ist. Nur ich, Nadine und ihr Anwalt. Ich möchte, dass es offiziell ist, dass sie mit den Informationen von sich aus zu mir gekommen ist. Dann lege ich ihre Aussage ein paar Tage auf Eis, damit sie ein bisschen zur Ruhe kommen kann.«

»Das wird ihr sicher helfen.« Doch Dr. Mira konnte deutlich sehen, dass das noch nicht alles war. »Und was bedrückt Sie sonst noch?«

»Inoffiziell?«

»Natürlich.«

Eve nippte an dem Tee und erzählte Mira von der Videodiskette, die ihr in Dracos Penthousewohnung in die Hand gefallen war.

»Davon weiß sie nichts«, erklärte die Psychologin prompt. »Andernfalls hätte sie mir davon erzählt. Es hätte sie wütend gemacht. Wäre ihr peinlich gewesen. Er hat die Aufnahme bestimmt ohne ihr Wissen und ihre Zustimmung gemacht.«

»Dann wäre die nächste Frage: Was, wenn er ihr den Film gezeigt hat, als sie am Tag seiner Ermordung bei ihm gewesen ist?«

»Dann hätte die Putzkolonne des Hotels erhebliche Sachschäden in der Suite gemeldet, und Draco hätte vor der Aufführung ein Krankenhaus aufsuchen müssen.« Dr. Mira lehnte sich zurück. »Schön, dass Sie jetzt wieder lächeln. Es tut mir Leid, dass Sie ihretwegen in Sorge gewesen sind.«

»Sie war total erledigt, als sie sich mit mir getroffen hat. Wirklich völlig fertig.« Eve stand auf, trat vor den Stimmungsmonitor und schaute auf die Wellen. »Ich muss ständig Rücksicht auf alle möglichen Leute nehmen. Das lenkt mich von meiner Arbeit ab.«

»Würden Sie lieber wieder das Leben führen, das sie vor ein, zwei Jahren hatten, Eve?«

»Teilweise war es damals leichter. Ich bin morgens aufgestanden, habe meinen Job gemacht, und ein paar Mal in der Woche war ich abends noch mit Mavis unterwegs. Das war's.«

Sie atmete schwer aus. »Aber trotzdem finde ich es schöner, wie mein Leben heute ist, und vor allem kann kein Mensch die Zeit zurückdrehen. Also ... wenden wir uns wieder Draco zu. Er hat Frauen sexuell ausgenutzt«, fuhr sie reglos fort.

»Ja, ich habe Ihren neuen Bericht gelesen, bevor Sie eben kamen. Ich stimme Ihnen zu, dass Sex für ihn so etwas wie eine Waffe gewesen ist. Doch ging es ihm dabei nicht in erster Linie um den Sex als solchen, sondern um die Kontrolle, darum, dass er Frauen beherrschen konnte mit seinem guten Aussehen, seinem Stil, seinem Talent und seinem Charme. Frauen waren für ihn nichts anderes als Spielzeug, mit dem er anderen Männern seine Überlegenheit bewiesen hat. Er war geradezu besessen von dem Wunsch, im Mittelpunkt zu stehen.«

»Und die Drogen? Ein Typ verabreicht einer Frau doch wohl nur dann so etwas wie Wild Rabbit, wenn er denkt, dass er anders keine Chance bei ihr hat. Es nimmt ihr die Möglichkeit der freien Wahl.«

»Stimmt, aber in seinem Fall würde ich sagen, dass das Zeug nur eine weitere Requisite für ihn war. Nichts anderes als Kerzenlicht und romantische Musik. Er hielt sich für einen tollen Liebhaber. Und seiner Meinung nach hatte er als Star einfach das Recht, mit den Frauen zu tun und lassen, was immer ihm gefiel. Ich sage nicht, dass Sex keine Rolle spielt bei seiner Ermordung, aber ich gehe einfach davon aus, dass es in diesem Fall eine ganze Reihe von Motiven und einen hochintelligenten Mörder gibt, der wahrscheinlich nicht weniger egozentrisch als sein Opfer ist.«

»Egozentrisch waren bisher alle, mit denen ich gesprochen habe«, grummelte Eve.

Er wusste Bescheid. Die verdammten Schauspieler hielten sich für ach so brillant, für etwas ganz Besonderes, für den Nabel der Welt. Nun, er hätte selbst Schauspieler werden können, hätte er wirklich gewollt. Doch wie hatte sein Vater immer zu ihm gesagt? Nicht auf, sondern hinter der Bühne gab es die krisensicheren Jobs.

Die Schauspieler kamen und gingen, aber ein guter Inspizient brauchte Arbeit nie zu suchen.

Linus Quim machte diese Arbeit bereits seit dreißig Jahren. Er war einer der Besten, die es dafür gab.

Deshalb hatte er den Posten im New Globe bekommen und strich den höchsten Lohn ein, der den Geizhälsen im Management jemals von der Gewerkschaft abgerungen worden war.

Trotzdem kam das Geld, das er verdiente, dem, das die Schauspieler bekamen, nicht einmal ansatzweise nahe.

Dabei, wo wären alle diese Gecken ohne ihn?

Er würde dafür sorgen, dass er endlich auch einmal genug bekam. Denn er wusste Bescheid.

Bald müsste das New Globe auf die Suche nach einem neuen Inspizienten gehen. Linus Quim zöge sich nämlich stilvoll auf sein Altenteil zurück.

Während der Arbeit hielt er stets Augen und Ohren offen. Niemand kannte sich mit den Beziehungen, die die Menschen hier untereinander hatten, so gut aus wie er.

Ebenso kannte er sich mit gutem Timing aus. Unter Linus hatte bisher niemals irgendjemand ein Stichwort verpasst.

Er wusste, wann und wo er das falsche Messer zum letzten Mal gesehen hatte. Wusste es ganz genau. Wusste, dass nur eine knappe Minute lang die Möglichkeit zum Tausch bestanden hatte. Und dass nur ein Mensch dazu in der Lage gewesen war. Nur ein einziger Mensch hatte genügend Zeit gehabt, um das falsche Messer in Areena Mansfields Garderobe zu platzieren, wo es dann gefunden worden war.

Es hatte echt Mut erfordert, das gestand er diesem Menschen zu.

Linus blieb an einem Schwebegrill an der Straßenecke stehen, bestellte sich als zweites Frühstück eine Brezel und bestrich sie großzügig mit leuchtend gelbem Senf.

»He!« Zornig versuchte der Verkäufer ihm die Tube zu entreißen. »Wenn Sie so viel davon nehmen, zahlen Sie eine doppelte Portion.«

»Reg dich ab, du Fettsack.« Absichtlich genehmigte sich Linus noch einen dicken Klacks.

»Sie nehmen viel zu viel.« Der Verkäufer, ein mit Narben übersäter Asiate, der erst seit drei Monaten an dieser Stelle stand, trippelte vor Aufregung mit seinen winzigen Füßen und streckte abermals die Hand, die in einem zerschlissenen, fingerlosen Handschuh steckte, nach der Tube aus. »Also zahlen Sie mehr.«

Linus überlegte kurz, ob er den Rest des Tubeninhalts in dem runzligen Gesicht des Kerls verteilen sollte, dachte dann aber an seinen bevorstehenden Reichtum, zog großmütig ein Fünfzig-Cent-Stück aus der Tasche und warf es in die Luft.

»Jetzt kannst du in Rente gehen«, erklärte er gehässig, als der Kerl die Münze eilig fing, biss in seine senfgetränkte Brezel und wandte sich zum Gehen.

Er war ein kleiner Mann und, abgesehen von seinem Schmerbauch, klapperdürr. Seine muskulösen Arme waren viel zu lang für seine Körpergröße, und sein Gesicht sah aus wie ein zerbrochener, notdürftig geklebter Teller: rissig, flach und rund.

Seine Ex-Frau hatte ihn ständig gedrängt, etwas von seinen Ersparnissen für ein paar einfache schönheitschirurgische Eingriffe zu opfern, doch hatte er bisher keinen Sinn in einer solchen Maßnahme gesehen. Da ihn bei seiner Arbeit sowieso nie jemand sah, war sein äußeres Erscheinungsbild schließlich egal.

Nun aber sah die Sache anders aus.

Er würde nach Tahiti fliegen, Bali oder sogar auf einen der Urlaubssatelliten. Genösse dort die Sonne, das Wasser und die Frauen.

Mit der halben Million, die er dafür bekäme, dass er seine Beobachtung für sich behalten würde, wäre er endlich ein reicher Mann.

Er überlegte, ob er hätte mehr verlangen sollen. Er hatte extra einen Betrag gewählt, den ein Schauspieler zusammenkratzen konnte, und hätte sogar Ratenzahlungen akzeptiert. Schließlich war er ein vernünftiger, nicht übermäßig anspruchsvoller Mann. Außerdem hatte der Mensch nicht nur Mumm und Talent bewiesen, sondern vor allem sein Opfer passend ausgewählt.

Nie in seinem Leben hatte er einen Schauspieler getroffen, den er so verabscheut hätte wie den widerlichen Draco, und dabei waren alle Menschen mit diesem Beruf ihm regelrecht verhasst.

Er stopfte sich den Rest seiner Brezel in den Mund und wischte sich den Senf vom Kinn. Der Brief, den er geschrieben hatte, war bereits am frühen Morgen ausgetragen worden. Dafür hatte er zusätzliches Eilporto bezahlt, doch diese Investition lohnte sich.

Ein Brief war besser als ein Anruf oder ein persönlicher Besuch. Solche Dinge konnte man zurückverfolgen, überlegte er. Vielleicht hatten die Bullen ja bereits sämtliche Links verwanzt. Zuzutrauen war es ihnen. Neben Schauspielern waren gleichzeitig Polizisten ihm ausnahmslos verhasst.

Er hatte das Schreiben knapp gefasst –

ICH WEISS, WAS SIE UND WIE SIE ES GETAN HABEN. GUTE ARBEIT. TREFFEN SIE MICH HINTER DER BÜHNE DES THEATERS. ELF UHR. ICH WILL 500 000 DOLLAR. ICH WERDE NICHT ZU DEN BULLEN GEHEN. ER WAR SOWIESO EIN SCHWEIN.

– und den Brief nicht mit einer Unterschrift versehen. Das war nicht erforderlich, denn alle am Theater kannten seine Schrift. Er hatte kurz die Befürchtung gehegt, dass das Schreiben womöglich den Bullen ausgehändigt würde und die nähmen ihn dann wegen versuchter Erpressung fest. Dann aber hatte er diesen Gedanken verdrängt.

Was war schon eine halbe Million für einen Schauspieler?

Er trat vor den Bühneneingang, schloss mit leicht verschwitzten Händen auf, betrat den dunklen Flur und sog, als die dicke Metalltür mit einem Knall ins Schloss fiel, den Duft und die Stille des Theaters in sich ein.

Völlig unerwartet zog sein Herz sich wehmütig zusammen. Er gäbe das Theater auf. Die Gerüche, die Geräusche, die Lichter und die Texte. Etwas anderes als das Theater hatte er niemals gekannt, und die plötzliche Erkenntnis, dass er diese Umgebung liebte, brachte ihn aus dem Konzept.

Egal, sagte er sich energisch und wandte sich der Treppe, die nach unten führte, zu. Auch auf Tahiti gäbe es Theater, falls er ohne Theater nicht leben konnte. Oder er könnte sogar selber eine kleine Bühne aufziehen. Vielleicht ein Theater mit angeschlossenem Restaurant.

Linus-Quim-Theater. Das klang exzellent.

Unten angekommen ging er, erfüllt von freudiger Erregung, fröhlich summend den gewundenen Korridor hinab.

Aus dem Dunkeln schoss ein Arm und legte sich um seinen Hals. Weniger erschrocken als vielmehr überrascht keuchte er auf.

Dämpfe stiegen ihm in Mund und Nase. Er sah

nur noch verschwommen, verspürte ein Gefühl des Schwindels, und seine Glieder wurden taub.

»Was? Was soll das?«, krächzte er.

»Du brauchst etwas zu trinken«, flüsterte eine leise, freundliche Stimme dicht an seinem Ohr. »Komm schon, Linus, du brauchst etwas zu trinken. Ich habe dir extra die Flasche aus deinem Spind geholt.«

Bleischwer fiel sein Kopf auf seinem dürren Hals nach vorn, und er sah nur noch bunte Farben, während er sich folgsam von einer sanften Hand in Richtung eines Hockers führen ließ. Dann hielt ihm die Hand ein Glas an die wie ausgedörrten Lippen, und er trank gehorsam einen kleinen Schluck.

»So, jetzt geht es dir schon wieder besser, nicht wahr?«

»Schwindlig.«

»Das geht vorbei.« Die Stimme hatte einen weichen, mitfühlenden Klang. »Du wirst ganz ruhig werden. Das Mittel ist ganz leicht. Genauso wenig spürbar wie ein leichter Kuss. Bleib einfach sitzen. Alles andere erledige ich.«

»Okay.« Er verzog den Mund zu einem undeutlichen Lächeln. »Danke.«

»Oh, nicht der Rede wert.« Behandschuhte Finger streiften Linus eins der auf dem Schnürboden herumliegenden Seile geschmeidig über den Kopf und zogen es in Höhe seines Halses fest.

»Wie fühlst du dich jetzt, Linus?«

»Gut. Sogar sehr gut. Ich dachte, dass Sie sauer wären.«

»Nein.« Trotzdem stieß sein Gegenüber einen leisen Seufzer – vielleicht des Bedauerns – aus.

»Ich nehme das Geld und fliege nach Tahiti.«

»Ach ja? Das wird dir bestimmt gefallen. Aber vorher möchte ich, dass du noch etwas für mich schreibst. Hier ist dein Stift. So ist's richtig. Nimm ihn in die Hand. Und hier ist auch der Block, auf dem du dir immer deine Notizen machst. Du benutzt nie einen elektronischen Kalender, oder?«

»Nein, verdammt, mir reicht Papier«, erklärte Linus grinsend, bevor er einen Schluckauf bekam.

»Natürlich. Also, schreib jetzt bitte auf: ›Ich war's.‹ Das ist alles, was du schreiben sollst. ›Ich war's.‹ Und dann unterschreib mit deinem Namen. Richtig. Genau so ist es richtig.«

»Ich war's.« Etwas krakelig schrieb er auch noch seinen Namen. »Ich habe herausgefunden, wer der Täter war.«

»Das hast du. Das war wirklich clever, Linus. Und, ist dir noch schwindlig?«

»Nein. Ich bin okay. Ich fühle mich gut. Haben Sie das Geld dabei? Ich fliege nach Tahiti. Sie haben allen einen Gefallen getan, indem Sie dieses fiese Schwein aus dem Verkehr gezogen haben.«

»Danke. Das finde ich auch. Und jetzt lass uns beide aufstehen. Geht's?«

»Bestens.«

»Gut. Würdest du mir einen Gefallen tun? Könntest du die Leiter da drüben raufklettern? Ich möchte, dass du dieses Ende des Seils über den Pfosten da oben hängst und festmachst. Schön stramm ziehen, wenn es geht. Niemand kann so gute Knoten machen wie ein erfahrener Inspizient.«

»Sicher.« Summend stieg Linus die Leiter hinauf.

Von unten blickte man ihm nach. Inzwischen waren die Furcht, Panik und Verzweiflung, die der Brief hervorgerufen hatte, einem Gefühl der Verärgerung und des Herausgefordert-worden-seins gewichen.

Wie ging man mit einem Erpresser um? Die Antwort war nicht schwer gefallen. Man musste sich seiner entledigen und zugleich der Polizei den Mörder präsentieren. Dadurch schlüge man zwei Fliegen mit einer Klappe, wie es so schön hieß.

In Sekunden, wenigen Sekunden, wäre es vorbei.

»Das Seil ist fest«, rief Linus von oben herunter. »Das geht nicht mehr ab.«

»Davon bin ich überzeugt. O nein, Linus, nicht klettern.«

Er blickte verwirrt hinunter in das lächelnde Gesicht. »Ich soll nicht wieder runterklettern?«

»Nein. Du sollst nicht klettern, sondern springen, Linus. Wäre das nicht toll? Genau, als ob du in das hübsche blaue Wasser auf Tahiti springst.«

»Wie auf Tahiti? Dorthin werde ich fliegen, sobald ich das Geld bekommen habe.«

»Ja, wie auf Tahiti.« Das Lachen, das von unten an seine Ohren drang, hatte einen fröhlichen, ermutigenden Klang. Ein aufmerksamer Hörer hätte möglicherweise eine leichte Anspannung vernommen, Linus aber fiel unbekümmert in das Lachen ein. »Komm schon, Linus. Spring! Das Wasser ist ganz herrlich.«

Grinsend hielt er sich die Nase zu. Und sprang.

Anders als beim letzten Mal kam der Tod nicht völlig lautlos. Linus strampelte panisch mit den Beinen und warf dadurch die Leiter krachend auf die Flasche mit dem selbstgebrannten Schnaps, die mit einem lauten Knall zerbarst. Ein Krächzen drang aus seiner Kehle, ging in ein leises Röcheln über, und selbst als es verstummte, hing das Echo dieses Röchelns wie ein gellender Schrei in dem meterhohen Raum.

Dann hörte man nur noch das Knirschen des hin und her schwingenden Seils. Es klang beinahe romantisch, wie das Knirschen eines Segelmasts auf hoher See.

8

»Dr. Miras Täterprofil legt die Vermutung nahe, dass es einer der Schauspieler gewesen ist«, erklärte Eve. »Oder jemand, der Schauspieler werden wollte oder will.«

»Tja, das wäre also die jeweilige Erstbesetzung der verschiedenen Rollen.« Feeney streckte seine Beine aus. »Die Zweitbesetzung, die Komparsen, wodurch man insgesamt bereits auf über dreißig Leute kommt. Nimmt man dann noch die Möchtegern-Schauspieler dazu, hat man, weiß der Himmel, wie viele Personen, die man genauer unter die Lupe nehmen muss.«

»Wir teilen sie unter uns auf und gucken, welche der Personen von vornherein als Täter auszuschließen sind. Genauso macht es Baxter mit dem Publikum.«

Feeney grinste breit. »Wir haben sogar noch in unserer Abteilung mit anhören können, wie er gejammert hat.«

»Dann habe ich anscheinend genau den Richtigen für diese Arbeit ausgesucht«, erklärte Eve gelassen.

»Tja, wir sollten prüfen, welche Verbindung es zwischen den Leuten und dem Opfer gab und wer sich während des letzten Aktes wo aufgehalten hat. Dann laden wir die verbleibenden Verdächtigen hierher aufs Revier und fangen an, sie zu verhören.«

McNab rutschte auf seinem Stuhl herum und hob artig die Hand. »Es ist immer noch nicht völlig ausgeschlossen, dass der Täter jemand aus dem Publikum gewesen ist. Jemand, der Draco kannte und Erfahrung mit dem Theater hat. Selbst wenn Baxter und seine Leute vierundzwanzig Stunden täglich Wahrscheinlichkeitsberechnungen anstellen und Hintergrundinformationen suchen, wird es Wochen dauern, bis die Überprüfung sämtlicher Besucher des Theaters abgeschlossen ist.«

»So lange können wir aber nicht warten«, schnauzte Eve ihn an. »Wir müssen den Fall so schnell wie möglich lösen. Die Stadt steht ziemlich unter Druck und das heißt, dass der Bürgermeister auf uns den Druck ausüben wird. Sobald wir von Baxter die ersten Namen Verdächtiger kriegen, suchen wir die Leute auf. Bis dahin konzentrieren wir uns weiter auf die Schauspieler und das Theaterpersonal.«

Sie trat vor das schwarze Brett, an dem die Aufnahmen des Tatorts, der Leiche, die Ergebnisse der bisher angestellten Wahrscheinlichkeitsberechnungen und die gesammelten Hintergrundinformationen hingen.

»Das Opfer wurde nicht willkürlich ausgewählt und nicht aus einem Impuls heraus getötet. Es war eine sorgfältig geplante und inszenierte Tat. Es war eine regelrechte Performance. Und sie wurde aufgenommen. Ich habe Kopien der Disketten für alle machen lassen, und jeder von uns wird sich das Stück so oft ansehen, bis er den Text und sämtliche Bewegungen der Darsteller so gut kennt, dass wir selbst damit auf Tournee gehen können, wenn der Fall abgeschlossen ist.

Es geht um die Verdrehung des Rechts«, sagte sie nachdenklich. »Darum, dass jemand damit spielt. Darum, dass dem Täter am Ende, wenn schon nicht durch das Gericht, so doch durch einen anderen Menschen eine Art Gerechtigkeit widerfährt. Eventuell empfindet der Mörder Dracos Tod ja ebenfalls als irgendwie gerecht.«

Feeney tastete nach der Tüte mit gebrannten Mandeln, die er stets bei sich trug. »Niemand hat ihn geliebt.«

»Dann müssen wir herausfinden, wessen Hass auf diesen Mann am größten ist.«

Der Junge hieß Ralph, und er wirkte gleichermaßen ängstlich wie erregt. Über der langweiligen braunen Uniform des Reinigungspersonals trug er eine abgewetzte Yankee-Jacke, und er hatte entweder einen äußerst schlechten Haarschnitt oder war nach einem

Roarke unbekannten, neuen Modetrend frisiert. Egal wie – er blies, strich oder schüttelte sich die dünnen Strähnen dunkler Haare ständig aus der Stirn.

»Ich hätte nicht gedacht, dass Sie selber kommen, Sir.« Ein Teil seiner Erregung rührte daher, dass er dem legendären Roarke persönlich gegenüberstand. Alle wussten, der Mann war megacool. »Wir haben Befehl, alles, was uns ungewöhnlich erscheint, umgehend zu melden. Und als der Bühneneingang offen stand, dachte ich, ich gebe am besten sofort jemandem Bescheid.«

»Das hast du richtig gemacht. Bist du reingegangen?«

»Tja, ich ...« Ralph wollte nicht zugeben, dass seine rege Fantasie ihn daran gehindert hatte, auch nur zwei Schritte hinter die offene Tür zu gehen. »Wissen Sie, ich wollte reingehen. Aber dann habe ich gesehen, dass Lichter brannten, die nicht brennen sollten, und ich dachte, dass es doch besser wäre, wenn ich hier draußen stehen bleibe und ... gucke, dass niemand durch die Tür kommt.«

»Gut gemacht.« Roarke ging in die Hocke, blickte auf das Türschloss und hob dann den Kopf in Richtung der Überwachungskamera. Das grüne Lämpchen blinkte nicht. »Arbeitest du immer allein?«

»O nein, Sir. Aber, wissen Sie, da das Gebäude wegen dieses toten Typen geschlossen ist, hat der

Boss gesagt, es würde reichen, wenn einer von uns allein ein bisschen sauber macht. Wegen dem ganzen Durcheinander nach der Premiere hat bisher noch niemand die Toiletten und so geputzt. Der Boss meinte, die Bullen hätten gesagt, sie wären mit der Spurensuche fertig und wir könnten wieder rein.«

»Ja.« Roarke hatte ebenfalls am Vormittag die Mitteilung erhalten, dass der Großteil des Gebäudes wieder freigegeben worden war.

»Nur hinter die Polizeiabsperrung auf und hinter der Bühne sollen wir nicht gehen. Der Boss meinte, man kriegt einen fürchterlichen Stromschlag, wenn man es versucht.«

»Das stimmt.«

»Es sollte nur jemand die Toiletten putzen. Ich habe mich freiwillig gemeldet, weil ich die zusätzliche Kohle gut brauchen kann.«

Roarke richtete sich wieder auf und sah den Jungen lächelnd an. »Das kann ich gut verstehen. Tja, Ralph, nicht wahr? Dann gehen wir am besten rein und schauen, was da los ist.«

»Sicher.« Ralph schluckte hörbar, als er hinter Roarke durch den Bühneneingang trat. »Wissen Sie, es heißt, ein Mörder kehrt immer an den Ort seines Verbrechens zurück.«

»Ach ja?«, fragte Roarke mit ruhiger Stimme, während er sich umsah. »Du wirst bestimmt noch lernen, dass das Wörtchen *immer* im Leben nur sehr selten stimmt. Aber möglicherweise hast du trotzdem Recht.«

In dem Raum, in dem sie standen, war es völlig dunkel, doch aus Richtung der Treppe erkannte Roarke ein undeutliches Licht. Er ging den Korridor hinunter und legte eine Hand um den kleinen, illegalen Stunner, den er vorsichtshalber mitgenommen hatte, als die Meldung von einem möglichen Einbruch bei ihm eingegangen war.

Er folgte dem Licht hinunter in den Bereich unter der Bühne.

Dort unten stank es nach selbst gebranntem Fusel ... und nach Tod.

»Ja, ich fürchte, du hattest wirklich Recht«, murmelte er, während er um eine Ecke bog.

»Oh, Scheiße. Oh, Mann.« Ralphs Stimme wurde schrill, und seine Augen quollen über. »Ist das etwa ein Mensch?«, fragte er beim Anblick der an einem Strick baumelnden Gestalt.

»Ja. Wenn dir schlecht wird, brauchst du dich dessen nicht zu schämen, aber bitte übergib dich nicht ausgerechnet hier.«

»Häh?«

Roarke wandte sich zu dem Jungen um. Ralphs Augen waren glasig, und er war kreidebleich, weshalb Roarke ihn bei der Schulter packte, auf den Boden drückte und erklärte: »Leg den Kopf auf deine

Knie und atme langsam aus und ein. So ist's richtig, Junge. Gleich geht es dir wieder gut.«

Dann wandte er sich wieder ab, trat auf den Gehängten zu, dachte laut: »Armer, blöder Hund«, zog sein Handy aus der Tasche und wählte die Nummer seiner Frau.

»Dallas. Was? Roarke, ich kann jetzt unmöglich mit dir reden. Ich stecke bis zum Hals in Arbeit.«

»Apropos Hals. Ich gucke gerade auf einen, der beachtlich in die Länge gezogen worden ist. Komm ins Theater, Lieutenant, in den Raum unter der Bühne. Ich habe eine weitere Leiche für dich entdeckt.«

Selbst wenn die Leiche vom Ehemann der Ermittlungsleiterin gefunden worden war, wich man besser nicht von der Routine ab.

Eve gab Peabody das Zeichen, den Fundort aufzunehmen, und fragte ihren Gatten: »Weißt du, wer das ist?«

»Quim. Linus Quim. Nachdem ich dich angerufen hatte, habe ich mir seine Akte angesehen. Er war Inspizient. Sechsundfünfzig Jahre, geschieden, keine Kinder. Lebte in der Siebten – den Unterlagen zufolge allein.«

»Hast du ihn persönlich gekannt?«

»Nein.«

»Okay, bleib in der Nähe. Peabody, besorgen Sie mir eine Leiter. Ich will diese nicht benutzen, solange nicht die Spurensicherung sie untersucht hat. Wer ist der Junge?«, wandte sie sich abermals an Roarke.

»Ralph Biden. Er gehört zur Putzkolonne. Heute hätte er allein arbeiten sollen. Er sah, dass der Bühneneingang offen stand und hat es umgehend gemeldet.«

»Wann?«, fragte Eve und blickte auf die umgestürzte Leiter und die Scherben der Flasche mit dem stinkenden Gebräu.

Roarke prustete kurz, zog aber schließlich seinen elektronischen Kalender aus der Tasche und leierte herunter: »Er hat seinen Boss um elf Uhr dreiundzwanzig kontaktiert. Sechs Minuten später hat man mir die offene Tür gemeldet, und ich kam Punkt zwölf hier an. Ist das genau genug, Lieutenant?«

Sie kannte diesen Ton, doch sie konnte es nicht ändern, wenn er verärgert war. Roarke nahm die kleine Klappleiter entgegen, mit der Peabody aus einem der angrenzenden Räume kam. »Hast du oder der Junge irgendetwas angerührt?«

»Ich kenne die Routine.« Roarke stellte die Leiter direkt unter dem Leichnam auf. »Inzwischen sogar fast so gut wie du.«

Knurrend schulterte sie ihren Untersuchungsbeutel und kletterte die Leiter hinauf.

Tod durch Erhängen war alles andere als friedlich, und das sah man den Überresten dieses Menschen an. Die Augen waren aus dem Kopf gequollen, das

Gesicht war beinahe dunkelviolett. Mehr als sechzig Kilo hatte er ganz sicher nicht gewogen, überlegte Eve. Das hatte nicht gereicht, hatte bei weitem nicht gereicht, um schnell und schwer genug zu fallen, damit bereits der Sturz gnädig das Genick des Opfers brach.

Stattdessen war der Mensch erstickt, langsam genug erstickt, um sich dessen bewusst zu sein, um dagegen zu kämpfen und alle je in seinem Leben begangenen Sünden zu bereuen.

Mit versiegelten Händen zog sie das einzelne Blatt billigen Recycling-Papiers aus seinem Gürtel, reichte es nach einem kurzen Blick nach unten weiter und bat: »Peabody, tüten Sie das ein.«

»Sehr wohl, Madam. Was meinen Sie? War es Selbstmord?«

»Wenn Polizisten vorschnell Schlüsse ziehen, geraten sie ins Stolpern und landen unsanft auf dem Arsch. Rufen Sie die Spurensicherung, und melden Sie in der Pathologie, dass es einen neuen Kunden für sie gibt.«

Dergestalt gerüffelt, zog Peabody gehorsam ihr Handy aus der Tasche und rief bei der Zentrale an.

Eve sprach den geschätzten Todeszeitpunkt auf das Band, sah sich den perfekten Knoten an und wollte von ihrer Assistentin wissen: »Wie kommen Sie auf Selbstmord?«

»Äh ... Tod durch Erhängen – und dann noch an

seinem Arbeitsplatz – ist eine klassische Form des Selbstmords. Es gibt einen unterschriebenen Abschiedsbrief, hier unten liegt eine zerbrochene Flasche mit selbst gebranntem Fusel, und dort drüben auf der Bank steht ein einziges Glas. Es gibt keine Anzeichen dafür, dass es einen Kampf oder eine gewaltsame Auseinandersetzung mit jemand anderem gab.«

»Erstens wurden über Jahrhunderte hinweg Menschen durch Erhängen exekutiert. Zweitens haben wir bisher keinen Beweis dafür, dass der Tote den Abschiedsbrief tatsächlich selbst geschrieben hat. Und drittens können wir, solange die Leiche nicht gründlich untersucht ist, nicht mit Sicherheit sagen, dass es keinen Kampf gegeben hat. Und selbst wenn nicht«, fuhr Eve, während sie die Leiter wieder hinunterkletterte, mit ruhiger Stimme fort, »kann man einen Menschen auch auf andere Art und Weise dazu bringen, dass er seinen Kopf in eine Schlinge legt.«

»Sehr wohl, Madam.«

»Äußerlich betrachtet sieht es aus wie Selbstmord. Aber es ist nicht unser Job, uns auf eine oberflächliche Betrachtung zu beschränken und irgendwelche vagen Vermutungen zu äußern. Wir müssen beobachten, aufnehmen, Beweise sammeln und am Ende stimmige Schlussfolgerungen ziehen.«

Eve trat einen Schritt zurück und inspizierte den Fundort der Leiche noch einmal genauer. »Weshalb sollte jemand hierher in ein leeres Theater kommen, sich auf eine Bank setzen, ein Gläschen Selbstgebrannten trinken, einen Abschiedsbrief verfassen, eine hübsche, ordentliche Schlinge machen, den Kopf durchstecken, eine Leiter raufklettern, das Seil um einen Pfosten binden und dann springen?«

Da nun einmal eine Antwort von ihr erwartet wurde, gab sich Peabody die größte Mühe, möglichst logisch vorzugehen. »Das Theater ist sein Arbeitsplatz. Selbstmörder bringen sich oft an ihrer Arbeitsstätte um.«

»Ich spreche von Linus Quim. Ich möchte also etwas hören, was sich auf ihn bezieht, und nicht irgendwelches allgemeingültiges Zeug.«

»Sehr wohl, Madam. Falls er für Dracos Tod verantwortlich gewesen ist, wie sein Abschiedsbrief vermuten lassen könnte, kam er eventuell mit seinen Schuldgefühlen nicht zurecht, ist deshalb hierher zurückgekehrt, wo er Draco hat ermorden lassen, und hat versucht, dadurch alles wieder ins Lot zu bringen, dass er sich selbst unter der Bühne das Leben genommen hat.«

»Denken Sie an Dr. Miras Täterprofil, Peabody. Denken Sie an das ursprüngliche Verbrechen und die dafür gewählte Methode. Der Täter war berechnend, skrupellos und dreist. Sagen Sie mir, wie passt das zu einem Menschen, der sich hinterher mit Schuldgefühlen quält?«

Damit ließ Eve ihre Assistentin stehen und marschierte zu dem unglücklichen Ralph, der kreidebleich und stumm in einer Ecke saß.

»Na, das habe ich mal wieder super hingekriegt«, murmelte Peabody frustriert, atmete tief durch und versuchte, sich nicht anmerken zu lassen, wie verlegen es sie machte, dass sie in Roarkes Gegenwart derart heruntergeputzt worden war. »Jetzt ist sie bestimmt sauer.«

»Sie ist wütend. Aber weder auf mich noch auf Sie«, antwortete Roarke, betrachtete noch einmal die Leiche und konnte seine Frau verstehen. »Sie empfindet den gewaltsamen Tod eines Menschen als persönlichen Affront. Und zwar jedes Mal. Jedes Mal, wenn sie mit ihm zu tun hat.«

»Sie behauptet immer, dass man diese Dinge nicht persönlich nehmen darf.«

»Ja.« Er schaute zu Eve, die mit dem Jungen sprach und, um ihm den weiteren Anblick des Toten zu ersparen, automatisch direkt vor ihn getreten war. »Das behauptet sie.«

Wenn nötig, konnte er geduldig sein. Konnte warten, bis der rechte Augenblick gekommen war.

Er war sicher, dass Eve zu ihm kommen würde, wenn auch vielleicht aus keinem anderen Grund, als sich zu vergewissern, dass er sich nicht zu sehr in ihre Arbeit mischen würde. Denn das war ihr ein Graus.

Also saß er auf der Bühne, auf der nach wie vor noch der Gerichtssaal aus der letzten Szene aufgebaut war. Ein seltsamer Ort für einen Mann mit seinem Hintergrund, dachte er leicht belustigt, während er auf seinem Handcomputer die jüngsten Börsenberichte und das Protokoll einer Vorstandssitzung las.

Er hatte, um besser zu sehen, die Bühnenbeleuchtung eingeschaltet und wirkte so verführerisch wie ein gefallener Engel, wie er da im kühlen blauen Licht auf der Anklagebank saß.

»Haben sie dich je so weit gebracht?«, fragte sie, als sie endlich auftauchte.

»Hmm?« Er hob den Kopf und blinzelte sie an. »Du kennst meine Akte. Mein Strafregister ist sauber wie eine Schneeflocke.«

»Ich habe gesehen, was von dem Register übrig war, nachdem du mit ihm gespielt hast.«

»Lieutenant, das ist ein schwerer Vorwurf.« Trotzdem umspielte ein Lächeln seinen festen Mund. »Aber nein, ich hatte niemals das Vergnügen, mich wegen einer Strafsache vor einem Gericht verteidigen zu dürfen. Wie geht es dem Jungen?«

»Wem? Oh, Ralph. Er ist noch ein bisschen zittrig.« Sie stieg die Stufen zur Anklagebank hinauf. »Ich habe ihn von zwei Beamten nach Hause fahren lassen. Ich glaube nicht, dass wir ihn noch mal brauchen. Und wenn er sich erholt hat, hat er etwas, womit er vor seinen Freunden angeben kann.«

»Genau. Du kennst dich mit den Menschen aus. Und was macht unsere gute Peabody?«

»Was willst du damit sagen?«

»Du bist eine gute Lehrerin, Lieutenant, aber manchmal etwas streng. Ich frage mich, ob sie sich davon erholt hat, dass sie derart von dir heruntergeputzt worden ist.«

»Sie will es bis zum Detective bringen. Sie will einmal selbst in Mordfällen ermitteln. Dabei ist die erste Regel, dass man völlig unbelastet an einen Tatort herangehen soll. Man soll keine vorgefertigte Meinung haben, keine voreiligen Schlüsse aus einem Szenarium ziehen und vor allem nicht alles für bare Münze nehmen, was man sieht. Glaubst du etwa, Feeney wäre sanfter mit mir umgesprungen, als er mein Ausbilder war?«

»Ich kann mir vorstellen, dass er sich die Zähne an dir ausgebissen hat.«

»Falls du damit sagen willst, dass ich dickschädelig bin, ist das durchaus okay. Sie wird aus dieser Sache lernen und beim nächsten Mal vorsichtiger sein. Sie hasst es, wenn sie etwas nicht richtig macht.«

Er strich mit seinen Knöcheln über ihre Wange. »Das denke ich auch. Also, weshalb glaubst du nicht, dass es ein Selbstmord war?«

»Ich habe nicht gesagt, dass ich das nicht glaube. Der Pathologe wird ihn gründlich untersuchen und mir dann mitteilen, welche Schlüsse er aus den Ergebnissen der Untersuchung zieht.«

»Ich will nicht wissen, was der Pathologe denkt, sondern du.«

Sie wollte etwas sagen, biss dann jedoch die Zähne aufeinander und stopfte die Hände in die Taschen ihrer Jeans. »Weißt du, was das war? Das war eine verdammte Beleidigung. Das Ganze wurde absichtlich für mich inszeniert. Irgendjemand hält mich offenbar für unglaublich naiv.«

Abermals verzog er seinen Mund zu einem Lächeln. »Nein. Irgendjemand weiß, dass du sehr clever bist, und hat sich die größte Mühe gegeben, alles echt wirken zu lassen. Ohne Zweifel hat sogar die Flasche mit dem Fusel Linus selbst gehört.«

»Ich war an seinem Spind. Man kann das Zeug dort riechen. Er hat also tatsächlich eine Flasche darin aufbewahrt. Was hat er gewusst?«, murmelte sie nachdenklich. »Weshalb musste er sterben? Er war Inspizient. Das bedeutet, dass er wissen musste, wer oder was wann und wo gebraucht wird. Sowohl Leute als auch Requisiten.«

»Davon gehe ich aus.«

»Was hat er gewusst?«, fragte sie noch einmal. »Was hat er gesehen, was hat er gedacht? Weshalb ist er gestorben? Er hat immer alles in seinem kleinen Notizbuch aufgeschrieben. Die Handschrift, in der der Abschiedsbrief verfasst ist, sieht genauso aus. Wenn der Pathologe nicht irgendetwas findet, wird die Sache wohl tatsächlich als Selbstmord abgehakt.«

Roarke stand auf. »Du arbeitest bestimmt noch länger.«

»Ja. Sieht danach aus.«

»Achte darauf, dass du etwas anderes als nur Süßigkeiten isst.«

Ihre Miene wurde verkniffen. »Irgendjemand hat mir schon wieder meine Schokoriegel geklaut.«

»Dieser Schweinehund.« Er neigte sich zu ihr herab und küsste sie zärtlich auf den Mund. »Wir sehen uns zu Hause.«

Eves Vorstellung von den Leuten am Theater als reiche Bohemiens hatte bereits unter dem Besuch in Michael Proctors bescheidener Behausung leicht gelitten. Völlig revidieren jedoch musste sie das Urteil, als sie die von Linus Quim bewohnte Absteige betrat.

»Kaum besser als auf der Straße zu schlafen.« Sie schüttelte den Kopf, als sie einen Blick in die ebenerdig gelegene schmuddelige Kammer warf. Die dreckverkrusteten Gitter vor den beiden schmutzstarrenden, fingerbreiten Fensterschlitzen sperrten sogar noch das wenige Sonnenlicht, das andernfalls eventuell hereingekommen wäre, aus, reichten als Schutz gegen den unablässigen Verkehrslärm und das Vibrieren der direkt unter dem Zimmer verlaufenden Untergrundbahn jedoch nicht aus.

»Licht an«, befahl sie und wurde mit einem trüben gelben Aufflackern der staubbedeckten Deckenlampe belohnt.

Geistesabwesend schob sie die Hände in die Taschen ihrer Jacke. Hier drinnen war es sogar noch kälter als draußen in dem beißenden spätwinterlichen Wind. Es roch nach altem Schweiß, noch älterem Staub und Quims wahrscheinlich letztem Abendessen, das aus Hackfleischersatz und Bohnen bestanden zu haben schien.

»Was haben Sie gesagt, hat der Kerl pro Jahr verdient?«, wollte sie von ihrer Assistentin wissen.

Peabody zog ihren Handcomputer aus der Tasche und sah darin nach. »Achthundertfünfzig Grundgehalt pro Aufführung plus Geld für Auf-, Ab- und Umbauten sowie andere Überstunden, die ziemlich regelmäßig angefallen sind. Die Gewerkschaft hat ihm fünfundzwanzig Prozent für die Renten-, die Gesundheits- und andere Kassen abgeknöpft, aber trotzdem hat er jährlich circa dreihunderttausend netto eingesackt.«

»Und dann in einem solchen Loch gehaust. Tja, entweder hat er sein Geld für irgendwas verbraten oder es irgendwo gehortet.« Sie lief über den nackten Fußboden auf den Computer zu. »Diese Kiste ist noch älter als das Mistding, das ich gerade losgeworden bin. Computer an.«

Das Gerät fing an zu husten, zu pfeifen und zu

schnauben, und auf dem Bildschirm flackerte ein kränklich blaues Licht.

»Ich brauche einen Überblick über die Finanzen von Linus Quim.«

Bitte nennen Sie das Passwort ...

»Ich werde dir ein Passwort geben.« Sie schlug halbherzig mit einer Faust auf die Maschine und nannte die Nummer ihres Dienstausweises sowie ihren Rang.

Das Gesetz zum Schutz der Privatsphäre verbietet die Herausgabe der gewünschten Daten. Bitte nennen Sie das Passwort ...

»Peabody, kümmern Sie sich um dieses Ding.« Eve wandte der Kiste den Rücken zu und fing an, in der obersten Schublade einer Kommode zu wühlen, die aus Pappe zu bestehen schien. »Baseballprogramme«, meinte sie, während Peabody versuchte, den Computer mit vernünftigen Argumenten dazu zu bewegen, dass er die gewünschten Informationen rausrückte. »Und weitere Notizbücher. Der Kerl hat gerne gewettet, was möglicherweise eine Erklärung für den Verbleib seines Gehaltes ist. Er hat alles genau aufgeschrieben, jeden einzelnen Gewinn und jeden einzelnen Verlust. Meistens hat er verloren. Allerdings keine besonders großen Summen. Scheint also nicht irgendwelchen Geldeintreibern zum Opfer gefallen zu sein.«

Sie zog die zweite Schublade auf. »Aber hallo, gucken Sie sich das mal an. Broschüren von irgendwelchen Inseln in den Tropen. Vergessen Sie die Kohle, Peabody. Gucken Sie, ob er Informationen über Tahiti angefordert hat.«

Sie trat vor den Schrank, schob eine Hand voll Hemden an die Seite, betastete die Taschen und suchte in den beiden auf dem Boden stehenden Paar Schuhe nach einem möglichen Versteck.

Soweit sie sehen konnte, hatte der Mann – abgesehen von seinen Blöcken – nirgends irgendwelche Erinnerungsstücke, irgendwelche Fotos, Disketten oder andere persönliche Gegenstände aufbewahrt.

Seine ausnahmslos uralte Kleidung, zu der auch ein zerknitterter Anzug gehörte, hätte höchstens für eine Woche gereicht, und der Kühlschrank war außer mit etlichen Päckchen Trockenhackfleisch-Mischung und mehreren Flaschen Fusel nur noch mit einer noch verschlossenen Riesentüte Soja-Fritten bestückt.

Stirnrunzelnd nahm sie die Tüte in die Hand. »Warum kauft sich ein offenkundig krankhaft geiziger Mann eine Riesentüte Fritten und hängt sich auf, bevor er dazu kommt, das Zeug zu essen?«

»Vielleicht war er zu deprimiert. Manche Leute

kriegen nichts herunter, wenn sie deprimiert sind. Ich hingegen stopfe gerade dann alles in mich rein, dessen ich habhaft werden kann.«

»Sieht aus, als ob er gestern Abend und heute Morgen durchaus noch was gegessen hat. Ob das stimmt, wird erst die Autopsie ergeben, aber sein Recycler ist total verstopft.« Widerstrebend griff sie in den Schlitz, zog eine leere Tüte daraus hervor und hielt sie in die Höhe. »Soja-Fritten. Ich schätze, dass er sie gestern aufgegessen hat und diese Packung für die nächste Mahlzeit vorgesehen war. Außerdem hatte er noch zweieinhalb Flaschen Schnaps.«

»Oh, das mit Tahiti war ein guter Tipp.« Peabody richtete sich auf. »Das war das Letzte, wonach er sich im Internet erkundigt hat. Bilder, Touristeninformationen, Klimatabellen. Und halbnackte Hula-Mädchen.« Während sie sprach, drang aus den Lautsprechern des Computers exotische Musik.

»Was hat er als echter Großstädter mit diesen Informationen gewollt?« Eve kehrte zurück an den Computer und verfolgte dort den beeindruckenden Tanz eingeborener Frauen. »Computer, wann wurden zum letzten Mal Erkundigungen über Transportmöglichkeiten und -preise von New York City nach Tahiti eingeholt?«

Suche ... Letzte Suche nach Transportmöglichkeiten von New York City nach Tahiti erfolgte am achtund-

zwanzigsten März 2059 um drei Uhr fünfunddreißig. Es wurden folgende Auskünfte erteilt: Roarke Airlines bietet täglich Direktflüge nach ...

»Natürlich«, meinte Eve. »Quim hat also letzte Nacht noch Flüge nach Tahiti rausgesucht. Klingt nicht so, als ob er allzu sehr unter Schuldgefühlen oder Depressionen gelitten hat. Computer, ich brauche die Daten möglicher Reisedokumente auf den Namen Linus Quim.«

Suche ... Linus Quim hat am sechsundzwanzigsten März 2059 um vierzehn Uhr die Ausstellung eines Reisepasses beantragt.

»Dann wolltest du also auf Reisen gehen, Linus.« Sie trat einen Schritt zurück. »Was hast du gesehen? Was hast du gewusst?«, murmelte sie nachdenklich. »Und wer sollte dir das Geld für deinen Tropenurlaub geben? Kommen Sie, Peabody, schaffen wir das Gerät zu Feeney.«

Ihr Schauspieldebüt hatte Eliza Rothchild im Alter von sechs Monaten gehabt. In einer seichten Komödie hatte sie als anstrengendes Baby ihren Eltern das Leben schwer gemacht. Das Stück war ein Flop gewesen, doch Eliza hatten die Kritiker geliebt.

Ihre eigene Mutter hatte sie von einem Vorsprechtermin zum anderen gezerrt, und bereits mit zehn hatte Eliza weitreichende Erfahrung sowohl auf der Bühne als auch in Film und Fernsehen gehabt. Mit zwanzig war sie eine allseits respektierte Charakterdarstellerin gewesen, hatte ein ganzes Zimmer voller Auszeichnungen, Häuser auf drei Kontinenten und ihre erste – und bisher auch letzte – Ehe hinter sich gebracht.

Mit vierzig hatte sie so häufig auf der Bühne und auch vor der Kamera gestanden, dass kein Zuschauer und kein Produzent sie mehr hatte sehen können, und sie hatte, statt zuzugeben, dass sie verbraucht war, vorgegeben, sich aus dem Geschäft zurückziehen zu wollen, und die folgenden zehn Jahre mit Reisen, der Veranstaltung von exklusiven Partys und dem Kampf gegen die Langeweile zugebracht.

Als sich die Gelegenheit ergeben hatte, Miss Plimsoll, die quengelige Krankenschwester in der Bühnenproduktion der *Zeugin der Anklage*, zu spielen, hatte sie getan, als müsste sie erst überlegen, und sich etwas umwerben lassen, heimlich jedoch Tränen der Erleichterung und Dankbarkeit vergossen, weil sie das Theater mehr liebte als alles andere auf der Welt.

Nun, da die Ankunft der Polizei vermeldet worden war, würde sie ihre Rolle mit Diskretion und Würde spielen, überlegte sie.

Sie ging persönlich an die Tür, eine etwas herbe, aber durchaus attraktive Frau, die sich nicht die

Mühe machte, ihr Alter zu kaschieren. Silbrigweiße Strähnen durchzogen ihr leuchtend kastanienbraunes Haar, unzählige feine Falten rahmten ihre braunen Augen, und ihre etwas gedrungene Figur wurde von der hüftlangen Tunika und der weit geschnittenen Hose zwar kaschiert, nicht aber verdeckt. Sie hielt Eve eine dick beringte Hand hin, bedachte sie mit einem kühlen Lächeln und trat einen Schritt zurück.

»Guten Tag«, erklärte sie mit einer wohltönenden Stimme, der der Granit New Englands deutlich anzuhören war. »Es ist tröstlich zu sehen, dass sich die Polizei um Pünktlichkeit bemüht.«

»Danke, dass Sie uns Ihre Zeit opfern, Ms Rothchild.«

»Nun, ich hatte ja wohl keine Wahl, nicht wahr?«

»Es steht Ihnen frei, sich uns gegenüber anwaltlich vertreten zu lassen oder sich nur in Anwesenheit von einem Anwalt mit uns zu unterhalten.«

»Natürlich. Für den Fall, dass ich beschließe, von diesem Recht Gebrauch zu machen, brauche ich nur anzurufen, und schon ist mein Anwalt hier.« Sie winkte in Richtung des Salons. »Ich kenne Ihren Gatten, Lieutenant. Wahrlich der attraktivste Mann, dem ich je begegnet bin. Vielleicht hat er Ihnen erzählt, dass ich erst nach kurzem Zögern die Rolle der Miss Plimsoll angenommen habe. Es fiel mir nicht leicht, Jahre, nachdem ich mich aus dem Geschäft zurückgezogen hatte, auf die Bühne zurückzukehren. Aber offen gestanden, konnte ich seinem Drängen unmöglich widerstehen.«

Lächelnd setzte sie sich in einen eleganten, hochlehnigen Polstersessel, legte die Arme auf die breiten Lehnen und faltete die Hände. »Nun, wer hätte das gekonnt?«

»Roarke hat Sie also dazu überredet, ans Theater zurückzukommen?«

»Lieutenant, ich bin sicher, Ihnen ist bewusst, dass es nichts gibt, wozu Roarke eine Frau nicht überreden kann.«

Sie unterzog erst Eve und dann Peabody einer kurzen Musterung und meinte dann: »Aber Sie sind nicht gekommen, um über Roarke zu sprechen, sondern über einen anderen äußerst attraktiven Mann. Obgleich es Richard meiner Meinung nach am Charme und ... nun, sagen wir *Anstand* Ihres Gatten gemangelt hat.«

»Hatten Sie und Richard Draco eine intime Beziehung miteinander?«

Eliza blinzelte ein paar Mal und fing an zu lachen. Es war ein von Herzen kommendes, gurgelndes Geräusch. »Oh, mein liebes Mädchen, soll ich mich jetzt geschmeichelt fühlen oder eher beleidigt sein? Meine Güte.«

Seufzend klopfte sie sich auf die Brust, als hätte dieser Anflug von Humor sie zu sehr angestrengt.

»Lassen Sie es mich so ausdrücken: Richard hätte dieses spezielle Talent nie auf mich verwendet. Als wir jung waren, fand er mich rein äußerlich zu schlicht und gleichzeitig viel zu ›intellektuell‹, ja, so hat er es formuliert. Bildung und Intelligenz waren seiner Meinung nach bei einer Frau eindeutig von Nachteil.«

Sie machte eine Pause, als würde ihr bewusst, dass sie in die falsche Richtung gegangen war. Schließlich führte sie die begonnene Rede fort. »Galanterie war keine seiner Stärken. Er hat oft gehässige Bemerkungen über meinen Mangel an Sexappeal gemacht. Ich entschied mich dafür, das weder als witzig noch als beleidigend zu empfinden. Denn im Grunde bestand das Problem lediglich darin, dass ich im gleichen Alter war wie er. Ich war für seinen Geschmack schlicht und einfach viel zu alt. Und, falls ich das so sagen darf, viel zu selbstbewusst. Er zog junge, verletzliche Mädchen vor.«

All das, fand Eve, war regelrecht aus der Schauspielerin herausgebrochen, als hätte es sich allzu lange in ihr angestaut. »Dann war Ihre Beziehung zu ihm also rein beruflicher Natur?«

»Ja. Natürlich trafen wir uns nicht nur auf der Bühne. Die Leute am Theater sind nicht nur im übertragenen Sinne eine inzestuöse kleine Gruppe. Wir waren häufig auf denselben Partys, haben uns gemeinsam irgendwelche Stücke angesehen oder Benefizveranstaltungen besucht. Aber nie als Paar. Wir hatten einen durchaus zivilen Umgang miteinander. Nachdem wir beide wussten, dass er in sexueller Hinsicht kein Interesse an mir hatte, gab es in der Beziehung keine Spannungen zwischen uns.«

»Ihr Umgang war also zivil«, griff Eve die von Eliza verwendete Bezeichnung auf, »aber nicht freundschaftlich.«

»Nein, ich kann nicht behaupten, dass ich je mit ihm befreundet war.«

»Können Sie mir sagen, wo Sie am Abend der Premiere zwischen der Barszene und der Gerichtsszene gewesen sind? Der Szene, in der Christine Vole noch einmal in den Zeugenstand gerufen wird?«

»Ja, natürlich, denn das gehört genauso zur Routine wie die Zeiten auf der Bühne. Ich war in meiner Garderobe, um mein Make-up zu überprüfen. Wie die meisten von uns schminke ich mich selber. Dann war ich eine Zeit lang hinter der Bühne. In meiner nächsten Szene sitze ich auf dem Balkon und blicke zusammen mit der Darstellerin der Diana und ein paar Komparsen auf den Gerichtssaal – und Sir Wilfred.«

»Haben Sie in dieser Zeit irgendwen gesehen oder mit irgendwem gesprochen?«

»Bestimmt.« Eliza bildete ein Dreieck mit den Fingern beider Hände, das sie sofort wieder zusammenfallen ließ. »Sicher waren ein paar der Techniker ebenfalls hinter der Bühne, und wahrscheinlich habe ich mit einem oder zwei von ihnen ein paar Worte gewechselt. Außerdem sind Carly und ich aneinander vorbeigegangen.«

»Aneinander vorbeigegangen?«

»Ja. Als ich aus meiner Garderobe kam, lief sie gerade auf ihre Garderobe zu. Sie war ziemlich in Eile, denn bis unser Stichwort kommen sollte, war nur noch wenig Zeit. Haben wir miteinander gesprochen?«

Sie spitzte die Lippen und hob den Blick zur Decke, als gäbe diese ihr die Antwort auf die Frage, ehe sie erklärte: »Ja, genau. Sie hat irgendeine abfällige Bemerkung über Richard gemacht. Ich glaube, sie hat gesagt, er hätte sie in den Hintern gekniffen oder so. Das hat sie geärgert, was angesichts der Behandlung, die er ihr hat angedeihen lassen, durchaus nachvollziehbar war.«

Immer noch saß sie kerzengerade in ihrem Sessel und musterte Eve reglos. »Ich habe kein besonderes Mitgefühl mit ihr, denn sie ist schlau genug, um zu wissen, was passiert, wenn sich eine junge Frau mit einem Kerl wie Richard einlässt. Ich glaube, etwas in der Richtung habe ich auch zu Kenneth gesagt, bevor ich die Treppe zum Balkon hinaufgegangen bin.«

»Dann haben Sie Kenneth also ebenfalls gesehen.«

»Ja, er lief hin und her und hat dabei irgendwas gemurmelt. Das macht er oft zwischen den Szenen. Ich habe keine Ahnung, ob er mich gehört oder wahrgenommen hat. Kenneth versucht immer, während einer Aufführung dem Charakter, den er darstellt, treu zu bleiben, und deshalb werde ich als Schwester Plimsoll meistens von ihm ignoriert.«

»Haben Sie sonst noch irgendwen gesehen?«

»Nun, ich ... ja, Michael Proctor. Er stand in den Seitenkulissen. Ich bin mir sicher, er hat von dem Abend geträumt, an dem er selbst endlich die Chance bekommen würde, den Vole zu spielen. Nicht, dass ich nur eine Sekunde glauben würde, er hätte deshalb etwas mit Richards Tod zu tun. Er wirkt so völlig hilflos, finden Sie nicht auch? Wahrscheinlich macht dieses Metier ihn innerhalb weniger Monate kaputt.«

»Und Areena Mansfield. Haben Sie die ebenfalls gesehen?«

»Natürlich. Sie rannte in ihre Garderobe. Sie hatte einen vollständigen Kostüm- und Make-up-Wechsel zwischen diesen beiden Szenen. Sie ist regelrecht an mir vorbeigestürzt. Aber, ehrlich, Lieutenant, wenn Sie wissen wollen, wer zwischen den verschiedenen Szenen was gemacht hat, sollten Sie keinen von uns befragen, sondern Quim. Er ist der Inspizient, ein ungepflegter kleiner Mann mit einem verkniffenen Gesicht, dem nie etwas entgeht. Er weiß zuverlässig über alles Bescheid.«

»Ich kann ihn nicht mehr fragen«, erklärte Eve Eliza ruhig. »Linus Quim wurde heute Morgen erhängt unter der Bühne im Theater aufgefunden.«

Zum ersten Mal seit Eves Erscheinen bekam Elizas gelassene Fassade einen leichten Riss. Zitternd griff sie sich ans Herz. »Erhängt?« Ihre gut ausgebildete Stimme klang ein wenig heiser, als sie wiederholte: »Erhängt? Das muss ein Irrtum sein. Wer in aller Welt sollte einer harmlosen kleinen Kröte wie Quim etwas zuleide tun?«

»Es hat wie ein Selbstmord ausgesehen.«

»Unsinn.« Eliza stand auf. »Das ist totaler Unsinn. Man muss entweder sehr mutig oder aber sehr feige sein, um selbst sein Leben zu beenden. Er war keins von beidem. Er war nichts weiter als ein nervtötender kleiner Mann, der offenbar nie Spaß an seiner Arbeit hatte, obwohl er sie hervorragend gemacht hat. Wenn er tot ist, hat ihn jemand umgebracht. Damit wäre er der Zweite«, sagte sie wie zu sich selbst. »Zwei Tote in einem Theater. Tragödien kommen immer dreifach. Wer wird also der Nächste sein?«

Erschaudernd nahm sie wieder in ihrem Sessel Platz. »Jemand bringt uns nacheinander um.« Das lebhafte Interesse war aus ihrem Blick verschwunden, und ihre zuvor zu einem amüsierten Lächeln verzogenen Lippen bildeten einen schmalen Strich, als sie erklärte: »Es gibt noch ein anderes Stück von Agatha Christie, Lieutenant Dallas. *Das letzte Wochenende.* Zehn Menschen, die auf subtile Weise miteinander in Beziehung stehen, werden einer nach dem anderen ermordet. Ich habe nicht die Absicht, eine Rolle in dem

Stück zu spielen. Sie müssen diesem Spuk ein Ende machen.«

»Genau das habe ich vor. Gibt es einen Grund, aus dem irgendjemand Ihnen Böses wollen könnte, Ms Rothchild?«

»Nein, keinen. Es gibt niemanden, der so verfeindet mit mir wäre, dass er sich eines Mordes bedienen würde, um mich los zu sein. Aber es wird trotzdem noch mindestens einen weiteren Toten geben. Wir Menschen vom Theater sind ein abergläubischer Haufen. Wenn es zwei Mordopfer gab, muss es ein drittes geben. Und es wird ein drittes geben«, wiederholte sie, »wenn Sie nichts dagegen tun.«

Sie zuckte zusammen, als es bei ihr klingelte und das fröhliche Gesicht der Dame vom Empfang auf dem Monitor der Gegensprechanlage erschien. »Ms Landsdowne ist hier, um Sie zu besuchen, Ms Rothchild. Soll ich sie heraufschicken?«

»Ich bin im Augenblick beschäftigt«, setzte Eliza an, doch Eve hob eine Hand.

»Bitte, lassen Sie sie raufkommen.«

»Ich …« Eliza betastete ihre Frisur. »Ja gut, bitte schicken Sie sie herauf.«

»Schaut Carly öfter spontan bei Ihnen herein?« Eve sah Eliza fragend an.

»Eigentlich nicht. Natürlich war sie vorher schon ein paar Mal hier. Ich habe gerne Gäste. Aber ich kann mich nicht erinnern, dass sie jemals vorher einfach so hereingeschneit wäre. Ich bin zurzeit wirklich nicht in der Stimmung, um mit ihr zu plaudern.«

»Kein Problem. Das übernehme ich. Ich gehe an die Tür«, versprach Eve und marschierte in den Flur.

Bevor sie Carly einließ, studierte sie einen Moment lang auf dem Sicherheitsmonitor deren regelrecht verzweifeltes Gesicht. Dann machte sie auf, und Carlys Verzweiflung wurde erst durch einen Ausdruck des Erschreckens und dann einer Miene betonten Gleichmutes ersetzt.

»Lieutenant. Ich wusste nicht, dass Sie hier sind. Offensichtlich habe ich für meinen Besuch bei Eliza einen ungünstigen Zeitpunkt gewählt.«

»Auf diese Weise brauche ich Sie nicht zu suchen, um mich noch einmal mit Ihnen zu unterhalten.«

»Nur bedauerlich, dass ich meinen Anwalt nicht in der Tasche habe.« Sie trat über die Schwelle. »Ich habe gerade ein paar Einkäufe gemacht und dachte, ich schaue kurz vorbei.« Sie merkte, dass Eve nachdenklich auf ihre leeren Hände blickte, und erklärte eilig: »Ich habe mir ein paar Sachen nach Hause schicken lassen. Ich hasse es, wenn ich irgendwelche Tüten und Pakete durch die Gegend schleppen muss. Eliza.«

Mit ausgebreiteten Armen fegte Carly ins Wohnzimmer hinüber, zog Eliza eng an ihre Brust, und die beiden Frauen tauschten schicke Wangenküsse aus. »Ich habe nicht gewusst, dass die Polizei bei dir zu Gast ist. Soll ich lieber wieder gehen?«

»Nein.« Eliza packte ihren Arm. »Der Lieutenant hat mir gerade erzählt, dass Quim tot ist, Carly. Linus Quim.«

»Ich weiß.« Sie hakte sich bei Eliza ein und wandte sich an Eve. »Ich habe es eben in den Nachrichten gehört.«

»Ich dachte, Sie wären einkaufen gewesen.«

»War ich auch.« Carly nickte. »In der Sportabteilung eines Kaufhauses stand ein junger Mann, der sich mit einem kleinen Taschenfernseher die Zeit vertrieben hat, bis seine Freundin mit dem Anprobieren des halben Sortiments aus der Abteilung fertig war. Dabei habe ich den Namen aufgeschnappt.«

Sie hob eine Hand und schien kurz mit sich zu kämpfen, ehe sie zögernd zugab: »Offen gestanden bin ich in Panik ausgebrochen. Ich hatte keine Ahnung, was ich denken sollte, als ich davon hörte. Ich war nur ein paar Blocks von hier entfernt und bin sofort hierher. Ich wollte mit jemandem reden, der meine Angst versteht.«

»Was für eine Angst?«

»In dem Bericht wurde gesagt, man ginge davon aus, dass es eine Verbindung zwischen diesem Tod und dem Tod von Richard gibt. Ich verstehe nicht, wie das möglich sein soll. Richard hat die Techniker nie auch nur eines Blickes gewürdigt. Ihn interessierte nicht, von wem die Bühne eingerichtet wurde, außer, es gab Probleme. Dann ist er regelmäßig ausfallend geworden und hat die Leute manchmal sogar attackiert. Quim ist nie ein Fehler unterlaufen, deshalb hat Richard also wahrscheinlich nicht einmal gewusst, dass es diesen Menschen gab. Wo also soll die Verbindung zwischen ihnen sein?«

»Aber Sie haben gewusst, dass es Linus gab?«

»Natürlich. Er war ein unheimlicher kleiner Mann.« Sie erschauderte und bat ihre Kollegin: »Eliza, ich möchte ganz bestimmt nicht unverschämt sein, aber hättest du vielleicht einen Drink?«

»Ich könnte selbst einen gebrauchen«, beschloss diese und klingelte nach einem Droiden.

»Haben Sie Quim auch am Abend der Premiere irgendwo gesehen?«, fragte Eve die junge Frau.

»Ich habe nur gesehen, dass er auf die für ihn typische stille, schlecht gelaunte Art seiner Arbeit nachgegangen ist.«

»Haben Sie mit ihm gesprochen?«

»Vielleicht. Ich kann mich nicht erinnern. Ich hätte gerne einen Wodka mit Eis. Doppelt«, meinte sie, als der Droide kam.

»Als Draco ermordet wurde, waren Sie, obwohl es direkt vor Ihren Augen passierte, nicht halb so aufgeregt.«

»Mir fallen auf Anhieb ein Dutzend Gründe ein, aus denen eine ganze Reihe von Leuten Richard hätten töten wollen«, schnauzte Carly zurück.

»Sie eingeschlossen.«

»Ja.« Sie nahm das Glas entgegen und hob es an ihren Mund. »Ich eingeschlossen. Aber das mit Quim rückt alles in ein völlig anderes Licht. Falls es tatsächlich eine Verbindung zwischen den Toten gibt, will ich wissen, welche. Denn der Gedanke macht mir Angst.«

»Tragödien ereignen sich immer dreifach«, stellte Eliza mit voll tönender Stimme inbrünstig fest.

»Oh, danke, meine Liebe. Das zu hören hat mir gerade noch gefehlt.« Damit hob Carly abermals ihr Glas und leerte es in einem Zug.

»Seltsam. Diese Leute sind einfach seltsam.« Eve ließ den Wagen an und fuhr zurück aufs Revier. »Einer ihrer Kollegen wird vor ihren Augen abgestochen, und sie sagen, ohne mit der Wimper zu zucken – meine Güte, sieh dir das mal an. Dann wird ein Techniker erhängt, und sie drehen durch.«

Über das Autolink rief sie bei Feeney an.

»In den letzten achtundvierzig Stunden hat er keine Gespräche von zu Hause aus geführt«, meldete der Kollege. »Er hat niemanden angerufen, der auf deiner Liste steht. Zweimal in der Woche hat er bei einer Buchmacherin Baseball-Wetten abgeschlossen, aber nur so kleine Beträge, dass es stets legal gewesen ist.«

»Erzähl mir etwas Interessantes, sonst schlafe ich gleich ein.«

»Er hat ein Erster-Klasse-Ticket nach Tahiti reserviert, aber nicht endgültig gebucht. Einfach, für Dienstag nächster Woche. Außerdem hat er eine VIP-Suite im dortigen Island Pleasure Resort reserviert – und zwar für einen ganzen Monat – und sich nach Häusern umgesehen. Irgendwas direkt am Meer für über zwei Millionen. Gespart hatte der Typ eventuell ein Viertel des Betrages. Das Ticket und die Suite hätten bereits den größten Teil davon verschlungen.«

»Dann hat er also einen warmen Geldregen erwartet.«

»Oder er war ein Träumer. Obwohl nichts anderes auf dem Gerät zu finden war, das darauf hinweist, dass er sich schon früher, sagen wir hobbymäßig, nach irgendwelchen Häusern an hübschen Orten umgesehen hat.«

»Die Erpressung eines Mörders ist manchmal ein durchaus einträgliches Geschäft.«

»Oder aber tödlich«, schränkte Feeney ein.

»Ja. Ich fahre noch im Leichenschauhaus vorbei und gehe Morse ein bisschen auf die Nerven.«

»Das kann niemand so gut wie du«, antwortete Feeney, und sie hängte schnaubend ein.

9

»Ah, Lieutenant Dallas.« Chefpathologe Morse sah Eve mit blitzenden Augen durch seine Mikrobrille an. Die linke seiner beiden, zu langen schmalen Dreiecken gezupften Brauen wurde von einem kleinen, glitzernden Silberring verziert.

Er schnipste mit den Fingern, streckte seine versiegelte Hand mit der Handfläche nach oben aus, und ein schlecht gelaunter Assistent warf einen Zwanzig-Dollar-Chip hinein.

»Dallas, auf Sie ist stets Verlass. Sehen Sie, Rochinsky, man sollte niemals wetten, wenn man keine Chance hat.«

Der Chip verschwand in einer der Taschen seines kuhfladengrünen Schutzanzugs.

»Worum ging es bei Ihrer Wette«, fragte Eve.

»Oh, um nichts Besonderes. Darum, dass Sie noch vor fünf hier in unseren herrlichen Hallen auftauchen würden.«

»Es ist wirklich schön, derart berechenbar zu sein.« Sie spähte auf die gemischtrassige Frau mittleren Alters, die – bereits aufgeschnitten – zurzeit auf dem Tisch lag.

»Das ist nicht mein toter Inspizient.«

»Gut beobachtet. Darf ich Ihnen Allyanne Preen vorstellen? Sie gehört Detective Harrison und ruhte mehrere Schubfächer vor dem Typen, der von Ihnen eingeliefert worden ist. Lizensierte Gesellschafterin. Hat auf der Straße angeschafft. Sie lag ausgestreckt in einem verlassenen neunundvierziger Lexus Coupé auf einem Dauerparkplatz beim Flughafen La Guardia, von uns auch freies Leichenschauhaus genannt.«

»Ärger mit einem Freier?«

»Es gibt keine äußeren Anzeichen von Gewaltanwendung, und sie hat anscheinend auch kurz vor ihrem Tod keinen Sexualverkehr gehabt.« Er zog ihre Leber aus der Bauchöffnung, wog sie und gab das Gewicht in den Computer ein.

»Sie hat eine leicht bläulich verfärbte Haut.« Eve beugte sich über ihre Hände. »Am auffälligsten ist es unter ihren Nägeln. Sieht nach einer Überdosis aus. Wahrscheinlich Exotica oder Jumper.«

»Sehr gut. Falls Sie jemals zu uns überwechseln wollen, geben Sie Bescheid. Ich verspreche Ihnen, wir haben hier echt jede Menge Spaß.«

»Ja, es ist allgemein bekannt, dass ihr ziemlich feierfreudig seid.«

»Die Berichte von der Feier zum Saint Patrick's

Day im Kühlhaus waren durchaus ... zutreffend.« Er sah sie mit funkelnden Augen an.

»Tut mir wirklich Leid, dass ich nicht kommen konnte. Also, wo ist mein Inspizient? Ich brauche den toxikologischen Bericht.«

»Mmm-hmm.« Morse stocherte in einer Niere von Allyanne herum und zog sie im Takt der Rockmusik, die aus den Lautsprechern des Raumes drang, heraus. »Ich habe mir schon gedacht, dass Sie es wieder einmal eilig haben, und deshalb den jungen Finestein auf den Typen angesetzt. Er ist erst seit letztem Monat hier, aber er hat wirklich Potential.«

»Sie haben meine Leiche einem Anfänger gegeben?«

»Wir sind alle einmal Anfänger gewesen, Dallas. Und da wir gerade davon sprechen, wo ist denn die getreue Peabody?«

»Sie ist draußen und sammelt Informationen. Hören Sie, Morse, die Sache ist wirklich kompliziert.«

»Das sagen alle.«

»Ich wette, es war Mord, aber es wurde so eingerichtet, dass es wie Selbstmord ausgesehen hat. Ich brauche also jemanden mit guten Händen und vor allem scharfen Augen für die Autopsie.«

»Ich nehme niemanden in meiner Truppe auf, der diese Eigenschaften nicht besitzt. Entspannen Sie sich, Dallas. Stress kann tödlich sein.« Gelassen trat er vor ein Link und rief bei Herbert Finestein an. »Er kommt in einer Minute. Rochinsky, bringen Sie die Innereien dieser jungen Dame ins Labor, und fangen Sie mit der Blutuntersuchung an.«

»Morse, ich habe zwei Leichen, zwischen denen es aller Wahrscheinlichkeit nach eine Verbindung gibt.«

»Ja, ja, aber das geht mich nichts an.« Er trat vor eine Schale mit Desinfektionsmittel, wusch sich das Blut und das Versiegelungsspray von den Händen und trocknete sie in der heißen Luft der Trockenröhre ab. »Ich werde den Jungen bei der Arbeit im Auge behalten, Dallas, aber geben Sie ihm eine Chance.«

»Ja, ja, meinetwegen.«

Morse zog seine Brille und die Maske aus und sah sie lächelnd an. Seine kompliziert geflochtenen schwarzen Haare hingen ihm bis auf den Rücken, und als er den Schutzanzug auszog, entdeckte Eve darunter eine leuchtend blaue Hose und ein grell pinkfarbenes Hemd.

»Nette Klamotten«, meinte Eve. »Ist heute wieder eine Party angesagt?«

»Ich sage Ihnen, hier findet so gut wie täglich eine Party statt.«

Sie nahm an, dass er die grelle Kleidung extra deshalb wählte, um sich vom Elend und der Brutalität seines Jobs zu distanzieren. *Hauptsache, es funktioniert*, überlegte sie. Sicher ging es einem nahe, täglich bis über beide Ellbogen im Blut und in den Eingeweiden unfreiwilliger Leichname zu stecken, denen häufig grauenhaftes Leid von anderen zugefügt worden war. Ohne ein Ventil wäre der arme Morse inzwischen sicher längst schon explodiert.

Und was für ein Ventil hatte sie selbst?

»Wie geht es Roarke?«, fragte der Pathologe.

»Gut. Bestens.« Roarke. Ja, er war ihr Ventil. Bevor sie ihn getroffen hatte, hatte es für sie nur ihren Job gegeben. Immer nur den Job. Hätte sie, wenn sie Roarke nicht begegnet wäre, eines Tages die Grenze erreicht und miterleben müssen, wie ihre Seele starb?

Was für ein schrecklicher Gedanke.

»Ah, da kommt der gute Finestein. Seien Sie bitte nett zu ihm«, raunte Morse Eve zu.

»Wie bin ich denn normalerweise?«

»Sie treten den Leuten gerne mit Schwung in ihr Hinterteil«, antwortete Morse fröhlich, legte eine Hand auf ihre Schulter und wandte sich an den jungen Mann. »Herbert, Lieutenant Dallas würde gerne wissen, wie Sie bisher mit dem Toten vorangekommen sind, für den Sie heute Nachmittag von mir eingeteilt worden sind.«

»Ja, der vermeintliche Selbstmord. Linus Quim, weiß, männlich, sechsundfünfzig Jahre. Todesursache Strangulation durch Erhängen.« Finestein, ein klapperdürrer gemischtrassiger Kerl mit rabenschwarzer Haut und hellen Augen, sprach mit schriller, sich überschlagender Stimme und tastete unentwegt an einem guten Dutzend Bleistifte in der Brusttasche seines Schutzanzugs herum.

Er ist nicht nur ein Anfänger, dachte Eve frustriert, *sondern obendrein noch ein nervöses Hemd.*

»Wollen Sie die Leiche sehen?«

»Weshalb stehe ich wohl sonst hier?«, begann Eve, fügte jedoch, als sich Morses lange Finger schmerzhaft in ihre Schulter gruben, zähneknirschend hinzu: »Ja, bitte, ich würde gern sowohl die Leiche als auch Ihren Bericht sehen. Danke.«

»Bitte hier entlang.«

Eve rollte mit den Augen, als Finestein durch das Zimmer wuselte, und wandte sich an Morse: »Wie alt ist er? Zwölf?«

»Er ist sechsundzwanzig. Geduld, Dallas.«

»Ich hasse es, mich in Geduld zu üben. Dadurch wird regelmäßig alles extrem verlangsamt.« Trotzdem marschierte sie hinüber zu der aus lauter Schubfächern bestehenden Wand und wartete, bis Finestein eine der Laden aufzog und ihr eine Wolke kalten Gases daraus entgegenquoll.

»Wie Sie sehen können ...« Finestein räusperte sich leise, »gibt es keine sichtbaren Spuren von Gewaltanwendung, außer den Abschürfungen, die das Seil verursacht hat. Es gibt keine Spuren eines Kampfes. Unter den Nägeln des Toten fanden sich mikroskopisch kleine Fasern des Seils, an dem er gehangen hat, was darauf schließen lässt, dass es von ihm selbst befestigt worden ist. So, wie es aussieht, hat er sich freiwillig erhängt.«

»Sie meinen, es war Selbstmord?«, fragte Eve mit ungläubiger Stimme. »Einfach so? Wo ist der toxikologische Bericht, wo sind die Ergebnisse des Bluttests?«

»Ich – darauf wollte ich noch zu sprechen kommen, Lieutenant. Es fanden sich Spuren von Ageloxit und ...«

»Drücken Sie es bitte etwas einfacher aus, Herbert«, bat Morse seinen Schüler milde. »Sie ist keine Wissenschaftlerin, sondern Polizistin.«

»Oh, ja, Sir. Tut mir Leid. Also, im Blut des Toten wurden Spuren eines Beruhigungsmittels und eine kleine Menge selbstgebrannten Schnapses festgestellt. Diese Mischung wird sehr häufig von Selbstmördern genommen, denn sie nimmt ihnen die Angst.«

»Verdammt, dieser Typ hat sich nicht selber umgebracht.«

»Ja, Madam, das sehe ich genauso.«

Finesteins leise Zustimmung beendete Eves wütende Tirade, bevor sie richtig angefangen hatte, und sie fragte ihn verblüfft: »Sie sehen das genauso?«

»Ja. Zum Frühstück hatte das Opfer Weizenwaffeln, Eier und ungefähr drei Tassen Kaffee genossen, und zirka eine Stunde vor Eintreten des Todes hat er noch eine große Brezel mit jeder Menge Senf verspeist.«

»Na und?«

»Hätte er gewusst, dass ein Cocktail aus einem Beruhigungsmittel und ein wenig Alkohol ihn beruhigen würde, dann wäre ihm ebenso klar gewesen, dass Kaffee die Wirkung dieser Mischung nicht nur aufheben, sondern sogar das Gegenteil bewirken kann. Dies und die Tatsache, dass er eine große Menge des Beruhigungsmittels mit einer nur sehr geringen Menge Alkohol zu sich genommen hat, lassen mich daran zweifeln, dass es tatsächlich Selbstmord war.«

»Dann lautet Ihre Diagnose also Mord.«

»Das kann ich nicht mit Bestimmtheit sagen.« Als Eve ihn mit ihren Blicken zu durchbohren drohte, schluckte er nervös. »Solange ich keine zusätzlichen Beweise habe, kann ich höchstens so weit gehen zu erklären, dass es an der Theorie vom Selbstmord begründete Zweifel gibt.«

»Genau. Gut gemacht, Herbert.« Morse nickte zufrieden. »Lieutenant Dallas wird Ihnen weitere Einzelheiten nennen, sobald sie welche findet.«

Erleichtert flüchtete Finestein aus dem Raum.

»Das war ja wohl nichts«, beschwerte sich Eve.

»Ganz im Gegenteil. Das war sogar sehr viel. Herbert schließt die Möglichkeit, dass es ein Mord war, nicht zur Gänze aus. Die meisten Pathologen hätten eindeutig Selbstmord diagnostiziert. Er hingegen ist vorsichtig und gründlich und bedenkt nicht nur die nüchternen Fakten, sondern überlegt darüber hinaus, wie der Tote möglicherweise an die Sache herangegangen ist. Aus medizinischer Sicht sind Zweifel an der Theorie vom Selbstmord das Beste, was Sie kriegen.«

»Zweifel«, murmelte Eve, als sie hinter das Lenkrad ihres Wagens glitt.

»Tja, zumindest schließen sie einen Mord nicht völlig aus.« Peabody hob den Kopf von ihrem Handcomputer und fragte, als Eve sie aus zusammengekniffenen Augen böse ansah: »Was? Was habe ich denn gesagt?«

»Der Nächste, der versucht, mir zu erklären, dass ich mich darüber freuen soll, fliegt achtkant aus dem Fenster.« Sie ließ den Motor an. »Peabody, trete ich den Leuten gerne in den Hintern?«

»Wollen Sie gerne meine Narben sehen oder stellen Sie mir mit dieser Frage eine Falle?«

»Ach, halten Sie die Klappe, Peabody«, schlug Eve rüde vor und fuhr in Richtung des Reviers.

»Quim hatte hundert Dollar auf das Baseballspiel heute Abend gesetzt«, erklärte Peabody mit einem schmalen, jedoch selbstzufriedenen Lächeln. »Das hat mir McNab soeben mitgeteilt. Mehr als hundert hat er nie gesetzt. Seltsam, dass er ein paar Stunden, bevor er sich erhängt, noch eine Wette abschließt und dann nicht mal mit dem Selbstmord wartet, um zu sehen, ob er womöglich etwas gewonnen hat. Ich habe den Namen und die Adresse seiner Buchmacherin. Ups, ich sollte ja die Klappe halten. Tut mir Leid, Madam.«

»Haben Sie Spaß an ein paar zusätzlichen Narben?«

»Eigentlich nicht. Jetzt, wo ich endlich ein Sexualleben genieße, wäre mir das peinlich. Maylou Jorgensen. West Village.«

Peabody liebte das West Village. Sie liebte die Mischung aus unkonventionellem Schick und der bürgerlichen Spießigkeit, die sich wünschte, sie besäße unkonventionellen Schick. Sie beobachtete gern die Fußgänger, die man in bis zu den Knöcheln reichenden, wallenden Gewändern oder bis oben zugeknöpften Overalls, mit kahl rasierten Schädeln oder aber vielfarbigen, wilden Lockenköpfen an den Geschäften vorbeiflanieren sah. Sie liebte es, die Straßenkünstler zu betrachten, die so taten, als wären sie zu cool, um sich Gedanken darüber zu machen, ob sich ein Käufer oder eine Käuferin für ihre Werke fand.

Selbst die Taschendiebe wirkten irgendwie elegant, und die Schwebegrill-Betreiber verkauften Gemüse-Kebabs, deren Füllung frisch am Morgen von den Feldern in Greenpeace Park geerntet worden war.

Sie dachte voller Sehnsucht, dass es Zeit zum Abendessen war.

Eve parkte den Wagen in der zweiten Reihe vor einem ordentlichen, in Wohneinheiten unterteilten alten Lagerhaus und schaltete das Blaulicht ein.

»Eines Tages würde ich gerne in einem solchen Loft wohnen. All der Platz und dann der tolle Ausblick auf die Straße«, schwärmte Peabody beim Aussteigen und sah sich suchend um. »Gucken Sie nur, da, gleich an der Ecke ist ein hübsches, sauberes Delikatessengeschäft, und direkt gegenüber ein Supermarkt, der auch nachts geöffnet hat.«

»Suchen Sie sich Ihre Wohnungen etwa danach aus, ob man in der Nähe was zu essen kaufen kann?«

»Es ist zumindest ein Punkt, der mir nicht völlig unwichtig ist.«

Eve hielt ihren Dienstausweis vor den Scanner neben der Tür und betrat das kleine, mit einem Fahrstuhl und vier Briefkästen bestückte, blitzsaubere Foyer.

»Nur vier Wohnungen in einem Gebäude dieser Größe«, seufzte ihre Assistentin. »Stellen Sie sich das mal vor.«

»Ich stelle mir vor, dass ein Apartment hier für eine normale Buchmacherin eigentlich viel zu teuer ist.« Instinktiv wandte sich Eve, statt bei Maylou zu klingeln, dem Treppenaufgang zu. »Wir nehmen die Treppe. Dann können wir die Gute überraschen.«

Die vollkommene Stille im Treppenhaus verriet, dass das Haus hervorragend schallisoliert war. Sie dachte an Quims elendige Absteige, die nur ein paar wenige, aber entscheidende Blocks von hier entfernt lag, und kam zu dem Ergebnis, dass Buchmacher anscheinend deutlich besser lebten als die Mehrheit ihrer Kunden.

Man sollte niemals wetten, wenn man keine Chance hatte, hatte Morse richtig gesagt, nur ließen sich anscheinend immer wieder allzu viele Menschen auf derartige Wetten ein.

Vor Apartment 2-A angekommen, drückte sie den Klingelknopf und trat einen Schritt zurück. Eine Sekunde später wurde die Tür weit aufgerissen, und Eve erblickte eine rothaarige Riesin und einen kleinen, weißen Hund.

»Wurde auch allmählich Zeit …« Die harten, goldfarbenen Augen, die die Frau zusammenkniff, bildeten einen auffallenden Kontrast zu ihrem ausdrucksvollen, alabasterweißen Gesicht. »Ich dachte, Sie wären der Hundesitter. Er kommt mal wieder zu spät. Falls Sie was verkaufen wollen, geben Sie sich keine Mühe. Ich bin nicht interessiert.«

»Maylou Jorgensen?«

»Und wenn schon.«

»Wir sind von der New Yorker Polizei.« Eve zog

ihren Dienstausweis hervor und hatte plötzlich beide Arme voll wild kläffenden Fells.

»Verdammt.« Eve warf Peabody das kläffende Hündchen zu, stürzte in die Wohnung und warf sich auf die Frau, die versuchte, eine breite, mit unzähligen Knöpfen bestückte Konsole zu erreichen, über der eine Reihe eingeschalteter Monitore hing.

Wie gefällte Bäume gingen sie zu Boden.

Ehe Eve zu Atem kommen konnte, nagelte das mindestens neunzig Kilo schwere Weibsbild sie panisch auf dem Boden fest, rammte ihr ein Knie in die Leistengegend, spuckte ihr in die Augen, und nur dank eines blitzartigen Reflexes wich Eve ihren zweieinhalb Zentimeter langen, leuchtend blauen Fingernägeln aus.

Statt in ihr Gesicht gruben sie sich ihr schmerzhaft in den Hals.

Der Geruch ihres eigenen Bluts rief heißen Zorn in ihr wach.

Sie versuchte Maylou abzuwerfen, fluchte, holte aus und rammte ihr mit aller Wucht einen Ellenbogen ins Gesicht.

Dunkelrotes Blut quoll aus ihrer Nase, sie sagte vernehmlich: »Irrgh«, ihre goldenen Augen rollten nach hinten, und Eve wurde unter dem beachtlichen Gewicht ihres ohnmächtigen Körpers beinahe erdrückt.

»Um Himmels willen, Peabody, schaffen Sie sie

von mir runter. Sie wiegt mindestens eine Tonne, und ich kriege kaum noch Luft.«

»Helfen Sie mir, Dallas, sie ist schwer wie ein Granitblock und mindestens eins fünfundachtzig groß. Schieben Sie!« Schwitzend und keuchend drückten und zerrten Eve und Peabody an der Bewusstlosen herum.

Schließlich hatten sie Erfolg, Maylou lag auf dem Rücken, und Eve rang erstickt nach Luft. »Das war, wie unter einem Berg begraben zu sein. Himmel, sorgen Sie dafür, dass der Hund aufhört zu bellen.«

»Geht nicht. Er hat Angst.« Peabody bedachte das kleine weiße Hündchen, das in einer Ecke hockte und ohrenbetäubend kläffte, mit einem mitleidigen Blick.

»Nehmen Sie Ihren Stunner.«

»Oh, Dallas«, wisperte Peabody entsetzt.

»Egal.« Eve blickte auf ihre blutbespritzte Jacke und betastete vorsichtig ihren aufgekratzten Hals. »Wie viel von dem Blut auf meinen Kleidern ist von mir?«

»Sie hat Ihnen ein paar fette Kratzer verpasst«, stellte Peabody nach einer kurzen Untersuchung fest. »Ich hole das Erste-Hilfe-Set.«

»Später.« Eve hockte sich stirnrunzelnd neben die ohnmächtige Frau. »Am besten, wir rollen sie auf den Bauch und fesseln sie, bevor sie wieder zu sich kommt.«

Es dauerte einige Zeit, und abermals gerieten sie beide ins Keuchen, schließlich aber hatten sie Maylou die Hände auf dem Rücken zusammengebunden, richteten sich stöhnend auf und studierten die Konsole.

»Irgendetwas geht hier vor sich. Sie dachte, wir wären von der Sitte oder vom Dezernat für illegales Glücksspiel.«

»Soll ich einen Durchsuchungsbefehl beantragen?«

»Nicht nötig.« Eve rieb sich den pochenden Hals und nahm vor der Konsole Platz. »Jede Menge Zahlen, jede Menge Spiele. Und weiter? Namen, Konten, abgeschlossene Wetten, geschuldete Beträge. Wirkt auf den ersten Blick alles normal.« Sie wandte den Kopf. »Kommt sie allmählich wieder zu sich?«

»Sie ist nach wie vor hinüber. Offensichtlich haben Sie sie gut getroffen.«

»Finden Sie etwas, um diesem blöden Köter das Maul zu stopfen, bevor ich nach ihm trete.«

»Ist doch nur ein kleines Hündchen«, murmelte Peabody und ging hinüber in die Küche.

»Es sind zu viele Zahlen«, überlegte Eve. »Der Gesamteinsatz ist viel zu hoch. Kredithaie. Ja, ich wette, sie ist ein Kredithai. Und wo es einen Kredithai gibt, sind zuverlässig Knochenbrecher unterwegs. Was könnte es sonst noch sein, was sonst?«

Sie drehte sich um und sah, dass ihre Assistentin vor dem mittlerweile hechelnden kleinen Hündchen hockte und ihm irgendwas zu fressen unter die Nase hielt. Zufrieden zog sie ihr Handy aus der Tasche und rief den Menschen an, von dem sie wusste, dass er in dieses Meer aus Zahlen eintauchen könnte und dort in wenigen Minuten des Rätsels Lösung fände.

»Ich muss kurz mit Roarke sprechen«, erklärte sie der Assistentin ihres Gatten, als deren Gesicht auf dem Monitor erschien. »Nur eine Minute.«

»Selbstverständlich, Lieutenant. Bitte warten Sie.«

»So ein süßes kleines Hündchen, so ein süßer kleiner Schatz, so ein hübscher kleiner Kerl.«

Statt Peabody zu rüffeln, weil sie mit dem Vieh wie mit einem Baby säuselte, wartete sie schweigend ab, bis endlich Roarkes Gesicht auf dem Bildschirm zu sehen war. »Lieutenant. Was kann ich ...« Sein Lächeln verflog und er musterte sie aus harten, kalten Augen. »Was ist passiert, wie schwer bist du verletzt?«

»Ist nicht weiter schlimm. Der Großteil des Blutes stammt von jemand anderem. Hör zu, ich bin hier in einem privaten Wettbüro und irgendetwas stimmt nicht. Ich kann mir schon denken, was, aber sieh dir die Sache doch bitte kurz an und sag mir, was du davon hältst.«

»Meinetwegen, wenn du dich im Gegenzug, sobald du dieses Wettbüro verlässt, im Krankenhaus behandeln lässt.«

»Dafür habe ich keine Zeit.«

»Dann habe ich auch keine Zeit, um dich zu beraten.«

»Verflixt und zugenäht!« Sie war ernsthaft versucht, die Übertragung abrupt zu beenden, holte dann aber tief Luft und meinte: »Peabody wird mich verarzten. Ich habe ein paar Kratzer, das ist alles. Versprochen.«

»Dreh deinen Kopf nach links.«

Sie rollte mit den Augen, kam der Bitte jedoch nach.

»Wie gesagt, sieh zu, dass das behandelt wird«, schnauzte er sie an, zuckte dann jedoch ergeben mit den Schultern und meinte: »Und nun zeig mir, um was es geht.«

»Jede Menge Zahlen. Jede Menge Spiele«, begann sie und drehte ihr Handy so, dass er auf die Monitore sah. »Baseball, Pferderennen, Droidenkämpfe, alles. Ich glaube, auf dem dritten Bildschirm von links sind ...«

»Überfällige Wettschulden. Die Zinsen liegen deutlich über dem gesetzlich zugelassenen Limit. Auf dem Bildschirm direkt darunter sind die Rückzahlungstermine aufgelistet, und auf dem Bildschirm daneben scheinen private Glücksspiele wie in einem Casino verzeichnet zu sein. Guck mal, ob du auf der Konsole einen Knopf für die Bedienung dieses Bildschirms finden kannst. Wahrscheinlich hat er die Bezeichnung 3-C oder so ähnlich, weil das der Position des Monitors entspricht.«

»Ja, hier.«

»Drück mal drauf. Ah«, entfuhr es ihm, als man plötzlich ein rauchgeschwängertes, von zahlreichen Gästen mit glasigen Augen bevölkertes Casino sah. »In was für einem Gebäude bist du?«

»In einem Loft im West Village. Zweigeschossiges Haus mit vier Wohneinheiten.«

»Würde mich nicht überraschen, wenn die Übertragung aus der anderen Etage käme«, mutmaßte Roarke.

»In diesem Bezirk sind Casinos nicht erlaubt.«

»Tja, dann ...«, er grinste Eve an, »... sollten sie sich schämen.«

»Danke für die Hilfe.«

»War mir ein Vergnügen, Lieutenant. Wie gesagt, lass dich verarzten, liebe Eve, sonst kümmere ich mich, wenn du nach Hause kommst, persönlich um die Sache. Und ich werde alles andere als zufrieden mit dir sein.«

Bevor sie eine giftige Bemerkung abschießen konnte, war er schon nicht mehr in der Leitung, was, wie sie annahm, eventuell auch besser war. Sie wandte den Kopf und merkte, dass Peabody den kleinen Hund im Arm hielt und sie nachdenklich betrachtete.

»Er kennt sich überraschend gut mit solchen Dingen aus.«

»Er kennt sich mit fast allem so gut aus. Er hat uns etwas in die Hand gegeben, was wir gegen Maylou verwenden können. Ist es da noch wichtig, wie oder warum er dazu in der Lage war?«

»Nein.« Lächelnd vergrub Peabody ihr Gesicht im Fell des kleinen Hundes. »Es ist nur interessant. Heben Sie den Laden aus?«

»Das hängt von unserer Freundin ab.« Als Maylou anfing zu stöhnen, stand Eve auf. Die Buchmacherin machte ein paar blubbernde Geräusche, hustete und wand sich, während sie mit ihren überraschend kleinen Füßen strampelte und ihren ausladenden Hintern in die Höhe reckte, wie ein Käfer auf dem Boden.

Eve ging vor ihr in die Hocke und erklärte ihr mit ruhiger Stimme: »Angriff auf eine Polizistin. Widerstand gegen die Staatsgewalt, Kreditbetrug, Körperverletzung, Leitung eines illegalen Spielcasinos. Nun, Maylou, wie ist das für den Anfang?«

»Sie haben mir die Nase gebrochen.«

Zumindest vermutete Eve, dass sie das erwidert hatte, denn sie sprach so undeutlich, dass man sie kaum verstand. »Ja, sieht so aus.«

»Sie müssen einen Krankenwagen rufen. So steht es im Gesetz.«

»Interessant, dass ausgerechnet Sie mich daran erinnern, was in den Gesetzen steht. Ich glaube, Sie halten die gebrochene Nase noch ein bisschen aus. Wohingegen der gebrochene Arm natürlich umgehend verarztet werden muss.«

»Ich habe keinen gebrochenen Arm.«

»Noch nicht.« Eve bleckte die Zähne. »So, Maylou, wenn Sie ärztlich behandelt werden wollen und wenn Sie möchten, dass ich mich nicht weiter für Ihre Geschäfte interessiere, erzählen Sie mir alles, was es über Linus Quim zu erzählen gibt.«

»Sie sind nicht hier, um meinen Laden hochzunehmen?«

»Das hängt ganz von Ihnen ab. Also, Linus Quim.«

»Pfennigfuchser. Kein wirklicher Spieler, wettet nur zum Spaß. Es ist für ihn so etwas wie ein Hobby, aber kostet ihn im Durchschnitt hundert Riesen im Jahr. Setzt nie mehr als einhundert auf einmal, meistens sogar nur die Hälfte. Aber ist ein regelmäßiger Kunde. Himmel, meine Nase bringt mich um. Kann ich nicht zumindest ein leichtes Betäubungsmittel haben?«

»Wann haben Sie zum letzten Mal mit ihm gesprochen?«

»Gestern Abend. Er schließt seine Wetten am liebsten telefonisch bei mir ab. Überweist mindestens zweimal die Woche einen kleineren Betrag. Gestern Abend hat er hundert auf die Brawlers gesetzt – das ist für ihn schon viel. Meinte, er hätte das Gefühl, dass dies ein Glückstag wird.«

»Das hat er gesagt?« Eve schob sich ein wenig dichter an Maylou heran. »Das hat er wörtlich gesagt?«

»Ja. Er hat gesagt, setzen Sie morgen in dem Spiel für mich hundert auf die Brawlers. Ich habe das Gefühl, dass das mein Glückstag wird. Er hat sogar beinahe gelächelt. Meinte, wenn er erst gewonnen hätte, würde er verdoppeln und ließe den Betrag dann stehen.«

»Dann war er also ziemlich guter Stimmung?«

»Für seine Verhältnisse bestimmt. Im Grunde ist der Kerl ein fürchterlicher Sauertopf und Jammerlappen, aber er zahlt regelmäßig und pünktlich, und deshalb habe ich mit ihm nicht das mindeste Problem.«

»Gut. Das war doch gar nicht so schlimm, oder, Maylou?«

»Sie nehmen meinen Laden tatsächlich nicht hoch?«

»Ich bin nicht bei der Sitte. Sie sind also nicht mein Problem.« Sie löste Maylous Fesseln, steckte sie sich in die Tasche und stand schwungvoll auf. »Ich an Ihrer Stelle würde einen Krankenwagen rufen und ihnen erzählen, dass ich über mein kleines Hündchen gestolpert und dabei gegen eine Wand gefallen bin.«

»Squeakie!« Maylou rollte sich auf ihr mächtiges Hinterteil, streckte beide Arme aus, und der kleine Hund machte einen Satz aus Peabodys Armen in ihren breiten Schoß. »Hat die böse Polizistin Mamas Schätzchen wehgetan?«

Kopfschüttelnd trat Eve in den Flur hinaus. »Warten Sie zwei Wochen«, sagte sie zu ihrer Assistentin,

»und dann rufen Sie Hanson beim Dezernat für illegales Glücksspiel an und geben ihm diese Adresse.«

»Sie haben gesagt, Sie nähmen sie nicht hoch.«

»Ich habe gesagt, dass sie nicht mein Problem ist. Und das ist sie wirklich nicht, denn schließlich wird es Hanson sein, der sich mit ihr befasst.«

Peabody warf einen Blick zurück. »Und was wird dann aus dem Hund? He, und aus der Wohnung? Vielleicht geht infolge des Skandals ja die Miete runter. Sie hätten die Küche sehen sollen, Dallas. Einfach phänomenal.«

»Träumen Sie ruhig weiter.« Eve stieg ein und runzelte, als Peabody das Handschuhfach aufklappte, verständnislos die Stirn. »Was machen Sie da?«

»Ich hole den Verbandskasten.«

»Halten Sie sich von mir fern.«

»Entweder ich oder die Klinik.«

»Ich brauche keine Klinik. Rühren Sie mich nicht an.«

»Seien Sie doch kein solches Baby.« Peabody, die die Rolle der Krankenschwester sichtlich zu genießen schien, wählte sorgfältig ihr Werkzeug aus. »Leute, die ständig anderen in den Hintern treten, haben doch wohl keine Angst vor ein bisschen erster Hilfe. Und wenn Sie nicht sehen wollen, was ich mache, klappen Sie die Augen einfach zu.«

Eve umklammerte das Lenkrad, schloss die Augen und spürte, bevor die Wirkung des Betäubungsmittels einsetzte, ein kurzes, widerliches Brennen. Der Geruch des Antiseptikums rief leichten Schwindel und ein Gefühl der Übelkeit in ihr wach.

Sie hörte das leise Summen der Nadel und wollte gerade eine sarkastische Bemerkung machen, um sich von dem lästigen Verfahren abzulenken, als sie mit einem Mal eine Art von dunklem Sog verspürte ...

... und in der Ambulanz eines düsteren, schmutzigen Gesundheitszentrums saß. Es brannte hundertmal, denn sie nähten hundert Schnitte, und als sie sich mit ihrem gebrochenen Arm befassten, drang das bösartige Summen der Geräte an ihr Ohr.

»Wie heißt du? Du musst uns sagen, wie du heißt. Sag uns, wer dir wehgetan hat. Wie ist dein Name? Was ist mit dir passiert?«

Ich weiß nicht, schrie sie ein ums andere Mal. Doch schrie sie nur in ihrem Kopf, denn das Entsetzen raubte ihr die Stimme, als lauter fremde Menschen sie betasteten, sie fixierten und sie pausenlos drängten: *»Sag uns deinen Namen.«*

»Ich weiß ihn nicht!«

»Madam. Dallas. He.«

Eve öffnete die Augen und begegnete Peabodys sorgenvollem Blick. »Was? Was ist los?«

»Sie sind kreidebleich. Dallas, Sie sehen aus, als wäre Ihnen schlecht. Vielleicht sollten wir doch in ein Gesundheitszentrum fahren.«

»Alles in Ordnung.« Sie ballte die Fäuste, bis sie

wieder gänzlich in der Gegenwart angekommen war. »Ich bin okay. Ich brauche nur ein bisschen frische Luft.« Sie öffnete das Fenster, ließ den Motor an …

… und drängte das hilflose Kind in die dunkelste Ecke ihres Bewusstseins zurück.

10

Es muss sein, wenn der Teufel antreibt. Ich kann mich nicht erinnern, wer diesen Satz gesagt hat, aber ich glaube, das ist auch egal. Wer auch immer es gewesen ist, ist lange tot. So tot wie Linus Quim.

Es musste sein. Es musste einfach sein. Doch wer war der Teufel, der mich angetrieben hat? Der dumme, habgierig Quim oder ich selbst?

Möglicherweise ist das ebenfalls egal, denn es ist nun mal geschehen. Es gibt kein Zurück mehr, und der Lauf der Dinge kann nicht mehr verändert werden. Ich kann nur hoffen, dass die Inszenierung überzeugend genug war, um auch vor Lieutenant Dallas zu bestehen.

Sie ist eine anspruchsvolle Zuschauerin, ich fürchte, die strengste Kritikerin, die ich jemals hatte.

Ja, mit ihr im Haus habe ich Angst. Jede Zeile, jede Geste, jede Nuance meiner Darbietung muss perfekt sein, damit ihr Urteil mich nicht ruiniert.

Motiv und Gelegenheit, überlegte Eve, als sie aus dem Auto stieg und zu ihrer Haustür ging. Allzu viele Leute hatten beides gehabt. Am nächsten Tag fände die Gedenkfeuer für Richard Draco statt, und dort würden ohne Zweifel jede Menge leidenschaftlicher, emotionaler Trauerreden auf den Mann gehalten und unendliche Trauer sowie reich fließende Tränen zur Schau gestellt.

Und das alles wäre reines Theater.

Er hatte daran mitgewirkt, dass Areena Mansfield drogenabhängig geworden und ihre Karriere als Theaterstar dadurch lange verzögert worden war.

Er hatte in dem Rampenlicht gestanden, nach dem sich Michael Proctor geradezu verzweifelt sehnte.

Er hatte Carly Landsdowne benutzt und öffentlich erniedrigt.

Er war ein Stachel im straffen Fleisch von Kenneth Stiles gewesen.

Er hatte Eliza Rothchild als zu alt und unattraktiv bezeichnet, um etwas anderes als eine berufliche Beziehung mit ihr in Betracht zu ziehen.

Und es hatte unzählige andere gegeben, denen Richard Draco Grund gegeben hatte, ihn zu hassen.

Doch wer immer seinen Hass auf Richard nachgegeben und den Mord geplant und vorbereitet hatte, war abgebrüht und willensstark genug, um einen habgierigen Techniker dazu zu bewegen, den Kopf in die Schlinge eines Seils zu legen, damit es aussähe, als hätte er sich freiwillig erhängt.

Nicht Brutalität oder Zorn hatten den Mörder angetrieben, sondern Kaltblütigkeit und Weitsicht. Ein Mensch mit diesen Eigenschaften war weitaus schwieriger zu stellen als jemand, der aus einem Affekt heraus einem anderen das Leben nahm.

Sie kam keinen Schritt voran, dachte sie frustriert. Alles, was sie unternahm, trug sie lediglich weiter in eine künstliche Welt hinein, die ihr fremd und nicht unbedingt sympathisch war.

Was für Menschen brachten ihr Leben damit zu, sich zu verkleiden und zu tun, als ob sie jemand anderes wären, grübelte sie.

Kinder, kam es ihr, als sie die Hand auf den Knauf der Haustür legte, unvermittelt in den Sinn. War sie in gewisser Hinsicht womöglich auf der Suche nach einem klugen, jähzornigen Kind?

Sie lachte leise auf. Na super, dachte sie. Mit Kindern kannte sie sich nicht im Geringsten aus.

In der Absicht, kurz kochend heiß zu duschen und dann mit der Arbeit fortzufahren, riss sie die Haustür auf.

Und wurde von der Musik, die ihr entgegenschallte, regelrecht betäubt. Ihre Zähne fingen an zu klappern, und sie hatte das Gefühl, als fielen ihr jeden Moment die Augen aus dem Kopf. Ohrenbetäubendes Kreischen, dumpf trommelnde Bässe und ein wild wogendes, klangliches Chaos warfen sie schier um.

Mavis, dachte sie.

Die schlechte Laune, mit der Eve ins Haus getreten war, hatte keine Chance. Sie löste sich im Volumen und der reinen Lebensfreude von Mavis Freestones einzigartiger Musik buchstäblich auf. Grinsend steuerte Eve den von ihrem Gatten hochtrabend als Salon bezeichneten Raum an.

Inmitten all der eleganten Pracht antiker Möbel sprang und hüpfte Mavis auf hochhackigen Schuhen, mit denen sie genau fünfzehn Zentimeter größer wirkte, als sie tatsächlich war, und die mit ihrem Neongrün und Pink exakt dieselbe Farbe hatten wie die meterlangen Zöpfe, die sie fröhlich um ihre geröteten Wangen wirbeln ließ.

Ihre schlanken Beine steckten in grünen Strümpfen, auf denen kleine pinkfarbene Schmetterlinge spiralförmig in Richtung des superkurzen, engen fuchsienroten Röckchens flatterten, das kaum ihr Hinterteil bedeckte, während ihren Oberkörper ein zweifarbiges Zickzackmuster schmückte, das eine ihrer Brüste pink, die andere neongrün aufblitzen ließ.

Eve war nur erleichtert, dass Mavis für beide Augen grüne Farbe genommen hatte. Selbstverständlich war das bei ihr nicht.

Roarke saß in einem seiner herrlichen, alten Sessel und hielt ein Glas mit goldenem Weißwein in der Hand. Entweder fand er die Darbietung entspannend oder er hatte sich aus reinem Selbstschutz ins Koma fallen lassen, überlegte Eve.

»Was denken Sie?« Mavis warf ihre zweifarbigen Zöpfe schwungvoll über ihre Schultern. »Ist das eine gute Nummer für das neue Video? Oder ist es vielleicht zu zahm?«

»Äh.« Roarke nippte vorsichtig an seinem Wein. Es hatte ein paar Sekunden gegeben, in denen er befürchtet hatte, das Volumen der Musik sprenge eventuell das kostbare Kristall. »Nein. Nein, ganz sicher nicht. Das Wort zahm kommt einem bei der Vorstellung überhaupt nicht in den Sinn.«

»Super!« Sie sprang vergnügt auf ihn zu, wackelte energisch mit ihrem hübschen Hinterteil, beugte sich zu ihm hinunter und gab ihm einen Kuss. »Ich wollte, dass Sie es als Allererster sehen, denn schließlich sind Sie – wie soll ich sagen – derjenige mit dem Geld.«

»Doch das Geld verneigt sich stets vor dem Talent.«

Spätestens in diesem Augenblick, in dem sie die Freude in den Augen ihrer Freundin sah, hätte sich Eve unsterblich in Roarke verliebt.

»Das alles macht mir einfach einen Riesenspaß! Die Aufnahmen, die Konzerte, die megacoolen Kostüme, die Leonardo für mich entwirft. Es kommt mir gar nicht wie Arbeit vor. Ohne Sie und Dallas hätte ich bestimmt nach wie vor bestenfalls magere Gigs in Beizen wie dem Blue Squirrel.«

Sie drehte eine kleine Pirouette, entdeckte ihre

Freundin und sah sie strahlend an. »Hey! Ich habe eine neue Nummer.«

»Ich habe sie gehört. Wirklich klasse.«

»Roarke meinte, du kämst wahrscheinlich spät nach Hause und du – oh, wow, ist das da etwa Blut?«

»Was? Wo?« Da sie in Gedanken inzwischen ganz woanders war, sah Eve sich suchend um.

»Überall an deinen Kleidern.« Panisch tastete Mavis an Eves Brüsten und Schultern herum. »Wir sollten einen Arzt rufen, einen Sanitäter. Roarke, sagen Sie ihr, dass sie sich sofort hinlegen soll.«

»Nichts lieber als das.«

»Haha. Das Blut stammt nicht von mir.«

»Oh.« Mavis machte einen Satz zurück. »Igitt.«

»Keine Sorge, es ist längst getrocknet. Eigentlich wollte ich auf der Wache duschen und mich umziehen, aber dann war der Gedanke, statt eines dünnen kalten Strahls wirklich heißes Wasser auf meine Schultern prasseln zu lassen, einfach zu verführerisch, weshalb ich heimgekommen bin. Hast du vielleicht auch einen Schluck für mich?«, wandte sie sich mit einem Nicken in Richtung seines Glases an ihren Mann.

»Selbstverständlich. Dreh den Kopf zur Seite.«

Knurrend drehte sie den Kopf, um ihm zu zeigen, dass die behandelten Kratzwunden bereits anfingen zu heilen.

»Mannomann«, erklärte Mavis in ehrfürchtigem Ton. »Wer das gewesen ist, hatte anscheinend echt tolle Nägel.«

»Aber keine besondere Zielsicherheit, denn sie hat meine Augen nicht erwischt.« Eve nahm das Weinglas entgegen, das Roarke ihr hinstreckte. »Danke für deine Hilfe vorhin«, sagte sie zu ihm. »Hat sich bezahlt gemacht.«

»Freut mich. Leg den Kopf zurück.«

»Warum? Ich habe dir die Kratzer doch eben schon gezeigt.«

»Nach hinten«, wiederholte er, drückte ihr Kinn mit einer Fingerspitze sanft nach oben und presste seine Lippen warm und fest auf ihren Mund. »Wie du siehst, verfüge ich über eine exzellente Zielgenauigkeit.«

»Mmmm. Ihr beiden seid einfach unglaublich süß.« Mavis faltete die Hände vor der Brust und musterte die beiden strahlend.

»Ja, wie zwei kleine Hündchen.« Grinsend nahm Eve auf der Sofalehne Platz und nippte vorsichtig an ihrem Wein. »Deine neue Nummer ist wirklich fantastisch, Mavis«, meinte sie. »Sie passt hervorragend zu dir.«

»Findest du? Bisher habe ich sie nur Leonardo und jetzt euch beiden vorgeführt. Sonst hat noch niemand sie gesehen.«

»Sie ist ...«, Eve erinnerte sich an Whitneys Kommentar, »... echt heiß.«

»Das hoffe ich. Roarke, darf ich es ihr erzählen?«
»Was willst du mir erzählen?«

Mavis biss sich auf die Lippen, wandte sich fragend an Roarke und atmete, als dieser nickte, zweimal nacheinander tief durch. »Okay. Roarke hat erfahren, dass die letzte Auskopplung aus meiner CD, *Curl Your Hair*, nächste Woche in die Top Five der *Vid-Tracks* kommen soll. Dallas, dann bin ich, gleich nach den Butt-Busters und Indigo, die Nummer drei.«

Selbst wenn Eve keine Ahnung hatte, wer die Butt-Busters und Indigo waren, wusste sie, dass *Vid-Tracks* Mavis' Bibel darstellte. »Das ist ja fantastisch.« Eve stand rasch auf und nahm die Freundin in den Arm. »Aber du bist halt einfach auch toll.«

»Danke.« Mavis schniefte und wischte sich eine Träne von den silbern gefärbten Wimpern. »Du bist die Erste, der ich das erzähle. Eigentlich wollte ich gleich Leonardo anrufen, um es ihm zu sagen, aber weißt du, ich finde es netter, wenn er es nicht am Link, sondern persönlich von mir hört. Und er kann bestimmt verstehen, dass jetzt du die Erste bist.«

»Er flippt garantiert total aus.«

»Ja. Nachher werden er und ich bestimmt ausgiebig feiern. Aber jetzt bin ich erst mal froh, dass du da bist, weil ich dir erstens diese Neuigkeit berichten konnte und weil du zweitens unsere Frauenrunde nicht verpasst.«

Sofort wurde Eve nervös. »Frauenrunde?«

»Ja, du weißt schon. Trina ist bereits unten im Schwimmbad und bereitet alles vor. Wir dachten, wir könnten als Erstes ein paar Runden schwimmen und uns dann noch im Entspannungstank erholen, bevor die Behandlung beginnt.«

»Die Behandlung?« *Nein*, war alles, was Eve denken konnte. *Alles, nur nicht das.* »Hör zu, Mavis, ich muss gleich wieder zurück auf das Revier. Ich habe diesen Fall ...«

»Du hast immer irgendeinen Fall.« Völlig ungerührt schenkte Mavis sich und Eve noch etwas Wein in ihre beiden Gläser, während Roarke sich lächelnd eine Zigarette aus einer auf dem Tisch stehenden Schatulle nahm. »Du brauchst dringend mal Zeit für dich, wenn du nicht willst, dass deine inneren Organe schrumpfen und deine Haut grau und schlaff herunterhängt. Ich habe alles darüber gelesen. Außerdem hat Trina ein paar tolle Körperfarben mit.«

»Nein. Auf keinen Fall. Ich lasse meinen Körper nicht bemalen.«

Mavis verdrehte die Augen. »Die Farben sind für mich, Dallas. Wir kennen dich. Aber ich denke, eines Tages solltest du es ruhig mal versuchen. Ich wette, Roarke wäre von dem Goldstaub effektiv begeistert. Vor allem auf den Brüsten bewirkt er wahre Wunder. Sie glitzern damit, als wären sie aus echtem Gold.«

»Ich will keinen Glitzerbusen haben.«

»Außerdem schmeckt er nach Frangipani.«

»Tatsächlich?« Roarke blies den Rauch seiner Zigarette aus. »Ich habe tropische Aromen seit jeher geliebt.«

»Siehst du? Aber darüber denkst du am besten in aller Ruhe nach, wenn du schön entspannt bist und Trina dir die Haare macht. Summerset hat uns schon ein paar wunderbare Häppchen vorbereitet.«

»Meinetwegen. Aber ich – huch, es klingelt. Ich mache nur schnell auf.«

Am liebsten hätte sie denjenigen, der klingelte, einfach umgerannt und wäre immer weiter gelaufen, bis sie auf der Wache und somit vor Trina sicher war. Und tatsächlich hatte sie die Haustür einen Schritt vor Summerset erreicht.

»Ich gehe schon.«

»Die Begrüßung der Gäste fällt in meinen Aufgabenbereich«, erinnerte er sie. »Es ist Ms Furst, für Sie.« Damit schob er Eve unsanft an die Seite und öffnete die Tür.

»Ich hätte vorher anrufen sollen.« Nadine wusste, dass Eve Journalisten nicht gern bei sich zu Hause sah, und erklärte deshalb schnell: »Ich bin nicht beruflich hier, sondern rein privat.«

»Gut. Fein. Kommen Sie rein.« Eve überraschte die Reporterin, indem sie ihre Hand nahm und sie hinter sich her zum Wohnzimmer zog.

»Ich habe ein paar Tage freigenommen.«

»Das habe ich bereits bemerkt. Ihr Ersatzmann hat mir nicht gefallen.«

»Er ist ein aufgeblasener Zwerg. Aber wie dem auch sei, ich wollte kurz vorbeikommen und Ihnen sagen ...« Als sie den Salon erreichten, brach sie ab. »Oh, hi, Mavis.«

»Hallo, Nadine. Hey, jetzt können wir ja beinahe eine Party feiern.« So oberflächlich Mavis möglicherweise wirkte, war sie doch ein grundvernünftiger, mitfühlender und loyaler Mensch, und nach nicht mal zwei Sekunden hatte sie die Anspannung in den Augen der Reporterin bemerkt.

»Hört zu, ich laufe nur schnell runter und gucke, wie weit Trina ist. Bin sofort wieder da.« Damit eilte sie wie ein bunter Wirbelwind durch die offene Tür.

»Setzen Sie sich, Nadine.« Roarke war bereits aufgestanden und führte sie zu einem Stuhl. »Hätten Sie vielleicht gern ein Gläschen Wein?«

»Ja, danke. Aber vor allem hätte ich gern eine von diesen Zigaretten.«

»Ich dachte, Sie hätten mit dem Rauchen aufgehört«, meinte Eve, als Roarke der Journalistin einen der Glimmstängel anbot.

»Das habe ich auch.« Als Roarke ihr Feuer gab, nickte Nadine dankbar. »Ich höre regelmäßig auf und fange regelmäßig wieder an. Hören Sie, es tut mir Leid, dass ich einfach ohne Voranmeldung hier hereinplatze.«

»Freunde sind uns jederzeit willkommen.« Roarke füllte ein frisches Weinglas und drückte es ihr in die Hand. »Ich nehme an, Sie möchten mit Eve sprechen. Ich lasse Sie beide also allein.«

»Nein, bleiben Sie ruhig hier.« Nadine sog den kostbaren Tabakrauch tief in ihre Lungen ein. »Himmel, ich vergesse immer, dass Sie echte Zigaretten haben. Wirken deutlich besser als das Kräuterzeug, das es normalerweise gibt. Nein, bleiben Sie«, sagte sie noch einmal. »Ich weiß, dass Dallas Ihnen sowieso alles erzählt.«

Roarke schnaubte überrascht. »Ach ja?«

»Ach nein«, erklärte Eve, nahm jedoch auf einer Sessellehne Platz. »Allerdings habe ich ihm von Ihrem Problem erzählt, weil es eine Verbindung zwischen ihm und Draco gab. Und weil er auch zu Ihnen eine Beziehung hat.«

»Schon gut.« Nadine verzog den Mund zu einem schwachen Lächeln. »Scham festigt den Charakter.«

»Es gibt nichts, dessen Sie sich schämen müssten. Das Leben wäre entsetzlich langweilig, wenn wir nicht wenigstens einmal eine Affäre hätten, die wir rückblickend bedauern.«

Ihr Gesicht wurde entspannter. »Sie haben wahrhaftig das große Los gezogen, Dallas. Es geht doch nichts über einen Mann, der im rechten Augenblick die rechten Dinge sagt. Nun, die Affäre, die ich rückblickend bedauere, ist die mit Richard Draco. Aber das haben Sie sich ja bestimmt bereits gedacht, Dallas.«

Sie wandte sich an Eve. »Ich weiß, während des Verhörs vorhin konnten Sie nichts sagen. Vielleicht können oder wollen Sie es mir jetzt ebenso nicht offen sagen, aber trotzdem muss ich Sie einfach fragen, ob ich in Schwierigkeiten bin.«

»Was hat Ihr Anwalt denn gesagt?«

»Dass ich mir keine Sorgen machen und ohne ihn kein Wort mit Ihnen wechseln soll.« Ihr Lächeln wurde grimmig. »Es fällt mir jedoch schwer, diesen Ratschlag zu befolgen.«

»Ich kann Sie nicht von der Liste der Verdächtigen streichen, aber«, fügte sie hinzu, als Nadine die Augen schloss und nickte, »da unzählige andere vor Ihnen auf dieser Liste stehen, würde ich Ihnen empfehlen, wenigstens den ersten Teil des Ratschlags Ihres Anwalts zu beherzigen.«

Nadine atmete hörbar auf und nippte vorsichtig an ihrem Wein. »Dies ist das erste Mal in meinem Leben, dass ich mich darüber freue, unter den Letzten zu sein.«

»Dr. Miras Meinung hat erhebliches Gewicht, und sie hält Sie für unfähig, einen derart kaltblütigen Mord zu planen oder zu begehen. Und genauso sieht es die Ermittlungsleiterin in diesem Fall.«

»Danke. Vielen Dank.« Nadine presste einen Finger gegen ihre Braue. »Ich sage mir wie ein Mantra, dass es bald vorbei ist. Dass Sie den Fall lösen. Aber vor lauter Panik habe ich ständig das Gefühl, als bohrt mir irgendjemand einen Nagel ins Gehirn.«

»Ich fürchte, ich muss Ihnen noch zusätzliche Kopfschmerzen bereiten. War Ihnen bewusst, dass Draco ein Video von Ihnen hatte?«

»Ein Video?« Nadine ließ die Hand sinken und runzelte die Stirn. »Sie meinen ein Video von meiner Arbeit?«

»Tja, manche Leute betrachten Sex als Arbeit.«

Nadine blinzelte sie verwundert an. Dann aber riss sie die Augen auf, und Eve sah darin genau die gewünschte Mischung aus Entsetzen, Verlegenheit und Zorn. »Er hatte ein Video von ... Er hat – er hat eine Kamera laufen lassen, als wir ...« Krachend stellte sie ihr Weinglas auf den Tisch und sprang von ihrem Stuhl. »Dieser widerliche Hurensohn. Dieses perverse Schwein.«

»Ich würde sagen, die Antwort ist nein«, murmelte Roarke, und Nadine wirbelte zu ihm herum.

»Was für ein Mann nimmt Videos von einer Frau in seinem Bett auf, ohne dass sie damit einverstanden ist? Was für eine kranke Befriedigung verschafft es ihm, dass er sie derart vergewaltigt? Denn etwas anderes ist das nicht.«

Aus dem einzigen Grund, dass er ein Mann war, piekste sie ihm wütend mit einem Finger in die Brust. »Würden Sie Dallas jemals etwas Derartiges antun? Sie würde Ihnen so kräftig in den Hintern treten, dass Sie von hier bis zum Planeten Taurus fliegen, falls Sie so was jemals täten. Und genau das würde ich jetzt gern mit Draco machen. Nein, nein, ich würde seinen Mickerschwanz in beide Hände nehmen und so lange zusammendrehen, bis er abfällt.«

»Unter diesen Umständen biete ich mich lieber nicht als Ersatz an.«

Sie atmete zischend aus und wieder ein und hob dann beide Hände in die Luft. »Tut mir Leid. Sie können nichts dazu.« Um ihre Kontrolle wiederzuerlangen, lief sie im Zimmer auf und ab und wandte sich schließlich an Eve.

»Ich nehme an, mein Wutanfall hat mich auf der Liste der Verdächtigten ein Stück nach oben katapultiert.«

»Genau das Gegenteil. Wenn Sie etwas von der Diskette gewusst hätten, hätten Sie spontan versucht, den Typen zu kastrieren, statt dafür zu sorgen, dass jemand anderes ihn ersticht. Sie haben bestätigt, dass Miras Einschätzung Ihrer Persönlichkeit rundherum richtig ist.«

»Wie schön für mich. Juhu.« Nadine warf sich wieder in den Sessel. »Ich schätze, dass besagte Diskette ein Beweismittel ist.«

»Es geht nicht anders. Niemand wird sich den Film aus Spaß ansehen, Nadine. Falls es Ihnen hilft, kann ich Ihnen versichern, dass Sie kaum zu sehen sind. Er hat es so gedreht, dass vor allem er im Mittelpunkt des Geschehens steht.«

»Ja, das sieht ihm ähnlich. Dallas, wenn die Medien Wind davon bekommen ...«

»Werden sie ganz sicher nicht. Wenn Sie einen Rat wollen – beenden Sie den Urlaub. Lenken Sie sich ab und lassen Sie mich meine Arbeit tun. Ich mache meine Sache normalerweise ziemlich gut.«

»Wenn ich das nicht wüsste, läge ich inzwischen, voll gepumpt mit irgendwelchen Beruhigungsmitteln, zu Hause im Bett.«

Eve kam ein Gedanke. »Wie wäre es stattdessen mit einem Frauenabend?«

»Was?«

»Mavis und Trina haben einen Termin für heute ausgemacht. Ich habe keine Zeit, und es wäre schade, wenn Trina all das Zeug hierher geschleppt hätte und es nicht nutzen könnte. Also gehen einfach Sie an meiner Stelle hin. Lassen Sie sich rundherum von ihr verwöhnen.«

»Ein bisschen Entspannung könnte ich tatsächlich gebrauchen.«

»Na also.« Eve zog sie aus dem Sessel. »Sie werden sich wie neu geboren fühlen. Probieren Sie mal die Körperfarben aus«, schlug sie vor und zog Nadine hinter sich her in Richtung Schwimmbad. »Dadurch kriegt man ein völlig neues Aussehen und vor allem einen Glitzerbusen, hat Mavis mir erzählt.«

Ein paar Minuten später kam Eve händereibend zurück in den Salon.

»Gut gemacht, Lieutenant.«

»Tja, das war wirklich clever, findest du nicht auch? Jetzt glucken die drei gemütlich zusammen wie die ... kannst du mir sagen, welche Tiere glucken?«

»Vielleicht Hühner?«, schlug er vor.

»Ja, wie die Hühner. Alle sind rundherum glücklich, und ich kann wieder an die Arbeit gehen. Also, hättest du Lust auf ein Video?«

»Den mit Nadine? Können wir dazu frisches Popcorn essen?«

»Männer sind wirklich pervers. Nein, nicht den mit Nadine, du Witzbold. Aber das mit dem Popcorn ist keine schlechte Idee.«

Um es offiziell zu machen, hatte sie den Film in ihrem Arbeitszimmer sehen wollen. Doch sie hätte wissen müssen, dass sie in einem der Wohnzimmer in der zweiten Etage enden und dort, eine Schüssel Popcorn in den Händen, lang ausgestreckt zwischen den sündig weichen Kissen auf dem schier kilometerlangen Sofa lungern würden, während der Film auf dem riesigen Wandbildschirm ablief.

Mit der Größe des Bildschirms hatte Roarke sie überzeugt. Es war nahezu unmöglich, die kleinste Kleinigkeit zu übersehen, wenn man alles in Überlebensgröße dargeboten bekam.

Es war beinahe, als wäre man tatsächlich noch einmal im Theater.

Eliza ging völlig in der Rolle der Sir Wilfred umsorgenden, nörglerischen Krankenschwester auf. Ihr Kostüm war alles andere als schmeichelhaft, die Haare waren zu einem strengen Knoten aufgesteckt, sie presste ständig missbilligend die Lippen aufeinander und sprach mit dem nervtötenden Singsang, in dem manche Mutter und manch Vater mit seinen aufsässigen Kindern sprach.

Auch Kenneth stellte den aufgeblasenen, stets gereizten Anwalt sehr glaubwürdig dar. Er wirkte ruhelos und fahrig, hatte einen intelligenten, doch schlecht gelaunten Gesichtsausdruck und konnte wechselweise brüllen, dass die Wände bebten, oder so leise murmeln, dass man kaum etwas verstand.

Trotzdem war es Draco, der das Stück beherrschte. Er war unleugbar attraktiv, charmant und amüsant. Ja, sie konnte verstehen, dass eine verletzbare Frau sich in den Mann verliebte – und zwar sowohl in der Rolle des Vole als auch in ihn selbst.

»Halt den Film mal an.« Sie drückte Roarke die Schüssel mit dem Popcorn in die Hand, stand auf und trat dichter an den Bildschirm heran. »Lass mich dir erzählen, wie ich die Sache sehe. Die anderen spielen. Sie sind gut, sie sind talentiert, sie haben Spaß an ihren Rollen. Er aber *ist* Vole. Er braucht ihn nicht zu spielen. Er ist genauso egozentrisch, arrogant und aalglatt. Diese Rolle ist ihm wie auf den Leib geschnitten.«

»Genau das dachte ich mir, als ich ihn für diesen Part engagierte. Was sagt dir das?«

»Dass, wer auch immer seine Ermordung geplant hat, derjenige derselben Ansicht ist. Und es als Ironie des Schicksals empfunden hat, dass nicht nur Vole, sondern auch Draco im letzten Akt des Stückes stirbt. Es als dramatische Form der Gerechtigkeit gesehen hat, ihn vor Zeugen hinrichten zu lassen.«

Sie kehrte zurück an ihren Platz. »Das ist zwar nichts wirklich Neues, aber es bestätigt einige Vermutungen, die ich bereits hatte. Wir können weitergucken.«

Aufmerksam beobachtete sie alles. Areenas Auftritt, merkte sie jetzt, war brillant getimt. Den genauen Zeitpunkt hatten natürlich der Drehbuchautor und der Regisseur des Stückes vorgegeben, aber dass der Auftritt derart *stilvoll* gewesen war, hatte die Schauspielerin bewirkt.

Wunderschön, im klassischen Sinne elegant, geheimnisvoll und auf eine kühle Weise sinnlich. Das war ihre Rolle. Doch das war nicht die wahre Christine Vole, erinnerte sich Eve. Die wahre Christine Vole wurde von ihrer Liebe zu einem Mann, der es nicht verdiente, regelrecht verzehrt. Sie log für ihn, obgleich sie wusste, dass er ein Mörder war, sie opferte ihren Ruf und ihre Würde, um ihn vor der gerechten Strafe zu bewahren. Und richtete ihn, als sie am Schluss erkennen musste, dass er ihre Liebe mit Füßen trat, vor aller Augen hin.

»Das Stück findet auf zwei Ebenen statt«, murmelte Eve. »Genau wie Draco selber zwei Gesichter hatte. Keiner der Beteiligten zeigt seinen wahren Charakter vor der letzten Szene.«

»Sie sind beide äußerst talentiert.«

»Das sind sie alle. Sie alle sind es gewohnt, Worte und Gesten so zu wählen, damit man einen ganz bestimmten Eindruck von ihnen bekommt. Ich habe noch nicht bei allen hinter die Fassade gucken können. Sir Wilfred glaubt, er verteidigt einen unschuldigen Mann, und muss am Schluss erkennen, dass er betrogen worden ist. Das reicht, um einen aus der Haut fahren zu lassen. Und wenn wir das aufs wahre Leben übertragen, reicht es vielleicht sogar aus, um jemanden zu töten.«

Roarke nickte zustimmend. »Sprich weiter.«

»Die Diana hat jeden Mist geglaubt, den ihr Vole erzählt hat. Dass er unschuldig ist, und dass er seine Frau, weil sie eine kalte Hexe ist, verlässt.«

»Die andere Frau«, warf Roarke nachdenklich ein.

»Die Jüngere. Ein bisschen naiv und gleichzeitig ein bisschen gierig.«

»Wird sie am Schluss nicht merken, dass sie ebenfalls benutzt und betrogen worden ist, und sich dafür in Grund und Boden schämen? So wie Carly und Christine haben erkennen müssen, dass sie von Richard Draco, respektive Leonard Vole, benutzt und betrogen worden sind. Und Michael Proctor steht in den Kulissen, sieht alles mit an und sehnt sich leidenschaftlich danach, dass er einmal die Rolle übernehmen darf.«

Sie studierte die Gesichter, lauschte auf die Stimmen, dachte über die Beziehungen der Menschen zueinander nach. »Es ist einer von ihnen, einer der Schauspieler. Das weiß ich ganz genau. Es ist keiner der Techniker, der irgendeinen Groll gegen Draco gehegt oder selbst davon geträumt hat, einmal im Rampenlicht zu stehen. Es ist jemand, der es gewohnt ist, auf der Bühne zu stehen, und der deshalb weiß, welche Rolle in welchem Moment von ihm erwartet wird.«

Sie verstummte, verfolgte das Geschehen weiter und suchte dabei nach irgendeinem Haken, einer Sekunde, in dem ein Blick oder eine Geste die Gefühle hinter der Fassade, den heimlich geschmiedeten Plan verriet.

Aber nein, sie waren einfach viel zu gut, musste sie erkennen. Jeder Einzelne von ihnen war unglaublich gut.

»Nun kommt die erste Szene im Gerichtsaal. Da ist das falsche Messer. Standbild. Vergrößerung des Bereichs P-Q um fünfundzwanzig Prozent.«

Der Tisch mit den Beweismitteln wurde vergrößert, und zum ersten Mal nahm Eve die feinen Unterschiede zwischen der Requisite und dem für den Mord benutzten, echten Messer wahr.

»Die Klingen haben fast die gleiche Form und Größe, aber der Griff ist ein bisschen breiter. Es ist dieselbe Farbe, aber ein anderes Material.« Sie atmete hörbar aus. »Aber das bemerkt man nur, wenn man drauf achtet. Wenn man das falsche Messer erwartet, ist es natürlich das falsche Messer, das man sieht. Draco hätte es mit eigenen Augen sehen und selbst vom Tisch herunternehmen können, ohne dass ihm etwas aufgefallen wäre. Verdammt. Weiter im Programm.«

Allmählich bekam sie leichtes Kopfweh. Trotzdem nahm sie nur am Rande wahr, dass Roarke begann ihr sanft die Schultern zu massieren, denn sie war völlig in den Szenenwechsel, den heruntergehenden Vorhang, den lautlosen Austausch der Kulissen durch schwarz gekleidete Bühnenarbeiter vertieft.

Dann entdeckte sie Quim. Er hatte das Kommando und war eindeutig in seinem Element. Er fuchtelte mit seinen Händen, doch die Zeichensprache, derer er sich bediente, bedeutete ihr nichts. Sie sah, dass er kurz mit dem Requisiteur Rücksprache hielt, und dann wandte er den Kopf nach links.

»Da.« Abermals sprang Eve von ihrem Platz auf. »Er sieht etwas, etwas, das nicht passt. Er zögert, ja, genau, nur für eine Sekunde. Und jetzt geht er in diese Richtung davon. Was hast du gesehen, Quim? Verdammt, was hast du gesehen?«

Sie wandte sich an Roarke. »Das war der Moment, in dem die Messer vertauscht worden sind. Jetzt liegt das echte Messer dort.«

Sie kehrte noch mal an den Anfang des Szenenwechsels zurück und stoppte die Zeit. »Okay, jetzt fällt ihm etwas auf.«

Hinter ihr erhob auch Roarke sich von der Couch, trat vor den AutoChef und bestellte ihr eine Tasse Kaffee. Sie nahm sie geistesabwesend entgegen und trank einen Schluck.

Auf der Bühne bezogen die Komparsen Position. Der Barmann stellte sich hinter die Theke, die Techniker verschwanden. Areena nahm, in einem billigen, grellen Kostüm, wie es Kneipengängerinnen Mitte des zwanzigsten Jahrhunderts getragen hatten, auf einem Hocker am Ende des Tresens Platz und wandte dem Zuschauerraum den Rücken zu.

Jemand pfiff. Der Vorhang hob sich.

»Zwei Minuten, zwölf Sekunden. Zeit genug, um das Messer zwischen den Rosen zu verstecken, wo es niemandem auffällt, bis man es entsorgen kann. Aber es ist knapp. Verflixt knapp. Und vor allem braucht man dafür echten Mut.«

»Sex und Ehrgeiz«, murmelte Roarke.
»Was?«
»Sex und Ehrgeiz. Diese beiden Dinge haben nicht nur Leonard Vole, sondern auch Richard Draco umgebracht. Nach dem Motto: Das Leben imitiert die Kunst.«

Das sah Peabody eindeutig anders. Sie stand augenblicklich vor einem modernen Gemälde und versuchte den Eindruck zu erwecken, als ob sie es verstand. Sie nippte an ihrem Champagner und gab sich die größte Mühe, ebenso weltgewandt und intellektuell zu wirken wie Charles und alle anderen Gäste der eleganten Vernissage.

Wenigstens war sie passend gekleidet, dachte sie erleichtert. Eve hatte ihr zu Weihnachten ein fantastisches, von Mavis' wunderbarem Partner Leonardo entworfenes Abendkleid geschenkt. Unter der blau schimmernden Seide jedoch steckte noch immer die bodenständige Person, die im Mittleren Westen aufgewachsen war.

Die unheimlichen Formen und Farben des Gemäldes wirkten auf sie im besten Fall ... bizarr.

»Tja, es ist wirklich ... ungewöhnlich.« Da ihr etwas Besseres nicht einfiel, nahm sie abermals einen Schluck aus ihrem Glas.

Charles lachte leise auf und strich ihr liebevoll über den Arm. »Du bist wirklich ein Schatz, dass du es mit mir aushältst. Wahrscheinlich langweilst du dich hier zu Tode.«

»Nein, nein.« Sie blickte lächelnd in sein attraktives Gesicht. »Nur bin ich in Bezug auf moderne Kunst ein hoffnungsloser Fall.«

»Du bist niemals ein hoffnungsloser Fall.« Er neigte sich zu ihr herab und küsste sie zärtlich auf die Wange.

Am liebsten hätte sie geseufzt. Sie konnte es kaum glauben, dass sie in einem solchen Kleid, mit einem derart wunderbaren Mann an einen solchen Ort geladen war. Und es nervte sie, *nervte* sie unglaublich, dass sie sich viel wohler fühlte, wenn sie zusammen mit McNab in dessen elendem Apartment herumlungerte und irgendetwas vom Chinesen futterte, während sie sich mit ihm über ihre Arbeit unterhielt.

Sie würde halt weiter Galerien, Opern und Ballettaufführungen besuchen, bis etwas von der Kultur auf sie abfärben würde, selbst wenn sie das Gefühl hatte, als spiele sie in irgendeinem klassischen Stück und hätte ihren Text nicht ganz richtig gelernt.

»Bist du bereit, zum Abendessen zu gehen?«

»Jederzeit.« Dieses Wort kam ihr direkt aus dem Herzen, oder eher aus dem Magen, dachte sie.

Er hatte einen intimen Tisch für zwei Personen in einem eleganten Restaurant für sie beide reserviert. Das war typisch Charles, überlegte Peabody, als er einen Stuhl an dem mit pinkfarbenen Rosen und weißen Kerzen geschmückten Tisch für sie zurückzog, und ließ ihn für sich mitbestellen, denn er kannte sich mit diesen Dingen wunderbar aus.

Er hatte ein tadelloses Benehmen, kannte genau die richtigen Leute, und Peabody kam der Gedanke, ob sich Eve wohl ebenfalls deplatziert und unbeholfen fühlte, wenn sie mit Roarke in einer derart luxuriösen Umgebung saß.

Wahrscheinlich fühlte sich ihr Lieutenant niemals unbeholfen.

Und vor allem liebte Roarke sie, nein, er betete sie an. Es war etwas völlig anderes, wenn man bei Kerzenlicht mit einem Mann zusammensaß, für den man die wichtigste oder, besser noch, die einzige Frau auf Erden war.

»Woran denkst du gerade?«, fragte Charles leise, und sie zuckte zusammen.

»Entschuldige. Mir gehen momentan ziemlich viele Sachen durch den Kopf.« Sie griff nach ihrer Gabel und piekste einen der aus Meeresfrüchten bestehenden Appetithäppchen auf. Es zerging ihr auf der Zunge, und vor lauter Verzückung hätte sie beinahe geschielt.

»Sicher denkst du an deine Arbeit.« Er streckte einen Arm aus und tätschelte ihr mitfühlend die Hand. »Ich bin froh, dass du dich trotzdem heute Abend davon lösen konntest, um mit mir auszugehen.«

»Wir haben heute früher als erwartet Schluss gemacht.«

»Der Fall Draco. Möchtest du darüber reden?«

Auch darin war er schlicht perfekt. Er stellte ihr diskrete Fragen und hörte gerne zu, wenn sie sich etwas von der Seele reden wollte, jetzt aber meinte sie: »Nein, nicht wirklich. Und vor allem darf ich es auch nicht. Das Einzige, was ich erzählen kann, ist, dass Dallas absolut frustriert ist. Es gibt so viele Spuren, denen wir nachgehen müssen, dass man das Gefühl hat, als ob man ständig auf der Stelle tritt.«

»Das kann ich mir vorstellen. Trotzdem wirkte sie völlig normal, als sie mit mir gesprochen hat.«

Peabodys Hand, die gerade das Weinglas hatte greifen wollen, erstarrte mitten in der Luft. »Sie hat mit dir gesprochen? Über den Fall?«

Charles legte seine Gabel auf den Tisch. »Sie hat dir nichts davon erzählt?«

»Nein. Hast du Draco gekannt?«

Charles verfluchte sich und überlegte kurz, ob er eine Ausrede gebrauchen sollte, dann aber zuckte er mit den Schultern. Er hatte Peabody noch nie belogen und finge auch jetzt nicht damit an. »Nein. Ich war bei Areena Mansfield, als Dallas und Roarke gestern Abend dort erschienen, um mit ihr zu sprechen. Sie hatte mich engagiert.«

»Oh.« Charles' Beruf war Peabody egal. Er ging seiner Arbeit nach genau wie sie der ihren. Wären sie beide ein Paar, sähe sie das womöglich anders, doch als Freundin kümmerte seine Tätigkeit sie nicht.

Trotzdem dachte sie, verdammt.

»Oh«, sagte sie noch einmal, weil sie wusste, dass ihr Lieutenant größten Anstoß an Charles' Arbeit nahm. »Scheiße.«

»So kann man es ausdrücken. Es war ein bisschen peinlich, aber Dallas und ich haben uns arrangiert.«

»Inwiefern arrangiert?«

»Wir haben miteinander gesprochen. Delia, ich habe versucht, nicht allzu viel zu sagen, weil ich nicht möchte, dass du das Gefühl hast, dass du zwischen zwei Stühlen sitzt.«

»Das hast du nie getan«, antwortete Peabody prompt. »Das erledigt sie.«

»Weil du ihr sehr wichtig bist.«

»Mein Privatleben geht sie …«

»… als Freundin durchaus etwas an.«

Der leise Tadel, der in seiner Stimme mitschwang, ließ sie zucken, doch sie gab sich geschlagen und erklärte: »Meinetwegen. Aber selbst wenn mir das bewusst ist, muss es mir nicht unbedingt gefallen.«

»Ich glaube, dass es in Zukunft leichter für dich werden wird. Sie hat mir ihre Meinung gesagt, ich ihr die meine, und dann ging es uns beiden besser. Vor allem, als ich ihr erklärt habe, dass wir keinen Sex miteinander haben, hat sie …«

»Was?«, krächzte Peabody heiser und sprang so

hastig auf die Füße, dass das Kristall und Silber auf der weißen Leinendecke klirrte. »Das hast du ihr erzählt? *Das hast du ihr erzählt?* Großer Gott. Warum hast du mich nicht gleich nackt ausgezogen und meinen Kollegen vorgeführt?«

»Ich wollte, dass sie weiß, dass unsere Beziehung nicht beruflicher Natur ist, sondern dass wir beide lediglich gute Freunde sind.« Charles erhob sich ebenfalls und hob begütigend beide Hände in die Luft. »Ich wollte dich bestimmt nicht in Verlegenheit bringen damit.«

»Du erzählst meiner direkten Vorgesetzten, dass wir seit – wie lange? – fast drei Monaten regelmäßig miteinander ausgehen und noch nicht miteinander im Bett gewesen sind. Absolut kein Problem, was sollte daran denn peinlich für mich sein?«

»Mir war nicht bewusst, dass dir Sex als Teil unserer Beziehung vorgeschwebt hat«, erklärte er steif. »Wenn das der Fall ist, hättest du nur etwas sagen müssen.«

»O ja, natürlich. Aber wenn ich gesagt hätte: ›Wie sieht es aus, Charles, hast du vielleicht Lust, mit mir zu schlafen?‹, wäre ich nicht länger deine Freundin gewesen, sondern eine Kundin.«

Sein Magen zog sich schmerzlich zusammen. »Glaubst du das tatsächlich?«

»Ich weiß nicht, was ich glauben soll.« Sie sank zurück auf ihren Stuhl und vergrub den Kopf zwischen den Händen. »Warum musstest du ihr das erzählen?«

»Ich nehme an, ich wollte mich verteidigen.« Dieses Geständnis fiel ihm alles andere als leicht. »Weiter habe ich nicht gedacht. Tut mir Leid.« Er schob seinen Stuhl neben den ihren und nahm zärtlich ihre Hand. »Delia, ich wollte unsere Freundschaft nicht verderben, und als wir uns kennen lernten, hatte ich noch Liebeskummer wegen einer Frau, für die es wegen meines Berufes unvorstellbar war, eine Beziehung mit mir einzugehen. Du hast mir geholfen, diese Sache zu überwinden. Ich habe dich sehr gern. Wenn du mehr von mir ...«

Er hob ihre Hand an seinen Mund, strich sanft über ihr Handgelenk, und ihr Puls begann zu rasen.

Das war sicher total normal. Genau, wie es normal war, dass ihr Blut anfing zu kochen, als er seinen Mund von ihrem Handgelenk zu ihren Lippen weiterwandern ließ.

Gleichzeitig mit dem Verlangen jedoch stiegen Zweifel in ihr auf. Es machte sie wütend zu erkennen, dass nicht Charles allein der Grund für diese Zweifel war.

»Tut mir Leid.« Sie beendete den Kuss, rückte ein wenig von ihm ab und fragte sich, ob sie verrückt geworden war. Hier saß ein wunderbarer Mann, den sie sehr gern hatte, der wusste, wie man eine Frau nach allen Regeln der Kunst im Bett verwöhnte, der bereit war, ihr zu zeigen, was in der körperlichen Liebe alles möglich war, und sie spielte die unschuldige junge Frau vom Land.

»Ich habe deine Gefühle verletzt.«

»Nein, na ja, oder vielleicht ein bisschen.« Sie zwang sich zu lächeln. »Eins ist für mich heute Abend völlig neu. In meinem ganzen Leben ist es mir nie passiert, dass mir der Appetit vergeht. Doch genau das ist mit einem Mal der Fall.«

11

Es hatte viele Vorteile, von zu Hause aus der Arbeit nachzugehen. Die Geräte, die sie hier benutzen konnte, waren selbst dem brandneuen Computer, den sie auf der Wache hatte, haushoch überlegen. Es gab keine Ablenkung, vor allem gab es stets frischen Kaffee. Sie sah die Dinge aus einer anderen Perspektive und bekam dadurch einen freien Kopf.

Heute wollte sie den Tag mit einer befriedigenden Tätigkeit beginnen. Sie stand mitten in ihrem Büro und starrte böse feixend auf den alten, verabscheuungswürdigen Computer, von dem ihr das Leben auf der Wache jahrelang unnötig schwer gemacht worden war.

»Heute«, erklärte sie der Kiste, »richte ich dich hin. Langsam und systematisch oder schnell und brutal?« Nachdenklich umrundete sie das Gerät. »Die Entscheidung fällt mir wirklich schwer. Ich habe so lange auf diesen Moment gewartet. So lange davon geträumt.«

Sie bleckte die Zähne und rollte ihre Hemdsärmel herauf.

»Was?«, fragte Roarke aus Richtung der Tür, die ihre beiden Büros miteinander verband, »was in aller Welt ist das?«

»Die ehemals größte Plage meines Lebens. Der Antichrist der Technologie. Haben wir einen Hammer?«

Er blickte auf das Häuflein Elend vor ihr auf dem Boden und trat ein wenig näher. »Ich schätze, sogar mehrere, in den verschiedensten Größen.«

»Ich will sie alle haben. Winzig kleine Hämmer, riesengroße Dinger, mit denen man Wände einschlagen kann, und alles, was es dazwischen gibt.«

»Darf man fragen, wofür?«

»Ich werde dieses Ding Byte für Byte in kleine Stücke schlagen, bis nichts mehr von ihm übrig ist als ein kleines Häufchen Staub.«

»Hmmm.« Roarke hockte sich vor das hoffnungslos veraltete Gerät. »Wann hast du dieses Teil hierher gewuchtet?«

»Eben gerade. Ich hatte es im Auto. Vielleicht sollte ich Säure drüberkippen und einfach hier stehen bleiben und gucken, wie es sich zischend auflöst. Das wäre auch nicht übel.«

Wortlos zog Roarke ein kleines Kästchen aus der Hosentasche, klappte es auf, wählte einen kleinen, schlanken Schraubenzieher und öffnete mit ein paar schnellen Drehungen das Gehäuse.

»He! He! Was machst du da?«

»So etwas habe ich schon seit zehn Jahren nicht mehr gesehen. Faszinierend. Guck mal, all der Rost. Himmel, das ist ein SOC-Chip-System. Und es ist sogar noch verdrahtet.«

Als er sich daranmachte, weiter an dem Gerät herumzuschrauben, schlug sie ihm auf die Finger. »He, die Kiste gehört mir. Ich bringe sie deshalb auch selber um.«

»Reiß dich zusammen«, bat er sie geistesabwesend und tauchte tiefer in das Innere des Kastens ein. »Ich nehme das Ding mit in die Forschungsabteilung meines Unternehmens.«

»Nein. Du bist gemein. Ich will es auseinandernehmen. Was, wenn es womöglich Junge kriegt?«

Grinsend schraubte er das Gehäuse wieder zu. »An dem Ding kann man jede Menge lernen. Ich würde es gern Jamie geben.«

»Was redest du da für ein Zeug? Jamie Lingstrom, dem Elektronik-Freak?«

»Mmm. Er arbeitet ab und zu für mich.«

»Er ist noch ein Kind.«

»Aber echt aufgeweckt. Aufgeweckt genug, dass ich ihn lieber in meiner Mannschaft habe, als mit ihm zu konkurrieren. Es wird sicher interessant zu sehen, was er mit einem alten, fehlerhaften Kasten wie dem hier anfangen kann.«

»Aber ich will, dass er stirbt. Und zwar qualvoll.«

Er musste ein Grinsen unterdrücken.

So blutrünstig hatte er seine Frau noch nie erlebt.
»Beruhige dich, Schätzchen. Ich suche dir was anderes, aus dem du Kleinholz machen kannst. Oder besser noch«, erklärte er und nahm sie in die Arme, »biete ich dir ein anderes Ventil für deine herrliche Aggressivität.«

»Sex ist bestimmt nicht so befriedigend, wie diese blöde Kiste auseinander zu nehmen.«

»Ah. Du forderst mich heraus?« Zum Zeichen, dass er die Herausforderung annahm, neigte er den Kopf, biss sie in die Wange, und als sie vernehmlich fluchte, gab er ihr einen heißen, hungrigen, Schwindel erregenden Kuss.

»Okay, das war ziemlich gut, aber darf ich mal fragen, was deine Hände hinter deinem Rücken machen?«

»Nichts Besonderes, solange ich die Tür nicht abgeschlossen habe, aber dann ...«

»Okay, okay, du kannst die Kiste haben.« Sie schob ihn ein Stückchen von sich fort und erklärte, während sie nach Atem rang: »Aber dann schaff sie mir so schnell wie möglich aus den Augen.«

»Kein Problem.« Er nahm ihre Hand, hob sie an seinen Mund und knabberte an ihren Fingern. Sobald er auch nur eine kleine Kostprobe von ihr bekam, verlangte es ihn unweigerlich nach mehr. Und mehr. Und mehr. Und mehr.

Er zog sie in Richtung seines eigenen Büros und ...

... plötzlich kam Peabody herein.

»Entschuldigung.« Sie starrte hastig gen Zimmerdecke. »Summerset hat gesagt, ich sollte einfach raufgehen.«

»Guten Morgen, Peabody.« Roarke küsste zärtlich die gerunzelte Stirn seiner Frau. »Hätten Sie gerne eine Tasse Kaffee?«

»Ich hole ihn mir schon selbst. Tun Sie einfach so, als wäre ich nicht da. Schließlich bin ich nur eine kleine Assistentin«, murmelte sie giftig und schlug um Eve einen großen Bogen, als sie in Richtung Küche ging.

»Irgendwas ist mit ihr los.« Nachdenklich sah Roarke zur Küche, wo Peabody grummelnd die Tasten des AutoChefs betätigte.

»Wahrscheinlich hat sie heute Morgen nur noch keinen Kaffee gehabt. Schaff diesen Schrotthaufen hier raus, wenn du ihn wirklich haben willst. Ich habe zu tun.«

Als er den Kasten auf den Arm nahm, spannten sich seine Muskeln sichtlich an. »Die Dinger sind ja wahre Monster. Ich werde noch bis heute Mittag hier sein«, rief er über die Schulter und zog die Verbindungstür hinter sich zu.

Wahrscheinlich war es banal, und vor allem war es schrecklich *mädchenhaft*, beim Anblick seiner straffen Muskeln derart in Verzückung zu geraten, überlegte Eve und sagte sich, es wäre ihr bestimmt überhaupt nicht aufgefallen, hätte er sie nicht kurz zuvor noch derart ... erregt.

»Peabody, bringen Sie mir bitte eine Tasse mit.«

Sie setzte sich hinter ihren Schreibtisch, öffnete die Akte Draco und teilte Verdächtige, Zeugen, Beweise und Laborberichte auf die verschiedenen Monitore auf.

»Ich habe mir gestern Abend die Diskette von der Aufführung des Stückes angesehen«, begann sie, als sie das Klappern von Peabodys harten Schuhen näher kommen hörte. »Ich habe eine Theorie.«

»Ihr Kaffee, Lieutenant. Soll ich den Rekorder mitlaufen lassen, Madam?«

»Häh?« Eve schaute auf die Bildschirme und versuchte, die Informationen im Geiste zu sortieren. Peabodys steifer Ton jedoch lenkte sie ab. »Nein, ich will sie Ihnen nur erzählen, sie ist noch nicht offiziell.«

Sie wandte sich ihrer Assistentin zu und merkte, dass ihr Mann Recht gehabt hatte mit der Vermutung, dass irgendwas nicht stimmte. Trotzdem zwang sie sich, ihr keine persönlichen Fragen zu stellen, und meinte lediglich: »Wir haben rausgefunden, wann genau das Messer vertauscht worden sein muss. Hier ist das falsche Messer noch deutlich zu sehen. Computer, Beweismittel 6-B, Bildschirm fünf.«

»Haben Sie das Beweismittel markiert und aufgenommen?«, fragte Peabody mit einer Stimme, die so frostig wie der tiefste Winter war.

»Gestern Abend, nachdem ich den Film gesehen habe.« Eve zuckte gleichgültig mit den Schultern, fragte dann jedoch gereizt: »Warum?«

»Ich versuche nur, meine Aufzeichnungen auf den neuesten Stand zu bringen, Lieutenant. Das ist schließlich mein Job.«

Verdammt. »Ich will Sie bestimmt nicht daran hindern, Ihren Job zu machen. Schließlich bekommen Sie gerade von mir die jüngsten Ermittlungsergebnisse mitgeteilt, oder etwa nicht?«

»Allerdings hat es den Eindruck, als ob Sie dabei eher selektiv vorgehen würden.«

»Was zum Teufel wollen Sie damit sagen?«

»Ich war gestern Abend noch mal auf dem Revier.« Wodurch ihr Zorn auf Eve tatsächlich noch gesteigert worden war. »Bei der Durchsicht der Akten bin ich auf bestimmte Beweismittel gestoßen, die von Ihnen unter Verschluss gehalten worden sind. Mir war bis dahin nicht bewusst, dass es Bereiche bei den Ermittlungen zu diesem Fall gibt, in die Sie weder Ihre Assistentin noch sonst jemanden aus der Mannschaft einbeziehen. Bei allem Respekt, Madam, durch diese Vorgehensweise behindern Sie die effiziente Arbeit sowohl besagter Assistentin als auch besagten Teams.«

»Sprechen Sie nicht in diesem Ton mit mir. Ich habe Dinge unter Verschluss gehalten, die meiner Meinung nach unter Verschluss zu halten sind. Sie brauchen, verdammt noch mal, nicht alles zu wissen, was mit diesem Fall zusammenhängt.«

Hektische rote Flecken zeichneten sich auf Peabodys Wangen ab, doch ihre Stimme blieb kalt, als sie erklärte: »Das ist mir inzwischen bewusst, Lieutenant.«

»Regen Sie sich ab.«

»Es muss immer alles nach Ihrer Nase gehen, nicht wahr?«

»Ja, verdammt. Ich bin Ihre Vorgesetzte, und ich leite die Ermittlungen in diesem Fall, also können Sie Ihren Arsch darauf verwetten, dass es nach meiner Nase geht.«

»Dann hätten Sie einem gewissen Charles Monroe vielleicht sagen sollen, dass er die Klappe halten soll. Oder? Madam?«

Eve knirschte mit den Zähnen. *Da hatte sie versucht, Rücksicht auf die Gefühle eines anderen Menschen zu nehmen, und bekam zum Dank einen Tritt in den Allerwertesten verpasst.* »Meiner Meinung nach gibt es keinerlei Verbindung zwischen einem gewissen Charles Monroe und unserem Fall. Aus diesem Grund geht ein mögliches Gespräch, das ich mit ihm hatte, Sie nicht das Geringste an.«

»Es geht mich ganz bestimmt was an, wenn Sie ihn verhören, um herauszukriegen, welcher Art meine persönliche Beziehung zu ihm ist.«

»Ich habe ihn nicht verhört.« Vor mühsam unterdrücktem Zorn bekam ihre Stimme einen beinahe schrillen Klang. »Er hat mich einfach zugetextet. Ich konnte nichts dagegen tun.«

Eve sprang von ihrem Stuhl, und sie beugten sich gleichzeitig so weit über den Schreibtisch, dass sich ihre Nasenspitzen fast berührten. Eve war vor Erregung alle Farbe aus dem Gesicht gewichen, Peabody hingegen war inzwischen puterrot.

Als McNab hereinkam und die beiden Frauen sah, stieß er einen nervösen Pfiff aus. »Hm, hallo, Leute.«

Keine der beiden würdigte ihn eines Blickes, doch wie aus einem Mund herrschten sie ihn an: »Raus!«

»Ja, gerne. Bin schon weg.«

Eve marschierte zur Tür und warf sie ihm, während er halb ängstlich und halb fasziniert auf ihre Assistentin blickte, rüde vor der Nase zu.

»Setzen Sie sich«, wies sie Peabody an.

»Ich bleibe lieber stehen.«

»Und ich würde Ihnen am liebsten einen ordentlichen Fußtritt geben, aber ich reiße mich zusammen.« Sie raufte sich die Haare und riss daran herum, bis der Schmerz den Großteil ihres Zorns vertrieb.

»Dann bleiben Sie halt stehen. Sie sind sowieso so steif, als hätten Sie einen Besenstiel verschluckt. Und zwar jedes Mal, wenn die Sprache auf besagten Charles Monroe kommt. Sie wollen wissen, worüber wir geredet haben? Also gut.«

Sie atmete tief durch, bis sie sicher war, dass sie

ihre Stimme unter Kontrolle hatte. »Am Abend des sechsundzwanzigsten März gegen neunzehn Uhr dreißig habe ich in Begleitung von Roarke Areena Mansfield in ihrer Penthouse-Suite im Palace Hotel aufgesucht. Bei Betreten der Suite trafen wir besagte Areena Mansfield in Gesellschaft eines gewissen Charles Monroe, von Beruf lizensierter Gesellschafter, an. Es wurde bestätigt, dass der lizensierte Gesellschafter Monroe beruflich dort war und es keine Verbindung zwischen ihm und dem Verstorbenen oder den laufenden Ermittlungen gibt. Seine Anwesenheit und die pikanten Einzelheiten seines Aufenthalts wurden in dem Bericht über das Gespräch vermerkt und von der Ermittlungsleiterin in dem dämlichen, schlecht durchdachten Versuch, einer gewissen dickschädeligen Assistentin unnötige Peinlichkeiten zu ersparen, als Geheimsache klassifiziert.«

Eve stürmte zurück an ihren Schreibtisch, schnappte sich ihren Kaffeebecher und trank einen großen Schluck. »Geben Sie das ruhig zu Protokoll«, schnauzte sie Peabody an.

Zitternd nahm Peabody Platz und begann zu schniefen.

»Oh, nein.« Panisch piekste Eve ihr mit einem Finger in die Brust. »Nein, auf keinen Fall. Sie fangen jetzt nicht an zu heulen. Wir sind im Dienst. Im Dienst wird nicht geheult.«

»Tut mir Leid.« Da sie wusste, dass sie kurz davor stand, tatsächlich in Tränen auszubrechen, zog Peabody ein Taschentuch hervor und schnäuzte sich ausgiebig, bevor sie erklärte: »Ich war halt furchtbar wütend und gleichzeitig verlegen, weil er Ihnen erzählt hat, dass wir nie miteinander im Bett gewesen sind.«

»Himmel, Peabody, glauben Sie etwa allen Ernstes, das stünde in dem Bericht?«

»Nein. Ich weiß nicht. Nein.« Sie schniefte erneut. »Aber Sie wissen es. Ich gehe seit Wochen und Monaten mit diesem Menschen aus und nicht einmal ... nicht ein einziges Mal hat sich auch nur das Geringste zwischen uns beiden abgespielt.«

»Tja, das hat er mir erklärt, als ...« Peabody heulte auf, und Eve zuckte zusammen. Wieder einmal hatte sie anscheinend etwas Grundverkehrtes gesagt. Aber was wäre das Richtige in einem solchen Fall? »Hören Sie, er ist tatsächlich ein netter Kerl. Ich habe ihn eindeutig unterschätzt. Er hat Sie wirklich gern.«

»Aber warum hat er dann bisher nie auch nur versucht, etwas mit mir anzufangen?«, schluchzte Peabody und blinzelte Eve aus tränennassen Augen an.

»Hm ... Sex ist ja wohl nicht alles.«

»Ja, klar, Sie können das leicht sagen. Schließlich haben Sie selbst den Sexgott dieses Jahrhunderts als Ehemann.«

»Mein Gott, Peabody.«

»Stimmt doch. Er ist ein Bild von einem Mann, hervorragend gebaut, hochintelligent, sexy, gefährlich. Und er liebt Sie. Nein, er betet Sie an. Er würde sich für Sie vor einen heranbrausenden Maxibus werfen.«

»Die Dinger sind nicht besonders schnell«, stellte Eve klar und atmete erleichtert auf, als Peabodys, wenn auch noch ein wenig unsicheres, Lachen an ihre Ohren drang.

»Sie wissen, was ich meine.«

»Ja.« Eve blickte in Richtung der Verbindungstür zu Roarkes Büro, und ihr Herz zog sich zusammen. »Ja, ich weiß. Es ist, äh, es ist nicht so, dass sich Charles nicht zu Ihnen hingezogen fühlt. Es ist nur so, dass ...« Wo zum Teufel steckte Dr. Mira, wenn man sie mal brauchte? »Dass er Sie respektiert. Ja, genau.«

Peabody verzog beleidigt das Gesicht. »Wenn Sie mich fragen, kann mir der Respekt gestohlen bleiben. Ich weiß, dass ich nicht schön bin oder so, aber trotzdem ...«

»Sie sehen echt gut aus.«

»Ich bin nicht wirklich sexy.«

»Sicher sind Sie das.« Eve war am Ende ihrer Weisheit, und so ging sie um den Schreibtisch herum und tätschelte Peabody hilflos den Kopf.

»Wenn Sie ein Mann oder lesbisch wären, würden Sie dann mit mir schlafen wollen?«

»Auf jeden Fall. Ich würde mich auf der Stelle auf

Sie stürzen und Ihnen die Uniform vom Körper reißen.«

»Wirklich?« Etwas aufgemuntert tupfte sich Peabody die letzten Tränen ab. »Na ja, McNab kann nicht genug von mir bekommen.«

»Oh, Mann. Peabody, bitte!«

»Ich will nicht, dass er was davon erfährt. Ich will nicht, dass er weiß, dass Charles und ich nicht miteinander im Bett gewesen sind.«

»Von mir wird er das nie erfahren. Das verspreche ich.«

»Okay. Tut mir Leid, Dallas. Nachdem Charles mir von dem Gespräch erzählt hatte, bin ich auf das Revier gefahren, um mich mit Arbeit von der Sache abzulenken. Dann bin ich auf die versiegelten Akten gestoßen und ... ich habe die ganze Nacht kein Auge zugemacht. Ich meine, wenn er nichts Wichtiges gesagt hat, weshalb halten Sie dann zwei Berichte und eine Videodiskette unter Verschluss?«

Eve atmete laut aus. Zwischenmenschliche Beziehungen waren richtig trickreich. »Einer der Berichte und die Videodiskette haben gar nichts mit Charles zu tun.« Verdammt, Peabody hatte Recht. Es störte die Ermittlungen, wenn sie ihrer Assistentin gegenüber nicht völlig offen war. »Sie beziehen sich auf Nadine.«

»Oh, ich hatte mir bereits gedacht, dass da was im Busch ist.«

»Hören Sie, sie hatte vor Jahren was mit diesem Draco. Sie kam deshalb zu mir. Er hatte sie, genau wie alle anderen Frauen, eine Zeit lang benutzt und dann einfach abserviert. Als Roarke und ich in seinem Penthouse waren, fanden wir diese persönlichen Videodisketten. Auf der versiegelten ist ...«

»Oh. Er hat aufgenommen, wie er mit Nadine geschlafen hat. Dieses Schwein.« Peabody seufzte auf. »Sie steht nicht unter Verdacht, zumindest nicht unmittelbar, und deshalb wollten Sie ihr jede Peinlichkeit ersparen. Es tut mir Leid, Dallas. Es tut mir wirklich Leid.«

»Okay, vergessen wir's. Gehen Sie und waschen sich das Gesicht, damit McNab nicht denkt, ich hätte Sie verprügelt oder so.«

»In Ordnung. Ich komme mir vor wie eine Idiotin.«

»Gut, ich mir nämlich ebenso. Und jetzt reißen Sie sich zusammen. Ich schaue, in welchem Wandschrank sich McNab versteckt hat, und dann machen wir uns endlich an die Arbeit. Okay?«

»Sehr wohl, Madam.«

Bis sie in ihrem Büro versammelt waren, war auch Feeney da. Er hatte sich die Aufnahme des Stückes ebenfalls angesehen, Vergrößerungen vorgenommen, den Blickwinkel verändert, allerlei anderen elektronischen Zauber wirken lassen und dabei genauso entdeckt, innerhalb welchen Zeitraums das falsche gegen ein echtes Messer ausgetauscht worden war.

Er rief die beiden Szenen im Gerichtssaal nebeneinander auf einem Bildschirm auf und zeigte den anderen die minimalen Unterschiede in der Form der beiden Messer und bezüglich des Winkels, in dem es auf dem Tisch zwischen den anderen Requisiten lag.

»Wer auch immer den Austausch vorgenommen hat, hat dafür ein Messer ausgesucht, das der Attrappe derart ähnlich sah, dass man es schon in die Hand nehmen und genau angucken musste, um einen Unterschied zu sehen.«

»Und was ist mit dem Requisiteur?«, fragte McNab.

»Er hätte keinen Grund gehabt, etwas anderes zu tun als lediglich zu gucken, ob das Messer an seinem Platz lag. Die Szene im Gerichtssaal blieb während der ganzen Aufführung unverändert. Ihm wäre höchstens aufgefallen, wenn das Messer nicht mehr da gewesen wäre«, erläuterte Feeney. »Und seiner Aussage zufolge hat er den Bühnenaufbau direkt nach der ersten und dann noch einmal unmittelbar vor der zweiten Szene im Gerichtssaal überprüft. Er hätte keinen Grund gehabt, öfter danach zu sehen.«

»Also hatte unser Täter zirka fünf Minuten Zeit.« Eve trommelte mit ihren Fingern gegen ihren Becher. »Wobei der Zeitraum verkürzt wird, wenn wir davon ausgehen, dass Quim etwas gesehen hat, was offensichtlich während der kurzen Pause zwischen der ersten und der zweiten Szene geschehen ist. Wenn dem tatsächlich so war, blieben dem Täter weniger als drei Minuten, um das falsche Messer zu verstecken und an seinen Platz zurückzukehren. Ob dieser Platz auf oder hinter der Bühne gewesen ist, steht noch nicht eindeutig fest.«

»Der Täter musste warten.« Peabody kniff die Augen zusammen. »Warten und hoffen, dass bis zur nächsten Szene im Gerichtssaal niemand merken würde, dass dort ein anderes Messer lag. Warten, bis Christine Vole endlich das Messer ergreift und damit zusticht. Zirka eine halbe Stunde. Eine ziemlich lange Zeit.«

»Unser Täter ist geduldig und geht systematisch vor. Ich glaube, er hat die Warterei genossen, hat es genossen zu beobachten, wie Draco über die Bühne stolziert ist und sich hat applaudieren lassen, und dabei die ganze Zeit zu wissen, dass dies sein letzter Auftritt war. Ich glaube, das hat ihm echten Spaß gemacht.«

Eve stellte ihren Kaffeebecher fort und nahm auf der Kante ihres Schreibtischs Platz. »Roarke hat gestern Abend einen Satz gesagt, der mir zu denken gegeben hat. Das Leben imitiert die Kunst.«

Peabody kratzte sich nachdenklich die Nase. »Ich dachte, es wäre genau andersherum.«

»Dieses Mal eindeutig nicht. Weshalb ausgerechnet dieses Stück? Weshalb ausgerechnet während der Premiere? Es hätte einfachere, weniger riskante Wege gegeben, Draco aus dem Verkehr zu ziehen. Ich denke, das Stück selbst bedeutet dem Täter etwas. Die Themen Liebe und Verrat oder Falschheit, sowie Opfer und Rache. Die Charaktere des Leonard und der Christine haben eine gemeinsame Geschichte. Möglicherweise hat auch Draco eine gemeinsame Geschichte mit seinem Mörder oder seiner Mörderin. Etwas, das sich in der Vergangenheit ereignet, ihre Beziehung aber ein für alle Mal zerstört hat.«

Feeney nickte und schob sich eine Hand voll Nüsse in den Mund. »Fast alle Kollegen und einige der Techniker hatten vorher schon mit ihm zusammengearbeitet. Das Theater ist eine kleine Welt, und die Leute laufen sich dort unweigerlich immer wieder über den Weg.«

»Ich denke nicht an eine berufliche Beziehung, sondern an eine private. Vole wirkt wie ein charmanter, attraktiver, ja sogar etwas naiver Kerl, doch hinter der Fassade verbirgt sich ein herzloser, skrupelloser Opportunist. Nach allem, was wir bisher herausgefunden haben, passt diese Beschreibung korrekt auf Draco. Also, wen hat er betrogen? Wessen Leben hat er ruiniert?«

»Den bisherigen Vernehmungen zufolge hat er sich so ziemlich mit jedem angelegt.« McNab hob hilflos die Hände in die Luft. »Niemand hat so getan, als hätte er den Kerl geliebt.«

»Dann müssen wir weiter in die Vergangenheit zurück. Ich möchte, dass ihr sämtliche Schauspieler genauer überprüft. Sucht nach der gemeinsamen Geschichte. Irgendetwas ist da vergraben. Vielleicht hat er eine Ehe oder Beziehung zerstört, jemanden wirtschaftlich ruiniert, die Schwester von jemandem verführt, die Karriere von irgendwem ins Stocken gebracht, was weiß ich. Ihr beide sucht nach den Informationen«, wies sie McNab und Feeney an, »und Peabody und ich statten diesen Leuten noch mal persönlich einen Besuch ab.«

Eve beschloss, mit Carly Landsdowne zu beginnen. Etwas an der Frau hatte bereits bei ihrer ersten Unterhaltung die Alarmsirenen bei ihr schrillen lassen.
Die Schauspielerin lebte in einem eleganten, hervorragend gesicherten, mit luxuriösen Geschäften und lautlosen Gleitbändern ausgestatteten Haus. Das ausgedehnte Foyer war mit blassblauen Fliesen ausgelegt, hier und da wuchsen hübsche kleine Büsche, und die Sicherheitspaneele war diskret in einem künstlerischen, geometrischen Muster in einer Wand versteckt.
»Guten Morgen«, erklang eine angenehme Männerstimme, als Eve vor die Paneele trat. »Dürfte ich fragen, was Sie in die Broadway View führt?«
»Carly Landsdowne.«
»Eine Sekunde, bitte.« Die Stimme wurde durch

leise Violinklänge ersetzt, war jedoch eine knappe Minute später wieder da. »Danke, dass Sie gewartet haben. Ms Landsdowne hat uns nicht darüber informiert, dass sie Besuch erwartet. Ich setze mich gerne mit ihr in Verbindung und frage, ob sie zum jetzigen Zeitpunkt Besucher empfangen kann. Bitte nennen Sie mir Ihre Namen und weisen Sie sich aus.«

»Du willst einen Ausweis? Hier ist mein Ausweis«, schnaubte Eve und hielt ihre Dienstmarke vor die stecknadelgroße Linse der Überwachungskamera. »Sagen Sie Ms Landsdowne, dass Lieutenant Dallas nicht gern irgendwo wartet.«

»Selbstverständlich, Lieutenant. Einen Moment, bitte.«

Wieder erklang die süßliche Musik, und Eve knirschte mit den Zähnen. »Ich hasse dieses Zeug. Warum bilden sie sich ein, dass irgendwelche Geigenklänge bei den Leuten etwas anderes bewirken als sie zu verärgern und in ihnen das dringende Bedürfnis wachzurufen, die Lautsprecher zu finden und aus der Wand zu reißen, damit endlich wieder Ruhe herrscht?«

»Ich finde die Musik sehr nett«, antwortete ihre Assistentin. »Ich habe Geige von klein auf gemocht. Erinnert mich an meine Mutter. Sie spielt nämlich selbst«, fügte sie, als Eve sie verblüfft ansah, lächelnd hinzu.

»Danke, dass Sie gewartet haben. Ms Landsdowne

empfängt Sie gern, Lieutenant Dallas. Wenn Sie sich bitte zum Fahrstuhl Nummer zwei begeben würden? Ich wünsche Ihnen noch einen sicheren und angenehmen Tag.«

»Ich hasse es, wenn sie das sagen.« Eve marschierte auf den Fahrstuhl zu und bleckte erbost die Zähne, als dort dieselbe Violinmusik erklang.

»Willkommen im Broadway View«, wurde die Musik von einer wohlklingenden Frauenstimme übertönt. »Wir sind ein autarkes, umfänglich gesichertes Haus. Mit einer Tageskarte haben Sie freien Zugang zu sämtlichen Einrichtungen einschließlich des Fitness- und Gesundheitszentrums, in dem Ihnen eine vollständige kosmetische, physische oder mentale Therapie oder Behandlung angeboten wird. Unseren Einkaufsbereich, in dem Sie mit allen namhaften Kreditkarten bezahlen können, erreichen Sie sowohl mit den öffentlichen Fahrstühlen als auch mit den privaten Lifts. Außerdem bietet das View sämtlichen Bewohnern und nach Reservierung auch den Gästen Plätze in unseren drei Fünf-Sterne-Restaurants oder allen, die es etwas legerer mögen, in dem beliebten Times Square Café.«

»Wann hält das Ding endlich die Klappe?«

»Ich frage mich, ob es hier wohl ein Schwimmbad gibt.«

»Falls Sie Interesse daran haben, sich unserer exklusiven Gemeinschaft anzuschließen, wählen Sie einfach die neunundneunzig und verabreden einen Termin mit einem unserer freundlichen Concierges, der Sie gern durch eine unserer drei Modellwohnungen führt.«

»Eher würde ich mir die Haut von den Knochen reißen lassen«, verkündete Eve.

»Ich frage mich, ob es hier auch Einzimmer-Apartments gibt.«

»Bitte wenden Sie sich nach dem Aussteigen nach links und begeben sich zur Wohnung Nummer zweitausendacht. Wir wünschen Ihnen einen angenehmen Aufenthalt.«

Eve stieg aus dem Fahrstuhl, wandte sich nach links und marschierte einen breiten Korridor hinab. Wer auch immer dieses Haus entworfen hatte, hatte sich keine Gedanken über Platzverschwendung gemacht, überlegte sie. Und hatte das ungute Gefühl, dass sie entdecken würde, dass ihr Mann mal wieder der Eigentümer dieses Prachtbaus war.

Ehe Eve nur klingeln konnte, öffnete ihnen Carly schon die Tür. Sie trug ein dunkelblaues Hauskleid und lief barfuß durch die Gegend, ihr Gesicht jedoch war tadellos geschminkt und ihre Haare aufwändig frisiert.

»Guten Morgen, Lieutenant.« Carly lehnte sich einen Moment betont lässig gegen die Tür. »Wie nett, dass Sie bei mir vorbeischauen.«

»Sie sind früh auf den Beinen«, antwortete Eve.

»Und ich dachte, dass die Leute vom Theater keine Frühaufsteher sind.«

Carlys selbstgefälliges Grinsen geriet etwas ins Wanken, doch während sie einen Schritt zurücktrat, erlangte sie die alte Selbstsicherheit bereits zurück. »Ich habe heute noch einen Auftritt. Richards Gedenkgottesdienst.«

»Das betrachten Sie als Auftritt?«

»Selbstverständlich. Ich muss eine ernste Miene machen, so tun, als würde ich um diesen Menschen trauern, und alle möglichen Plattitüden von mir geben. Schließlich werden jede Menge Journalisten ebenfalls anwesend sein.« Carly winkte in Richtung eines sanft geschwungenen hellgrünen Sofas. »Ich hätte Ihnen gegenüber diese Rolle ebenfalls spielen können. Aber damit hätte ich nicht nur mein Talent vergeudet, sondern genauso Ihre Zeit. Kann ich Ihnen einen Kaffee anbieten?«

»Nein. Es macht Ihnen keine Angst, dass Sie eine Verdächtige in einem Mordfall sind?«

»Nein, weil ich nichts getan habe und weil ich dabei jede Menge lerne. Es könnte ja sein, dass ich eines Tages einmal auf der Bühne eine Mörderin spielen soll.«

Eve trat vor die mit einem Sichtschutz versehene Glasfront, durch die man den gesamten Times Square unter sich liegen sah. Überall leuchteten bunte, verheißungsvolle Werbetafeln, und die Flugzeuge umschwirrten das Gebäude wie Fliegen einen großen, trägen Hund.

Als sie in die Ferne spähte – was sie deutlich lieber tat als unter sich zu blicken –, konnte sie die gotischen Spitzbögen von Roarkes New Globe Theater erkennen.

»Was für ein mögliches Motiv hätten Sie gehabt?«

»Für einen Mord?« Carly schien den morgendlichen Schlagabtausch durchaus zu genießen. »Das hinge natürlich von meinem potenziellen Opfer ab. Aber gehen wir davon aus, dass er ein ehemaliger Geliebter von mir ist, der mich fallen gelassen hat. Dann wäre mein Motiv eine Mischung aus Stolz, Zorn und Rachsucht.«

»Eventuell auch Verletztheit?« Eve drehte sich so schnell zu Carly um, dass sie noch das kurze Aufblitzen von Traurigkeit in ihren Augen sah.

»Vielleicht. Sie wollen wissen, ob Richard mich verletzt hat. Ja, das hat er. Aber ich weiß, wie ich meine Wunden verarzten muss, Lieutenant. Kein Mann ist es wert, dass man seinetwegen allzu lange blutet.«

»Haben Sie ihn geliebt?«

»Das dachte ich einmal. Aber es war überraschend leicht, dieses Gefühl in Hass umschlagen zu lassen. Wenn ich ihn hätte umbringen wollen, tja, hätte ich es nicht besser machen können, als es gemacht worden ist. Nur hätte ich niemals auf die Befriedigung verzichtet, ihm selbst das Messer in die Brust zu rammen. Einen anderen die Tat ausführen zu lassen, bringt einen um den ganzen Spaß.«

»Sie empfinden das, was vorgefallen ist, als Spaß? Sie empfinden es als Spaß, wenn einem Menschen gewaltsam das Leben genommen wird?«

»Soll ich so tun, als würde ich um Richard trauern? Glauben Sie mir, Lieutenant, wenn ich wollte, könnte ich jetzt dicke Kullertränen fließen lassen.« Ihr Mund lächelte weiter, aber ihre Augen schickten zornige kleine Blitze in Eves Richtung aus. »Aber das werde ich nicht tun. Ich habe zu viel Selbstachtung und zufällig auch zu viel Achtung vor Ihnen, um so etwas zu tun. Es tut mir nicht Leid, dass Richard tot ist. Nur habe ich ihn nicht umgebracht.«

»Und was ist mit Linus Quim?«

Carlys trotzige Miene wurde etwas weicher. »Ich habe ihn nicht besonders gut gekannt. Aber bei ihm tut es mir Leid, dass er nicht mehr lebt. Wenn Sie glauben würden, dass er Richard getötet und sich anschließend erhängt hat, wären Sie nicht hier. Selbst wenn es echt praktisch wäre, glaube ich das genauso wenig. Er war ein kleiner, sauertöpfischer Mann und hat meiner Meinung nach Richard ebenso wenig beachtet wie uns andere Schauspieler. Wir waren für ihn Teil der Kulisse. Erhängen dauert ziemlich lange, oder? Anders als bei Richard.«

»Ja, es dauert lange.«

»Ich mag es nicht, wenn ein Mensch leidet.«

Dies war die erste normale menschliche Feststellung, die die Frau bisher getroffen hatte, dachte Eve. »Ich bezweifle, dass derjenige, der ihm dabei geholfen hat, auch nur einen Gedanken darauf verschwendet hat. Haben Sie Angst, Ms Landsdowne, dass es, wie Ms Rothchild befürchtet, noch einen dritten Toten geben wird?«

Carly wollte eine flapsige Bemerkung machen, musterte Eve und überlegte es sich anders. »Ja, ja, die habe ich tatsächlich. Wie fast alle Leute vom Theater bin auch ich ein abergläubischer Mensch. Ich nenne Shakespeares schottisches Drama nie bei seinem Namen, ich pfeife nicht in der Garderobe und wünsche nie einem Kollegen oder einer Kollegin Glück. Aber mein Aberglaube wird mich nicht daran hindern, erneut auf die Bühne zu treten, sobald sie freigegeben ist. Ich werde nicht zulassen, dass dieser Vorfall Einfluss auf mein Leben hat. Ich wollte, seit ich denken kann, Schauspielerin werden. Und zwar nicht irgendeine kleine Nummer«, fügte sie lächelnd hinzu, »sondern ein großer Star. Ich bin auf dem Weg dorthin und lasse mich von diesem Ziel nicht abbringen, egal, was geschieht.«

»Die Publicity, die Dracos Ermordung Ihnen allen beschert, bringt Sie auf diesem Weg gewiss ein gutes Stück voran.«

»Das ist richtig. Und falls Sie denken, ich würde

diese Chance nicht nutzen, dann haben Sie sich getäuscht.«

»Diesen Gedanken hege ich nicht.« Eve sah sich in dem kostbar eingerichteten Zimmer um, aus dem man noch dazu eine grandiose Aussicht auf einen der beliebtesten Plätze der Stadt genoss. »Für jemanden, der sein Lebensziel noch nicht erreicht hat, leben Sie sehr gut.«

»Ich lebe gerne gut.« Carly zuckte mit den Schultern. »Ich habe das Glück, dass meine Eltern großzügig und sehr wohlhabend sind. Ich bin Nutznießerin eines für mich eingerichteten Treuhandfonds, aus dem ich mich gerne bediene. Wie gesagt, ich mag es nicht, wenn jemand leidet, und leide selber auch nicht gern. Ich bin nicht der Typ der Hunger leidenden Künstlerin. Was nicht heißt, dass ich nicht hart arbeite und alles dafür tue, eine gute Schauspielerin zu sein. Nur lebe ich halt gern mit einem gewissen Komfort.«

»Hat Richard Draco Sie hier in dieser Wohnung besucht?«

»Ein- oder zweimal. Er war lieber bei sich. Rückblickend betrachtet schätze ich, lud er die Frauen lieber ein, weil er bei sich alles unter Kontrolle zu haben schien.«

»Wussten Sie, dass er Sie, als Sie mit ihm geschlafen haben, aufgenommen hat?«

Eve erkannte das blanke Entsetzen im Blick der jungen Frau und sah, wie ihr alle Farbe aus den Wangen wich. »Das ist eine Lüge.«

»Draco hatte ein Aufnahmegerät in seinem Schlafzimmer installiert. Er hatte eine ganze Sammlung privat aufgenommener Disketten, auf denen er mit diversen Partnerinnen zu sehen ist. Es gibt auch eine von Ihnen, aus dem Monat Februar. Darauf ist eine spezielle Vorrichtung aus schwarzem Leder und ...«

Carly sprang zitternd von der Couch. »Hören Sie auf. Das macht Ihnen Spaß, oder?«

»Nein, nein, das macht es nicht. Sie haben also nichts von dieser Aufnahme gewusst.«

»Nein, ich habe nichts davon gewusst«, fauchte Carly zurück. »Vielleicht wäre ich sogar damit einverstanden gewesen, hätte es aufregend gefunden, nur hat er mich nie danach gefragt. Und ich finde es grauenhaft zu wissen, dass er ohne meine Zustimmung so etwas getan hat und dass sich jetzt eine Horde feixender Polizisten an dem Film aufgeilen kann.«

»Ich bin die Einzige, die den Film bisher gesehen hat, und ich kann Ihnen versichern, ich habe mich bestimmt nicht daran aufgegeilt. Sie waren nicht die Einzige, Ms Landsdowne, die er ohne ihre Zustimmung aufgenommen hat.«

»Sie müssen verzeihen, aber das ist mir scheißegal.« Sie presste die Finger an die Augen, rang mühsam um Beherrschung und fragte tonlos: »Also gut, was muss ich tun, um den Film zu bekommen?«

»Er ist ein Beweismittel, und ich habe ihn versiegelt. Er wird nur dann ins Spiel gebracht, wenn es nicht anders geht. Wenn der Fall gelöst und Ihre Unschuld bewiesen ist, werde ich dafür sorgen, dass Sie die Diskette kriegen.«

»Ich schätze, mehr kann ich nicht verlangen.« Sie atmete schwer durch. »Danke.«

»Ms Landsdowne, haben Sie in der Gesellschaft von Richard Draco, um sexuell in Stimmung zu kommen oder auch aus anderen Gründen, jemals irgendwelche illegalen Rauschmittel genommen?«

»Ich habe mit Rauschgift noch nie etwas zu tun gehabt. Statt auf irgendwelche Chemikalien verlasse ich mich lieber auf mein eigenes Gehirn und meine eigene Fantasie.«

Natürlich hast du Rauschmittel genommen, dachte Eve. *Aber eventuell war dir gar nicht bewusst, dass er irgendwelche Tröpfchen oder Pillen in deinen teuren Champagner fallen ließ.*

12

Roarke hatte zwei Videokonferenzen, ein interplanetarisches Gespräch und eine Vorstandssitzung – allesamt wegen seines Olympus-Resort-Projektes – für den Nachmittag geplant. Die Arbeiten hatten vor über einem Jahr begonnen, und im Sommer wollte er eröffnen.

Natürlich wäre bis dahin nicht die ganze, den gesamten Planeten umfassende Ferienanlage fertig, doch der Hauptkomplex mit seinen luxuriösen Hotels und Villen, den exklusiven Spiel- und Unterhaltungsanlagen war bereits betriebsbereit.

Er war mit Eve während ihrer Hochzeitsreise – im Rahmen ihrer allerersten Weltraumreise – dorthin geflogen und würde es noch einmal tun, auch wenn sie sich ohne Zweifel vehement sträuben würde, weil ein so weiter Flug eindeutig nicht auf der Liste ihrer bevorzugten Freizeitbeschäftigungen stand.

Doch er wollte Zeit mit ihr verbringen, in der weder seine noch ihre Arbeit von Bedeutung war. Nicht nur einen der kurzen Achtundvierzig-Stunden-Urlaube, zu denen er sie bisher ab und zu hatte bewegen können, sondern richtige, intime Ferien, in denen es für sie nichts gäbe außer ihr und ihm.

Er schob seinen Stuhl ein Stück zurück und ließ die rechte Schulter kreisen. Sie war beinahe vollständig geheilt und machte ihm kaum noch zu schaffen. Hin und wieder aber wurde er von einem leichten Ziehen daran erinnert, wie nahe er damals dem Tod gewesen war. Erst ein paar Wochen war es her, dass er ihm ins Auge hatte sehen müssen, ehe Eve ihn gerettet hatte.

Beide hatten schon früher hin und wieder einem blutigen, gewaltsamen Ende entgegengesehen. Inzwischen aber war es anders. Jetzt war keiner von ihnen mehr allein. Der Moment der völligen Verschmelzung, die reine Willenskraft in ihrem Blick, der harte Griff ihrer Hand, hatte ihn vor dem Tod bewahrt.

Sie brauchten einander wie die Luft zum Atmen.

Zwei verlorene Seelen, dachte er und trat vor die hohen Fenster, durch die man einen Teil der Welt erblickte, die dank seines starken Willens, ununterbrochener Arbeit und mit Hilfe von Geldern zweifelhafter Herkunft errichtet worden war. Zwei verlorene Seelen, aus deren elendigen Anfängen etwas auf den flüchtigen Blick Gegenteiliges erwachsen war.

Liebe hatte die Distanz zunächst verringert und inzwischen beinahe völlig ausgelöscht.

Sie hatte ihn gerettet. An jenem schicksalhaften Abend hatte sein Leben davon abgehangen, dass ihn ihre Hand eisern umklammert hielt. Sie hatte ihn jedoch bereits gerettet, überlegte er, als er ihr zum ersten Mal begegnet war. Auch wenn es schier unmöglich wirkte, gaben sie dem Leben des jeweils anderen endlich einen Sinn.

Er hatte das Bedürfnis, ihr Dinge zu geben. Die fühlbaren, materiellen Dinge, die ein Mensch sich leisten konnte, wenn er wohlhabend war. Obwohl er wusste, dass diese Geschenke sie meistens verwirrten und verlegen machten. Oder vielleicht genau deshalb, verbesserte er sich mit einem Grinsen. Wobei seine Geschenke nur Ausdruck des Verlangens waren, ihr Komfort zu bieten, Sicherheit, Vertrauen, Liebe. Denn all dies hatten sie beide während des Großteils ihrer Leben nicht gekannt.

Es überraschte ihn, dass eine Frau, die es gewohnt war, Menschen zu beobachten, offensichtlich nicht erkannte, dass das, was er für sie empfand, ihn häufig ebenso verblüffte und erschreckte wie sie selbst.

Nichts war mehr dasselbe, seit sie in ihrem grauenhaften Hosenanzug und mit kühlem, argwöhnischem Blick in sein Leben getreten war. Dafür dankte er dem lieben Gott.

Er war ungewöhnlich sentimental, wurde ihm bewusst. Wahrscheinlich brach einfach in unerwarteten Momenten der Ire in ihm durch. Vor allem aber machten ihm die Albträume zu schaffen, von denen sie vor ein paar Nächten gepeinigt worden war.

Zwar kamen sie inzwischen seltener, doch manchmal wurde sie von ihnen in eine Vergangenheit zurückgezogen, die ansonsten größtenteils aus ihrem Gedächtnis verschwunden war. Am liebsten hätte er die fürchterlichen Träume und die Erinnerungen ein für alle Mal vertrieben, endgültig gelöscht. Dass ihm das jedoch wahrscheinlich niemals vollständig gelingen würde, war ihm klar.

Seit Monaten war er versucht, der Sache nachzugehen, sämtliche Informationen über das tragische kleine Mädchen auszugraben, das vor vielen Jahren verletzt und total verstört in einer dunklen Gasse in Dallas aufgefunden worden war. Er hatte die Fähigkeiten und verfügte über die erforderliche Technik, um alles herauszufinden, was es da herauszufinden gab.

Er könnte die Leerstellen für sie füllen, und – wie er sich eingestand – ebenso für sich selbst.

Doch wäre dies der falsche Weg. Er kannte sie inzwischen gut genug, um zu wissen, dass er ihr mehr schaden als ihrer Gesundung dienen würde, gäbe er ihr Antworten auf Fragen, die zu stellen sie noch nicht bereit war.

Galt das nicht genauso für ihn? Als er im letzten Jahr nach langer Zeit nach Dublin zurückgekommen war, hatte er dort ein paar Stätten seiner Kindheit aufgesucht, sich jedoch mit einem Blick über die Oberfläche begnügt. Was hinter der Fassade lag, war dort begraben, und er hatte nicht daran gerührt.

Es war die Gegenwart, die seine gesamte Aufmerksamkeit verlangte. Grübeleien über die Vergangenheit brächten ihn nicht weiter. Egal, ob die Vergangenheit ihn selbst oder seine Ehefrau betraf.

Er sammelte die Disketten und die Ausdrucke, die er für seine Nachmittagstermine bräuchte, ein, stand auf und schaute zur Verbindungstür zwischen den beiden Büros. Er wollte sie noch einmal sehen, ehe er das Haus verließ.

Er öffnete die Tür, sah jedoch statt seiner Frau nur Ian McNab, der sich, während der Computer irgendwelche Informationen sammelte, einen ganzen Hamburger auf einmal in den Mund zu stopfen schien.

»Arbeiten Sie heute alleine?«

Der elektronische Ermittler fuhr zusammen, verschluckte sich an seinem Essen und fing derart heftig an zu husten, dass Roarke ihm auf den Rücken klopfen musste, damit er wieder Luft bekam.

»Es hilft, wenn man vorher kaut.«

»Ja. Danke. Äh ... ich hatte keine Zeit fürs Frühstück, also dachte ich, es wäre sicherlich in Ordnung, wenn ich ...«

»Mein AutoChef steht Ihnen stets zur Verfügung. Ich nehme an, der Lieutenant ist schon wieder unterwegs.«

»Ja. Sie ist vor zirka einer Stunde, mit Peabody im Schlepptau, los. Feeney ist zurück aufs Revier, um dort ein paar lose Fäden miteinander zu verbinden, und ich arbeite hier.« Er grinste, und zwei Reihen strahlend weißer Zähne blitzten auf. »Ich schätze, ich habe die beste Arbeit abgekriegt.«

»Dann hatten Sie ja Glück.« Roarke fischte sich aus dem Ketchupsee auf Ians Teller eine halbwegs trockene Fritte und schob sie sich, während er auf den Bildschirm spähte, nachdenklich in den Mund. »Sammeln Sie etwa schon wieder Hintergrundinformationen zu irgendwelchen Leuten?«

»Tja, nun.« McNab rollte mit den Augen. »Dallas hat die irre Vorstellung, dass es vielleicht irgendwann in der Vergangenheit eine Verbindung zwischen Draco und einem der anderen Schauspieler oder einer der Schauspielerinnen gab, die dieser beziehungsweise diese bis heute nicht überwunden hat. Ich für meinen Teil bin der festen Überzeugung, dass wir es längst rausgefunden hätten, wenn es etwas in der Richtung gäbe. Aber sie will, dass ich die Leute alle noch einmal überprüfe und dabei noch etwas tiefer stöbere als bisher. Und schließlich bin ich einzig hier, um zu tun, was sie befiehlt. Vor allem, wenn dafür echtes Rindfleisch auf der Speisekarte steht.«

»Hm, ich schätze, die Chancen, dass Sie etwas finden, stehen ziemlich schlecht.«

»Ach ja?«

»Sie sagen, dass es sich um eine alte Geschichte handeln muss, die, selbst wenn sie nach wie vor eine

Rolle für den oder die Betroffene zu spielen scheint, offiziell längst begraben ist.« Roarke schob sich ein zweites Kartoffelstäbchen in den Mund. »Und etwas längst Begrabenes kann man nur ausbuddeln, indem man sich die Finger schmutzig macht.«

»Ich fürchte, ich kann Ihnen nicht ganz folgen.«

»Am besten guckt man sich in solchen Fällen beispielsweise Akten an, die unter Verschluss gehalten werden«, schlug er vergnügt feixend vor.

»Dazu bin ich nicht befugt. Man braucht einen ausreichenden Verdacht, eine richterliche Erlaubnis und all den anderen Quatsch.« Als Roarke nur lächelte, richtete sich McNab zu seiner ganzen Größe auf und blickte zur Tür. »Wenn es natürlich einen Weg gäbe, diese Dinge zu umgehen ...«

»Den gibt es, Ian. Den gibt es ganz bestimmt.«

»Ja, nur muss man dabei gucken, dass man möglichst keine Spuren hinterlässt.«

»Tja, dann sehen wir mal zu, dass wir keine Spuren hinterlassen. Oder was meinen Sie?«

»Dallas wird uns auf die Schliche kommen, oder?«, fragte McNab ein paar Minuten später, nachdem sie die Plätze getauscht hatten und Roarke an seiner Stelle vor dem Computer saß.

»Natürlich. Aber Sie werden feststellen, dass selbst für unseren tollen Lieutenant Wissen und Beweise manchmal zwei Paar Schuhe sind.«

Roarke sah keinen Grund, sich ein solches Vergnügen zu versagen, und der kleine Ausflug in die Welt der Polizei machte ihm wie üblich einen Heidenspaß.

»Sehen Sie, Ian, das hier sind die Fingerabdrücke und die jeweiligen DNA-Muster der Hauptverdächtigen. Sie aufzurufen ist legal.«

»Wenn ich sie aufgerufen hätte ...«

»Das ist doch eine reine Formsache, meinen Sie nicht auch? Computer, ich brauche einen Vergleich zwischen sämtlichen Identifizierungs-Codes und denen in sämtlichen Zivilakten und Strafregistern, einschließlich der von Jugendlichen. Auch versiegelte Akten sind für den Vergleich heranzuziehen. Vielleicht stoßen wir ja dort bereits auf irgendwas«, sagte er zu McNab.

Suche ... Für den Begriff auf versiegelte Akten benötigen Sie eine Legitimation oder eine richterliche Genehmigung. Offene Akten können eingesehen werden. Soll ich fortfahren?

»Moment«, Roarke lehnte sich zurück und studierte seine Nägel. Blitzsauber, dachte er. Zumindest noch. »McNab, seien Sie doch so nett und holen mir einen Kaffee.«

McNab steckte die Hände in die Hosentaschen, zog sie wieder heraus und überlegte, ob ihm mehr daran gelegen war, die vorgeschriebenen Verfahrensweisen zu beachten oder Fortschritte bei den Ermittlungen zu machen. »Hm. Ja, okay. Sicher.«

Er schlenderte hinaus in die Küche, bestellte einen Kaffee und trödelte, als er ihn in der Hand hielt, absichtlich noch etwas herum. Er hatte keine Ahnung, wie lange es dauerte, sich Zugang zu verbotenen Dateien zu verschaffen. Um sich zu beruhigen, sah er nach, ob es eventuell frische Pasteten gab.

Zu seiner großen Freude hatte er sogar die Auswahl zwischen sechs verschiedenen Füllungen und dachte, bevor er sich entschied, erst mal gründlich nach.

»Ian, müssen Sie die Kaffeebohne etwa erst noch ernten?«

»Häh?« Er steckte den Kopf durch die Bürotür. »Ich ... ich dachte, Sie bräuchten vielleicht ein bisschen Zeit.«

Er war ein wirklich guter Informatiker, überlegte Roarke, und zugleich ein herrlich naiver junger Mann. »Ich glaube, das hier wird Sie interessieren.«

»Sie sind drin? So schnell? Aber wie ...« McNab brach ab und hastete zurück zum Schreibtisch. »Nein, ich will es gar nicht wissen. Auf diese Weise kann ich, wenn sie mich unter Anklage stellen, wenigstens wahrheitsgemäß behaupten, dass ich keine Ahnung habe, wie die Sache vor sich gegangen ist.«

»Weshalb sollte man Sie unter Anklage stellen?« Roarke zeigte auf ein Stück Papier. »Hier ist Ihre richterliche Genehmigung zur Einsicht in die versiegelten Dateien.«

»Meine ...« McNab schnappte sich den Zettel und starrte ihn entgeistert an. »Sieht wirklich echt aus. Mit Unterschrift von Richter Nettles.«

»So sieht's aus.«

»Wow. Sie sind nicht nur obercool«, erklärte der elektronische Ermittler mit ehrfürchtiger Stimme. »Sie sind die Personifizierung der Antarktis.«

»Ian, bitte. Sie bringen mich in Verlegenheit.«

»Richtig. Hm. Und weshalb habe ich Richter Nettles um die Genehmigung gebeten?«

Lachend stand Roarke auf. »Ich bin sicher, Ihnen fällt irgendeine wortreiche Begründung ein, falls man Sie danach fragt. Ich würde Ihnen vorschlagen, Sie murmeln einfach etwas von einem begründeten Verdacht.«

»Ja. Das ist nicht schlecht.«

»Dann überlasse ich Sie jetzt Ihrer Arbeit.«

»Okay. Danke. Und, he, Roarke?«

»Ja?«

»Eins noch.« McNab trat von einem seiner purpurroten Airboots auf den anderen. »Es ist eine, hm, persönliche Angelegenheit. Eigentlich wollte ich ja mit dem Lieutenant darüber reden, aber, nun, Sie wissen ja selber, wie sie manchmal ist.«

»Das weiß ich sogar ganz genau.« Er musterte McNabs Gesichtsausdruck und empfand neben einer gewissen Belustigung ein wenig Mitleid mit dem armen Kerl. »Geht es möglicherweise um Frauen?«

»Allerdings. Oder, besser gesagt, um eine ganz bestimmte Frau. Ich nehme an, ein Mann wie Sie weiß, wie man mit ihnen umgeht. Ich verstehe die Frauen einfach nicht. Ich meine, nicht, dass ich keinen Erfolg bei ihnen hätte. Ich habe kein Problem mit Sex. Nur *verstehe* ich sie einfach nicht.«

»Soso. Aber, Ian, wenn Sie möchten, dass ich mich mit Ihnen über die komplizierten Windungen weiblicher Gehirne unterhalte, brauchen wir dafür mehrere Tage und jede Menge Schnaps.«

»Tja. Hm. Ich schätze, jetzt haben Sie es gerade eilig.«

Tatsächlich war Roarkes Zeit inzwischen ziemlich knapp bemessen. Ein paar Milliarden Dollar warteten darauf, dass er sie ausgab, verdiente, verschob. Trotzdem nahm er auf der Schreibtischkante Platz. Das Geld konnte noch warten. »Ich nehme an, es geht um Peabody.«

»Wir, wissen Sie, wir treiben es miteinander.«

»Ian, ich hatte ja keine Ahnung, was für ein hoffnungsloser Romantiker Sie sind. Ein regelrechter Dichter.«

McNab errötete, fing dann aber an zu grinsen und erklärte: »Wir haben wirklich phänomenalen Sex.«

»Das freut mich für Sie beide, gratuliere. Aber ich bin mir nicht sicher, ob es Peabody zu schätzen wissen würde, dass Sie mich diesbezüglich ins Vertrauen ziehen.«

»Es geht nicht um den Sex«, erklärte Ian eilig, ehe ihn der Mut verließ. »Ich meine, natürlich geht es auch um Sex, weil wir ihn miteinander haben. Jede Menge. Und es ist wirklich fantastisch. So fantastisch, wie ich es mir erträumt hatte, bevor ich sie zum ersten Mal aus der verdammten Uniform bekommen habe«, fügte er hinzu. »Aber das ist auch schon alles. Immer, wenn wir damit fertig sind, muss ich sie mit Essen bestechen oder in ein Gespräch über einen Fall verwickeln, damit sie nicht sofort verschwindet. Oder mich gnadenlos vor die Tür setzt, wenn wir nicht bei mir, sondern bei ihr gelandet sind.«

Roarke verstand die damit verbundene Frustration. In seinem ganzen Leben hatte nur eine Frau versucht ihn abzuschütteln. Die einzige Frau, die ihm jemals wirklich wichtig gewesen war. »Und Sie wünschen sich mehr.«

»Seltsam, oder?«, fragte McNab mit einem halben Lachen und fing an, im Zimmer auf und ab zu laufen, während er erklärte: »Ich liebe Frauen. Alle Arten von Frauen. Vor allem, wenn sie nackt sind.«

»Wer kann Ihnen das verdenken?«

»Genau. Endlich bekomme ich die Chance, die nackte She-Body flachzulegen, und statt dass ich damit zufrieden bin, macht es mich total verrückt. Ich bin total fertig, und ihr ist das völlig egal. Ich dachte immer, Frauen, Sie wissen schon, die meisten von ihnen haben es auf eine richtige Beziehung abgesehen, mit allem Drum und Dran. Machen ständig irgendwelche Anspielungen, damit man ihnen all die netten kleinen Lügen von ewiger Liebe und so auftischen kann. Ich meine, sie wissen, dass man lügt, aber sie gehen trotzdem darauf ein, weil sie hoffen, dass man es später vielleicht ernst meint. Oder so.«

»Das ist eine faszinierende Sicht der Beziehung zwischen Mann und Frau.« Und sie trüge, da war sich Roarke ganz sicher, dem armen Jungen, wenn er sie je vor einer Frau zum Ausdruck brächte, felsenfest einen gezielten Tritt in die Leistengegend ein. »Ich nehme an, dass Peabody kein Interesse an netten, kleinen Lügen hat.«

»Ich weiß nicht, woran sie überhaupt Interesse hat. Das ist ja das Problem.« McNab fuchtelte verzweifelt mit den Armen. »Ich meine, sie hat Spaß an Sex, sie liebt ihre Arbeit, sie sieht zu Dallas auf, als hätte die die Antwort auf sämtliche Mysterien des Universums. Und sie geht mit diesem gottverdammten Hurensohn Monroe in die Oper.«

Roarke nickte bei diesem letzten Satz mitfühlend. »Es ist absolut natürlich, wenn man auf einen Rivalen eifersüchtig ist.«

»Rivale, meine Güte. Was zum Teufel ist bloß mit ihr los, dass sie mit diesem aalglatten Typen durch die Gegend zieht? Sie besuchen Kunstausstellungen, elegante Restaurants und hören sich Musik an, zu der man nicht mal tanzen kann. Ich sollte ihm wirklich die Fresse polieren«, fügte er finster hinzu.

Roarke dachte kurz darüber nach und kam zu dem Ergebnis, dass er diesen Wunsch durchaus verstand. »Das wäre zweifellos durchaus befriedigend, nur würde es die Frau, um die es geht, bestimmt verärgern. Haben Sie es schon mal mit Romantik probiert?«

»Was meinen Sie damit? Dass ich für sie den Trottel machen soll?«

Roarke seufzte leise auf. »Lassen Sie es mich anders formulieren. Haben Sie sie jemals irgendwohin eingeladen?«

»Sicher. Wir sehen uns zwei, drei Abende die Woche.«

»Ich meinte nicht zu sich nach Hause, Ian, sondern an einen öffentlichen Ort. An einen Ort, an dem Sie beide gesetzlich dazu verpflichtet sind, angezogen zu sein.«

»Oh. Nicht wirklich.«

»Vielleicht wäre das kein schlechter Anfang. Ein Rendezvous, bei dem Sie sie zu einer verabredeten Zeit in ihrer Wohnung abholen und irgendwohin einladen, an dem etwas zu essen und eine Form der Unterhaltung angeboten wird. Und während Sie das Essen und die Unterhaltung genießen, könnten Sie versuchen, ein Gespräch mit ihr zu führen, bei dem es weder direkt um Sex noch um die Arbeit geht.«

»Ich weiß, was ein Rendezvous ist«, grummelte McNab. »Nur habe ich eindeutig nicht die Kohle, um sie an Orte auszuführen, wie sie sie mit diesem Bastard Monroe besucht.«

»Ah, eins der Wunder der weiblichen Psyche ist, dass sie nicht ausschließlich mit Geld zu ködern ist. Gehen Sie mit ihr irgendwohin, wo ihr Sinn fürs Abenteuer, für Romantik, ihr Humor angesprochen werden. Versuchen Sie nicht mit Charles zu konkurrieren, Ian. Bieten Sie ihr einen Kontrast. Wenn sie von ihm Orchideen aus irgendwelchen Gewächshäusern auf Flora I geschenkt bekommt, pflücken Sie ihr Gänseblümchen im Greenpeace Park. Etwas in der Art.«

Nach kurzem Schweigen hellte sich Ians Miene sichtlich auf. »He, das ist gut. Das könnte funktionieren. Ich schätze, ich könnte es zumindest mal versuchen. Sie kennen sich mit diesem Krempel echt aus. Danke.«

»Nichts zu danken.« Roarke griff nach der Aktentasche und wandte sich zum Gehen. »Ich war immer schon ein Spieler, Ian, und ich gewinne gern. Wenn ich auf einen von euch beiden Typen wetten müsste, würde ich auf Sie setzen. Das steht eindeutig fest.«

Der Gedanke munterte den elektronischen Ermittler derart auf, dass er, ohne noch einmal an die Pasteten in der Küche zu denken, sofort mit der Arbeit begann. Er hatte solchen Spaß bei der Planung seines ersten Rendezvous mit Peabody, dass er die Informationen, die auf dem Monitor erschienen, beinahe übersah.

»Heiliges Kanonenrohr!« Er sprang von seinem Stuhl, vollführte einen kleinen Freudentanz und schnappte sich sein Handy.

»Dallas.«

»He, Lieutenant, hallo. Ich glaube, ich habe was gefunden. Strafanzeige und Zivilklage wegen tätlichen Angriffs, Körperverletzung, Sachbeschädigung und so weiter, eingereicht von Richard Draco im Jahr 2035. Die Strafanzeige wurde zurückgezogen und die Akte anschließend versiegelt. Der Zivilprozess trug ihm fünf Millionen Dollar ein, und dann wurde die Akte ebenfalls versiegelt. Angeklagt in beiden Fällen war ...«

»Wie sind Sie an die Informationen herangekommen, McNab?«

Er blinzelte, und in seinem Hirn herrschte plötzlich vollkommene Leere. »Wie bin ich was?«

»Detective, wie sind Sie ohne richterliche Erlaubnis und ohne dass die Ermittlungsleiterin Sie angewiesen hätte, eine solche Erlaubnis einzuholen, an die Akten herangekommen?«

»Ich ...«

»Wo ist Roarke?«

Sogar auf dem kleinen Bildschirm seines Handys war das Blitzen in Eves Augen deutlich zu erkennen. »Roarke?« Obwohl er das ungute Gefühl hatte, dass es bereits zu spät war, bemühte sich McNab um eine unschuldige, verwirrte und gleichzeitig empörte Miene, als er sagte: »Ich habe keine Ahnung. Ich schätze, er ist bei der Arbeit. Hm ... wollten Sie was von ihm?«

»Haben Sie zusammen irgendwelche Spielchen gespielt?«

»Nein, Madam! Ganz bestimmt nicht. Ich bin schließlich im Dienst.«

Sie starrte ihn während endloser zwanzig Sekunden an, und er spürte, wie ihm der Schweiß klebrig über den Rücken rann.

»Ich ... wegen Ihrer Frage, wie ich an die Informationen gekommen bin, Lieutenant: Mir kam der Gedanke, dass, tja, dass die bisherigen Nachforschungen ergebnislos geblieben waren, dass aber Ihr Instinkt – den ich respektiere, bewundere und dem ich uneingeschränkt vertraue – Ihnen gesagt hat, dass da irgendetwas zu finden sein *muss*. Also habe ich auf diesen Verdacht hin, jawohl, auf den begründeten Verdacht hin, Richter Nettles angerufen, der bereit war, mir die Genehmigung zur Einsicht in die Akten zu erteilen. Die richterliche Erlaubnis liegt mir vor.«

Er nahm den Zettel in die Hand und hielt ihn in die Luft. »Unterschrieben und alles.«

»Da bin ich mir ganz sicher. Werde ich wegen dieser Sache Schwierigkeiten kriegen? Überlegen Sie sich Ihre Antwort gut, denn ich verspreche Ihnen, wenn ich deshalb Schwierigkeiten kriege, werden die Probleme, die Sie selbst bekommen werden, noch erheblich größer sein.«

»Nein, Madam.« Zumindest wollte er das hoffen. »Es ist alles in bester Ordnung.«

»Ich bin in zehn Minuten da. Sorgen Sie dafür, dass bei meiner Ankunft tatsächlich alles in bester Ordnung ist. Und, McNab, wenn ich irgendwo auch nur einen Fingerabdruck meines Mannes finde, drehe ich Ihnen Ihre dünne Gurgel um.«

Sofort nach ihrer Ankunft trat Eve vor den Hausscanner und fragte: »Wo ist Roarke?«

Roarke ist zurzeit nicht im Haus. Er ist in seinem Büro in der Stadt. Soll ich Sie mit ihm verbinden, liebste Eve?

»Nein. Dieser hinterhältige Schuft.«

»Er hat sie *liebste Eve* genannt, Madam. Wie süß.«

»Einer von Roarkes blöden kleinen Scherzen. Und wenn Sie das noch ein Mal wiederholen, bringe ich Sie um.«

Aus Gewohnheit nahm sie statt einen der diversen Fahrstühle die Treppe, und seufzend folgte Peabody ihr.

Bei Betreten des Büros bedachte sie McNab aus Prinzip mit einem herablassenden Nicken, sandte jedoch gleichzeitig ein stummes Stoßgebet zum Himmel, dass seiner dünnen Gurgel nichts geschah. Wenn auch gegen ihren Willen hatte sie den Mann inzwischen nämlich wirklich gern.

Er sprang eilig auf die Füße und hielt Eve die richterliche Erlaubnis hin. »Hier, Madam, alles ordnungsgemäß und offiziell.«

Eve riss ihm den Zettel aus der Hand, inspizierte ihn gründlich, und langsam ließ die Anspannung zwischen ihren Schultern etwas nach. Sie war sich zwar sicher, dass die plötzliche Informationsflut einzig ihrem Gatten zu verdanken war, doch die richterliche Genehmigung wirkte tatsächlich echt.

»Okay, McNab. Fürs Erste lasse ich Sie leben. Rufen Sie Feeney an, machen Sie eine Konferenzschaltung und lassen Sie uns gucken, was wir haben.«

Was sie hatten, lag vierundzwanzig Jahre zurück, doch war es geprägt von Gewalt sowie Gemeinheit und obendrein provokativ.

»Dann hat also der kultivierte Kenneth den guten Richard damals ordentlich verprügelt.«

»Allerordentlichst«, warf Peabody ein. »Er hat ihm zwei Zähne ausgeschlagen, die Nase gebrochen, mehrere Rippen geprellt und obendrein noch Kleinholz aus diversen Möbelstücken in seiner Wohnung gemacht, bevor er von Sicherheitsleuten des Gebäudes festgenommen worden ist.«

»In der Zivilklage steht, dass Draco drei Wochen lang nicht arbeiten konnte und neben den körperlichen emotionale Schäden davongetragen hat. Explizit angeführt wurden extreme Peinlichkeit des Vorfalls, ein physisches Trauma und – das hier gefällt mir am besten – der Verlust der Partnerin. Sowohl die Strafanzeige als auch die Zivilklage wurden gegen einen gewissen Kenneth Stipple eingereicht, der seinen Nachnamen sofort nach der Beilegung der gerichtlichen Auseinandersetzung offiziell in Stiles geändert hat.«

Eve dachte über diese neuen Erkenntnisse nach. »Er hat sich mit Draco darauf geeinigt, dass dieser die Zahlung, von der ich wette, dass sie höher war als besagte fünf Millionen, annimmt und dafür einer Versiegelung der Akte zustimmt. Die Medien haben von der ganzen Sache nichts erfahren, und ich bin mir sicher, dass auch das etwas gekostet hat.«

»Das Ganze ist inzwischen vierundzwanzig Jahre her«, bemerkte ihre Assistentin. »Und keiner der beiden war damals sonderlich bekannt. Aber nach allem, was wir über diesen Draco wissen, hätte er der Presse garantiert trotzdem etwas vorgejammert, außer, sein Schweigen hätte sich gelohnt.«

»Er hätte die Geschichte nach all den Jahren noch an die große Glocke hängen oder Stiles zumindest damit drohen können. Wäre dem Image des gepflegten Manns von Welt sicher abträglich gewesen.« Trotzdem schüttelte sie den Kopf. »Aber im Grunde kann ich mir nicht vorstellen, dass Stiles sich allzu große Sorge darüber gemacht hat, dass die Sache womöglich jetzt noch rauskommt. Inzwischen ist er angesehen und berühmt. Er hätte die Geschichte sogar zu seinem Vorteil nutzen können. Nach dem Motto ›Ach, meine wilde Jugend‹ oder so. Der Schlüssel zu dem Ganzen ist für uns nicht, *dass* er Draco vermöbelt hat, sondern *warum.*«

Sie warf einen Blick auf ihre Uhr. »McNab, fahren Sie mit der Überprüfung dieser Leute fort. Wenn Sie noch was Interessantes finden, schicken Sie es Feeney oder mir. Wir sind auf dem Revier. Feeney? Reservier so schnell wie möglich einen Vernehmungsraum für uns.«

»Du zerrst ihn auf die Wache?«, wollte Feeney wissen.

»Ja. Wollen wir doch mal sehen, wie er auf meiner Bühne spielt. Peabody, ordnen Sie in der Zentrale an, dass sie einen Streifenwagen zu Kenneth Stiles' Adresse schicken soll. Ich möchte, dass er von uniformierten Beamten auf die Wache begleitet wird.«

Eve wandte sich zum Gehen, und als Peabody nach ihrem Handy griff und ihr folgen wollte, bat McNab: »He, eine Sekunde.«

Sie lugte über ihre Schulter. »Ich habe zu tun.«

»Ja, ja.« Er packte ihre Hand.

»Vergiss es.« Gleichzeitig jedoch streckte sie selbst den Arm nach seinem Hintern aus und drückte einmal kräftig zu. »Ich habe harte Polizeiarbeit zu tun.«

»Ihr könnt doch nur davon träumen, genauso gute Polizeiarbeit zu leisten wie wir elektronischen Ermittler. Hör zu, willst du heute Abend mit mir ausgehen?«

Wenn sie so dicht vor ihm stand, rief das jedes Mal unweigerlich heißes Verlangen in ihr wach. »Ich schätze, ich könnte nach der Schicht vorbeikommen.«

Vor seinem geistigen Auge tauchte das Bild von ihr ohne die verdammte Uniformjacke auf und beinahe hätte er es dabei belassen. Nun, zumindest hatte Roarke nichts davon gesagt, dass Sex auch nach dem Rendezvous verboten war. »Nein, ich dachte, wir gehen mal miteinander aus.«

»Es ist zu kalt, um draußen Sex zu haben.«

Er öffnete den Mund, klappte ihn jedoch, als er sich vorstellte, nackt mit Peabody im Central Park herumzurollen, schnell wieder zu. Wenn sie dabei nicht überfallen, ausgeraubt oder ermordet würden, wäre das sicher phänomenal.

»Ist Sex alles, woran du denken kannst? Nicht, dass ich was dagegen habe, aber wie wäre es, wenn wir in den Nexus Club gehen und uns dort die neue Band anhören würden? Ich hole dich um acht bei dir zu Hause ab.«

»Du holst mich ab? Du holst mich tatsächlich ab?«

»Auf diese Weise hast du noch Gelegenheit, dich vorher umzuziehen.« Es war interessant, ging es ihm durch den Kopf, dass sie ihn mit so großen Augen ansah, als hätte er mit einem Mal mitten auf der Stirn ein drittes Ohr.

»Peabody. Schwingen Sie endlich Ihren Hintern!«

»Du trabst wohl besser los«, meinte er mit einem Lächeln, als Eves ärgerliche Stimme im Treppenhaus erklang. »Ich komme dann später bei dir vorbei.«

Vor lauter Freude über den gelungenen Coup presste er noch rasch seinen Mund auf ihre Lippen, saugte voller Leidenschaft an ihrer heißen, samtigen Zunge und ließ mit einem feuchten Plop wieder von ihr ab.

Erfasst von plötzlichem Schwindel wandte sich Peabody mühsam zum Gehen und wankte ihrer Chefin hinterher.

13

Eve nahm sich eine Tasse Kaffee und begnügte sich dazu mit einem Energieriegel, da der letzte Schokoriegel, den sie noch besessen hatte, wieder mal geklaut worden war. Sobald sie dazu käme, würde sie dem fiesen Mistkerl eine Falle stellen. Leider hatte sie dazu momentan keine Zeit.

Sie nahm das Gleitband in Richtung des Vernehmungsbereichs und meinte, als Feeney sich ihr anschloss: »Dieser Typ spielt gerne irgendwelche Rollen. Ich will ihm gar nicht erst die Chance geben, uns irgendetwas vorzuspielen. Also bringen wir ihn am besten gleich zu Anfang aus dem Takt.«

»Ich will dieses Mal den bösen Bullen spielen.«

»Feeney, du bist ...« Sie brach ab und schnupperte. »Was ist das für ein Geruch?«

Feeney zuckte mit den Schultern. »Ich rieche nichts.« Und wiederholte mit einer solchen Entschiedenheit, dass er den Part des bösen Bullen übernehmen würde, dass Eve zwar mit den Augen rollte, dann aber großmütig erklärte:

»Okay, meinetwegen. Ich gebe mich nett und vernünftig, und dann schlagen wir gemeinsam zu. Falls er einen Anwalt mitbringt ...« Während andere Kollegen und Angestellte des Reviers an ihnen vorbeiströmten, schnüffelte sie erneut wie ein Bluthund die Luft durch die Nase ein. »Es riecht, ich weiß nicht, irgendwie nach Grünzeug. Wie grüner Salat.«

»Ich weiß nicht, wovon du redest. Konzentrieren wir uns lieber weiter auf das Verhör. Wenn ein Kerl einen anderen so brutal zusammenschlägt, dann muss er wirklich wütend sein. Lass uns probieren, ob wir diesen alten Zorn nicht noch mal zum Kochen bringen können.«

»Gut.« Als sie vom Gleitband stieg, beugte sie sich etwas vor und schnupperte an Feeney. »He, du bist es, der so riecht.«

»Halt die Klappe, Dallas.«

Als er errötete, verzog sie ihren Mund zu einem breiten Grinsen und wollte von ihm wissen: »Wie kommt es, dass du nach frischem grünem Salat riechst, Feeney?«

»Himmel. Sei doch bitte endlich still.« Er spähte nach links und rechts, um sich zu vergewissern, dass niemand in der Nähe stand, senkte jedoch, obwohl sie alleine waren, seine Stimme zu einem Flüstern, als er erklärte: »Hör zu, meine Frau hat mir dieses Zeug zu unserem Hochzeitstag geschenkt.«

»Salatsauce kippt man aber für gewöhnlich nicht

über sich selbst, sondern über irgendwelches Grünzeug.«

»Das ist keine Salatsauce, sondern Rasierwasser.«

»Du riechst aber zum Anbeißen.«

Er verzog halb unglücklich, halb wütend das Gesicht. »Ja, das sagt sie auch. Aber behalt das bloß für dich. Ich konnte heute Morgen unmöglich das Haus verlassen, ohne etwas von dem Zeug zu nehmen, denn dann hätte ich sie verletzt. Man muss mir ziemlich nahe kommen, damit man etwas riecht, aber das verdammte Zeug braucht Stunden, bis es endlich verfliegt. Ich habe schon den ganzen Tag Treppen und Gleitbänder genommen, weil ich nicht riskieren kann, den Fahrstuhl zu benutzen.«

»Himmel, das ist echt süß, Feeney. Vielleicht könntest du ihr weismachen, dass du das Zeug nur zu besonderen Anlässen benutzen willst.«

»Glaubst du, das nähme sie mir ab? Dallas, du hast eindeutig keine Ahnung, wie Frauen ticken.«

»Da hast du natürlich Recht.« Sie bogen um die Ecke und sahen, dass sich Peabody vor Vernehmungszimmer drei mit einem anderen uniformierten Beamten unterhielt. Eve erkannte den hoch gewachsenen, jungen Polizisten und nickte ihm, als er sie entdeckte und vor Aufregung errötete, freundlich lächelnd zu.

»Hallo, Officer Trueheart. Wie geht's?«

»Gut, Lieutenant. Der Verdächtige ist bereits drinnen.«

»Der zu Vernehmende«, korrigierte Eve. »Zum jetzigen Zeitpunkt nennen wir ihn noch nicht verdächtig.« Sie beobachtete, wie er diese Information verdaute. Er roch genauso stark nach Anfänger wie Feeney nach Salatsoße. »Hat der zu Vernehmende einen Anwalt oder Rechtsbeistand verlangt?«

»Nein, Madam. Ich denke ...« Er brach ab und straffte die bereits gestrafften Schultern noch ein wenig mehr. »Ich bitte um Verzeihung, Lieutenant.«

»Es ist Ihnen durchaus gestattet, in Ihrem Beruf zu denken, Trueheart. In der Tat fördern wir diese Fähigkeit sogar.« Sie dachte mit einiger Verbitterung an seinen ersten Ausbilder, dem nicht nur eigenständiges Denken, sondern jede Form von Menschlichkeit ein Gräuel gewesen war. »Also, sagen Sie mir, was Sie denken.«

»Sehr wohl, Madam. Also, Madam, ich denke, er ist derzeit viel zu wütend, um einen Anwalt zu verlangen. Wütend, Lieutenant, und zwar vor allem auf Sie. Er hat während des Transports hierher im Zusammenhang mit Ihrem Namen einige ... unflätige Ausdrücke benutzt.«

»Und ich hatte die Absicht, nett zu ihm zu sein. Bleiben Sie in der Nähe, Trueheart. Wenn Sie möchten, gucken Sie uns bei der Arbeit zu. Nach der Vernehmung brauchen wir Sie noch einmal, damit Sie Stiles entweder zurück nach Hause bringen oder aber in den Knast.«

»Sehr wohl, Madam, danke. Außerdem möchte ich mich noch bei Ihnen dafür bedanken, dass Sie dafür gesorgt haben, dass man mich von den Leichensammlern hierher auf das Revier versetzt hat.«

»Das war nicht weiter schwierig, Trueheart. Aber ob Sie hier bleiben, hängt ganz allein von Ihnen ab. Können wir?«, fragte sie Peabody und Feeney, öffnete, als die beiden nickten, die Tür des Vernehmungszimmers und schlenderte hinein.

Stiles saß mit gekreuzten Armen und rebellischem Gesichtsausdruck an dem kleinen Tisch. Er bedachte Eve mit einem finsteren Blick und krakeelte sofort los: »Was hat dieses empörende Vorgehen zu bedeuten, Lieutenant Dallas? Ich verlange eine Erklärung dafür, dass ich von zwei uniformierten Beamten aus meiner Wohnung gezerrt und auf den Rücksitz eines Streifenwagens verfrachtet worden bin.«

»Peabody, machen Sie sich eine Notiz, dass ich mit den betreffenden Beamten rede. Ich möchte nicht, dass sie irgendjemanden durch die Gegend zerren.«

»Sehr wohl, Madam.«

»Rekorder an«, bat Eve und trat gelassen an den Tisch. »Gespräch mit Kenneth Stiles im Zusammenhang mit Fall Nummer HS46178-C. Ermittlungsleiterin Lieutenant Eve Dallas. Ebenfalls anwesend Captain Ryan Feeney und Officer Delia Peabody. Mr Stiles, hat man Sie über Ihre Rechte und Pflichten in dieser Angelegenheit aufgeklärt?«

»Der Bulle mit dem pfirsichfarbenen Flaum am Kinn hat sie mir vorgelesen. Ich will wissen ...«

»Und haben Sie alles verstanden, Mr Stiles?«

Er bleckte die Zähne. »Ich bin nicht blöde. Natürlich habe ich verstanden. Ich bestehe darauf ...«

»Ich möchte mich bei Ihnen entschuldigen, falls Sie unseretwegen Ungelegenheiten hatten.« Sie nahm Platz, lehnte sich auf ihrem Stuhl zurück und lächelte ihn sanft an. Es war nicht erforderlich, ihn noch einmal über seine Rechte aufzuklären und dadurch möglicherweise daran zu erinnern, dass es ihm freistand, einen Anwalt zu verlangen, dachte sie. »Mir ist bewusst, dass das alles unangenehm für Sie ist. Dafür bitte ich Sie nochmals um Verzeihung. Ich werde versuchen, mich möglichst kurz zu fassen, damit unser Gespräch nicht allzu lange dauert.«

Feeney schnaubte, und sie bedachte ihn mit einem schnellen, sorgenvollen Blick, der Stiles unbehaglich auf seinem Sitz nach vorne rutschen ließ.

»Was hat das alles zu bedeuten?«, fragte der Schauspieler erbost. »Ich habe ein Recht zu erfahren, weshalb ich wie ein gewöhnlicher Krimineller durch die Gegend gekarrt worden bin.«

»Sie wurden über Ihre Rechte und Pflichten aufgeklärt«, erklärte Feeney barsch. »Die Fragen stellen wir.«

»Ich habe Ihnen bereits Rede und Antwort gestanden. Ich habe Lieutenant Dallas bereits alles gesagt, was ich in dieser Sache weiß.«

»Und natürlich wissen Sie nicht das Geringste über den armen Kerl, der kurz nach dem Mord an Draco mit den Füßen ein paar Meter über der Erde gebaumelt hat.«

»Feeney.« Eve hob flehend die Hände. »Immer mit der Ruhe.«

Feeney kreuzte die Arme vor der Brust und hoffte, dass er dabei furchteinflößend und gewaltbereit wirkte. »Wenn er versucht mich an der Nase rumzuführen, kann er was erleben.«

»Wie gesagt, am besten gehen wir die ganze Sache in aller Ruhe an. Hätten Sie gerne ein Glas Wasser?«

Stiles sah sie blinzelnd an. Er hatte Eve verbal in Stücke reißen wollen, und jetzt bedachte sie ihn mit mitfühlenden Blicken und bot ihm sogar noch etwas zu trinken an. »Ja, ja, gerne.«

»Warum bietest du ihm nicht gleich auch noch was zu essen an?«

Ohne auf Feeneys Bemerkung einzugehen, stand Eve auf und füllte einen kleinen Pappbecher mit lauwarmem Wasser. »Mr Stiles, wir haben ein paar neue Informationen bezüglich Ihrer Beziehung zu Richard Draco.«

»Was für neue Informationen? Ich habe Ihnen doch gesagt ...«

»Und ich habe gesagt, dass wir die Fragen stellen.«

Feeney erhob sich halb von seinem Stuhl. »Sie haben uns etwas Wichtiges verschwiegen. Sie haben uns verschwiegen, dass Sie Draco mal verprügelt haben, stimmt's? Und wenn ein Kerl einen anderen einmal krankenhausreif geschlagen hat, ist ihm durchaus zuzutrauen, dass er ihm zu einem späteren Zeitpunkt noch mal ans Leder will.«

»Ich habe keine Ahnung, was Sie meinen«, erklärte Stiles mit ruhiger, seidiger Stimme, doch seine Finger zitterten, als er nach dem Wasserbecher griff.

»Mr Stiles, ich muss Sie warnen. Es gibt hohe Strafen dafür, wenn man uns in einem offiziellen Verhör belügt.« Eve beugte sich etwas vor, damit Stiles ihr direkt ins Gesicht sah. »Ich kann Ihnen versichern, diesen Ärger sollten Sie sich nach Möglichkeit ersparen. Wenn Sie mit mir kooperieren, werde ich tun, was in meiner Macht steht, um Ihnen zu helfen. Wenn Sie mir gegenüber jedoch nicht ehrlich sind, kann weder ich noch irgendjemand anderes etwas für Sie tun.«

»Der Kerl ist eindeutig ein elendiger Feigling«, stellte Feeney angewidert fest. »Will Draco um die Ecke bringen und benutzt dafür zur Tarnung eine arme, unschuldige Frau.«

»Ich habe ganz bestimmt nicht ...« Stiles' bisher rebellisches Gesicht verriet nun ehrliches Entsetzen. »Mein Gott, Sie können doch wohl unmöglich glauben, ich hätte Richards Ermordung arrangiert. Das ist völlig absurd.«

»Wenigstens hat er früher noch ein Mindestmaß an Mumm besessen«, feuerte Feeney nach und ließ dabei die Knöchel seiner Finger dreimal eklig knacken. »Damals hat er Draco noch eigenhändig die Fresse poliert. Hat ihn bestimmt ziemlich wütend gemacht, oder, Stiles? Schließlich legt ihr Schauspieler den allergrößten Wert auf ein hübsches Gesicht.«

Stiles fuhr sich mit der Zunge über die Lippen. »Ich habe nicht das Geringste mit Richards Tod zu tun. Ich habe Ihnen alles gesagt, was ich darüber weiß.«

Eve legte eine Hand auf Feeneys Schulter, als müsse sie ihn mühsam daran hindern, aufzuspringen und Hackfleisch aus Kenneth zu machen, und stand dann selber seufzend auf. »Geben Sie mir den Ausdruck der Akte, Officer Peabody.«

»Sehr wohl, Madam.« Mit ausdruckslosem Gesicht hielt Peabody der Chefin einen dünnen Hefter hin.

Eve nahm wieder Platz, schlug den Hefter auf, gab Stiles die Chance kopfüber mitzulesen und sah aus den Augenwinkeln, wie alle Farbe aus seinen Wangen wich. »Ich habe hier Dokumente, in denen es um ein Straf- und ein Zivilverfahren mit Ihnen als Angeklagtem beziehungsweise Beklagtem geht.«

»Diese Sache liegt Jahre zurück. Jahre. Und die Akten wurden versiegelt. Man hat mir damals versichert, sie blieben unter Verschluss.«

»Hier geht es um einen Mordfall.« Feeney verzog

verächtlich das Gesicht. »Da gelten solche Zusagen nicht mehr.«

»Gib ihm doch wenigstens Gelegenheit, sich dazu zu äußern, Feeney. Mr Stiles, wir haben im Verlauf unserer Ermittlungen die Genehmigung bekommen, die Akten einzusehen.«

»Du brauchst ihm nichts zu erklären.«

»Bleib ganz ruhig«, murmelte Eve und wandte sich wieder Kenneth zu. »Sie wurden wegen tätlichen Angriffs auf Richard Draco angezeigt. Bei diesem tätlichen Angriff haben Sie ihm erhebliche körperliche Schäden sowie ein mentales und emotionales Trauma zugefügt.«

»Um Gottes willen. Das Ganze ist vierundzwanzig Jahre her.«

»Ich weiß. Das ist mir klar. Aber … Sie haben in Ihren bisherigen Aussagen zu Protokoll gegeben, dass Sie und der Verstorbene keine Schwierigkeiten miteinander hatten. Und trotzdem …«, Eve machte eine kurze, bedeutungsschwere Pause, »… trotzdem haben Sie ihn einmal derart heftig attackiert, dass er sich im Krankenhaus behandeln lassen musste, dass Sie verhaftet wurden und zu einer Schmerzensgeldzahlung in siebenstelliger Höhe verurteilt worden sind.«

Stiles drückte den Pappbecher so fest zusammen, dass etwas von dem Wasser durch die Gegend spritzte. »Das alles liegt eine Ewigkeit zurück, und außerdem haben wir uns am Schluss geeinigt.«

»Hören Sie, Kenneth.« Durch die Verwendung seines Vornamens stellte sie eine gewisse Nähe zu ihm her. »Tatsache ist, alles, was ich über diesen Draco rausgefunden habe, weist eindeutig darauf hin, dass er ein widerlicher Kerl gewesen ist. Ich gehe also davon aus, dass Sie guten Grund für Ihren Angriff hatten. Einen wirklich guten Grund. Er hat Sie sicher provoziert. Sie erscheinen mir nämlich ganz und gar nicht wie ein gewaltbereiter Mensch.«

»Das bin ich auch nicht.« Dem Schauspieler brach der Schweiß aus, und er schüttelte den Kopf. »Nein, das bin ich nicht. Natürlich bin ich das nicht.«

Wieder schnaubte Feeney höhnisch auf. »Das kaufe ich dir sogar ab. Schließlich hattest du noch nicht einmal den Nerv, ihm das Messer selber in die Brust zu rammen.«

»Ich habe Richard nicht getötet!«, brüllte Stiles und funkelte Feeney an. »Ich habe nichts mit seinem Tod zu tun. Das, was damals passiert ist, meine Güte, damals war ich noch ein halbes Kind.«

»Ich weiß. Sie waren jung, und er hat Sie provoziert«, erklärte Eve in mitfühlendem Ton, stand auf, füllte einen zweiten Pappbecher mit Wasser und brachte ihn ihm an den Tisch. »Erzählen Sie mir, wie es passiert ist. Warum es passiert ist. Alles, was ich möchte, ist, Licht in diese Sache bringen, damit Sie nach Hause gehen können.«

Stiles schloss die Augen, atmete langsam ein und

hörbar aus. »Wir hatten beide unsere ersten Erfolge am Theater feiern können. Bescheidene Erfolge an irgendwelchen kleinen Bühnen, aber immerhin. Wir wollten beide hierher nach New York. Der Broadway war damals gerade wieder stark im Kommen.«

Seine Stimme wurde etwas wärmer, und er bekam wieder ein wenig Farbe ins Gesicht, als er an seine Jugend dachte, an die freudige Erwartung des Erfolges und das Gefühl der Unverletzbarkeit. »Nach den Verheerungen der Innerstädtischen Revolten war dies die Rückkehr ans Licht, die Neuentdeckung des Glamour, der Brillanz. Die Leute sehnten sich nach Unterhaltung, nach einer Flucht aus der Realität und, ich nehme an, nach Helden, die keine Waffen trugen. Wir waren ein kleiner und möglicherweise etwas arroganter Kreis. Es war eine Schwindel erregende Zeit, Lieutenant, eine Renaissance. Wir wurden wie Könige behandelt. Außerhalb der Bühne haben wir sehr aufwändig, ja exzessiv gelebt. Sex, verbotene Drogen, ausschweifende Partys.«

Er griff nach seinem Becher und trank einen großen Schluck. »Ein paar von uns hat dieses Leben kaputtgemacht. Ich würde sagen, es hat auch Richard zu dem gemacht, der er am Ende war. Er hat den Ruhm und die Exzesse genossen. Das hat seine Arbeit nie beeinträchtigt, denn er war ein Genie, aber im Privatleben hat er jedem erdenklichen Laster gefrönt. Er war grausam, vor allem gegenüber Frauen.

Er hat mehr als eine Frau zerstört. Er hat sich sogar noch damit gebrüstet und Wetten abgeschlossen, welche Frau er sich als nächste angeln würde. Ich fand das ... unangenehm.«

Er räusperte sich und schob den Becher etwas von sich fort. »Es gab eine Frau, oder eher ein Mädchen. Wir gingen miteinander aus. Es war nichts Ernstes, aber wir waren gern zusammen. Dann hatte es plötzlich Richard auf sie abgesehen. Er hat sie verfolgt, sie geködert und am Ende ruiniert. Als er sie sitzen ließ, ist sie daran zerbrochen. Ich fuhr zu ihrer Wohnung. Ich habe keine Ahnung, welcher Instinkt mich dazu bewog. Als ich sie fand, war sie ... wollte sie sich gerade das Leben nehmen. Sie hatte sich bereits die Pulsadern aufgeschnitten. Ich brachte sie ins nächste Krankenhaus. Ich ...«

Er brach ab und fuhr erst nach kurzem Zögern mit großen Schwierigkeiten fort. »Sie haben sie gerettet, aber etwas ging mit mir durch, als ich sie so bleich und so benutzt dort liegen sah. Ich betrank mich und fuhr dann zu Richard.«

Stiles fuhr sich mit den Händen durchs Gesicht. »Vielleicht hätte ich ihn in jener Nacht getötet. Das gebe ich zu. Aber Leute aus den Nachbarwohnungen hielten mich davon ab. Anschließend wurde mir bewusst, wie sinnlos mein Auftritt gewesen war. Statt auch nur das Mindeste zu ändern, kostete er mich eine Menge Geld. Statt Richard zu schaden, hätte ich um ein Haar meine eigene Karriere, mein eigenes Leben zerstört. Ich habe ihn angefleht, Gnade walten zu lassen. Er nahm den Vergleichsvorschlag an und stimmte der Versiegelung der Akten, ebenso zum Schutz seines eigenen Images, zu. Ich hatte allen Grund dankbar für diesen Egoismus zu sein. Ich brauchte drei Jahre, um ihn zu bezahlen, und er hat ohne jede Gnade horrende Zinsen auf die jeweils noch ausstehende Summe von mir verlangt. Aber dann hatte ich es endlich geschafft.«

»Sieht für mich so aus, als hätten Sie allen Grund gehabt, diesen Hurensohn zu hassen«, warf Fecney knurrend ein.

»Vielleicht.« Nun, da die Geschichte heraus war, nickte Stiles ein wenig ruhiger. »Aber einen Menschen zu hassen, erfordert sehr viel Zeit und Energie. Ich verwende meine Zeit und Energie lieber auf positive Dinge. Ich habe alles erreicht, was ich erreichen wollte. Ich genieße mein Leben. Das alles würde ich nicht noch einmal wegen eines Kerls wie Richard Draco aufs Spiel setzen.«

»Es ist kein besonders großes Risiko, wenn man das Messer einer Frau in die Hände drückt.«

Stiles' Kopf zuckte hoch, und er sah Eve aus brennenden Augen an. »Ich benutze Frauen nicht. Ich hatte beinahe fünfundzwanzig Jahre Zeit, um meine Lektion zu lernen, Lieutenant. Richard Draco spielt für mich schon seit Jahren nicht mehr die geringste Rolle.«

»Was ist aus der Frau geworden?«

»Ich habe keine Ahnung.« Sein Seufzer verriet ehrliches Bedauern. »Sie ist nicht mehr Teil meines Lebens. Ich glaube, die Tatsache, dass ich wusste, was passiert war, hat es ihr schwer gemacht, unsere Freundschaft aufrechtzuerhalten.«

»Meiner Meinung nach hätte sie Ihnen zutiefst dankbar sein müssen.«

»Das war sie auch, Lieutenant. Aber genau wie ich musste sie diese Geschichte hinter sich lassen. Ich selbst ging kurz nach dem Zwischenfall erst nach London, dann nach Kalifornien und danach nach Kanada. Überall dort hatte ich verschiedene Engagements. Wir haben den Kontakt nicht gepflegt, und ich habe nie wieder etwas von ihr gehört.«

Wie praktisch, dachte Eve. *Möglicherweise etwas zu praktisch*, fügte sie hinzu und wollte deshalb wissen: »Wie hieß die junge Frau?«

»Ist diese Frage wirklich nötig?«

»Das ist eine ziemlich traurige Geschichte, die Sie uns da erzählen. Und sie hat ihre Wirkung nicht verfehlt. Aber es gibt bisher niemanden, der sie bestätigt. Also, wie hieß die junge Frau?«

»Anja Carvell.« Er blickte unglücklich auf seine Hände. »Sie hieß Anja. Ich habe Ihnen alles erzählt, was ich erzählen kann.«

»Eins noch. Wo waren Sie gestern Morgen zwischen zehn und elf?«

»Gestern? Das ist genau die Stunde, in der ich meinen täglichen Spaziergang mache.«

»Gibt es dafür irgendwelche Zeugen?«

»Ich war allein.« Seine Stimme war merklich abgekühlt. Der Zorn kehrte zurück, doch er hatte sich besser in der Gewalt. »Wollen Sie mich noch lange hier festhalten? Ich muss noch zu einer Gedenkfeier.«

»Aber Sie bleiben in der Stadt.« Eve musterte ihn. Irgendetwas stimmte nicht, doch konnte sie nicht sagen, was es war. »Jeder Versuch, die Stadt zu verlassen, wird zu Ihrer sofortigen Verhaftung führen.«

Damit stand sie auf und winkte Trueheart, der hinter dem Spiegel stand, zu sich herein.

»Ein Beamter wird Sie zurück zu Ihrer Wohnung fahren. Oh, Mr Stiles, eine Frage noch. Hatten Sie je Gelegenheit oder Veranlassung zu einem Gespräch mit Linus Quim?«

»Quim?« Stiles erhob sich ebenfalls und strich mit seinen Fingerspitzen über den Aufschlag seiner Jacke. »Nein. Man hat sich mit Quim nicht unterhalten. Er hat Menschen mit meinem Beruf verachtet. Ein seltsamer kleiner Mann. Würde mich nicht überraschen, wenn er die Messer vertauscht hätte. Er konnte uns Schauspieler nicht ausstehen.«

»Peabody, machen Sie sich auf die Suche nach dieser Anja Carvell.«

»Die Sache gefällt mir nicht«, erklärte Feeney. »Es hat alles viel zu gut gepasst.«

»Ja, ich habe die ganze Zeit darauf gewartet, dass die Scheinwerfer angehen und die Musik einsetzt. Trotzdem könnte es so, wie er es erzählt hat, tatsächlich gewesen sein.«

»Selbst wenn, ändert das nichts. Er hatte noch eine riesengroße Rechnung mit diesem Draco offen. Und er kommt mir vor wie jemand, dem so etwas nach zwanzig Jahren noch zu schaffen macht.«

»Ich halte ihn dazu für jemanden, der alles langfristig plant«, stimmte Eve ihm zu. »Für jemanden, der jeden noch so kleinen Ärger in irgendeiner Schublade verwahrt. Und für jemanden, der sich nicht ein zweites Mal selbst die Hände schmutzig machen will.«

Trotzdem stimmte irgendetwas nicht. Irgendein ausgelassenes oder hinzugegebenes Detail. »Wir werden sehen, was die Carvell-Connection ergibt«, überlegte sie. »Er hat Dinge ausgelassen. Er hat sorgsam überlegt, was er uns erzählen wollte und wie er es am besten anbringt. Er musste improvisieren«, fügte sie hinzu. »Aber das hat er zugegebenermaßen gut gemacht.«

»Ich glaube, er hat diese Anja geliebt.« Peabody hatte ihren Taschencomputer in der Hand, mit der Suche nach der damals jungen Frau jedoch noch nicht begonnen. »Wenn ja, rückt das die ganze Sache in ein völlig anderes Licht.«

Eve sah ihre Assistentin fragend an. »Wie kommen Sie darauf?«

»Es war die Art, in der er von ihr gesprochen hat, bevor er anfing vorsichtig zu werden. Und außerdem hatte er bei der Erwähnung ihres Namens diesen wehmütigen Blick.«

Eve steckte die Daumen in die Vordertaschen ihrer Jeans. »Er hatte einen wehmütigen Blick?«

»Ja, während einer kurzen Sekunde. Da hat er wirklich an sie gedacht, daran, wie es war oder wie es hätte sein sollen. Ich glaube, sie war die Liebe seines Lebens. Wenn man eine solche Liebe hat, wird man davon nachhaltig beeinflusst.«

»Inwiefern beeinflusst?«

»Man denkt ständig an den anderen, selbst wenn man gerade irgendwelche total banale Dinge macht. Man hat das Bedürfnis, den geliebten Menschen zu beschützen, ihn glücklich zu machen, ihm Sicherheit zu geben. Sie müssen das doch wissen«, erklärte Peabody frustriert. »Schließlich haben Sie das selbst.«

»Was?«

»Die Liebe Ihres Lebens. Himmel, Dallas. Aber wissen Sie, Sie werden von dem Menschen, den Sie lieben, ebenfalls geliebt. So war es bei ihm nicht. Sie hat ihn Dracos wegen sitzen lassen. Wenn Sie den Verstand verlieren und Roarke eines anderen wegen sitzen lassen würden, was glauben Sie, würde er dann tun?«

»Bevor oder nachdem dieser andere von ihm wie eine Laus zertreten worden ist?«

»Sehen Sie.« Peabody grinste sie zufrieden an. »Wenn man die große Liebe selbst erlebt hat, weiß man, wie das läuft.« Sie brach ab und schnupperte. »Was riecht denn hier so gut?«

»Reden Sie weiter«, bat Feeney eilig. »Inwiefern ändert sich die ganze Sache, wenn es stimmt, dass Stiles diese Carvell geliebt hat?«

»Über die eine, große Liebe kommt man niemals komplett hinweg. Deshalb wird sie ja wohl auch so genannt. Die Liebe seines Lebens. Weshalb seine Behauptung, er hätte den Kontakt zu ihr verloren, totaler Blödsinn ist.«

»Das gefällt mir. Wenn wir dahinterkommen, dass Stiles noch in Kontakt zu dieser Carvell ist, haben wir ein Motiv, das ein Vierteljahrhundert überspannt. Für beide Tatzeitpunkte hat er kein Alibi, und er hätte in beiden Fällen die Möglichkeit zur Begehung der Tat gehabt.«

»Das sind alles nur Indizien«, warf Feeney ein.

»Ja, aber wenn wir genug Indizien finden, kriegen wir ihn ja vielleicht dazu, dass er gesteht. Finden Sie die Frau, Peabody. Und wenn Sie bei der Suche auf Schwierigkeiten stoßen, wenden Sie sich an McNab. Feeney, wie sieht's aus? Hättest du eventuell Lust, auf eine protzige Gedenkfeier zu gehen?«

»Meine Frau ist regelmäßig begeistert, wenn ich

ihr erzähle, dass ich mit irgendwelchen Berühmtheiten zu tun hatte.«

»Peabody, wir machen uns auf den Weg.«

»Sehr wohl, Madam.« Sie sah den beiden versonnen hinterher und hatte plötzlich einen Riesenappetit auf einen großen, knackigen Salat.

Feeneys Frau würde am Abend echt aus dem Häuschen sein. Auf der Gedenkfeier für Richard Draco, die in der Radio City stattfand, gaben sich Kollegen und Kolleginnen des Toten sowie unzählige andere Künstler regelrecht die Klinke in die Hand. Obgleich Draco in dem Haus nicht einmal aufgetreten war, hätte die elegante Atmosphäre der im Stil des Art déco gehaltenen Räumlichkeiten hervorragend zu ihm gepasst. Es hieß, Dracos Agent hätte das angesehenste Bestattungsunternehmen von New York mit der Organisation der Feierlichkeiten betraut.

Und da dies, technisch gesehen, Dracos letzter Auftritt war, strich der Kerl 15 Prozent der Bruttoeinnahmen ein.

Auf riesengroßen Monitoren flackerten Dutzende von Bildern des Verstorbenen, auf einer Nebenbühne fand eine holographische Aufführung mit Draco als edlem Ritter, der Vaterland und Weibsvolk mit Schwerthieben und eleganter Beinarbeit verteidigte, statt.

Für zweihundertfünfzig Dollar pro Kopf konnten

exakt tausend glückliche Fans noch einmal persönlich von dem Künstler Abschied nehmen. Der Rest waren geladene Gäste.

Inmitten eines Meers aus Blumen schwammen Inseln schwarz gekleideter Trauergäste und Schaulustiger herum und nahmen trotz Verbots das Ereignis eifrig auf Diskette auf.

Auf einem Podest auf der Hauptbühne lag Draco in einem Sarg aus bläulich-durchsichtigem Glas.

»Was für eine Show.«

Eve schüttelte den Kopf. »Sie verkaufen sogar Andenken. Hast du das gesehen? Kleine Draco-Püppchen und T-Shirts, auf denen er abgebildet ist.«

»Es geht doch nichts über das freie Unternehmertum«, meinte eine allzu vertraute Stimme direkt in ihrem Rücken, und sie zuckte herum.

»Warum bist du hier?«, fragte sie ihren Mann.

»Lieutenant, hast du vergessen, dass der Gute das Zeitliche gesegnet hat, während er in meinem Theater auf der Bühne stand? Wie hätte ich da wohl heute fernbleiben sollen? Außerdem ...«, er klopfte auf eine Tasche seines eleganten Anzugs, »... wurde mir eine Einladung geschickt.«

»Ich dachte, du hättest den ganzen Tag Termine.«

»Der Vorteil, wenn man sein eigener Chef ist, besteht darin, dass man delegieren und eine Stunde Pause machen kann.« Er legte eine Hand auf ihre Schulter und sah sich in der Halle um. »Grauenhaft, nicht wahr?«

»Grauenhaft ist gar kein Ausdruck. Feeney, wir sollten uns trennen und unter die Gäste mischen. Wir treffen uns in einer Stunde am Haupteingang, okay?«

»Meinetwegen.« Er entdeckte mehrere Gesichter, die er aus dem Fernsehen kannte, sowie ein reichhaltiges Büfett und kam zu dem Ergebnis, dass er beides gleichzeitig konnte: die Augen offen halten und gemütlich essen.

»Roarke, wenn ich dich vor fünfundzwanzig Jahren sitzen gelassen hätte, würde dir das heute noch zu schaffen machen?«

Er strich ihr lächelnd über das kurze braune Haar. »Schwer zu sagen, denn ich hätte keine Zeit darüber nachzudenken, weil ich damit beschäftigt wäre, dir hinterherzujagen und dir das Leben zur Hölle zu machen, Schatz.«

»Nein, ich meine es ernst.«

»Wer sagt, dass ich es nicht ernst meine?«, fragte er, nahm sie am Arm und führte sie durch das Gedränge.

»Tun wir einfach so, als ob du jemand weniger Nervtötendes wärst.«

»Ah. Also gut. Wenn du mir das Herz gebrochen hättest, würde ich versuchen, es wieder zu kitten und mir ein neues Leben aufzubauen. Aber vergessen würde ich dich nie. Warum fragst du?«

»Peabody hat eine Theorie von der großen Liebe. Ich spiele noch damit.«

»Ich kann dir versichern, dass du meine große Liebe bist.«

»Wag es ja nicht, mich zu küssen«, zischte sie, als sie das Blitzen in seinen Augen sah. »Schließlich bin ich im Dienst. Da drüben steht Michael Proctor und grinst wie ein Honigkuchenpferd. Ich hab seine Finanzen durchleuchtet und dabei entdeckt, dass er über zehntausend für die Verschönerung seines Gebisses ausgegeben hat, während er zugleich die Miete für die Bruchbude, in der er haust, nicht mehr bezahlen kann. Er plaudert mit einer ziemlich elegant aussehenden Frau. Er wirkt deutlich weniger erschüttert und naiv als bei dem Gespräch mit mir.«

»Das ist Marcina, eine der Top-Fernsehproduzentinnen. Könnte also sein, dass unser Junge die Hoffnung auf einen karrieremäßigen Wechsel beziehungsweise Aufschwung hat.«

»Vor weniger als einer Woche hat er mir noch erklärt, die Bühne wäre seine Welt. Interessant. Wollen wir doch mal sehen, was er mir jetzt erzählt.«

Sie schob sich zu ihm hinüber und merkte ganz genau, in welchem Augenblick Proctor sie entdeckte, denn sofort riss er die Augen auf, ließ den Kopf eine Spur sinken und zog die Schultern an. *Ein abrupter Rollenwechsel*, dachte Eve, *im Bruchteil einer Sekunde hatte er die Wandlung vom charmanten Hauptdarsteller zur nervösen Zweitbesetzung geschafft. Das war der Zauber des Theaters.*

»Proctor.«

»Oh, Lieutenant Dallas. Mir war nicht bewusst, dass Sie hier sein würden.«

»Ich komme ziemlich viel herum.« Sie sah sich in dem Theater um. »Ich schätze, dass Quim keinen derartigen Abschied zu erwarten hat.«

»Quim? Oh.« Er besaß den Anstand oder die Fähigkeit, leicht zu erröten. »Nein, nein, ich schätze nicht. Richard war ... er war allseits bekannt und respektiert.«

»Auf alle Fälle stoßen jede Menge Leute auf ihn an.« Sie beugte sich etwas nach vorn und betrachtete die hübschen Bläschen, die in dem Glas aufstiegen, das er in seinen Händen hielt. »Und zwar mit Champagner.«

»Er hätte nichts Geringeres erwartet.« Dies kam von der Frau, die, wie Roarke erklärt hatte, Marcina hieß. »Diese Veranstaltung wäre ganz nach seinem Geschmack.« Sie lugte über Eve hinweg und begann zu strahlen. »Roarke! Ich hatte mich schon gefragt, ob ich Sie hier treffen würde.«

»Marcina.« Er trat einen Schritt vor, küsste sie auf die Wange und erklärte: »Sie sehen sehr gut aus.«

»Es geht mir auch sehr gut. Dallas«, sagte sie dann und lenkte ihren wachen Blick zurück auf Eve. »Natürlich. Das muss Ihre Frau sein. Ich habe schon sehr viel von Ihnen gehört, Lieutenant.«

»Falls Sie mich bitte jetzt entschuldigen würden«, mischte sich Proctor in das Gespräch.

»Meinetwegen brauchen Sie nicht zu flüchten«, meinte Eve, doch er wandte sich bereits erleichtert ab.

»Ich sehe gerade einen Freund.« Damit tauchte er in dem Gedränge ab wie ein Mann, der über Bord sprang.

»Ich nehme an, Sie sind im Dienst?«, fragte Marcina mit einem Blick auf Eves bequeme Jacke und die legeren Jeans. »Schließlich ermitteln Sie in diesem Fall.«

»Das stimmt. Würde es Ihnen etwas ausmachen, mir zu erzählen, worüber Sie sich mit Proctor unterhalten haben?«

»Steht er etwa unter Verdacht?« Marcina spitzte ihre Lippen und blickte in die Richtung, in die der junge Mann so hastig verschwunden war. »Faszinierend. Tja, im Grunde ging es bei unserer Unterhaltung ums Geschäft. Michael hat das richtige Aussehen für eine Rolle in einem neuen Filmprojekt, das ich gerade starte. Wir sprachen darüber, ob er für ein paar Tage nach New Los Angeles kommen kann.«

»Und, kann er?«

»Vielleicht. Aber er steht noch immer bei Roarke unter Vertrag. Er freut sich schon darauf, Richards Platz auf der Bühne einzunehmen. Natürlich hat er es nicht so taktlos formuliert. Meine Leute werden in den nächsten ein, zwei Wochen mit seiner Agentin reden, um zu prüfen, ob er trotzdem daneben in meinem Film eine Rolle übernehmen kann. Er hofft, dass das Theater in Kürze wieder öffnet.«

Sobald Eve auf die Straße trat, sog sie tief den Gestank der Abgase, den Rauch der Schwebekarren und den Lärm des Verkehrs in sich ein. Der Mief hier draußen war ihr deutlich lieber als die süßlich parfümierte Luft da drinnen.

»Proctor wartet nicht mal ab, bis Draco kalt ist, bevor er versucht, seine Stelle einzunehmen.«

»Er sieht eine Chance für sich«, bemerkte Roarke.

»Ja. Der Mörder genauso.«

»Eins zu null für dich.« Er strich mit einer Fingerspitze über das kleine Grübchen in der Mitte ihres Kinns. »Eventuell komme ich heute Abend etwas später. Nach acht wird es aber wohl nicht.«

»Okay.«

»Ich habe was für dich.«

»Oh, also bitte.« Als er die Hand in seine Tasche schob, stopfte sie ihre ebenfalls in die Taschen ihrer Jeans. »Dies ist weder der rechte Zeitpunkt noch der rechte Ort für irgendein Geschenk.«

»Verstehe. Dann muss ich es wohl selbst behalten.«

Statt des Schmuckkästchens, das sie erwartet hatte, hielt er jedoch auf einmal einen riesengroßen Schokoladenriegel in der Hand.

Sofort schoss ihr Arm nach vorn, und sie schnappte sich das Ding.

»Oder auch nicht«, murmelte er.

»Du hast mir einen Schokoriegel gekauft!«

»Ich kenne den Weg zu deinem Herzen, Lieutenant.«

Sie riss die Verpackung auf und biss herzhaft hinein. »Das ist offensichtlich. Danke.«

»Das soll nicht dein Abendessen sein«, erklärte er ihr warnend. »Aber wenn du auf mich warten kannst, essen wir, wenn ich nach Hause komme, zusammen.«

»Sicher. Bist du mit dem Wagen da?«

»Ich gehe lieber zu Fuß. Es ist ein schöner Tag.« Er umfasste ihr Gesicht, gab ihr, bevor sie es verhindern konnte, einen sanften Kuss und wandte sich zum Gehen.

Sie mampfte ihren Schokoriegel, sah ihm hinterher. Und dachte, dass sie genauestens wusste, was Peabody gemeint hatte, als sie von der großen Liebe eines Menschen sprach.

14

Dr. Mira studierte die Aufnahme des Verhörs mit Kenneth Stiles und nippte, während Eve nervös im Zimmer auf und ab lief, bedächtig an ihrem Tee. Fünf Minuten später und sie wäre bereits auf dem Heimweg gewesen, überlegte sie. Eve hatte sie gerade noch erwischt, als sie bereits im Aufbruch begriffen gewesen war.

Jetzt käme sie zu spät, ging es ihr, während sie den Stimmen lauschte, durch den Kopf. Ihr Mann hätte bestimmt Verständnis, vor allem, wenn sie auf dem Weg nach Hause einen kurzen Umweg machte und noch eine Packung mit seiner Lieblingseiscreme erstand.

Die erforderlichen kleinen Tricks und Kniffe, mit denen man eine anspruchsvolle Karriere und eine erfolgreiche Ehe miteinander in Einklang brachte, hatte sie bereits vor langer Zeit gelernt.

»Sie und Feeney sind bei Verhören ein hervorragendes Team«, lobte sie Eve. »Sie wissen auf den Punkt genau, was der jeweils andere will.«

»Schließlich kennen wir uns auch schon eine ganze

Weile.« Eve hätte Dr. Mira gern gedrängt, sich etwas zu beeilen, doch kannte sie sie gut genug, um zu wissen, dass sie damit höchstens das Gegenteil erreichte. Also meinte sie lediglich: »Ich glaube, er hat diesen bösen Blick extra vor dem Spiegel geübt.«

Dr. Mira lächelte kurz. »Das kann ich mir gut vorstellen. Aber wenn man bedenkt, was für ein freundliches Gesicht er für gewöhnlich hat, ist es überraschend effektiv. Gehe ich recht in der Annahme, dass Sie nicht glauben, dass Ihnen Stiles die ganze Wahrheit erzählt hat?«

»Haben Sie sich je mit irgendwas geirrt?«

»Ab und zu kommt es vor. Sie suchen nach dieser Anja Carvell?«

»Ich habe Peabody darauf angesetzt.«

»Er hatte und hat nach wie vor ausgeprägte Gefühle für die Frau. Ich denke, diese Geschichte war ein Wendepunkt in seinem Leben. In einem Roman wäre die Frau, nachdem er sich derart für sie ins Zeug geworfen hat, dankbar zu ihm zurückgekommen, und sie hätten bis an ihr Lebensende glücklich miteinander gelebt. Aber ...«

»Sie hat ihn nicht gewollt.«

»Oder nicht genug geliebt oder sich seiner nicht würdig, erniedrigt oder beschmutzt gefühlt.« Mira hob eine Hand. »Es gibt zahllose mögliche Gründe, aus denen sie und Stiles nicht zueinander gepasst haben könnten. Ohne sie zu kennen, kann ich das nicht sagen. Aber es ist Stiles' emotionaler und mentaler Zustand und nicht der ihre, der Sie interessiert.«

»Peabody hat die Vorstellung, dass diese Frau die große Liebe für ihn war und dass er deshalb nie vollständig den Kontakt zu ihr verloren hat.«

»Ich glaube, Peabody hat sehr gute Instinkte. Er hat sie beschützt und verteidigt. Ein Mann mit seinem Sinn für das Theatralische und die Dramatik sieht sich selbst wahrscheinlich gern in der Rolle des Helden und sie in der Rolle des hilflosen jungen Fräuleins. Vielleicht sieht er das heute noch genauso.«

»Sie ist ein Schlüssel zu dem Ganzen«, murmelte Eve. »Vielleicht nicht *der* Schlüssel, aber ein Schlüssel zumindest.« Die Hände in den Hosentaschen, trat sie vor das Fenster von Dr. Miras Büro. Sie fühlte sich bereits den ganzen Tag seltsam beengt und wusste nicht, warum. »Ich verstehe das einfach nicht«, wandte sie sich schließlich an die Psychologin. »Die Frau lässt ihn sitzen, schläft mit einem anderen und macht sich derart abhängig von diesem anderen, dass sie, als er sich von ihr trennt, sogar Selbstmord begehen will. Und trotzdem verteidigt Stiles sie nach allen Regeln der so genannten Ritterlichkeit. Er schlägt Draco zusammen, lässt sich verhaften und in einem Zivilverfahren ruinieren. Und seine Stimme wird, als er fünfundzwanzig Jahre später von ihr redet, erneut weich. Warum ist er nicht verbittert? Warum ist er nicht sauer? Spielt er mir in dieser Beziehung etwas vor?«

»Das kann ich nicht mit Gewissheit sagen. Er ist ein talentierter Schauspieler. Aber zum jetzigen Zeitpunkt behaupte ich mal, dass das, was er für diese Frau empfindet, echt ist. Eve, das menschliche Herz ist ein Geheimnis, das wir niemals völlig enträtseln werden. Sie können sich relativ problemlos in die Lage dieses Mannes versetzen. Das ist eines der Talente, die Sie haben, dank derer Sie eine so gute Kriminalistin sind. Aber sein Herz bleibt Ihnen teilweise verschlossen. Sie würden die Frau betrachten und nichts als Schwäche sehen.«

Als Eve zu ihr herumfuhr, nippte Dr. Mira gerade abermals an ihrem Tee. »Sie war schwach. Schwach und naiv.«

»Und ich schätze, noch sehr jung, aber darum geht es nicht. Sie sehen die Liebe mit anderen Augen, weil Sie selber und der Mensch, in dem Sie sie gefunden haben, stark und zuverlässig sind. Ihre große Liebe, Eve, würde Sie niemals verraten, Ihnen niemals wehtun und ließe Sie auch nie im Stich. Er akzeptiert Sie, wie Sie sind. Und so sehr Sie ihn auch selber lieben, glaube ich, ist Ihnen nicht wirklich bewusst, wie selten und wie kostbar diese Form der Liebe ist. Stiles liebte und liebt möglicherweise noch immer eine Fantasie. Sie hingegen haben die Realität.«

»Menschen sind aus beiden Gründen fähig, Morde zu begehen.«

»Ja. Das sind sie.« Mira zog die Diskette aus dem Schlitz ihres Computers und hielt sie Eve hin.

All das Gerede von der großen Liebe rief in Eve nicht nur ein leichtes Unbehagen, sondern regelrechte Schuldgefühle wach. Alle, die über ihre Beziehung zu Roarke gesprochen hatten, hatten ihr deutlich gemacht, was er alles für sie tat oder ihretwegen unterließ.

Es warf, überlegte sie, kein allzu hübsches Bild auf ihren Anteil an der Liebe und der Ehe, die sie mit diesem Mann verband.

Sie tat im Grunde nie etwas für ihn, wurde ihr bewusst. Es fiel ihr noch immer furchtbar schwer, die rechten Worte, die passende Geste oder den richtigen Moment zu finden, um ihn spüren zu lassen, was sie für ihn empfand. Roarke hingegen fielen diese Dinge, ebenso wie das Vermögen, das er angesammelt hatte, einfach in den Schoß.

Aber heute würde sie sich endlich auch mal Mühe geben. Sie würde den Fall vergessen oder zumindest kurzfristig verdrängen und etwas, Himmel, äh, Romantisches für ihn tun.

In ihrem jetzigen Zustand wollte sie auf keinen Fall Summerset begegnen. Deshalb stellte sie den Wagen zum ersten Mal freiwillig in der Garage ab und schlich sich anschließend wie eine Diebin durch eine Nebentür ins Haus.

Sie würde ihr erstes intimes Abendessen planen.

Wie schwer konnte das schon sein?, fragte sie sich, während sie unter die Dusche ging. Sie hatte schon Geiselbefreiungen geleitet, Psychopathen aufgespürt, Wahnsinnige außer Gefecht gesetzt.

Sie war doch garantiert gewitzt genug, um ein feines Essen auf einen hübsch gedeckten Tisch zu kriegen. Nahm sie zumindest an.

Sie hüpfte aus der Dusche unter den Trockner und beschloss, nicht das Schlafzimmer zu wählen, denn das war, nun, zu offensichtlich. Sie ging davon aus, dass Romantik etwas Subtiles war.

Sie nähme einen der Salons.

Während die heiße Luft um ihren Körper strömte, fing sie an zu planen.

Dreißig Minuten später war sie zwar zufrieden, jedoch gleichzeitig total erschöpft. Es gab so viele verdammte Zimmer in dem Haus. Wahrscheinlich hatte sie, obwohl sie inzwischen seit etlichen Monaten hier lebte, immer noch nicht alle gesehen. Und in jedem dieser verdammten Zimmer gab es unglaubliche Mengen Zeug. Wie zum Teufel sollte sie herausfinden, was sie alles für das Essen brauchte?

Kerzen, das stand fest. Doch als sie die Kerzenvorräte überprüfte, stellte sie entgeistert fest, dass es in verschiedenen Bereichen des Gebäudes regelrechte Kerzenwälder gab. Trotzdem empfand sie es als absolut nicht unbefriedigend, durch das Haus zu streifen, ohne dass ihr der Wachhund Summerset bisher dabei in die Quere gekommen war.

Sie entschied sich für Weiß, denn wenn sie eine andere Farbe nähme, müsste die zu irgendwelchen anderen Farben passen, und damit käme sie nicht zurecht. Sie brachte zwanzig Minuten mit der Zusammensetzung des Menüplans zu, kam dann jedoch nicht länger um die Auswahl der Teller, Bestecke und Gläser herum.

Es war ein Schock für sie gewesen, nach etwas so Banalem wie Esstellern zu suchen und dabei zu entdecken, dass ihr Mann über fünfzig verschiedene Arten mit den unterschiedlichsten Mustern und aus den diversesten Materialien besaß.

Wie verrückt musste man sein, dass man über fünftausend Teller brauchte, überlegte sie.

So verrückt wie Roarke, beschloss sie und rang, als sie den Bestand an Gläsern überprüfte, entgeistert nach Luft.

»Das kann unmöglich stimmen.« Am besten, sie wählte willkürlich irgendetwas aus, denn die Zeit wurde allmählich knapp.

»Dürfte ich fragen, was genau Sie da gerade tun?«

Eine zarter besaitete Person hätte vermutlich vor Schreck gekreischt. Eve hingegen unterdrückte – wenn auch mühsam – einen Schrei und fuhr den Butler an: »Verschwinden Sie. Ich bin beschäftigt.«

Dicht gefolgt von Galahad kam der Butler näher.

»Das ist mir bereits aufgefallen. Falls Sie wissen möchten, wie die Bestände dieses Hauses aussehen, sprechen Sie vielleicht am besten einfach mit Ihrem Mann.«

»Das kann ich nicht, denn ich habe ihn ermordet, seine Leiche verschwinden lassen, und werde jetzt die größte Auktion abhalten, die es in der Geschichte der Zivilisation je auf der Erde gab.«

Sie zeigte mit dem Finger auf etwas mit der Bezeichnung *Waterford, Muster Dublin*, weil Roarke in dieser Stadt auf die Welt gekommen war. Dann hob sie stirnrunzelnd den Kopf und wiederholte: »Hauen Sie endlich ab.«

Summerset beachtete sie jedoch nicht mehr, sondern den Tisch, der unter der Glaskuppel des Aussichtsbalkones stand. Sie hatte das irische Leinen ausgewählt. Eine hervorragende Wahl, wenn auch sicher nicht bewusst. Hatte weiße Kerzen in antike Kerzenständer gesteckt und Dutzende weiterer blütenweißer Kerzen stilvoll überall im Raum verteilt.

Galahad, der Kater, tigerte durch das Zimmer, sprang auf die Satinkissen des zweisitzigen Sofas und machte es sich dort bequem.

»Meine Güte, ich will doch nichts anderes als ein ganz gewöhnliches Besteck!«

Angesichts der Mischung aus blankem Entsetzen und glühender Frustration, die in ihrer Stimme lag, verzog Summerset den Mund zu einem Grinsen. »Was für ein Geschirr haben Sie ausgewählt?«

»Keine Ahnung. Ziehen Sie Leine! Das hier wird eine Privatparty, auf der haben Sie nichts verloren.«

Er schob ihre Hand zur Seite, bevor sie irgendetwas wählen konnte, blickte auf die bereits von ihr ausgesuchten Dinge und gab dann den Auftrag für die passenden Teller. »Sie haben vergessen, Servietten zu bestellen.«

»Das wollte ich noch tun.«

Er bedachte sie mit einem mitleidigen Blick. Sie trug einen schlichten Baumwollmorgenmantel, war wie meistens ungeschminkt, und ihre Haare standen, weil sie sie ständig raufte, wie Stacheln in alle Himmelsrichtungen ab.

Doch hatte sie sich eindeutig bemüht. Und ihn mit ihrem sicheren Geschmack tatsächlich überrascht. Auch wenn die Zusammenstellung der verschiedenen Gegenstände eher unkonventionell zu nennen war, war der Gesamteindruck, den sie erweckten, regelrecht charmant.

»Wenn man ein besonderes Essen plant«, erklärte er und schenkte ihr einen möglichst herablassenden Blick, »braucht man auch die passenden Accessoires.«

»Was mache ich hier wohl? Glauben Sie, ich spiele Räuber und Gendarm? Wenn Sie sich jetzt endlich wieder unter der Tür durchschieben würden, könnte ich in Ruhe weiterplanen.«

»Sie brauchen noch Blumen.«

»Blumen?« Der Magen sank ihr in die Kniekehlen.

»Das war mir bereits klar.« Sie würde ihn nicht fragen. Eher biss sie sich selbst die Zunge ab.

Während spannungsgeladener zehn Sekunden starrten sie einander reglos an. Dann bekam er Mitleid, und er überwand sich. »Ich würde Rosen nehmen, Royal Silver.«

»Ich schätze, die haben wir im Haus.«

»Ja, ich kann sie Ihnen besorgen. Außerdem brauchen Sie Musik.«

Ihre Hände fingen an zu schwitzen, und ärgerlich wischte sie sie am Stoff ihres Morgenmantels ab. »Ich hätte noch welche einprogrammiert.« *Auch wenn ich keinen blassen Schimmer habe, wie ich die passenden Melodien finde.*

»Ich nehme an, Sie haben die Absicht, sich noch umzuziehen.«

»Scheiße.« Sie atmete zischend aus und bedachte Galahad, der sich, selbst wenn er unbeteiligt wirkte, wahrscheinlich in die Pfote lachte, mit einem feindseligen Blick.

»Es gehört zu meinen Aufgaben, solche Dinge zu organisieren. Falls Sie sich also noch etwas anziehen möchten ... erledige ich währenddessen den Rest.«

Sie öffnete den Mund, um zuzustimmen. Ihr Magen fing schon an, sich zu entkrampfen. Dann aber schüttelte sie, auch wenn sich ihr Magen dabei abermals schmerzhaft zusammenzog, entschieden ihren Kopf. »Nein, ich muss es alleine machen. Darum geht es schließlich.« Sie massierte sich die Stirn. Von all der Anstrengung brummte ihr schon der Schädel. Super, dachte sie.

Seine Miene blieb reglos, innerlich jedoch schmolz er inzwischen. »Dann sollten Sie sich etwas beeilen. Roarke ist in spätestens einer Stunde da.«

Und sie würde jede Minute dieser Stunde brauchen, dachte er, ließ sie aber endlich allein.

Als er heimkam, war er in Gedanken noch immer beim Geschäft. Bei der letzten Besprechung dieses Tages war es um ein Textilkonglomerat gegangen, das einen Käufer suchte, und er musste entscheiden, wie groß sein Interesse an einer Übernahme war.

Die Führung des Unternehmens und der meisten Tochterfirmen war äußerst nachlässig gewesen. Roarke hasste Nachlässigkeit und hatte den Leuten deshalb ein geradezu beleidigend niedriges Angebot gemacht.

Die Tatsache, dass sie nicht im Geringsten beleidigt gewesen waren, hatte ihn in Alarmstimmung versetzt. Er müsste sich noch eingehender mit der Firma befassen, bevor er die nächsten Schritte unternahm.

Das Problem lag vermutlich in einer ihrer beiden extraterrestrischen Fertigungsstätten. Vielleicht lohnte es sich, kurz dorthin zu reisen und sich die Sache einmal mit eigenen Augen anzusehen.

Es hatte eine Zeit gegeben, in der er einfach ein paar andere Termine verschoben und losgeflogen wäre.

Doch seit einem Jahr fand er zunehmend weniger Gefallen daran, nur für kürzeste Zeit geschäftlich unterwegs zu sein.

Er hatte Wurzeln geschlagen, dachte er amüsiert.

Auf dem Weg zu seinem Arbeitszimmer schaute er in Eves Büro, bemerkte überrascht, dass sie nicht mit Ermittlungen in ihrem neuesten Fall beschäftigt war, trat neugierig vor den Hausscanner und fragte: »Wo ist Eve?«

Eve ist derzeit im dritten Stock des Südflügels in Salon vier.

»Was zum Teufel macht sie da?«

Soll der Monitor eingeschaltet werden?

»Nein, ich gehe hin und gucke nach.«

Nie zuvor hatte sie auch nur das mindeste Interesse an diesem Bereich des Gebäudes gezeigt. Nie zuvor hatte sie einen der Salons betreten, wenn sie nicht von ihm dazu gezwungen, verführt oder mit irgendwelchen Tricks geködert worden war.

Ihm kam der Gedanke, dass es nett wäre, dort mit ihr zu essen, bei einer Falsche Wein zu entspannen und für kurze Zeit den Alltag zu vergessen.

Wahrscheinlich müsste er sie dazu mühsam überreden.

Mit diesem Gedanken trat er durch die Tür des Raums. Wenn sie in seine Richtung gesehen hätte, hätte sie einen der seltenen Momente miterleben dürfen, in dem ihrem Gatten vor Staunen die Kinnlade herunterfiel.

Erhellt wurde das Zimmer vom Schein Dutzender von weißen Kerzen. Der zarte Duft unzähliger langstieliger silbrigweißer Rosen mischte sich mit dem Geruch des Wachses, auf dem Tisch glitzerte Kristall, schimmerten Porzellan und Silber, und sanfte Harfenklänge schwebten durch die Luft.

Inmitten all der Schönheit stand Eve in einem leuchtend roten, schulterfreien Kleid, das seidenweich wie die hungrigen Hände eines sehnsüchtigen Geliebten an ihrem schlanken Leib herunterglitt.

Mit vor Aufregung geröteten Wangen und blitzenden Augen löste sie den Draht, der den Korken in einer Champagnerflasche hielt.

»Entschuldigung.« Ihre wunderbaren Schultern zuckten, was jedoch das einzig sichtbare Zeichen ihrer Überraschung war. »Ich suche meine Frau.«

Schmetterlinge flatterten in ihrem Magen, doch sie drehte sich lächelnd zu ihm um. Sein Gesicht war wie für Kerzenschein und knisterndes Kaminfeuer gemacht. Jedes Mal, wenn sie ihn ansah, geriet ihr Blut in Wallung, dachte sie, sagte jedoch nichts weiter als: »Hi.«

»Hallo.« Während er auf sie zuging, blickte er sich um. »Was hat das alles zu bedeuten?«

»Ich habe unser Abendessen vorbereitet.«

»Unser Abendessen«, wiederholte er und musterte sie aus zusammengekniffenen Augen. »Was hast du angestellt? Du bist doch wohl nicht verletzt?«

»Nein. Es geht mir gut.« Unbeirrt lächelnd öffnete sie die Flasche und atmete, als sich der kostbare Champagner nicht in einer Fontäne über ihrem Kleid ergoss, erleichtert auf.

Sie schenkte ihnen beiden ein, doch er runzelte die Stirn und erkundigte sich: »Okay, was willst du?«

»Was soll das heißen?«

»Das soll heißen, dass ich es erkenne, wenn man mir eine Falle stellt. Also, raus mit der Sprache.«

Ihr Lächeln geriet ins Wanken, statt ihn jedoch wütend anzublitzen, hielt sie sich an ihren Plan, drückte ihm eine der Champagnerflöten in die Hand und stieß vorsichtig mit ihm an. »Kann ich nicht einfach mal ein nettes Abendessen für uns beide vorbereiten, ohne dass du mir irgendwelche Hintergedanken dabei unterjubeln willst?«

Er dachte kurz darüber nach. »Nein.«

Sie stellte das Glas klirrend auf den Tisch. »Hör zu, es ist schlicht ein Abendessen, weiter nichts. Wenn du keinen Hunger hast, okay.«

»Ich habe nicht gesagt, dass ich keinen Hunger habe.« Sie hatte Parfüm benutzt. Und Lippenstift. Und sich die Augen angemalt. Er streckte eine Hand nach dem tränenförmigen Diamanten aus, der ein

Geschenk von ihm gewesen war, spielte damit herum und fragte: »Was führst du im Schilde, Eve?«

Jetzt hatte sie endgültig die Nase voll. »Nichts. Vergiss es. Ich habe keine Ahnung, was über mich gekommen ist. Offensichtlich war ich nicht ganz bei Sinnen. Zumindest während zwei schweißtreibender Stunden. So lange habe ich nämlich für die Vorbereitung dieses Fiaskos gebraucht. Ich fahre aufs Revier.«

Ehe sie an ihm vorbeimarschieren konnte, hielt er sie am Arm zurück. Das Aufblitzen von Zorn in ihren Augen war für ihn nicht weiter überraschend, was er jedoch nicht erwartet hatte, war, dass er sie nicht nur erbost, sondern gleichzeitig verletzt zu haben schien.

»Ich glaube nicht.«

»Wenn du mich nicht sofort loslässt, Kumpel, werde ich höchstpersönlich dafür Sorge tragen, dass du mich gehen lässt.«

»Ah, das ist die Eve, die ich kenne. Kurzfristig hatte ich die ernsthafte Befürchtung, jemand hätte dich gegen einen Droiden ausgetauscht. Das war ein ganz schöner Schreck.«

»Ich wette, du findest das jetzt lustig.«

»Ich glaube, dass ich dich verletzt habe, und das tut mir Leid.« Während er verzweifelt im Geist seinen Terminkalender durchging, küsste er sie zärtlich auf die Stirn. »Habe ich vielleicht unseren Hochzeitstag oder so vergessen?«

»Nein. Nein.« Sie trat einen Schritt zurück. »Nein«, sagte sie noch einmal und kam sich ungemein idiotisch vor. »Ich wollte einfach einmal etwas für dich tun. Wollte dir etwas geben. Du kannst aufhören, mich anzuglotzen, als wären ein paar Sicherungen bei mir durchgebrannt. Denkst du, du bist der Einzige, der so was kann? Wenn ja, hast du offensichtlich Recht. Ich kann es nämlich eindeutig nicht. Ich hätte mir heute Abend mindestens ein halbes Dutzend Mal am liebsten meinen Stunner an den Kopf gesetzt, um mich aus diesem Elend zu befreien. Oh, verdammt.«

Sie stapfte durch den Raum, trat vor das große, geschwungene Fenster und starrte blind hinaus.

Roarke schnaufte entsetzt und überlegte krampfhaft, wie er diesen Fehler jemals wieder gutmachen konnte. »Es ist wunderbar, Eve. Genauso wunderbar wie du.«

»Oh, fang jetzt bloß nicht so an.«

»Eve ...«

»Dass ich so etwas nicht regelmäßig mache, dass ich mir nicht die Zeit nehme, um so etwas zu tun – verdammt, dass ich nicht daran denke, heißt noch lange nicht, dass ich dich nicht liebe. Ich liebe dich nämlich sogar sehr.« Sie wirbelte zu ihm herum, und er hätte den Blick, mit dem sie ihn festnagelte, nicht unbedingt als liebevoll bezeichnet. Ihre Augen sandten zornig heiße Blitze in seine Richtung. »Du bist derjenige, der immer so was macht, der immer die richtigen Worte sagt. Du bist immer der, der gibt.« Jetzt suchte sie selbst nach den passenden Worten und stieß am Schluss unglücklich aus: »Und endlich wollte ich dir auch mal etwas geben. Nur hat das eindeutig absolut nicht funktioniert.«

Sie war wunderschön. Verletzt und wütend, leidenschaftlich und erbost, war sie das schönste Wesen, dem er je begegnet war. »Du nimmst mir den Atem«, murmelte er.

»Ständig geht mir das Gerede von der großen Liebe durch den Kopf. Von damit einhergehendem Mord, Verrat und Zorn.«

»Wie bitte?«

»Egal.« Sie machte eine Pause und atmete tief durch. »In den letzten Tagen haben immer wieder irgendwelche Leute Sachen zu mir gesagt, die mir nicht mehr aus dem Kopf gegangen sind. Würdest du dich für mich vor einen Maxibus werfen?«

»Selbstverständlich. Die Dinger sind schließlich nicht besonders schnell.«

Ihr Lachen war eine große Erleichterung für ihn. »Das habe ich auch gesagt. Oh, verdammt, ich habe alles falsch gemacht. Ich wusste, dass es nicht klappen würde.«

»Das war alleine meine Schuld.« Er nahm zärtlich ihre Hand. »Liebst du mich genug, um mir heute Abend eine zweite Chance zu geben?«

»Vielleicht.«

»Meine geliebte Eve.« Er hob ihre Hand an seine Lippen. »Was du heute Abend hier für mich getan hast, bedeutet mir sehr viel. Nur du, du selbst, bedeutest mir noch mehr.«

»Siehst du? Habe ich es doch gesagt. Du bist einfach aalglatt.«

Er strich mit seinen Fingern über ihre Schulter. »Ein wirklich hübsches Kleid.«

Nur gut, dachte sie, dass er nicht gesehen hatte, wie sie beim Öffnen ihres Schrankes vor Panik völlig starr geworden war. »Ich dachte, es könnte eventuell passen.«

»Das tut es. Und zwar umwerfend gut.« Er griff nach ihren Gläsern. »Lass es uns noch mal versuchen. Danke.«

»Tja, nun, ich würde sagen, nicht der Rede wert, aber das wäre eine unverschämte Lüge. Sag mir nur eins: Warum besitzt du ungefähr eine Million Teller?«

»Ich bin sicher, das ist übertrieben.«

»Kaum.«

»Nun, schließlich weiß man nie, wer vielleicht alles zum Essen kommt, nicht wahr?«

»Damit könntest du die gesamte Bevölkerung Neuseelands auf einmal bewirten, nehme ich an.« Sie nippte an ihrem Champagner. »Und jetzt hinken wir meinem Zeitplan hinterher.«

»Haben wir denn einen Zeitplan?«

»Allerdings. Du weißt schon, Aperitif, Abendessen, gepflegte Konversation und all das Zeug, bevor es damit endet, dass ich dich betrunken mache und verführe.«

»Das ist ein gutes Ziel. Und nachdem ich um ein Haar alles verdorben hätte, ist jetzt wohl das Mindeste, dass ich kooperiere.«

Er wollte nach der Flasche greifen, doch sie legte eine Hand auf seinen Arm und bat: »Tanz mit mir. Und zwar möglichst eng. Und möglichst langsam.« Damit schlang sie ihm bereits die Arme um den Hals.

Er legte ihr seinerseits die Arme um die Taille, sie bewegten sich langsam hin und her, und vor Liebe und Verlangen begann sein Blut zu kochen, als sie ihren festen Mund über seine Lippen gleiten ließ.

»Ich liebe deinen Geschmack.« Ihre Stimme war ein wenig heiser und zugleich samtweich. »Er ruft stets das Verlangen nach mehr in meinem Innern wach.«

»Dann nimm dir mehr.«

Doch als er versuchte, sie zurückzuküssen, drehte sie den Kopf, strich mit ihren heißen Lippen über seine Wange und erklärte: »Langsam. So langsam, wie ich dich nachher ebenfalls lieben werde.« Sie knabberte sich zärtlich in Richtung seines Ohrs. »So langsam, dass es beinahe quälend für dich ist.«

Sie schob ihre Finger in sein herrlich dichtes, rabenschwarzes Haar, ballte die Fäuste und zog seinen

Kopf so weit nach hinten, dass sie in seine leuchtend blauen, begehrlich blitzenden Augen sah.

»Ich will, dass du meinen Namen sagst, wenn ich dich nehme.« Wieder strich sie verführerisch mit ihren Lippen über seinen Mund, zog den Kopf zurück und spürte, wie sich jeder Muskel in seinem Körper anzuspannen schien. »Ich will, dass du meinen Namen sagst, damit ich weiß, dass es in dem Augenblick außer mir nichts anderes für dich gibt. Für mich gibt es nämlich nichts anderes als dich. Du bist alles, was in meinem Leben von Bedeutung ist.«

Dann küsste sie ihn endlich voller Leidenschaft, ließ ihrer beider Lippen, Zähne, Münder miteinander verschmelzen, bis ihr abgrundtiefer Seufzer mit dem dunklen, leisen Knurren, das aus seiner Kehle stieg, verschmolz. Sie begann, innerlich zu beben, spürte den Schmerz ihres Verlangens, machte sich jedoch einen Atemzug, bevor sie sich der Lust ergab, entschieden von ihm los.

»Eve.«

Sie hörte die Anspannung in seiner Stimme und genoss sie, während sie erneut nach ihren Gläsern griff. »Hast du Durst?«

»Nein.« Er wollte sie packen, aber sie trat rasch einen Schritt zurück und hielt ihm die Champagnerflöte hin. »Ich aber. Trink du bitte auch was. Ich will, dass dir der Alkohol zu Kopf steigt.«

»Du steigst mir zu Kopf. Lass mich dich haben.«

»Das werde ich. Aber erst werde ich dich bekommen.« Sie nahm eine kleine Fernbedienung in die Hand, drückte ein paar Knöpfe, die Paneelen einer der Wände glitten lautlos auseinander, und sie deutete auf das dort bereitstehende, mit unzähligen Kissen gepolsterte Bett. »Dort will ich dich haben. Später.«

Sie trank einen großen Schluck Champagner und blinzelte ihn über den Rand des Glases hinweg an. »Du trinkst ja gar nichts.«

»Du bringst mich um.«

Ihr glückliches Lachen klang wie weißer Rauch. »Es wird noch schlimmer werden.«

Jetzt trank er einen Schluck und stellte das Glas ab. »Gelobet sei der Herr.«

Sie näherte sich ihm wieder, streifte sein Jackett von seinen Schultern und erklärte, während sie sein Hemd aufknöpfte: »Ich liebe deinen Körper. Ich werde heute Abend viel Zeit damit verbringen, ihn nach Kräften zu genießen.«

Es war regelrecht berauschend, einen starken Mann wie Roarke zum Erbeben zu bringen, dachte sie. Sie spürte das Zucken seiner Muskeln, als sie mit einer Fingerspitze an seiner Brust in Richtung seines Hosenbundes hinunterglitt.

Statt jedoch seine Hose aufzuknöpfen, lächelte sie ihn an. »Du solltest dich besser setzen.«

Das Pochen seines Blutes klang in seinen Ohren

wie ein Urschrei, und er musste sich beherrschen, um sie nicht einfach auf den Fußboden zu zerren, wie es ihm sein Innerstes befahl.

»Nein, nicht hier«, sagte sie, hob seine Hand und strich leicht mit ihren Zähnen über seine Knöchel. »Ich glaube nicht, dass du es noch quer durch das Zimmer schaffen wirst, wenn ich mit dir fertig bin.«

Es war nicht der Champagner, der ihn so schwindlig werden ließ. Sie führte ihn behutsam und gleichzeitig verführerisch durch den Raum, drückte ihn auf das Bett, kniete sich vor seine Füße, strich mit ihren Händen intim über seine Beine. Und zog ihm die Schuhe aus.

Dann stand sie wieder auf. »Ich hole nur noch den Champagner.«

»Ich habe kein Interesse an Champagner.«

Sie sah ihn über die Schulter hinweg an. »Das wirst du kriegen. Wenn ich ihn von dir ablecke.«

Sie füllte ihre beiden Gläser noch einmal bis zum Rand, brachte sie zurück ans Bett und stellte sie auf das kleine Tischchen, das dort stand. Dann stieg sie, während sie ihn mit ihren im Licht der Kerzen goldschimmernden Augen ansah, aus ihrem leuchtend roten Kleid.

Es überraschte ihn, dass er nicht schlichtweg explodierte. »Himmel. Gütiger Himmel«, stieß er heiser aus.

Er sprach nur dann mit irischem Akzent, wenn er

abgelenkt war, wütend oder erregt. Angesichts dieses Zeichens seiner Lust freute sie sich, dass sie sich die Zeit genommen hatte, sich extra umzuziehen.

Die ebenfalls leuchtend rote Unterwäsche bildete einen erotischen Kontrast zu ihrer milchig weißen Haut. Der Body aus spitzenbesetzter Seide war so tief ausgeschnitten, dass er ihre Brüste nur mühsam hielt. Nach unten lief er verführerisch zusammen, bedeckte ihre schlanken Hüften und ließ die straffen Pobacken frei. Auch die durchsichtigen Strümpfe hatten einen seidigen Glanz.

Sie trat aus dem Kleid und kickte es mit einem ihrer hochhackigen Schuhe elegant zur Seite.

»Ich dachte, wir würden vorher essen.«

Er starrte sie nahezu paralysiert an.

»Aber ... ich schätze, es bleibt noch eine Weile warm.« Sie trat vor ihn und baute sich zwischen seinen Beinen auf. »Ich möchte, dass du mich berührst.«

Es juckte ihm in den Händen, sie sofort zu nehmen, doch zogen seine Fingerspitzen federleicht die herrlichen Konturen ihres Leibes nach. »Ich bin schon jetzt völlig verloren.«

»Bleib dort.« Sie beugte sich zu ihm hinunter und küsste ihn auf den Mund.

Sie wusste, dass er sich zurückhielt, dass er ihr die Führung überließ. Und genau aus diesem Grund gab sie ihm uneingeschränkt alles, was sie besaß.

Die Wärme der ungezählten Kerzen heizte den Duft der Rosen auf, als sie zu ihm auf das Bett glitt und ihre Hände und den Mund über seinen Körper gleiten ließ. Verführerisch und zärtlich, liebevoll und voller Leidenschaft. Sie wollte, dass er alles von ihr bekam.

Und er gab ihr genauso viel zurück. Lange, betörende Küsse, die die Glieder schwer auf die Matratze sinken ließen, sanftes Streicheln, unter denen das Blut zu sieden begann.

Das gelgefüllte Bett wogte sanft unter ihnen.

Sie rollte sich auf die linke Seite, beugte sich über den Rand des Bettes, und er nahm begierig den Geschmack der Innenseite ihrer Schenkel in sich auf.

Dann setzte sie sich rittlings auf ihn, trank einen Schluck aus ihrem Glas, kippte ihm den Rest des Champagners auf den Bauch und sog ihn bedächtig von dort auf.

Er sah nur noch verschwommen, und sein glühend heißer Atem sprengte ihm beinahe die Brust. Sie quälte ihn. Bereitete ihm unbeschreibliches Vergnügen. Und mit einem Röcheln stimulierte er sie sowohl mit seinen Händen als auch mit seinem Mund.

Der Orgasmus traf sie wie ein Schock. Sie warf den Kopf nach hinten, zitterte und rang erstickt nach Luft.

Sie konnte nicht verstehen, was er sagte, weil er – wie nur sehr selten – ins Gälische verfallen war. Dann presste er sein Gesicht an ihre Wange, und sein brennender Atem traf auf ihre Haut.

»Ich brauche dich, Eve. Ich brauche dich.«

»Ich weiß.« Ein Gefühl von Zärtlichkeit verteilte sich wie Balsam in ihrem Herzen und ihrer Seele, sie umfasste sein Gesicht, gab ihm einen weichen Kuss und bat mit leiser Stimme: »Und hör bitte niemals damit auf.«

Tränen glitzerten in ihren Augen, und er zog sie dicht an sich heran, um sie entschieden fortzuküssen. »Eve …«

»Nein, lass es mich als Erste sagen. Dieses Mal will ich die Erste sein, die diese Worte sagt. Ich liebe dich. Ich werde dich immer lieben. Bleib bei mir«, murmelte sie heiser, während sie ihn in sich aufnahm. »Oh. Ich möchte, dass du ewig bei mir bleibst.«

Sie schlang ihm ihre Beine um die Hüften, reckte sich ihm entgegen und passte sich Stoß um Stoß seinen Bewegungen an. Dann ergriff er ihre Hände, und ihre Blicke verschmolzen miteinander, bis es außer ihnen beiden nichts mehr gab.

Als sie sah, dass sich seine wilden blauen Augen verschleierten, als sie hörte, wie er ihren Namen rief, lächelte sie selig. Und gab sich ihm endlich völlig hin.

15

Sie lag mit dem Gesicht nach unten und mit lang ausgestreckten Gliedern auf dem Bett. Diese Position nahm sie, wie Roarke wusste, dann ein, wenn sie total erledigt war. Er streckte sich neben ihr aus, trank den restlichen Champagner und strich geistesabwesend mit einer Fingerspitze an ihrem Rückgrat entlang.

»Ich gebe dir anderthalb Stunden Zeit, um damit aufzuhören.«

»Ah, sie lebt.«

Sie raffte sich auf, den Kopf etwas zu drehen und ihm ins Gesicht zu sehen. »Du siehst ziemlich selbstzufrieden aus.«

»Das liegt wahrscheinlich daran, liebste Eve, dass ich rundherum mit mir zufrieden bin.«

»Das alles ist meine Idee gewesen.«

»Und sie war exzellent. Ist es lebensgefährlich für mich zu fragen, wie du auf diesen hervorragenden Gedanken gekommen bist?«

»Tja ...« Sie bog ihren Rücken seiner Hand entgegen. »Du hast mir einen Schokoriegel gekauft.«

»Wenn das so ist, erinnere mich daran, dass ich dir morgen eine ganze LKW-Ladung voll organisiere.«

»Das brächte uns beide sicher um.« Sie schob sich auf die Knie und strich sich die Haare aus der Stirn. Sie wirkte weich, ermattet und durch und durch befriedigt.

»Das Risiko gehe ich ein.«

Lachend beugte sie sich vor und drückte ihren Kopf an seine Stirn. »Noch eine letzte rührselige Bemerkung, bevor es zur Gewohnheit wird. Du machst mich glücklich. Und langsam fange ich an, mich daran zu gewöhnen.«

»Das ist eine sehr nette Art, die rührselige Stimmung zu beenden.«

»Ich schätze, wir sollten langsam etwas essen.«

»Der Gedanke ist mir unerträglich, dass du stundenlang in der Küche geschuftet hast und niemand das Resultat deiner Bemühungen entsprechend würdigt.«

Sie kniff die Augen zusammen und funkelte ihn böse an. »Ist das womöglich ein Seitenhieb gegen meine mangelnden hausfraulichen Fähigkeiten?«

»Oh, nein, ganz sicher nicht. Was gibt es denn zu essen?«

»Jede Menge komischer Sachen mit unaussprechlichen Namen.«

»Lecker.«

»Ich dachte mir, wenn du das Zeug nicht mögen

würdest, hättest du es gar nicht erst in deinem Programm.« Sie krabbelte vom Bett, stand splitternackt mitten im Zimmer und sah sich suchend um. »Ich nehme an, dass es hier keine Morgenmäntel gibt.«

»Ich fürchte, nein.« Er wühlte zwischen den Kissen und hielt den zerknüllten Body in die Luft. »Du könntest das anziehen, zumindest das, was von dem Ding hier übrig ist.«

»Egal.« Sie schnappte sich ihr Kleid vom Boden und zog es halt ohne Unterwäsche an.

»Tja, nun, das steigert meinen Appetit natürlich ungemein.«

»Selbst du würdest nach der letzten Runde ganz bestimmt nicht noch mal eine schaffen.« Als er einsatzbereit grinste, hielt sie es für klüger, dass sie sich der Möglichkeit des Zugriffs entzog.

Die Hälfte der Speisen, die sie sich in den Mund schob, hatte derart fremd klingende Namen, dass sie für sie unmöglich auszusprechen waren, doch sie schmeckten gut. »Wie heißt das Zeug?«

»Fruit de la mer à la Parisienne.«

»Ich schätze, wenn sie das Zeug Fischsammelsurium in Sauce nennen würden, klänge das nicht ganz so gut.«

»Egal, wie man die Rose nennt, bleibt sie doch immer eine Rose«, erklärte er poetisch und schenkte frisches Wasser in ihr Glas. »Lieutenant?«

»Hm?«

»Du versuchst die ganze Zeit erfolglos, nicht daran zu denken, wie dein Tag verlaufen ist. Warum erzählst du mir stattdessen nicht, wie ihr vorangekommen seid?«

Sie piekste eine weitere Kamm-Muschel mit ihrer Gabel auf. »Ich habe eine neue Spur ...« Sie brach ab, atmete tief durch und meinte dann: »Nein, erzähl du mir lieber, wie deine Arbeit war.«

»Meine Arbeit?«, fragte er sie ehrlich überrascht.

»Ja, was du heute getan hast, wie es gelaufen ist, lauter solche Sachen.«

»Du bist wirklich in einer seltsamen Stimmung«, brummte er verwundert, zuckte dann aber mit den Schultern und erklärte: »Ich habe ein paar finanzielle Umstrukturierungen vorgenommen.«

»Was hat das zu bedeuten?«

»Ich habe ein paar Aktien gekauft, die auf dem Weg nach unten sind, ein paar andere verkauft, von denen ich denke, dass sie den höchsten Verkaufswert erreicht haben, habe die täglichen Analysen verschiedener Unternehmen studiert und meine Anteilspakete entsprechend umgeschnürt.«

»Ich schätze, damit warst du ziemlich beschäftigt.«

»Ja, bis gegen Mittag. Dann bin ich ins Büro gefahren.« Er fragte sich, wie lange es wohl dauern würde, bis sie glasige Augen bekäme, fuhr jedoch mit ruhiger Stimme fort: »Dann hatte ich eine Konferenz wegen des Olympus Resort. Die bisherigen Kostenüberschreitungen liegen unterhalb der akzeptablen fünf Prozent. Trotzdem hat eine Punkt-für-Punkt-Projektanalyse einen Rückgang in der Produktivität ergeben, der noch genauer untersucht und behoben werden muss.«

Neunzig Sekunden gab er ihr. Wahrscheinlich schliefe sie bereits nach sechzig ein. »Dann habe ich einen Schokoriegel für dich gekauft.«

»Dieser Teil deiner Arbeit hat mich echt beeindruckt.«

Er brach ein Stück von seinem Brötchen ab, bestrich es sorgfältig mit Butter und fragte: »Eve, hast du mich meines Geldes wegen geheiratet?«

»Weshalb denn bitte sonst? Und sieh besser zu, dass du es auch weiter schön beisammenhältst, sonst bin ich nämlich weg.«

»Es ist wirklich nett, wie du das formulierst.«

Sie grinste breit. »Ich schätze, dass die Unterhaltung über deine Arbeit damit abgeschlossen ist.«

»Das schätze ich auch. Und jetzt zurück zu deiner neuen Spur.«

»Liebe. Zumindest weist zurzeit alles darauf hin.«

Während sie weiter speisten, klärte sie ihn auf.

»Kenneth Stiles hat Draco also so schlimm zusammengeschlagen, dass dieser sich im Krankenhaus behandeln lassen musste.« Roarke zog eine Braue hoch.

»Interessant, nicht wahr, wenn man die beiden Männer miteinander vergleicht. Draco war größer, viel schwerer und, zumindest äußerlich betrachtet, deutlich weniger rücksichtsvoll als Stiles. Es gab keine Hinweise darauf, dass auch Stiles bei dieser Auseinandersetzung irgendwelche Verletzungen davongetragen hat?«

»Nein. Das ging mir auch durch den Kopf. Am Ende läuft es auf einen Streit zwischen einer Memme und einem Kerl hinaus, der offenbar vor lauter Zorn völlig außer sich gewesen ist. Draco war die Memme und Stiles derjenige, der sauer auf ihn war.«

»So sauer, dass er sich das mehrere Millionen kosten lassen hat.«

»Und am Ende hat er das Mädchen, um das es bei der Auseinandersetzung ging, nicht einmal gekriegt.«

»Anja.«

»Peabody hat eine Hand voll Frauen Namens Carvell in New York ausfindig gemacht. Aber sie hatten alle das falsche Alter, und deshalb dehnen wir die Suche aus. Ich habe das sichere Gefühl, dass sie Antworten auf einige von unseren Fragen hat.«

»*Cherchez la femme.*«

»Wie bitte?«

»Such die Frau«, übersetzte er, und sie hob ihr Glas für einen Toast.

»Du kannst dich darauf verlassen, dass wir das so lange tun, bis sie gefunden worden ist.«

»Anja.« Er sprach den Namen leise, beinahe flüsternd aus. Und hörte an ihrem überraschten Keuchen, dass sie sofort wusste, wer es war. »Sag nichts. Bitte. Hör mir nur zu. Ich muss mit dir reden. Es ist wichtig. Nicht am Link. Wirst du dich mit mir treffen?«

»Es geht um Richard«, sagte sie.

»Nein, es geht um alles«, antwortete er.

Es brauchte etwas Zeit. Er war sich sicher, dass er unter Beobachtung stand, und hatte deshalb sogar Angst vor seinem eigenen Schatten. Stiles saß vor dem Spiegel in seinem Ankleidezimmer und änderte geschickt und gründlich die Farbe seiner Augen, die Form seiner Nase, die Rundung seines Kiefers und die Farbe seiner Haut. Sein Haar versteckte er unter einer dichten Mähne künstlichen braunen Haares. Wahrscheinlich war es Eitelkeit, die ihn davon abhielt, dass er die gewöhnliche, graue Perücke nahm.

Der Gedanke war ihm unerträglich, dass er alt aussehen könnte, wenn er sich mit ihr traf.

Um die Maskierung abzurunden, drückte er sich noch einen schmalen Schnauz- und einen kleinen Kinnbart ins Gesicht.

All dies war trotz seiner Erregung für ihn völlig natürlich. Er hatte in seinem Leben Hunderte verschiedener Charaktere dargestellt, war genauso mühelos wie ein anderer Mann nach einem langen Arbeitstag in seine ausgelatschten Hausschuhe in ihre Haut geschlüpft.

Er stopfte seine schmalen Schultern und die schmale Brust etwas aus, versteckte die Wattierung unter einem schlichten dunklen Anzug und stieg in die Schuhe, in denen er zweieinhalb Zentimeter größer aussah, als er tatsächlich war.

Er ließ sich Zeit, als er das Ergebnis der Verwandlung in dem großen, dreiteiligen Spiegel eingehend studierte, um zu prüfen, ob der alte Kenneth Stiles noch irgendwo hervorlugte, und lächelte zum ersten Mal seit über einer Stunde.

Er könnte direkt auf Lieutenant Dallas zumarschieren und sie auf den Mund küssen, und trotzdem würde er nicht von ihr erkannt.

Gestärkt durch die Verwandlung schlang er ein elegantes Cape um seine Schultern und verließ das Haus, um die Frau zu treffen, die seit fünfundzwanzig Jahren seine große Liebe war.

Sie ließ ihn warten. Sie hatte ihn schon immer warten lassen, dachte er. Er hatte eine kleine, gemütliche Bar für das Treffen gewählt, die schon lange nicht mehr »in« war, doch die Musik war leise und romantisch, die Gäste und auch die Angestellten waren unaufdringlich, und die Getränke kamen schnell.

Er nippte an seinem Gin und blätterte in dem alten Band mit Shakespeare-Sonetten, der das Erkennungszeichen war.

Sie hatte ihm das Buch vor all der Zeit geschenkt. Er hatte es als Zeichen ihrer Liebe angenommen und nicht als Ausdruck ihrer Freundschaft, das es gewesen war. Selbst als ihm dieser Irrtum bewusst geworden war, hatte er das Buch weiterhin gehütet wie einen großen Schatz.

Natürlich hatte er die Polizei belogen. Er hatte niemals den Kontakt zu ihr verloren, hatte stets gewusst, wo sie sich aufhielt, was sie tat. Hatte ihr gegenüber eben eine andere Rolle übernommen, die eines Vertrauten und eines echten Freundes, dachte er.

Und im Verlauf der Zeit, nachdem er diese Rolle über Jahre hinweg beibehalten hatte, hatte er sich nicht nur daran gewöhnt, sondern festgestellt, dass sie ihm regelrecht gefiel.

Trotzdem machte sein Herz, als sie ihm gegenüber Platz nahm und ihm die Hand gab, wie üblich einen Satz.

Sie hatte ihre Frisur und ihre Haarfarbe verändert. Es lag wundervoll zerzaust wie eine dunkelrote Wolke um ihr hübsches Gesicht. Ihre Haut wirkte wie aus hellem Gold. Er wusste noch genau, wie herrlich weich sie war. In ihren ausdrucksvollen, braunen Augen lag eine gewisse Besorgnis, doch ihr voller Mund sah ihn mit einem, wenn auch etwas zögerlichen, so doch warmen Lächeln an.

»Dann liest du also noch immer in dem Buch?« Ihre weiche Stimme hatte einen leichten französischen Akzent.

»Ja, oft. Anja.« Er drückte ihre Finger und ließ dann von ihr ab. »Lass mich dir einen Drink bestellen.«

Sie lehnte sich zurück und wartete, während er einem Kellner winkte und ein Glas Sauvignon erbat.

»Du hast es nicht vergessen.«

»Weshalb hätte ich es vergessen sollen?«

»Oh, Kenneth.« Sie schloss kurz die Augen. »Ich wünschte, die Dinge hätten sich anders entwickelt. Hätten sich anders entwickeln können.«

»Nicht«, mahnte er sie schärfer, als es seine Absicht gewesen war. Es tat halt nach wie vor weh. »Die Zeit, um irgendwelche Dinge zu bedauern, ist längst vorbei.«

»Ich glaube nicht, dass diese Zeit jemals ein Ende nimmt.« Sie seufzte leise auf. »Ich habe mehr als die Hälfte meines Lebens damit zugebracht zu bedauern, was damals zwischen mir und Richard war.«

Er schwieg, und erst, nachdem sie ihren Wein bekommen und den ersten Schluck getrunken hatte, sagte er zu ihr: »Die Polizei denkt, ich hätte ihn umgebracht.«

Sie zuckte so heftig zusammen, dass sich etwas von dem Wein über den Rand des Glases auf dem Tischtuch ergoss. »Oh, nein! Das ist völlig unmöglich. Das ist einfach absurd.«

»Sie wissen, was vor vierundzwanzig Jahren passiert ist.«

»Was willst du damit sagen?« Sie packte seine Hand

und drückte sie wie in einem Schraubstock zusammen. »Was wissen sie genau?«

»Beruhig dich. Sie wissen, dass ich ihn verprügelt habe, verhaftet und verurteilt worden bin.«

»Aber wie ist das möglich? Das ist so lange her, und die Akten wurden doch versiegelt.«

»Eve Dallas. Lieutenant Dallas«, erklärte er verbittert und nahm einen Schluck Gin. »Sie hat keine Ruhe gegeben, bis sie Einsicht in die versiegelten Akten bekommen hat. Sie haben mich auf das Revier verfrachtet, in ein Verhörzimmer gesetzt und dort auf mich eingehämmert, bis ich kaum noch wusste, wo mir der Kopf gestanden hat.«

»Oh, Kenneth. Kenneth, *mon cher,* das tut mir entsetzlich Leid. Das muss grauenhaft für dich gewesen sein.«

»Sie denken, ich hätte über all die Jahre hinweg einen Groll gegen Richard gehegt.« Er lachte leise auf und trank abermals etwas von seinem Gin. »Und ich nehme an, damit haben sie tatsächlich Recht.«

»Aber du hast ihn nicht getötet.«

»Nein, aber sie werden trotzdem weiter in der Vergangenheit rumwühlen. Du musst darauf vorbereitet sein. Ich musste ihnen sagen, weshalb ich Richard damals angegriffen habe. Musste ihnen deinen Namen nennen.« Als sie erbleichte, beugte er sich vor und umfasste ihre beiden Hände. »Anja«, sagte er eindringlich. »Ich habe ihnen erzählt, ich hätte den Kontakt zu dir verloren, wir hätten in all den Jahren keine Verbindung mehr zueinander gehabt und ich hätte keine Ahnung, wo du steckst. Ich habe ihnen erzählt, dass Richard dich verführt und, als er sicher wusste, dass du dich in ihn verliebt hattest, sitzen gelassen hat. Ich habe ihnen von deinem Selbstmordversuch erzählt. Das ist alles. Mehr habe ich nicht gesagt.«

Verzweifelt senkte sie den Kopf. »Dafür schäme ich mich heute noch.«

»Du warst jung, und er hatte dir das Herz gebrochen. Aber du hast es überlebt. Anja, es tut mir Leid. Ich war in Panik. Aber Tatsache ist, ich musste ihnen irgendetwas geben. Ich dachte, das, was ich gesagt habe, würde ihnen reichen. Aber inzwischen ist mir klar, dass sie keine Ruhe geben wird. Diese Dallas wird permanent weitergraben, bis sie dich gefunden hat und bis sie alles andere weiß.«

Sie atmete schwer durch und nickte. »Anja Carvell ist schon mal untergetaucht. Ich könnte es unmöglich für sie machen, mich zu finden. Aber das wäre nicht gut. Also werde ich mich bei ihr melden.«

»Das kannst du nicht. Um Gottes willen.«

»Ich kann und muss. Willst du mich etwa immer noch beschützen?«, fragte sie leise. »Kenneth, ich hatte dich damals und habe dich heute nicht verdient. Ich werde mit ihr sprechen, werde ihr erklären, wie es war und was für ein Mensch du bist«, fügte sie hinzu.

»Ich will nicht, dass du in diese Sache hineingezogen wirst.«

»Mein Lieber, du kannst nicht das beenden, was Richard vor einem Vierteljahrhundert angefangen hat. Du bist mein Freund, und ich habe die Absicht, was mir wichtig ist, zu schützen. Egal wie groß das Risiko und egal wie schlimm vielleicht die Folgen für mich sind«, meinte sie und der Blick aus ihren für gewöhnlich warmen braunen Augen wurde kalt.

»Das kann unmöglich alles gewesen sein.«

Roarke strich mit einer Hand über den nackten Hintern seiner Frau. »Nun, wenn du darauf bestehst ...«

Sie hob den Kopf. »Ich habe nicht vom Sex gesprochen.«

»Oh. Schade.«

Er hatte es geschafft, sie noch einmal aus dem roten Kleid zu schälen, und dann hatte automatisch eins zum anderen geführt, weshalb sie jetzt warm und entkräftet quer über ihm auf der Matratze lag.

Doch hatte sie offensichtlich nicht die Absicht, es dabei zu belassen.

»Sie alle haben ihn gehasst.« Sie setzte sich rittlings auf ihn und bot ihm damit freien Blick auf ihren schlanken Oberkörper und ihre herrlich straffen Brüste. »Oder wenigstens verabscheut. Und eventuell gefürchtet«, überlegte sie. »Keiner seiner Kollegen und Kolleginnen ist besonders unglücklich, dass er nicht mehr lebt. Mehrere von ihnen hatten schon vorher mit ihm zusammen auf der Bühne gestanden. Sie hatten Verbindungen, Beziehungen zu Draco und ebenso untereinander. Womöglich hat ja gar nicht einer alleine diese Tat geplant.«

»*Mord im Orientexpress.*«

»Was ist das? Ein asiatisches Transportsystem?«

»Nein, Schätzchen, das ist ein weiteres Stück von Agatha Christie. Ein Mann wird in seinem Bett im Schlafwagen eines Zuges erstochen. Unter den Fahrgästen ist ein äußerst gerissener Detektiv, der jedoch nicht annähernd so attraktiv wie meine Polizistin ist.«

»Und was hat die Geschichte von einem Toten in einem Zug mit meinem Fall zu tun?«

»Ich versuche nur, deine Theorie zu stützen, dass es nicht einer allein gewesen ist. In dieser Mordgeschichte waren eine Reihe unterschiedlichster Fahrgäste an Bord des Zuges, zwischen denen es auf den ersten Blick keine Verbindung gab. Nur dass unser gewitzter Detektiv sich geweigert hat, dem ersten Augenschein blind zu vertrauen, und deshalb rumgeschnüffelt hat. Dabei fand er raus, dass es jede Menge Verbindungen und gemeinsame Vergangenheiten zwischen all den Leuten gab. Und dass sie alle ein Motiv gehabt hätten, das Opfer zu ermorden.«

»Interessant. Und wer hat es getan?«

»Sie alle zusammen.« Als sie die Augen zusammenkniff, setzte er sich auf und nahm sie in den Arm.

»Jeder von ihnen hat einmal mit dem Messer zugestochen aus Rache für das Unrecht, das dem jeweiligen durch den Typen widerfahren ist.«

»Ganz schön grausam. Und ganz schön gerissen. Keiner konnte einen anderen verraten, ohne dass er selbst am Strick gehangen hätte. Sie geben sich gegenseitig Alibis und spielen jeder irgendeine Rolle«, murmelte sie nachdenklich.

»Ein fast perfekter Mord.«

»Es gibt keine perfekten Morde. Irgendein Fehler wird immer gemacht, wobei der Mord selbst der allergrößte Fehler ist.«

»Du klingst wie eine Polizistin.«

»Schließlich bin ich Polizistin. Und fahre nach dieser herrlich langen Pause endlich mit meiner Arbeit fort.«

Sie machte sich von ihm los, kletterte vom Bett und bückte sich erneut nach ihrem Kleid.

»Wenn du den roten Fetzen wieder anziehst, Baby, kann ich nicht dafür garantieren, dass du zurück an deine Arbeit kommst.«

»Reg dich ab. Ich laufe gewiss nicht ohne Kleider durch die Gegend. Schließlich weiß man nie, wo Summerset herumschleicht.« Sie hob das Kleid vom Boden auf und sah sich in dem Zimmer um. »Ob wir noch ein bisschen Ordnung machen sollten?«

»Warum?«

»Weil es aussieht, als ob wir ...«

»... einen vergnüglichen Abend miteinander verlebt hätten«, vollendete Roarke den Satz. »Auch wenn es für dich möglicherweise ein Schock ist, wusste Summerset schon vorher, dass wir beide miteinander schlafen.«

»Erwähn bitte nicht seinen Namen und Sex in einem Satz. Da kriege ich eine Gänsehaut. Ich springe schnell unter die Dusche, und dann setze ich mich noch ein bisschen vor meinen Computer.«

»Meinetwegen. Ich leiste dir dabei Gesellschaft.«

»O nein, ich dusche lieber alleine. Ich kenne deine Spielchen.«

»Ich verspreche, ich fasse dich nicht an.«

Von seinem Mund sagte er vorsichtshalber nichts.

»Und was machst du nun? Bleibst du auch noch wach oder gehst du ins Bett?«

Erfrischt und durch und durch befriedigt knöpfte Roarke sein Hemd zu. »Du hast mich ziemlich munter gemacht.«

»So sieht es aus.«

Er nahm ihre Hand, führte sie zum Fahrstuhl und drückte auf den Knopf für ihr Büro.

Der Kater lag lang ausgestreckt in ihrem Schlafsessel und wackelte, als sie den Raum betraten, müde mit dem Schwanz.

»Kaffee?«, fragte Roarke.

»Ja, bitte.«

Sobald er Richtung Küche ging, sprang Galahad von seinem Platz und stürmte mit einem fordernden Miau ihm voraus.

Eve setzte sich an ihren Schreibtisch, trommelte mit ihren Fingern auf die Platte und starrte den Bildschirm des Computers an.

»Computer, ich brauche die Akte zum Fall Draco sowie eine Auflistung sämtlicher beruflicher, privater, medizinischer, finanzieller, krimineller oder anderer möglichen Verbindungen, die zwischen den Mitgliedern des jetzigen Ensembles des New Globe bestehen.«

Suche ...

»Ich hätte angenommen, danach hättest du bereits geguckt.«

Als Roarke mit dem Kaffee zurückkam, wandte sie den Kopf. »Ich gucke noch mal etwas genauer.

Computer, zu welchen Namen gibt es versiegelte Akten, egal aus welchem Bereich?«

Diese Information darf ich nur autorisierten Anwendern geben. Bitte wenden Sie sich ...

»Soll ich dieses kleine Hindernis für dich umschiffen?«

Sie stieß einen eindeutig warnenden Knurrlaut aus,

und schulterzuckend hob Raorke seine eigene Kaffeetasse an den Mund.

»Autorisierungscode gelb, Schrägstrich Dallas, Schrägstrich fünf-null-sechs. Anfrage durch Lieutenant Eve Dallas im Zusammenhang mit Ermittlungen in zwei Mordfällen. Das dürfte als Befugnis zum Aufrufen der Akten reichen.«

Die Autorisierung ist korrekt. Akten werden aufgerufen. Zur Einsicht in die Akten brauchen Sie jedoch eine unterschriebene, mit Datum versehene richterliche Genehmigung, die ...

»Habe ich gesagt, dass ich die Akten einsehen will? Ruf einfach die verdammten Akten auf.

Suche ... Der Vorgang wird voraussichtlich acht Minuten und dreißig Sekunden ...«

»Dann fang endlich an. Und nein«, sagte sie zu Roarke. »Wir machen die Dateien nicht auf.«

»Meine Güte, Lieutenant, ich glaube nicht, dass ich etwas in der Richtung vorgeschlagen habe.«

»Denkst du etwa allen Ernstes, dass ich heute Morgen auf dein und McNabs kleines Betrugsmanöver hereingefallen bin?«

»Ich habe keine Ahnung, wovon du sprichst.« Er nahm auf der Kante ihres Schreibtischs Platz. »Ich habe Ian ein paar Ratschläge erteilt, aber sie waren eher persönlicher Natur. Ein Gespräch unter Männern, wenn du willst.«

»Na klar.« Sie lehnte sich auf ihrem Stuhl zurück und fixierte ihn über den Rand ihrer Kaffeetasse hinweg. »Du und McNab, ihr habt gemütlich rumgesessen und über Frauen und irgendwelche Baseballergebnisse gequatscht.«

»Ich glaube, von Sport war nicht die Rede. Ihm ging es eher um eine ganz bestimmte Frau.«

Eve schnaubte entgeistert. »Du hast mit ihm über Peabody gesprochen? Verdammt, Roarke.«

»Es war nicht einfach. Er ist total vernarrt in diese Frau.«

»Oh.« Sie zuckte zusammen. »Sag so etwas nicht.«

»Anders kann ich es nicht formulieren. In der Tat, falls er meinen Rat beherzigt hat ...«, er warf einen Blick auf seine Armbanduhr, »... haben sie in dieser Stunde vielleicht ihr erstes echtes Rendezvous.«

»Rendezvous? Rendezvous? Warum hast du das getan? Warum zum Teufel hast du das getan? Konntest du dich da nicht raushalten? Sie wären miteinander ins Bett gegangen, bis der erste Rausch verflogen wäre, und dann hätten sie weitergemacht, als wäre nie etwas passiert.«

Er legte den Kopf ein wenig schräg und sah sie fragend an. »Bei uns hat das auch nicht funktioniert, oder?«

»Wenigstens arbeiten wir nicht zusammen.« Als seine Augen blitzten, bleckte sie die Zähne. »Auf jeden Fall nicht offiziell. Wenn Polizisten anfangen, bei Teambesprechungen verführerische oder sehnsüchtige Blicke auszutauschen, kommt nichts als Ärger dabei raus. Als Nächstes läuft Peabody wahrscheinlich mit Lippenstift, Parfüm und verführerischer Unterwäsche unter ihrer Uniform herum.«

Sie ließ den Kopf zwischen die Hände sinken und fuhr unglücklich fort: »Und dann wird es zu ersten Streitereien und Missverständnissen kommen, die nicht das Geringste mit der Arbeit zu tun haben, sie werden mir den Kopf zulabern und mich in Dinge einweihen, von denen ich nicht das *Mindeste* wissen will. Und wenn sie die Sache beenden und zu dem Ergebnis kommen, dass sie einander hassen, werde ich mir so lange anhören müssen, dass sie unmöglich weiter zusammen atmen können, dass mir keine andere Wahl bleibt, als sie beide in andere Abteilungen versetzen zu lassen ...«

»Es ist doch immer wieder herzerfrischend, wie positiv du diese Dinge siehst.«

»Und ...«, sie piekste ihm mit dem Finger in die Brust, »... das ist alles ganz allein deine Schuld.«

Er packte ihren Finger und biss nicht grade sanft hinein. »Wenn das der Fall ist, werde ich darauf bestehen, dass sie ihr erstes Kind nach mir benennen.«

»Willst du mich vollends in den Wahnsinn treiben?«

»Nun, Schätzchen, das ist manchmal so leicht, dass es mir unmöglich ist, der Versuchung dauerhaft zu widerstehen. Warum vergisst du diese Sache nicht einfach, bevor du deshalb Kopfschmerzen bekommst? Der Computer ist mit der Arbeit fertig.«

Sie spendierte ihm einen letzten giftigen Blick und wandte sich erneut dem Bildschirm zu.

Verbindungen und Querverbindungen, überlegte sie. Leben, die die Leben anderer berührten. Und jede einzelne Berührung schlug irgendeine Kerbe, die manchmal winzig war, manchmal aber auch so tief, dass sie sich niemals wieder völlig schloss.

»Aber hallo, das hier wusste ich noch nicht. Michael Proctors Mutter ist ebenfalls Schauspielerin gewesen. Sie hatte vor vierundzwanzig Jahren eine kleine Rolle in einem Theaterstück.« Eve lehnte sich auf ihrem Stuhl nach hinten. »Und sieh nur, wer mit ihr auf der Bühne stand. Draco, Stiles, die Mansfield und die Rothchild. Zeitlich fällt dieses Engagement mit dem Streit zwischen Draco und Stiles zusammen. Aber wo war damals Anja Carvell?«

»Vielleicht hatte oder hat sie einen Künstlernamen.«

»Vielleicht. Über Proctors Mutter liegt nichts weiter vor.« Trotzdem wies sie den Computer an, eine gewisse Natalie Brooks zu überprüfen, und meinte, als sie die Ergebnisse bekam: »Interessant. Das war ihre letzte Rolle. Danach ist sie an ihren Geburtsort in Omaha, Nebraska, zurückgekehrt, wo sie ein Jahr später geheiratet hat. Sieht aus, als wäre die Gute völlig sauber. Ziemlich attraktiv«, meinte sie, als auf dem Monitor ein vierundzwanzig Jahre altes Passfoto von Proctors Mutter erschien. »Jung und irgendwie frisch. Genau Dracos Typ.«

»Du denkst, dass sie vielleicht Anja ist?«

»Vielleicht. Aber selbst wenn nicht, kann ich mir nicht vorstellen, dass Draco sie auf seinem Eroberungsfeldzug ausgelassen hat. Weshalb Michael Proctor auf der Liste der Verdächtigen ein gutes Stück nach oben rückt. Dass seine Mutter Draco kannte, hat er mit keinem Wort erwähnt.«

»Eventuell hat er es ja auch nicht gewusst.«

»Das halte ich für unwahrscheinlich. Aber jetzt lass uns erst mal die versiegelten Akten über die Leute durchgehen. Hmm, Draco selbst hat mehr als einmal eine Akte sichern lassen.«

»Mit Geld, Berühmtheit und Beziehungen«, erklärte Roarke, »kann man sich Stillschweigen erkaufen.«

»Du musst es ja wissen«, erwiderte sie grinsend, setzte sich dann aber plötzlich kerzengerade auf. »Moment mal, Augenblick. Was ist das? Über Carly Landsdowne wurde ebenfalls eine versiegelte Akte angelegt.«

»Hat sie ein düsteres Geheimnis? Hat auch sie das Schweigen anderer erkauft?«

»Nein. Ich kenne diesen Code. Er ist uralt. Er wurde noch verwendet, als ich im Kinderheim war. Viele der Kinder dort haben sich diesen Code sehnlicher gewünscht als ihre nächste warme Mahlzeit. Es ist der Code für eine Adoption. Versiegelt«, fügte sie hinzu. »Die Daten der leiblichen Mutter sind unter Verschluss. Guck mal auf das Datum.«

»Acht Monate, nachdem Stiles Draco angegriffen hat. Das ist bestimmt kein Zufall.«

»Allmählich nimmt die Sache Gestalt an. Draco hat Anja Carvell geschwängert. Sie hat es ihm erzählt, worauf sie von ihm wie eine heiße Kartoffel fallen gelassen worden ist. Sie bricht zusammen, versucht sich umzubringen, wird aber von Stiles gerettet. Dann überlegt sie es sich anders, beschließt, das Baby auszutragen, gibt das Kleine fort und bezahlt eine gesalzene Gebühr dafür, dass die Akte umgehend versiegelt wird.«

»Das war für sie bestimmt nicht leicht.«

Eves Miene wurde ausdruckslos. »Für manche ist es sogar sehr leicht. Jeden Tag werfen irgendwelche Menschen ihre Kinder einfach fort.«

Er legte ihr tröstend die Hände auf die Schultern und begann sie zu massieren. »Nach allem, was uns Stiles erzählt hat, hat sie den Vater des Babys geliebt und wurde von ihm beinahe zerstört. Trotzdem hat sie die Schwangerschaft nicht abgebrochen, sondern das Kind geboren und dann darauf verzichtet. Das ist etwas anderes, Eve, als ein Kind fortzuwerfen. Sie hat für das Siegel bezahlt, um das Kind zu schützen.«

»Genauso wird sie selbst dadurch vor möglichen Enthüllungen geschützt.«

»Das hätte sie auch billiger bekommen können. Sie hätte das Baby auf dem Schwarzmarkt verhökern können. Dort hätte niemand irgendwelche Fragen zur Herkunft des Kindes gestellt. Aber sie hat sich dafür entschieden, den legalen Weg zu gehen.«

»Stiles hat es gewusst. Sie hat sich ihm garantiert anvertraut. Wir werden noch mal mit ihm reden müssen. Aber erst mal muss ich überlegen, welchen Richter ich am besten wecke, damit er mir die Genehmigung zur Einsicht in die Adoptionsakte erteilt.« Sie schaute ihren Gatten fragend an. »Hast du einen Vorschlag?«

»Lieutenant, ich bin sicher, dass du das selbst am besten weißt.«

16

Bevor sie einen Richter aus dem Bett warf und riskierte, ihn dadurch zu verärgern, weckte sie lieber ihre Assistentin.

Sie wählte die Nummer ihres Handys, starrte statt in Peabodys Gesicht jedoch auf ein rot blinkendes Licht und meinte schockiert: »Sie hat das Ding ausgeschaltet! Was zum Teufel soll das heißen?«

»Die Frau hat wirklich Nerven!«, grinste Roarke. »Ich wette, sie hat diese blödsinnige Vorstellung, dass sie so etwas wie einen Anspruch auf Leben außerhalb der Arbeit hat.«

»Das ist deine Schuld, deine Schuld, deine Schuld«, murmelte Eve, während sie schnaubend eine Nachricht auf Peabodys Mailbox hinterließ.

Schließlich sprang sie von ihrem Stuhl und stapfte im Zimmer auf und ab. »Wenn sie sich nicht sofort bei mir meldet, werde ich ...« Unvermittelt fing das Link auf ihrem Schreibtisch an zu schrillen, und Eves zorniger Aufschrei schlug den Kater, der es sich nach seinem nächtlichen Mahl erneut in ihrem

Schlafsessel hatte gemütlich machen wollen, in die Flucht.

»Peabody! Mein Gott, wo stecken Sie?«

»Madam? Sind Sie das, Madam? Ich kann wegen der Musik kaum etwas verstehen.«

Auch wenn geräuschmäßiges Chaos herrschte, konnte Eve ihre Assistentin klar und deutlich auf dem Bildschirm sehen. Ihr Haar war verführerisch zerzaust, sie trug Lippenstift und hatte sich sogar die Lider angemalt.

Hab ich es doch gewusst, war alles, was Eve denken konnte. *Hab ich es doch gewusst.*

»Sie haben getrunken.«

»Habe ich?« Peabody blinzelte verwirrt, und dann hörte Eve etwas, was eindeutig als Kichern zu bezeichnen war. »Tja, möglich. Aber nur ein paar Gläschen. Ich bin in einer Bar, und hier gibt es wirklich tolle Screamer. Ist es denn schon Morgen?«

»He, Dallas!« McNab schob sich so dicht an Peabody heran, dass Eve auch sein angesäuseltes Grinsen sah. »Die Band ist wirklich spitze. Warum kommen Sie nicht einfach her?«

»Peabody, wo sind Sie?«

»Ich bin in New York City. Schließlich lebe ich hier.«

Betrunken oder eher voll wie ein Eimer, dachte Eve frustriert. »Egal. Gehen Sie mit dem Handy vor die Tür, bevor ich völlig taub werde.«

»Was? Ich kann Sie nicht verstehen.«

Ohne darauf zu achten, dass ihr Gatte amüsiert prustete, beugte sich Eve noch dichter vor ihr Link. »Officer Peabody, gehen Sie mit dem Handy vor die Tür. Ich muss mit Ihnen sprechen.«

»Sie sind draußen vor der Tür? Himmel, dann kommen Sie doch rein.«

Eve atmete tief durch. »Gehen. Sie. Nach. Draußen.«

»Oh, okay, ja sicher.«

Das Bild fing an zu wackeln, Eve hörte erneutes Kichern, sah eine Horde Irrer, die zum Getöse der Band auf der Tanzfläche herumsprangen, und vernahm zu ihrem Entsetzen überdeutlich, wie McNab ihrer Assistentin im Flüsterton erklärte, was für einen Spaß sie miteinander haben könnten, zögen sie sich in eins der Privatzimmer des Clubs zurück.

»Eins muss man dem Jungen lassen«, meinte Roarke. »Er hat Fantasie.«

»Ich hasse dich dafür.« Eve zwang sich mühsam zu Geduld, während Peabody zusammen mit dem elektronischen Ermittler vor die Tür der Kneipe stolperte, wo es, wenn auch nur ein wenig, ruhiger war. Offenbar hatte McNab einen Club mitten am Broadway, wo vierundzwanzig Stunden täglich wild gefeiert wurde, ausgesucht.

»Dallas? Dallas? Wo sind Sie?«

»Auf Ihrem Handy, Peabody. Ich bin auf Ihrem Handy.«

»Oh.« Peabody hob das Handy vors Gesicht und spähte auf den Bildschirm. »Was machen Sie denn da?«

»Haben Sie Ausnüchterungstabletten dabei?«

»Ganz sicher. Schließlich muss man für alle Fälle gewappnet sein, nicht wahr?«

»Nehmen Sie eine. Und zwar sofort.«

»Oh.« Peabody verzog unmutig ihren grell angemalten Mund. »Ich will aber nicht. He, da ist ja auch Roarke. Ich habe Roarke gehört. Hi, Roarke.«

Er konnte der Versuchung nicht widerstehen, sich ins Bild zu schieben und sie lächelnd anzusehen. »Hallo, Peabody. Sie sehen heute Nacht besonders köstlich aus.«

»Himmel, Sie sind wirklich attraktiv. Ich könnte Sie stundenlang nur ansehen und ...«

»Nehmen Sie eine Ausnüchterungstablette, Peabody. Sofort. Das ist ein Befehl.«

»Verdammt.« Peabody wühlte in ihrer Tasche, zog eine kleine Blechdose daraus hervor, meinte schicksalsergeben: »Was muss, das muss«, kippte sich zwei Pillen in die Hand und gab die Dose weiter an McNab.

»Warum?«

»Darum.«

»Oh.«

»Peabody, ich brauche sämtliche Informationen über Anja Carvell, die Sie bisher zusammengetragen haben.«

»'kay.«

»Schicken Sie sie mir auf mein Link im Wagen. Dann treffen Sie mich, in *Uniform,* vor der Wohnung von Kenneth Stiles. Dreißig Minuten. Verstanden?«

»Ja, halbwegs ... Könnten Sie die Frage noch mal wiederholen?«

»Das war keine Frage, sondern ein Befehl«, korrigierte Eve, ehe sie ihn wiederholte und mit knurriger Stimme fragte: »Haben Sie mich jetzt verstanden?«

»Ja. Hm, ja, Madam.«

»Und lassen Sie Ihren dressierten Affen zu Hause.«

»Madam?«

»McNab«, schnauzte Eve und brach die Übertragung ab.

»Spielverderberin«, murmelte Roarke.

»Halt bloß die Klappe.« Sie stand auf, zog ihr Waffenhalfter aus der Schublade des Schreibtischs und legte es an. »Kehr du zurück zu deiner Arbeit und nimm einfach weiter irgendwelche finanziellen Umstrukturierungen und Punkt-für-Punkt-Analysen vor.«

»Liebling, du hast mir ja tatsächlich zugehört.«

»Das ist kein Witz«, erklärte sie, ärgerte sich, weil sie sich ein Grinsen nicht verkneifen konnte, und fügte muffig hinzu: »Und vor allem, halt du dich aus meiner Arbeit raus.«

Lächelnd wartete er, bis sie die Treppe hinuntergelaufen war.

Sie suchte eine Möglichkeit, die gewünschten Informationen zu bekommen, ohne die versiegelte Akte einzusehen. Er jedoch sah keinen Grund, es sich ebenfalls so schwer zu machen und irgendwelche Umwege zu gehen.

Er schlenderte gemächlich den Korridor hinunter in Richtung eines gut gesicherten Raums, ließ seine Stimme und seinen Handabdruck vom Scanner überprüfen, und die Türen gingen auf.

»Licht an. Größtmögliche Helligkeit.«

Sofort wurde der Raum in gleißendes Neonlicht getaucht, was aufgrund der Sichtschutze vor den großen Fenstern von außen nicht zu sehen war. Während die Tür hinter ihm ins Schloss glitt, marschierte er quer durch den gefliesten Raum.

Nur drei Menschen hatten Zugang zu dem Zimmer. Drei Menschen, denen er blind traute. Eve, Summerset und er selbst.

Die elegante, schwarze Kontrollpaneele bildete ein breites U. Die nicht registrierten, illegalen Geräte summten im Stand-by-Modus leise vor sich hin. Das wachsame Auge der Computerüberwachung konnte das, was es nicht sah, auch nicht unterbinden, dachte er.

Den Großteil seiner fragwürdigen Unternehmungen hatte er im Verlauf der Jahre so umstrukturiert, dass sie legal geworden waren. Und nachdem er Eve getroffen hatte, hatte er auch die verbliebenen zweifelhaften Bereiche seines Firmenimperiums entweder abgestoßen oder ebenfalls legalisiert. Doch, dachte er, während er sich einen Brandy genehmigte, niemand konnte jemals ganz aus seiner Haut heraus.

Im Grunde seines rebellischen Herzens empfand er außerdem den Gedanken an ein System wie die Computerüberwachung, die sämtliche Computergeschäfte kontrollierte, als ebenso störend wie einen Stein im Schuh. Es war also eine Frage der Ehre, dass er sich ihr entzog.

Er trat vor das Kontrollsystem und schwenkte seinen Brandy. »Computer hochfahren«, befahl er, und ein regelrechter Regenbogen bunter Lichter leuchtete auf den zuvor rabenschwarzen Monitoren auf. »Jetzt wollen wir uns die Sache doch mal ansehen.«

Eve ließ ihren Wagen in einer Parklücke einen halben Block von Stiles' Apartment entfernt stehen und hatte ungefähr die halbe Strecke des Fußweges hinter sich gebracht, als sie eine Gestalt entdeckte, die versuchte, sich zwischen den Bäumen am Rand des Parks gegenüber von Stiles' Haus unsichtbar zu machen.

»Trueheart.«

»Madam!« Sie hörte ein überraschtes Quietschen, doch bis er aus der Dunkelheit ins Licht einer Laterne trat, hatte er sich offenbar beruhigt. »Lieutenant.«

»Erstatten Sie Bericht.«

»Madam, ich beobachte das Gebäude, in dem sich das Apartment der Zielperson befindet, seit sie um achtzehn Uhr dreiundzwanzig hierher zurückgekommen ist. Mein Partner bewacht den Hinterausgang. Wir haben alle dreißig Minuten Funkkontakt.«

Als sie stumm blieb, räusperte er sich und fuhr fort. »Um achtzehn Uhr achtunddreißig hat die Zielperson sämtliche Sichtschutze in ihrer Wohnung vorgezogen und seither nicht wieder geöffnet.«

»Gut, Trueheart. Jetzt bin ich im Bilde. Aber ist er überhaupt noch da?«

»Lieutenant, die Zielperson hat das Haus seit ihrer Rückkehr um halb sieben nicht noch mal verlassen.«

»Gut.« Sie sah, dass ein Taxi auf der anderen Straßenseite hielt, aus dem ihre Assistentin stieg. Glücklicherweise trug sie wieder ihre Uniform und hatte die Haare ordentlich unter die Kappe gesteckt. »Halten Sie weiterhin die Stellung, Officer Trueheart.«

»Sehr wohl, Madam. Madam? Ich würde die Gelegenheit gern nutzen, um mich bei Ihnen für diesen Auftrag zu bedanken.«

Eve musterte sein junges, eifriges Gesicht. »Sie wollen sich bei mir dafür bedanken, dass Sie ...«, sie warf einen Blick auf ihre Uhr, »... seit fast fünfeinhalb Stunden im Dunkeln und in der Kälte stehen?«

»Es dient den Ermittlungen in einem Mordfall«, erklärte er mit einer solchen Ehrfurcht, dass sie ihm beinahe die Wange getätschelt hätte.

»Freut mich, dass es Ihnen Spaß macht.« Damit marschierte sie quer über die Straße zu Peabody. »Sehen Sie mir in die Augen«, wies sie sie rüde an.

»Ich bin wieder völlig nüchtern, Madam.«

»Strecken Sie mir die Zunge raus.«

»Warum?«

»Weil Ihnen danach zumute ist. Und jetzt hören Sie auf, die beleidigte Leberwurst zu spielen.« Sie machte sich auf den Weg zum Eingang des Gebäudes. »Und rollen Sie ja nicht hinter meinem Rücken mit den Augen.«

Peabodys Augen hielten nach einer halben Drehung inne. »Kriege ich noch irgendwann erklärt, weshalb ich urplötzlich in den Dienst zurückversetzt worden bin?«

»Das kriegen Sie. Falls diejenigen Ihrer Hirnzellen, die das Besäufnis überlebt haben, bis dahin wieder halbwegs funktionstüchtig sind, werden Sie es erfahren, sobald wir in Stiles' Wohnung angekommen sind. Den Rest erzähle ich Ihnen auf dem Rückweg zum Revier.«

Sie legte dem Portier ihren Ausweis vor und klärte ihre Assistentin, nachdem sie beide eingelassen worden waren, auf dem Weg nach oben über ihre jüngsten Erkenntnisse auf.

»Wow, das ist wie in einer dieser Seifenopern. Nicht, dass ich die anschaue«, beeilte sich Peabody zu versichern, als Eve verächtlich knurrte. »Aber eine meiner Schwestern ist geradezu süchtig nach dem Zeug. Sie ist total begeistert von *Im Herzen von Desire*. Wissen Sie, Desire ist diese kleine, hübsche Stadt am Meer, aber hinter der Fassade gibt es jede Menge Intrigen und ...«

»Bitte. Nicht.«

Um sich nicht weiter von etwas mit dem Namen *Im Herzen von Desire* erzählen lassen zu müssen, entfloh sie eilig dem Fahrstuhl, klingelte bei Stiles und hielt ihren Dienstausweis vor den Spion.

»Vielleicht schläft er«, meinte Peabody ein paar Sekunden später.

»Er hat einen Droiden.« Eve drückte noch einmal auf die Klingel, wobei sich jedoch bereits vor Anspannung ihr Magen zusammenzog.

Sie hatte einen Anfänger, Himmel, einen Anfänger, auf die Überwachung eines Hauptverdächtigen in zwei Mordfällen angesetzt. Weil sie dem Jungen eine Chance hatte geben wollen, dachte sie.

Falls Stiles ihnen entkommen war, trug allein sie daran die Schuld.

»Wir gehen rein.« Sie zog ihren Generalschlüssel hervor.

»Wie sieht es mit einem Durchsuchungsbefehl aus?«

»Wir brauchen keinen. Er ist Verdächtiger in zwei

Mordfällen, zugleich ein potenzielles Opfer, und wir haben Grund zu der Annahme, dass er entweder geflüchtet oder aber in der Wohnung und nicht in der Lage ist, auf Klingeln zu reagieren.«

Sie öffnete das Schloss. »Ziehen Sie Ihre Waffe, Peabody«, befahl sie ihrer Assistentin, während sie bereits nach ihrem eigenen Stunner griff. »Sie oben rechts, ich unten links, okay?«

Peabody nickte. Ihre Lippen waren zwar noch geschminkt, doch sie zog ein grimmiges, entschlossenes Gesicht.

Auf Eves Signal hin sprangen sie gleichzeitig durch die Tür. Eve machte Licht, kniff die Augen angesichts der plötzlichen Helligkeit zusammen, sah sich jedoch, während sie Peabody von hinten sicherte, gleichzeitig suchend um.

»Polizei! Kenneth Stiles, hier ist Lieutenant Dallas von der New Yorker Polizei. Ich bin bewaffnet. Kommen Sie sofort mit erhobenen Händen in den Flur.«

Während sie sprach, ging sie in Richtung Schlafzimmer und spitzte angestrengt die Ohren. »Er ist nicht hier.« Sie wusste instinktiv, dass die Wohnung verlassen war, winkte aber trotzdem ihre Assistentin weiter durch. »Gucken Sie sich um und passen Sie auf, dass er Sie nicht von hinten überrascht.«

Sie stieß mit dem Fuß die Schlafzimmertür auf, schob sich mit gezücktem Stunner durch die Öffnung, sah ein ordentlich gemachtes Bett, eine aufgeräumte Sitzecke und auf dem Fußboden den dunklen Anzug, in dem Stiles auf der Gedenkfeier für Draco erschienen war.

»Der Droide ist hier, Dallas«, rief ihre Assistentin. »Ausgeschaltet. Nirgends eine Spur von Stiles.«

»Er hat die Fliege gemacht. Verdammt.« Trotzdem hielt sie weiter ihren Stunner in den ausgestreckten Händen, als sie durch die Verbindungstür das Ankleidezimmer betrat.

Ein Blick auf den Ankleidetisch genügte, dass sie ihren Stunner zurück ins Halfter schob. »Ich schätze, damit ist Trueheart aus dem Schneider«, meinte sie zu Peabody, als diese ebenfalls den Raum betrat, strich über einen Topf mit Tönungscreme und nahm eine Perücke in die Hand. »Stiles hat sich wahrscheinlich völlig unkenntlich gemacht. Melden Sie der Zentrale, dass er flüchtig ist.«

»Madam.« Trueheart stand wie versteinert im Eingang von Stiles' Ankleideraum. Abgesehen von den leuchtend roten Flecken auf seinen schmalen Wangen war er kreidebleich. »Ich übernehme die volle Verantwortung dafür, dass die mir übertragene Aufgabe nicht ordnungsgemäß ausgeführt worden ist, und akzeptiere ohne jeden Vorbehalt jeden mir deshalb zu erteilenden Verweis.«

»Erstens, hören Sie auf so zu reden wie der Droide, den Peabody gerade aktiviert, und zweitens, Sie sind nicht verantwortlich dafür, dass die Zielperson geflüchtet ist. Die Verantwortung dafür liegt ausschließlich bei mir.«

»Lieutenant, ich weiß es zu schätzen, dass Sie es meiner Unerfahrenheit zuschreiben, dass ich meine Pflicht nicht erfüllt und diesen Auftrag nicht zu Ihrer Zufriedenheit ausgeführt habe ...«

»Halten Sie die Klappe, Trueheart.« Himmel, am besten ließe man sich nie mit Anfängern ein. »Peabody! Kommen Sie her.«

»Ich habe den Droiden gleich so weit.«

»Peabody, sagen Sie Officer Trueheart, wie ich mit Polizisten umspringe, die ihre Pflicht nicht erfüllen oder einen Auftrag auf eine meiner Meinung nach unbefriedigende Weise ausführen.«

»Madam, Sie treten Ihnen kräftig in den Hintern. Es kann durchaus unterhaltsam sein, Ihnen dabei zuzusehen. Aus sicherer Entfernung.«

»Danke, Peabody. Sie machen mich stolz. Trueheart, ist Ihnen von mir in den Hintern getreten worden?«

Er wurde noch röter als zuvor. »Äh, nein, Madam. Lieutenant.«

»Dann folgt daraus ja wohl, dass Ihnen meiner Meinung nach kein Fehler unterlaufen ist. Andernfalls lägen Sie jetzt am Boden, würden sich die Eier halten und um Gnade winseln, was, wie Officer Peabody bereits erklärt hat, eindeutig nicht der Fall ist. Haben wir uns verstanden?«

Nach kurzem Zögern meinte er vorsichtig: »Ja, Madam?«

»Das ist die richtige Antwort.« Sie wandte sich ab und sah sich noch einmal in dem Ankleidezimmer um. Blickte auf den Berg von Kleidungsstücken in verschiedenen Stilrichtungen und Größen, den langen, breiten, mit Flaschen, Tuben und Spraydosen bedeckten Tisch, die Regale voller Haarteile und Perücken, die Schubladen voll Handwerkszeug.

»Er kann sich in jeden x-beliebigen Menschen verwandeln. Das hätte ich bedenken sollen. Sagen Sie mir, wer in der Zeit zwischen halb sieben und meiner Ankunft hier alles aus dem Haus gekommen ist. Wir werden uns zwar die Überwachungsdisketten der Ausgänge ansehen, aber lassen Sie jetzt niemanden aus.«

Er nickte, kniff konzentriert die Augen zusammen und erklärte: »Ein Paar, ein Mann und eine Frau, beide weiß, beide Mitte dreißig bis vierzig. Sie haben ein Taxi herangewinkt und sind Richtung Osten gefahren. Eine einzelne, gemischtrassige Frau von zirka Ende zwanzig. Sie ging zu Fuß Richtung Westen davon. Zwei Männer, einer schwarz und einer weiß, beide Anfang dreißig. Sie kamen nach dreißig Minuten wieder zurück und hatten etwas dabei, was wie zwei Sechserpacks Bier und eine große Pizza ausgesehen hat. Dann ein einzelner gemischtrassiger Mann von Ende vierzig mit einem kleinen Bart.«

Er brach ab, als Eve die Hand hob und nach einer kleinen Tüte mit ein paar braunen Haarsträhnen, die sie vom Boden eingesammelt hatte, griff. »Könnte das hier passen?«

Er öffnete den Mund, klappte ihn wieder zu und presste die Lippen aufeinander, ehe er erklärte: »Das kann ich nicht mit Sicherheit sagen, Lieutenant, denn es war schon ziemlich dämmrig. Aber die fragliche Person schien dunkles Haar zu haben, das dem, was Sie mir zeigen, zumindest ziemlich ähnlich war.«

»Ich brauche noch mehr Details. Größe, Gewicht, Kleidung, Erscheinungsbild.«

Sie lauschte und versuchte sich ein Bild des Mannes zu machen, den Trueheart ihr beschrieb.

»Okay, sonst noch irgendwer?«

Er zählte noch ein paar andere Leute auf, die das Haus verlassen hatten, doch niemand wirkte so verdächtig wie der gemischtrassige Mann.

»Hatte er irgendetwas in der Hand? Eine Tasche, eine Schachtel, ein Paket?«

»Nein, Madam. Er hatte nichts dabei.«

»Okay, dann läuft er wahrscheinlich nach wie vor in dieser Aufmachung herum. Geben Sie die Beschreibung durch.«

»Madam?«

»Geben Sie die Beschreibung an die Zentrale durch, Trueheart. Sie erscheint mir äußerst brauchbar.«

»Sehr wohl, Madam«, erklärte er gehorsam und fing an zu strahlen wie ein Honigkuchenpferd.

Es war reines Glück, dass sie ihn entdeckte, sollte Eve im Anschluss denken. Wirklich reines Glück.

Es war reiner Zufall, dass der Eilzug nach Toronto bei der Einfahrt in den Bahnhof Grand Central Schwierigkeiten hatte. Ohne diese Verspätung hätten sie ihn sicher nie erwischt.

Eve stopfte ihr Handy in die Tasche. »Er ist am Grand Central. Setzen wir uns in Bewegung.«

Sie war bereits auf halbem Weg zum Flur, als sie einen Blick über die Schulter warf und fragte: »Trueheart, gibt es einen Grund dafür, dass Sie so trödeln?«

»Madam?«

»Wenn Ihre Vorgesetzte Ihnen sagt, dass Sie sich in Bewegung setzen sollen, schwingen Sie gefälligst Ihren Hintern.«

Er blinzelte verwirrt, schien dann aber zu begreifen, dass sie ihn weiter als Teil der Mannschaft sah, und stürzte begeistert grinsend los. »Sehr wohl, Madam.«

»Die Bahnpolizei hat bereits die Ausgänge gesperrt und sich auf dem Bahnhof verteilt. Verstärkung ist unterwegs«, erklärte Eve, als sie auf die Straße traten. »Der Verdächtige hat eine einfache Fahrkarte nach Toronto gelöst.«

»Da oben ist es ziemlich kalt.« Während sie hinter Eve zum Wagen rannte, klappte Peabody den Kragen ihres Mantels hoch. »Wenn ich das Land verlassen müsste, würde ich nach Süden gehen. Ich war zum Beispiel noch nie in der Karibik.«

»Darüber können Sie sich mit ihm unterhalten, wenn er hinter Gittern sitzt«, meinte Eve, als sie in den Wagen sprangen, schoss wie eine Rakete die Abfahrtsrampe des Parkdecks hinunter zur Straße, schaltete die Sirene ein und quietschte auf zwei Reifen um die erste Kurve.

Trueheart, der auf dem Rücksitz kauerte und dessen Magen bereits Richtung Kniekehlen gesunken war, schwebte im siebten Himmel.

Er verfolgte keinen kleinen Taschendieb und keinen unverschämten Raser, sondern einen Verdächtigen in einem Mordfall. Während Eve das Fahrzeug ohne einmal abzubremsen in halsbrecherischem Tempo zum Bahnhof lenkte, klammerte er sich, um nicht völlig die Balance zu verlieren, mit beiden Händen an den Haltegriff und prägte sich jedes Detail genauestens ein. Das hohe Tempo, die aufblitzenden Lichter, den plötzlichen Ruck, als sein Lieutenant – Himmel, war sie nicht eine absolut erstaunliche Person? – den Wagen, um einen Stau in der Lexington Avenue zu umgehen, senkrecht nach oben steigen ließ.

Er hörte Peabodys klare, nüchterne Stimme, die über ihr Handy mit der Verstärkung sprach. Hörte

Eves leise, unflätige Flüche, als sie, um zwei ›verdammten, hirnamputierten Hornochsen‹ auf einem Zweirad auszuweichen, zu einem scharfen Schwenk gezwungen war.

Mit dampfenden Reifen kam der Wagen schließlich neben dem Westeingang des Bahnhofes zum Stehen. »Peabody, Trueheart, Sie beide kommen mit mir. Wollen wir doch mal sehen, was die Jungs hier für uns haben.«

Zwei Bahnhofspolizisten standen vor dem Ausgang und nahmen, als Eve ihnen ihren Dienstausweis unter die Nase hielt, umgehend Haltung an. »Wie sieht es aus?«

»Die Zielperson hält sich noch auf dem Bahnhof auf, Lieutenant. Level zwei, Bereich C. Dort sind momentan jede Menge Passagiere. Der Express nach Toronto war bis auf den letzten Platz ausverkauft. Außerdem gibt es dort mehrere Geschäfte, Restaurants und Toiletten. Sämtliche Fahrstühle, Gleitbänder und Treppen zu und aus diesem Bereich werden von uns bewacht. Der Kerl ist also ganz bestimmt noch dort.«

»Bleiben Sie auf Ihrem Posten.«

Sie gingen durch die Tür und wurden von dem Meer aus Lärm und Bewegungen regelrecht verschluckt.

»Lieutenant, Feeney und McNab kommen aus Richtung Süden.«

»Sagen Sie ihnen, wo die Zielperson zu finden ist. Auch wenn wir es nicht sicher wissen, gehen wir besser davon aus, dass sie bewaffnet ist.« In der großen Eingangshalle strömten unzählige Menschen auf dem Weg nach Hause oder in die Ferne an ihnen vorbei. »Melden Sie dem befehlshabenden Beamten, dass wir runtergehen.«

»Captain Stuart, Madam. Kanal B auf Ihrem Handy. Sie können selber mit ihr sprechen.«

»Captain Stuart, Lieutenant Dallas.«

»Lieutenant, wir haben unsere Leute verteilt. Das Verkehrskontrollzentrum wird melden, dass der Zwölf-Uhr-fünf-Zug nach Toronto weiterhin Verspätung hat.«

»Wo ist meine Zielperson?«

Stuarts Miene blieb unverändert, doch ihre Stimme wurde etwas angespannter, als sie meinte: »Wir haben den direkten Sichtkontakt mit ihr verloren. Aber sie hat den überwachten Bereich auf keinen Fall verlassen, wiederhole, sie hat den Bereich auf keinen Fall verlassen. Unsere Überwachungskameras werden gerade neu justiert. Wir werden sie finden.«

»Melden Sie sich bei mir, sobald Sie den Kerl entdecken«, ordnete Eve an. »Informieren Sie Ihre Leute, dass jetzt die New Yorker Polizei das Kommando übernommen hat und ihre uneingeschränkte Kooperation und Hilfe bei der Ergreifung des Verdächtigen zu schätzen weiß.«

»Dies ist mein Revier, Lieutenant. Hier habe ich die oberste Befehlsgewalt.«

»Die Zielperson steht unter Verdacht, zwei Morde begangen zu haben. Das fällt in *meinen* Zuständigkeitsbereich, Captain. Wir haben also größere Befugnisse in diesem Fall, das wissen Sie genauso gut wie ich. Bringen wir die Sache hinter uns. Für ein Wettpinkeln bleibt uns später noch genügend Zeit.« Sie wartete einen Moment, ehe sie erklärte: »Wir nähern uns jetzt Level zwei. Bitte setzen Sie Ihre Leute davon in Kenntnis. Stunner sollten auf die niedrige Stufe eingestellt werden und nur im allergrößten Notfall und zum Schutz von Zivilpersonen eingesetzt werden. Ich will, dass die Sache möglichst unblutig über die Bühne geht.«

»Mir ist bewusst, wie man eine solche Operation durchführt. Mir wurde mitgeteilt, dass die Zielperson eventuell bewaffnet ist.«

»Das können wir nicht bestätigen. Wie gesagt, ich bitte um absolute Vorsicht und darum, dass möglichst keinerlei Gewalt bei der Ergreifung des Verdächtigen angewendet wird. Keinerlei Gewalt, Captain, das ist von größter Bedeutung. Der Bereich ist voller Menschen. Ich halte diesen Kanal für weitere Mitteilungen offen.«

Damit schob Eve ihr Handy zurück in ihre Tasche und wandte sich an ihre Assistentin. »Haben Sie das gehört, Peabody?«

»Ja, Madam. Sie will die Lorbeeren einheimsen. Sie will, dass heute Abend in den Nachrichten gemeldet wird, dass der Hauptverdächtige im Mordfall Richard Draco von der New Yorker Bahnhofspolizei unter der Leitung von Captain Stuart festgenommen worden ist. Ein ausführlicher Bericht folgt in der Sendung um elf.«

»Und was ist unser Ziel?«

»Die Zielperson zu identifizieren und festzunehmen, und zwar so, dass es dabei möglichst nicht zu Verletzten kommt.«

»Haben Sie verstanden, Trueheart?«

»Ja, Madam.«

Eve sah die Beamten der Bahnhofspolizei, die am Rand von Bereich C Stellung bezogen hatten, registrierte die Flut von Menschen auf dem breiten Bahnsteig und in den breiten Gängen, durch die man in Geschäfte, Restaurants oder zu den Toiletten kam. Ihr stieg das fettige Aroma in die Nase, das aus den Fast-Food-Küchen drang, nahm den scharfen Geruch der Menschen wahr, hörte das Weinen irgendwelcher Säuglinge und die neueste Rockmusik, die in Übertretung des Lärmschutzgesetzes dröhnend aus irgendeinem Ghettoblaster drang und die Lieder einer kleinen Gruppe von Straßensängern übertönte, an der sie gerade vorüberlief.

Sie sah Erschöpfung, Aufregung und Langeweile in dem Meer der Gesichter. Und bekam leicht verärgert mit, wie ein geschickter Taschendieb jemandem den Geldbeutel aus seiner Jackentasche zog.

»Trueheart, Sie sind der Einzige, der ihn gesehen hat. Halten Sie also die Augen offen. Wir wollen, dass die Festnahme problemlos und schnell über die Bühne geht. Je länger Stiles auf den Zug nach Toronto warten muss, umso nervöser wird er werden.«

»Dallas, Feeney und McNab auf neun Uhr.«

»Ja, ich sehe sie.« Inmitten der Flut von Zivilisten und der Dutzende von Gängen hatten die beiden sie ebenfalls entdeckt. »Hier geht es zu wie in einem Bienenstock. Wahrscheinlich ist es am besten, wenn wir uns verteilen. Peabody, Sie gehen nach rechts, Trueheart, Sie nach links. Halten Sie aber bitte Sichtkontakt.«

Sie selbst ging weiter geradeaus, schob sich durch das Gedränge und sah sich dabei nach allen Seiten um. Auf der gegenüberliegenden Seite verschwand ein Zug in Richtung Süden mit einem heißen Luftzug in der Dunkelheit des Tunnels. Ein Bettler, dessen Lizenz mit undefinierbaren Flecken übersät war, klapperte die Fahrgäste, die auf den verspäteten Eilzug nach Toronto warten mussten, ab.

Sie ging Feeney entgegen, weiter an ihm vorbei, guckte, wo Peabody steckte, und wandte ihren Kopf, um auch nach Truehearts Verbleib zu sehen, als sie plötzlich einen lauten Ruf vernahm, eine Reihe gellender Schreie, das Knallen berstenden Glases, als das Schaufenster eines Geschäfts in tausend Stücke sprang.

Sie wirbelte herum und sah, dass sich Stiles, dicht gefolgt von einem Bahnhofspolizisten, durch die panische Menge schob.

»Nicht schießen!«, brüllte sie, packte ihren eigenen Stunner ruckartig aus dem Halfter und riss ihr Handy an den Mund. »Stuart, befehlen Sie Ihren Leuten, nicht zu schießen! Die Zielperson kann nicht entkommen. Kein Schusswaffengebrauch.«

Mit Ellenbogen, Stiefeln, Knien kämpfte sie sich durch die Menge, die versuchte, aus dem Bereich zu fliehen. Jemand fiel mit weit aufgerissenen Augen gegen sie, klammerte sich hilfesuchend an ihr fest, und zähneknirschend schob sie ihn mit beiden Händen von sich fort.

Immer noch schwärmten die Menschen wie die Bienen durch die Gänge und schrien, als die nächsten Schaufenster zu Bruch gingen, erschrocken auf. Sie spürte etwas Heißes im Gesicht und etwas Feuchtes, das ihr über den Nacken rann.

Sie entdeckte Stiles, der behände über die gestürzten, am Boden kauernden Gestalten sprang.

Und dann sah sie Trueheart.

Er hatte lange Beine und er war wirklich schnell. Auch Eve rannte, als sie der Menge endlich entkam, wie ein Pfeil los.

Aus dem Augenwinkel nahm sie eine ruckartige Bewegung wahr.

»Nein! Nicht schießen!« Ihre Stimme ging im allgemeinen Durcheinander unter, und noch während sie auf den Bahnhofspolizisten zusprang, ging er in die Hocke und drückte in derselben Sekunde, in der Trueheart einen Satz nach vorne machte, um Stiles zu Fall zu bringen, ab.

Der Strahl des Lasers traf ihn mitten in der Luft, ließ seinen Körper wie eine Rakete vorwärts schießen, er krachte Stiles gegen den Rücken, und beide kullerten vom Bahnsteig mitten auf die Schienen.

»Nein. Verdammt. Nein!« Sie schubste den Bahnhofspolizisten roh zur Seite, wirbelte herum und stürzte an den Rand der Plattform. »Halten Sie sofort alle Züge Richtung Norden an! Es liegen zwei Verletzte auf den Gleisen. Halten Sie alle Züge an! Oh, Himmel. Oh, mein Gott.«

Sie sah nur ein Gewirr von Gliedern und einen See aus leuchtend rotem Blut. Sie sprang auf die Gleise, und der Schock des Aufpralls ließ ihre Beine knirschen. Keuchend tastete sie mit den Fingern nach Truehearts Pulsschlag.

»Gottverdammt. Gottverdammt. Ich habe einen verletzten Beamten!«, krächzte sie mit rauer Stimme in ihr Handy. »Ich habe einen verletzten Beamten! Ich brauche sofort einen Arzt. Grand Central, Level zwei, Bereich C wie Charlie. Schicken Sie sofort ein paar Sanitäter. Ein Beamter und die Zielperson sind verletzt. Halten Sie durch, Trueheart.«

Sie riss sich ihre Jacke vom Leib, breite sie vorsichtig über ihm aus und drückte mit den bloßen Händen die lange, klaffende Wunde an seinem Oberschenkel ab.

Atemlos und schwitzend traf Feeney neben ihr auf den Gleisen auf. »Au, verflixt. Wie schlimm ist es?«

»Schlimm. Er hat einen Treffer abbekommen. Hat einen Satz direkt in den verdammten Strahl hinein gemacht.« Sie war einen Schritt zu spät gewesen. Einen Schritt zu spät. »Und dann kam noch der Sturz. Wir können nicht riskieren, ihn ohne Stabilisatoren zu bewegen. Wo zum Teufel bleibt der Arzt? Wo bleibt der verfluchte Arzt?«

»Ist unterwegs. Hier.« Feeney zog seinen Gürtel aus, schob sie an die Seite und band Truehearts Oberschenkel ab. »Und was macht Stiles?«

Sie zwang sich, nicht die Nerven zu verlieren, als sie zu Stiles kroch, der mit dem Gesicht nach unten auf den Gleisen lag, und tastete, wie vorher bei Trueheart, nach dem Puls. »Lebt. Er hat keinen Treffer abbekommen, und so wie die beiden vom Bahnsteig runtergefallen sind, hat der Junge höchstwahrscheinlich seinen Sturz gemildert.«

»Du blutest im Gesicht, Dallas.«

»Ich habe ein paar Glassplitter abbekommen, weiter nichts.« Sie fuhr sich mit dem Handrücken über die Wange und mischte auf diese Art ihr Blut mit dem von Trueheart. »Wenn ich mit dieser Stuart und ihren Heißspornen fertig bin ...«

Sie brach ab und starrte abermals in Truehearts junges, kreidiges Gesicht. »Meine Güte, Feeney. Er ist doch noch ein Kind.«

17

Dicht hinter den Sanitätern mit der Trage platzte Eve in die Notaufnahme des Hospitals. Die knappen Worte der Männer, die etwas von einer Rückenverletzung und inneren Blutungen murmelten, waren wie eine Reihe von Ohrfeigen für sie.

Als sie die Tür des Untersuchungsraums passierte, stellte sich ihr eine hünenhafte Krankenschwester, deren schimmernd ebenholzschwarze Haut sich von dem blassen Blau ihres Kittels deutlich abhob, entschieden in den Weg.

»Gehen Sie zur Seite, Schwester. Das da drin ist einer meiner Männer.«

»Nein, Sie gehen jetzt zur Seite.« Die Frau legte Eve eine ihrer Pranken auf die Schulter und fixierte sie. »Hinter diese Türe kommt nur Personal von der Klinik. Sie haben selbst ein paar ziemlich üble Schnittwunden im Gesicht. Gehen Sie in Untersuchungszimmer vier. Ich schicke jemanden vorbei, der sie säubert.«

»Ich kann mich alleine säubern. Der Junge da drin gehört zu mir. Ich bin sein Lieutenant.«

»Tja, Lieutenant, trotzdem müssen Sie die Ärzte ihre Arbeit machen lassen.« Sie zog ein Klemmbrett aus der Tasche. »Wenn Sie helfen wollen, geben Sie mir seine persönlichen Daten.«

Eve schob die Schwester mit dem Ellbogen zur Seite und trat vor die Glastür, blieb dort jedoch vorschriftsmäßig stehen. Gott, sie hasste Krankenhäuser. Hatte sie immer schon gehasst. Alles, was sie durch die Scheiben sehen konnte, waren die undefinierbaren Bewegungen der grün gekleideten Männer, des in blaue Kittel gehüllten Pflegepersonals …

… und Trueheart, der in grellem Neonlicht auf einem Tisch lag und immer noch nicht bei Bewusstsein war.

»Lieutenant.« Die Stimme der Schwester wurde weich. »Wir sollten uns gegenseitig helfen. Schließlich wollen wir beide das Gleiche. Sagen Sie mir, was Sie über den Patienten wissen.«

»Er heißt Trueheart. Himmel, wie war noch mal sein Vorname? Peabody?«

»Troy«, erklärte ihre Assistentin hinter ihrem Rücken. »Er heißt Troy. Er ist zweiundzwanzig.«

Eve lehnte ihre Stirn gegen die Scheibe, schloss die Augen und erklärte, wie es zu den Verletzungen gekommen war.

»Wir kümmern uns um ihn«, erwiderte die Schwester. »Sie gehen jetzt in das Untersuchungszimmer vier.« Sie selbst ging durch die andere Tür und wurde Teil der undurchdringlichen blau-grünen Wand.

»Peabody, finden Sie seine Familie. Und sorgen Sie dafür, dass ein Psychologe sie betreut.«

»Sehr wohl, Madam. Feeney und McNab bewachen Stiles. Er liegt gleich nebenan.«

Die Notaufnahme füllte sich mit weiteren Verletzten aus dem Bahnhof an. Sicher hätten die Ärztinnen und Ärzte die ganze Nacht hindurch mit der Behandlung von Schnittwunden, Prellungen und Knochenbrüchen zu tun. »Ich werde den Commander informieren.« Sie trat von der Glasscheibe zurück, damit sie, während sie Bericht erstattete, nicht zusammenbrach.

Nach Ende des Gesprächs trat sie wieder vor die Tür und rief bei sich zu Hause an.

»Roarke.«

»Du blutest.«

»Ich – ich bin in einem Krankenhaus.«

»Wo? In welchem?«

»Roosevelt. Hör zu ...«

»Ich bin schon unterwegs.«

»Nein, warte. Ich bin okay. Aber einen meiner Männer hat's erwischt. Einen Jungen«, sagte sie, und ihre Stimme brach. »Er ist noch ein Junge. Er wird gerade behandelt. Ich muss bleiben bis ... ich muss einfach noch bleiben.«

»Ich bin unterwegs«, wiederholte er, und sie wollte erneut protestieren, nickte aber dann ermattet. »Ja. Danke.«

Die Schwester kam wieder durch die Tür und bedachte Eve mit einem bösen Blick. »Warum sind Sie nicht in Zimmer vier?«

»Wie ist Truehearts Zustand?«

»Sie sind noch dabei, ihn zu stabilisieren. Bald wird er operiert. Operationssaal sechs. Ich bringe Sie, nachdem Sie sich haben behandeln lassen, in einen Warteraum.«

»Ich will einen ausführlichen Bericht über seinen Zustand.«

»Den werden Sie bekommen. Nachdem Sie behandelt worden sind.«

Am schlimmsten war das Warten. Es gab ihr zu viel Zeit, um nachzudenken, die Ereignisse ein ums andere Mal in Gedanken durchzugehen, sich zu überlegen, wie sie den Unfall hätte verhindern können, jeden noch so kleinen Fehler zu entdecken, der ihnen unterlaufen war.

»Er ist jung und kräftig«, sagte Peabody, weil sie die Stille nicht länger ertrug. »Das wird ihm sicher helfen.«

»Ich hätte ihn nach Hause schicken sollen. Ich hätte ihm sagen müssen, dass er Feierabend machen soll. Ich hatte nicht das Recht, einen blutigen Anfänger bei einer solchen Operation mitwirken zu lassen.«

»Sie wollten ihm einen Gefallen tun.«

»Einen Gefallen?« Eve wirbelte herum und funkelte ihre Assistentin mit brennenden Augen an. »Ich habe ihn in Lebensgefahr gebracht, in eine Situation, auf die er eindeutig nicht vorbereitet war. Dabei hat es ihn erwischt. Und das ist alleine meine Schuld.«

»So ein Quatsch.« Peabody reckte trotzig das Kinn. »Er ist Polizist. Wenn man Polizist wird, nimmt man die Risiken, die mit dem Beruf verbunden sind, bereitwillig in Kauf. Er hat sich für diesen Job entschieden, und er war sich der Gefahr, dass er in Ausübung seiner Pflicht irgendwann mal Schaden nehmen könnte, bestimmt bewusst. Wenn ich links gegangen wäre und nicht rechts, hätte ich nicht anders als Trueheart reagiert, und dann läge ich jetzt an seiner Stelle im OP. Und es würde mich ziemlich ärgern, wenn ich wüsste, dass Sie hier draußen stehen und die Verantwortung für eine Entscheidung übernehmen, die ich in Ausübung meines Dienstes eigenständig getroffen habe und die mir diese Verletzung eingetragen hat.«

»Peabody …« Eve brach ab, schüttelte den Kopf und marschierte zurück zu dem Kaffeeautomaten, der bereits im Übermaß von ihr beansprucht worden war.

»Gut gemacht.« Roarke trat neben Peabody und legte eine Hand auf ihre Schulter. »Sie sind ein echtes Juwel.«

»Es war nicht ihre Schuld. Ich halte es nicht aus, mit ansehen zu müssen, wie sie sich mit Selbstvorwürfen quält.«

»Wenn sie das nicht tun würde, wäre sie nicht sie.«

»Ja, ich nehme an, Sie haben Recht. Ich werde mal gucken, ob ich McNab erreiche, damit er mir sagt, wie es Stiles inzwischen geht. Vielleicht können Sie sie ja dazu überreden, einen Spaziergang mit Ihnen zu machen oder wenigstens kurz an die frische Luft zu gehen.«

»Ich werde sehen, was ich tun kann.«

Er ging zu seiner Frau. »Wenn du weiter diesen Kaffee in dich reinkippst, sind deine Magenwände bald mit faustgroßen Löchern übersät. Du bist hundemüde, Lieutenant. Komm, setz dich ein bisschen hin.«

»Ich kann nicht.« Sie blickte sich um, merkte, dass im Augenblick niemand außer ihnen beiden im Wartezimmer war, und presste ihr Gesicht an seine Schulter. »O Gott«, murmelte sie heiser. »Er hat noch blöd gegrinst, als ich ihm gesagt habe, dass er zu meinem Team gehört. Ich dachte, es könnte nichts passieren, aber dann lief plötzlich alles schief. Die Leute sind in Panik ausgebrochen, überall hörte man Schreie, und ich kam einfach nicht schnell genug an den Idioten heran, der da rumgeballert hat. Ich kam einfach nicht schnell genug an ihn heran.«

Er kannte sie gut genug, um sie nur schweigend im Arm zu halten, bis sie wieder etwas gefasster war.

»Ich hätte eine Bitte«, erklärte sie und trat einen Schritt zurück. »Du hast doch hier Beziehungen. Könntest du die spielen lassen und für mich herausfinden, was sie mit ihm machen?«

»Kein Problem.« Er nahm ihr den Plastikbecher aus der Hand und stellte ihn auf einen Tisch. »Setz dich hin und ruh dich etwas aus. Währenddessen gucke ich, was ich in Erfahrung bringen kann.«

Sie nahm tatsächlich Platz und schaffte es, fast eine ganze Minute auf dem Stuhl zu bleiben, bis sie wieder aufstand und erneut den Kaffeeautomaten in Gang setzte.

Während sie den nächsten Becher der bitteren Brühe in die Hand nahm, kam eine Frau herein.

Sie war groß, schlank und hatte genau dieselben freundlichen, arglosen Augen wie ihr Sohn. »Entschuldigung.« Sie sah sich suchend um und wandte sich dann an Eve. »Ich suche einen Lieutenant Dallas.«

»Das bin ich.«

»Oh, ja, das hätte ich mir denken sollen. Troy hat mir so viel von Ihnen erzählt. Ich bin Pauline Trueheart, seine Mutter.«

Eve hatte mit Panik, Trauer, Ärger, Fragen, Vorwürfen gerechnet, Pauline jedoch trat auf sie zu und reichte ihr die Hand.

»Ms Trueheart, ich bedauere es zutiefst, dass Ihr Sohn in Ausübung seines Dienstes zu Schaden gekommen ist. Ich möchte, dass Sie wissen, dass seine Arbeit mustergültig gewesen ist.«

»Das würde er bestimmt sehr gerne hören. Er hegt nämlich große Bewunderung für Sie. Ich hoffe, es ist Ihnen nicht peinlich, wenn ich so weit gehe zu behaupten, dass er sogar ein wenig für Sie schwärmt.«

Statt ihren Kaffee zu trinken, stellte Eve den Becher auf ein Tischchen. »Ms Trueheart, Ihr Sohn stand unter meinem Kommando, als er die Verletzung davongetragen hat.«

»Ja, ich weiß. Der Psychologe hat mir erklärt, was passiert ist. Ich habe auch schon mit jemandem vom Pflegepersonal gesprochen. Sie tun alles in ihrer Macht Stehende, um ihm zu helfen. Er wird bestimmt wieder gesund.«

Lächelnd zog sie Eve mit sich in Richtung eines Stuhls. »Ich wüsste, wenn es anders wäre. Ich würde es spüren. Wissen Sie, er ist alles, was ich habe.«

Pauline setzte sich auf den Stuhl, und Eve nahm ihr gegenüber auf der Kante eines Tisches Platz. »Er ist jung und kräftig.«

»Oh, ja, und er ist ein Kämpfer. Er wollte schon als Kind zur Polizei. Diese Uniform bedeutet ihm sehr viel. Er ist ein wunderbarer junger Mann, Lieutenant, der mir nie etwas anderes als Freude bereitet hat.« Sie blickte Richtung Tür. »Ich hasse es, daran zu denken, dass er Schmerzen hatte.«

»Ms Trueheart ...« Eve brach ab und versuchte es

noch einmal. »Ich glaube nicht, dass er Schmerzen hatte. Zumindest war er bewusstlos, als ich zu ihm kam.«

»Das ist gut, das hilft. Danke.«

»Wie können Sie mir danken? Schließlich habe ich ihn in diese Situation gebracht.«

»Das haben Sie nicht.« Noch einmal ergriff Pauline Eves Hand. »Sie müssen wirklich eine hervorragende Vorgesetzte sein, wenn Ihnen das Wohlergehen Ihrer Untergebenen derart am Herzen liegt. Mein Sohn möchte den Menschen dienen. Möchte ihnen dienen und sie schützen, so heißt es doch, nicht wahr?«

»Ja.«

»Ich mache mir deswegen häufig Sorgen. Es ist sehr schwer für diejenigen von uns, die Menschen mit diesem Beruf oder besser, dieser Berufung, lieben. Aber ich habe von Anfang an uneingeschränkt an Troy geglaubt, und ich bin mir sicher, dass Ihre Mutter über Sie genau das Gleiche sagt.«

Eve zuckte zusammen, unterdrückte jedoch den Schmerz in ihrer Magengegend und erklärte tonlos: »Ich habe keine Mutter.«

»Oh, das tut mir Leid. Nun.« Sie strich über Eves Ehering. »Aber Sie haben einen Menschen, der Sie liebt. Und der an Sie glaubt.«

»Ja.« Eve wandte den Kopf und schaute zu Roarke, der in diesem Moment hereingekommen war. »Ich schätze, das tut er.«

»Ms Trueheart.« Roarke ging auf die Mutter des verletzten Polizisten zu. »Ich wurde soeben darüber informiert, dass die Operation Ihres Sohnes bald abgeschlossen sein wird.«

Eve spürte, dass die Hände der Mutter bebten, als sie von Roarke wissen wollte: »Sind Sie einer seiner Ärzte?«

»Nein. Ich bin Lieutenant Dallas' Mann.«

»Oh. Hat man Ihnen gesagt, wie – wie es meinem Jungen geht?«

»Sie haben ihn stabilisiert und sind voller Zuversicht. Einer der Chirurgen wird gleich zu Ihnen kommen und Ihnen alles genau erklären.«

»Danke. Man hat mir gesagt, dass es hier in diesem Stockwerk eine Kapelle gibt. Ich glaube, dort werde ich solange warten. Sie sehen müde aus, Lieutenant. Troy würde es sicher gut finden, wenn Sie nach Hause fahren und sich etwas ausruhen würden.«

Als sie wieder mit Roarke allein war, stütze Eve die Ellenbogen auf den Oberschenkeln ab, presste sich die Handballen gegen die Augen und bat: »Sag mir, was du ihr nicht gesagt hast. Ich muss es wissen.«

»Die Rückenverletzung macht Ihnen einige Sorgen.«

»Ist er gelähmt?«

»Sie hoffen, dass die Lähmung nur vorübergehend, dass sie eine Folge der Schwellungen ist. Aber selbst wenn es ernster ist, gibt es Behandlungsmöglichkeiten, die ziemlich Erfolg versprechend sind.«

»Er muss wieder in den Polizeidienst zurückkehren können. Kannst du einen Spezialisten für ihn besorgen?«

»Ich habe bereits mit einem telefoniert.«

Sie wiegte sich langsam hin und her. »Dafür bin ich dir was schuldig.«

»Jetzt beleidigst du mich, Eve.«

»Hast du seine Mutter gesehen? Hast du gesehen, wie sie war? Wie kann ein Mensch nur derart stark und tapfer sein?«

Roarke umfasste ihre Handgelenke und zog ihre Arme auseinander. »Du siehst einen solchen Menschen, sobald du in den Spiegel blickst.«

Sie schüttelte den Kopf. »Es ist die Liebe, die sie ihm entgegenbringt. Sie will ihn aus reiner Willenskraft dazu bringen, dass er gesund und glücklich ist, und ich glaube, dass ihr das vielleicht sogar tatsächlich gelingt.«

»Die Liebe einer Mutter ist etwas ganz Besonderes. Eine ganz besondere Macht.«

Sie ließ ihre steifen Schultern kreisen. »Denkst du je an deine Mutter?«

Als er nicht sofort antwortete, sah sie ihn stirnrunzelnd an. »Spontan wollte ich sagen, nein«, erklärte er. »Aber diese Antwort hätte ich dir aus einem Reflex heraus gegeben, nicht, weil sie stimmt. Ja, ab und zu denke ich an sie und frage mich, was wohl aus ihr geworden ist.«

»Und weshalb sie dich verlassen hat?«

»Ich weiß, weshalb sie mich verlassen hat.« Jetzt hatte seine Stimme einen stahlharten, kalten Klang. »Ich war für sie von keinem besonderen Interesse.«

»Ich weiß nicht, warum meine Mutter mich verlassen hat. Ich glaube, das ist das Allerschlimmste. Es nicht zu wissen. Mich nicht mal nur ansatzweise zu erinnern.« Sie atmete zischend aus und war wütend auf sich selbst. »Also ist alles, was ich darüber denke, völlig sinnlose Spekulation.

Apropos Mütter. Ich muss noch mit Carly über ihre Mutter reden.« Sie stand entschlossen auf und drängte die Müdigkeit zurück. »Ich will sehen, in welchem Zustand unser guter Kenneth ist und, falls er bei Bewusstsein ist, kurz mit ihm reden. Dann muss ich noch aufs Revier, um meinen Bericht zu schreiben. Der Commander hat mich nämlich gleich für morgen früh in sein Büro bestellt.«

Er erhob sich ebenfalls. Ihr Gesicht war bleich, ihre Augen erschöpft, und die roten Schnittwunden hoben sich wie leuchtende Ehrenzeichen von ihren Wangen ab. »Du musst dringend schlafen.«

»Ich hau mich einfach auf der Wache hin. Außerdem müsste der Fall, so wie die Dinge stehen, in ein paar Stunden abgeschlossen sein. Dann mache ich erst mal frei.«

»Am besten ein paar Tage. Du könntest nämlich etwas Sonne brauchen.«

»Ich denke darüber nach.« Und da sie allein im Zimmer waren, beugte sie sich zu ihm vor und gab ihm einen zärtlichen Kuss.

Bereits um zehn nach sieben stand Eve vor Whitneys Schreibtisch. Er hatte ihren Bericht auf Diskette und als Ausdruck vor sich liegen und hörte sich aufmerksam ihre mündlichen Ausführungen dazu an.

»Stiles' behandelnder Arzt schätzt, dass es Mittag werden wird, bis er vernommen werden kann. Zurzeit ist er noch sediert. Sein Zustand ist stabil. Officer Truehearts Zustand hingegen ist weiterhin sehr ernst. Seine Beine reagieren auf keinerlei Reize, und er hat noch nicht vollständig das Bewusstsein wiedererlangt. Ich empfehle, ihn für seinen Einsatz zu belobigen. Sein schnelles Handeln und die Hintanstellung seiner persönlichen Sicherheit haben direkt zur Festnahme der Zielperson geführt. Er trägt keinerlei Verantwortung für die Verletzungen, die er während dieses Einsatzes erlitten hat. Diese Verantwortung liegt ganz allein bei mir.«

»Das steht auch schon in Ihrem schriftlichen Bericht. Aber in diesem Punkt stimme ich nicht mit Ihnen überein.«

»Sir, Officer Trueheart hat in einer gefährlichen Situation Mut und einen klaren Kopf bewiesen.«

»Das bezweifle ich nicht, Lieutenant.« Er lehnte sich zurück. »Sowohl in Ihrem schriftlichen als auch bei Ihrem mündlichen Bericht legen Sie eine bewundernswerte Beherrschtheit an den Tag. Ziehen Sie möglicherweise in Erwägung, die Probleme, die es bei diesem Einsatz gab, persönlich mit Captain Stuart zu besprechen? Falls ja, erteile ich Ihnen den Befehl, keinerlei Kontakt mit Captain Stuart aufzunehmen. Sie wird zu dieser Stunde von ihrem Vorgesetzten für ihr Verhalten zur Rede gestellt. Glauben Sie nicht, dass das genügt?«, fragte er nach ein paar Sekunden angespannter Stille.

»Das zu beurteilen steht mir nicht zu.«

»Bewundernswert beherrscht«, wiederholte er. »Sie hat die Sache verbockt. Indem sie Ihre Autorität, Ihre Befehle, und jegliche Vernunft außer Acht gelassen hat, hat sie die gesamte Operation vermasselt, Dutzende verletzter Zivilisten sowie materielle Schäden in Höhe von zigtausend Dollar zu verantworten, der Zielperson die Möglichkeit zur Flucht geboten und die Voraussetzungen dafür geschaffen, dass einer meiner Männer schwer verletzt im Krankenhaus gelandet ist.«

Er beugte sich über den Tisch und fragte mit zusammengebissenen Zähnen: »Glauben Sie etwa, dass mich das nicht wütend macht?«

»Sie zeigen eine bewundernswerte Beherrschtheit, Sir.«

Er lachte zynisch auf. »Haben Sie Captain Stuart darüber aufgeklärt, dass Sie das Oberkommando über diesen Einsatz hatten, dass Sie in der Nähe der Zielperson waren, dass Sie alles unter Kontrolle hatten, und haben ihr gesagt, dass sämtliche Waffen auf die niedrigste Stufe einzustellen und nur im äußersten Notfall zu benutzen sind?«

»Ja, Sir, das habe ich.«

»Captain Stuart wird für ihr Verhalten zur Verantwortung gezogen werden, das verspreche ich Ihnen. Sie wird Glück haben, wenn sie nach Ende der Untersuchung noch einen Platz bei der Innenrevision bekommt. Damit müssen Sie sich zufrieden geben.«

»Trueheart ist gerade mal zweiundzwanzig Jahre alt.« Dies war etwas, was schwer wie ein Stein auf ihrem Herzen lag.

»Das ist mir bewusst. Mir ist auch bewusst, was für ein Gefühl es ist, wenn ein Untergebener bei einem Einsatz Schaden nimmt. Aber damit müssen Sie leben, Lieutenant, sonst können Sie Ihren Job nicht machen. Setzen Sie sich.«

Als sie ihm gehorchte, schob er den geschriebenen Bericht zur Seite und fragte: »Wann haben Sie zum letzten Mal ein Auge zugemacht?«

»Ich bin okay.«

»Wenn wir hier fertig sind, machen Sie zwei Stunden frei. Das ist ein Befehl. Anja Carvell«, fing er an.

»Glauben Sie, dass sie für unsere Ermittlungen von Bedeutung ist?«

»Sie ist ein Teil des Puzzles, das noch nicht an seinem Platz liegt. Und jedes Teil eines Puzzles hat eine bestimmte Funktion.«

»Und ihre angeblichen Beziehungen zu Kenneth Stiles und Richard Draco?«

»In diesem Fall gibt es unzählige Verbindungen zwischen unzähligen Leuten, die möglicherweise wichtig für uns sind. Es sieht aus, als hätte Stiles Dracos Ermordung arrangiert und anschließend auch Quims angeblichen Selbstmord inszeniert. Trotzdem gibt es nach wie vor eine Reihe anderer Leute mit einem möglichen Motiv, die ebenfalls die Gelegenheit gehabt hätten, die Taten zu begehen. Es ist nicht völlig sicher, dass Stiles der Täter ist oder dass er die Morde allein begangen hat. Bevor ich versucht habe, mit ihm zu sprechen, stand ich im Begriff, eine richterliche Genehmigung zur Einsicht in die Adoptionsakten von Carly Landsdowne zu beantragen.«

»Wie gesagt, nehmen Sie zwei Stunden frei, und dann versuchen Sie Ihr Glück bei Richter Levinsky. Die meisten Richter zögern, bevor sie Akten über private Adoptionen öffnen lassen. Bei ihm haben Sie zumindest eine Chance, vor allem, wenn Sie ihn erwischen, nachdem er gefrühstückt hat.«

Sie hatte die Absicht, die Anweisung zu befolgen und sich irgendwo aufs Ohr zu hauen, damit sie wieder einen klaren Kopf bekam.

Sie schloss die Tür ihres Büros, drehte den Schlüssel herum und streckte sich einfach auf dem Boden aus. Bevor sie jedoch ihre Augen schließen konnte, klingelte ihr Handy, und sie hob es matt vor ihr Gesicht.

»Was ist?«

»Guten Morgen, Lieutenant.«

»Du brauchst gar nichts zu sagen«, murmelte sie und legte ihre Wange in ihre rechte Hand. »Ich habe mich nämlich schon hingelegt.«

»Gut.« Roarke studierte ihr Gesicht. »Obwohl du in einem Bett eindeutig besser aufgehoben wärst als auf dem nackten Fußboden in deinem Büro.«

»Gibt es eigentlich jemals irgendwas, was du nicht weißt?«

»Ich kenne dich. Weshalb ich beschlossen habe, dich zu kontaktieren. Es gibt da etwas, was ich gestern Nacht vergessen habe, dir zu sagen. Und zwar den Namen der leiblichen Mutter, der in Carly Landsdownes Adoptionsunterlagen angegeben ist.«

»Wie bitte? Ich habe dir doch gesagt, dass du dich nicht in meine Arbeit mischen sollst.«

»Ich habe den Befehl missachtet, und ich freue mich bereits darauf, wenn du mich dafür bestrafst. Als leibliche Mutter ist Anja Carvell angegeben. Sie hat das Kind in einer Privatklinik in der Schweiz auf die Welt gebracht. Die Adoption war bereits im Voraus arrangiert und absolut legal. Sie hat die gesetzlich vorgeschriebenen vierundzwanzig Stunden Zeit bekommen, um es sich noch mal zu überlegen, ist aber bei ihrem Entschluss geblieben und hat die Papiere unterschrieben. Als Vater hat sie Richard Draco angegeben und eidesstattlich erklärt, dass er sowohl von der Schwangerschaft als auch von ihrem Entschluss, das Baby auszutragen und zur Adoption freizugeben, in Kenntnis gesetzt worden ist.«

»Wurde ihm auch mitgeteilt, wann das Baby auf die Welt kam?«

»Ja. Die Akte ist vollständig und so gründlich angelegt, wie man es von den Schweizern erwartet. Er hat also gewusst, dass er Vater einer Tochter war. Durch den vorgeschriebenen DNA-Test wurde seine Vaterschaft bestätigt. Er hat keine Einwände gegen die Adoption gehabt.«

Sie drehte sich auf den Rücken und dachte über die mögliche Bedeutung dieser Information nach. »Die Adoptiveltern haben einen Anspruch auf sämtliche Informationen außer den Namen der leiblichen Eltern. Sie bekommen Einblick in ihre Krankheitsgeschichten, in ihren kulturellen und ethischen Hintergrund, ihre intellektuellen, künstlerischen und technischen Fähigkeiten. All das ergibt ein ziemlich klares Bild. Das adoptierte Kind hat auf Anfrage ebenfalls Anspruch auf all diese Informationen, und es darf ebenso erfragen, wie die Namen seiner leiblichen Eltern sind.«

»Ich habe keine solche Anfrage seitens des Adoptivkindes gefunden«, meinte Roarke.

»Vielleicht hat sie es auf einem anderen Weg erfahren. Vielleicht hat Carly es gewusst. Vielleicht hat sie einfach zwei und zwei zusammengezählt und deshalb den Verdacht gehegt, dass Draco ihr Vater war. Wenn man darauf achtet, ist die Ähnlichkeit zwischen den beiden kaum zu übersehen. Wie viel hat sie gewusst?«

»Das findest du garantiert heraus. Und jetzt sieh zu, dass du ein bisschen Schlaf bekommst.«

»Genau. Aber erinnere mich, wenn wir uns sehen, daran, dass ich dir für den Einbruch in die Datenbank der Adoptionsbehörde noch auf die Finger klopfen muss.«

»Ich kann es kaum erwarten.«

Während sie an Väter und an Töchter, an Verrat und Morde dachte, schlief sie ein.

Und wachte, gepeinigt von dem immer selben Albtraum, schweißgebadet, mit dröhnendem Schädel und zugeschnürter Kehle wieder auf.

Sie rollte sich auf den Bauch, schob sich auf Hände und Knie, kämpfte gegen den Brechreiz an und brauchte mehrere Sekunden, bis sie merkte, dass das laute Hämmern nicht aus ihrem Schädel kam, sondern aus Richtung der Tür.

»Ja. Verdammt. Einen Moment.« Sie stemmte sich auf die Fersen, atmete tief durch, schob sich auf die Füße und stützte sich, bis ihre Knie nicht mehr ganz so heftig zitterten, mit einer Hand auf ihrem Schreibtisch ab.

Dann drehte sie den Schlüssel herum, riss die Tür auf und fragte böse: »Was?«

»Sie sind nicht an Ihr Handy gegangen«, meinte Peabody mit entschuldigender Stimme. Von der morgendlichen Kälte hatte sie ein hübsch gerötetes Gesicht. »Ich war – ist alles in Ordnung? Sie wirken ...«, *gequält*, dachte sie, sagte jedoch instinktiv stattdessen: »... ein bisschen zerknittert.«

»Ich habe geschlafen.«

»Oh, tut mir Leid.« Peabody knöpfte ihren Mantel auf. In dem Bemühen abzunehmen, stieg sie in den letzten Tagen immer bereits fünf Blöcke vor dem Revier aus der U-Bahn aus. Und da heute Morgen noch einmal der Winter über die Stadt hereingebrochen war, hatte sie für den Fußweg extra dicke Kleidung ausgewählt. »Ich bin gerade erst hereingekommen und mit dem Commander zusammengestoßen. Er ist auf dem Weg zum Krankenhaus.«

»Trueheart?« Eve packte Peabody am Arm. »Haben wir ihn verloren?«

»Nein. Er hat das Bewusstsein wiedererlangt. Der Commander meinte, er wäre vor zirka zwanzig Minuten aufgewacht, und jetzt kommt das Allerbeste:

Seine Beine reagieren! Er ist nicht gelähmt, und sie haben ihn von der Intensivstation auf eine normale Station verlegt.«

»Wunderbar.« Erleichterung breitete sich flatternd wie ein Schwarm Fledermäuse in ihrem Innern aus. »Okay, gut. Auf dem Weg zu Stiles gehen wir kurz bei ihm vorbei.«

»Die anderen sind dabei, Geld für einen großen Blumenstrauß zu sammeln. Trueheart ist nämlich allgemein beliebt.«

»Gut, ich gebe etwas zu dem Strauß dazu.« Sie nahm hinter ihrem Schreibtisch Platz. »Aber holen Sie mir erst mal einen Kaffee. Ich bin total k.o.«

»Sie waren überhaupt nicht zu Hause, oder? Dabei haben Sie, als Sie mich heimgeschickt haben, gesagt, dass Sie nach Hause fahren.«

»Das war gelogen. Kaffee. Ich habe Informationen aus einer anonymen Quelle. Wir werden Carly Landsdowne noch einmal verhören.«

Mit gerümpfter Nase stapfte Peabody zum Auto-Chef. »Ich nehme an, dass ich als Ihre Assistentin nicht befugt bin, den Namen Ihrer anonymen Quelle zu erfragen.«

»Als meine Assistentin holen Sie mir am besten endlich eine Tasse Kaffee, wenn ich Ihnen nicht an die Gurgel gehen soll.«

»Verstanden«, murmelte Peabody beleidigt. »Aber warum Carly, und warum ausgerechnet jetzt?«

»Es hat sich herausgestellt, dass Richard Draco ihr Vater gewesen ist.«

»Aber die beiden ...« Ein Dutzend verschiedener Gefühle spiegelte sich auf Peabodys Gesicht. »Igitt.«

»So kann man es durchaus formulieren.« Eve nahm ihr den Kaffeebecher aus der Hand. »Ich werde versuchen, von Richter Levinsky die offizielle Genehmigung zur Einsicht in die Adoptionsakte zu bekommen. Ich möchte, dass es offiziell wird. Bis dahin ...« Als das Link auf ihrem Schreibtisch schrillte, brach sie ab.

»Mordkommission. Dallas.«

»Lieutenant Eve Dallas?«

Eve studierte das Gesicht einer ihr fremden Frau. »Stimmt.«

»Lieutenant Dallas, mein Name ist Anja Carvell. Ich würde gern so bald wie möglich über eine wichtige Angelegenheit mit Ihnen reden.«

»Ich habe bereits nach Ihnen gesucht, Ms Carvell.«

»Das habe ich mir gedacht. Könnten Sie eventuell zu mir kommen? Ich wohne im Palace.«

»Scheint eine echt beliebte Unterkunft zu sein. Ich bin in zwanzig Minuten da.«

»Meine Güte.« Als Eve die Übertragung abbrach, nahm Peabody einen großen Schluck Kaffee. »Wir setzen Himmel und Hölle in Bewegung, um diese Frau zu finden, und dann fällt sie uns einfach in den Schoß.«

»Ja, ein wirklich netter Zufall. Nur glaube ich nicht an Zufälle.«

Eve stand entschlossen auf.

ZU ÖFFNEN IM FALLE MEINES TODES

Das klingt irgendwie so hübsch und ausreichend dramatisch. Schließlich legt man, selbst, oder eher noch gerade, wenn man unter Druck steht, Wert auf einen gewissen Stil. Die Tabletten liegen für den Notfall bereit. Natürlich sind sie die letzte Zuflucht, doch sie wirken sanft und schnell.

›Geh nicht so schnell in diese dunkle Nacht.‹ Aber was hat Dylan Thomas schon davon gewusst? Wenn man am Ende zwischen Tod und Gefängnis wählen muss, gibt man dem Tod den Vorzug.

Das Leben besteht aus einer Reihe von Entscheidungen. Eine Entscheidung führt zur nächsten, und der Weg verändert sich, führt niemals schlicht geradeaus, solange es für einen Menschen Glück und Elend gibt. Ich bin stets lieber dem verschlungenen Pfad als dem geraden Weg gefolgt. Ich habe meine Entscheidungen getroffen. Sie waren nicht immer richtig, aber sie kamen von mir selbst, und ich übernehme die volle Verantwortung für das, was sich daraus ergeben hat.

Selbst, oder richtiger vor allem, für den Tod von Richard Draco. Sein Leben war keine Folge von Entscheidungen, sondern eine Anhäufung von Grau-

samkeiten, kleine und große. Jeder, der mit ihm in Kontakt gekommen ist, wurde irgendwie beschädigt. Sein Tod lastet nicht auf meinem Gewissen. Aufgrund dessen, was er wissend, vorsätzlich, in böser Absicht getan hat, hatte er den Tod verdient.

Ich wünschte nur, dass er Schmerzen gelitten hätte, unendliche Schmerzen, Furcht und vielleicht sogar Reue in dem kurzen Augenblick, bevor das Messer sein rabenschwarzes Herz durchdrang.

Aber bei der Planung seiner Hinrichtung wollte ich mich selber schützen. Und ich nehme an, das will ich nach wie vor.

Sollte ich die Gelegenheit bekommen, es noch einmal zu tun, würde ich nichts an meinem Vorgehen ändern. Ich werde nicht so tun, als hätte ich Gewissensbisse, weil ein widerlicher Blutsauger von mir getötet worden ist.

Der Tod von Linus Quim hingegen tut mir Leid. Er war unvermeidbar, und Quim war, weiß Gott, ein widerlicher, kaltherziger kleiner Mann. Ich hätte mich dafür entscheiden können, ihm das Geld zu geben, doch Erpressung ist wie eine Krankheit. Ist man einmal damit infiziert, breitet sie sich zunehmend weiter aus und bricht in den unpassendsten Momenten wieder aus. Weshalb hätte ich das riskieren sollen?

Trotzdem hat es mir nicht die geringste Freude bereitet, seinen Tod zu arrangieren. Ich musste sogar ein Beruhigungsmittel nehmen, sonst hätte ich es nicht geschafft. Ich habe dafür gesorgt, dass er keine Schmerzen und keine Angst gelitten hat, sondern mit der Illusion von Freude aus dem Leben geschieden ist.

Was jedoch nichts daran ändert, dass mit ihm ein zweiter Mensch von mir getötet worden ist.

Ich hielt mich für unglaublich clever, weil ich Richard vor so vielen Menschen ermordet habe, von denen jeder Einzelne guten Grund gehabt hätte, ihm den Tod zu wünschen. Der Gedanke, dass das Messer, das Christine in das schwarze Herz von Leonard rammen würde, echt war, hat mich mit freudiger Erregung angefüllt. Es war so herrlich passend.

Ich bedaure und ich möchte mich dafür entschuldigen, dass meine Freunde und Kollegen, wenn auch nur für kurze Zeit, dieser Tat verdächtigt worden sind. Es war einfach dumm von mir zu glauben, so weit würde es niemals kommen.

Ich hatte mir gesagt, dass Richard niemandem wirklich am Herzen lag. Dass niemanden, der ihn gekannt hatte, sein Tod wirklich berühren würde, dass niemand etwas anderes als Krokodilstränen um ihn vergösse, damit das Publikum zufrieden sei.

Doch ich habe mich verrechnet. Lieutenant Dallas ist von seinem Tod berührt. Nicht, dass es ihr um Richard selber gehen würde. Sie hat inzwischen sicherlich genug über ihn erfahren, um angewidert zu sein.

Doch sie steht für das Gesetz und deshalb für jeden ermordeten Menschen ein. Ich glaube, das ist ihre Religion.

Das wurde mir klar, sobald ich ihr in die Augen sah. Schließlich habe ich mein Leben lang Menschen beobachtet, studiert und imitiert.

Abschließend bleibt mir nur zu sagen, dass ich getan habe, was ich meiner festen Überzeugung nach habe tun müssen. Ich habe, wenn auch vielleicht gnadenlos, schlimmes Unrecht wieder gutgemacht.

Ist ein solches Vorgehen nicht gerecht?

18

Anja Carvell war eine wunderschöne Frau. Sie hatte den wohlgeformten, makellosen Körper, für den Frauen schwitzten oder heftig zahlten und dem die Männerwelt verfallen war. Ihr kupferrot glänzender Mund war voll und sinnlich, ihre Haut hatte die Farbe weichen Goldstaubs, und ihre samtig braunen Augen und rauchig dunkelroten Haare ließen Eve unweigerlich an eine Flamme denken, die wohlig warm und leuchtend in den grauen Winterhimmel stieg.

Sie bedachte Eve mit einem langen, ruhigen Blick, nickte Peabody kurz zu, dann trat sie einen Schritt zurück und zog die Tür ihrer bescheidenen Suite einladend auf.

»Danke, dass Sie so schnell gekommen sind. Nachdem wir miteinander gesprochen hatten, wurde mir bewusst, dass ich hätte anbieten sollen, zu Ihnen aufs Revier zu kommen.«

»Kein Problem.«

»Nun, ich hoffe, Sie verzeihen, dass ich nicht weiß,

wie man sich in einem Fall wie diesem angemessen verhält. Ich habe bisher nur sehr selten mit Menschen Ihres Berufsstandes zu tun gehabt. Ich habe eine Kanne Kakao bestellt.«

Sie deutete in Richtung des Wohnzimmers, wo man auf dem Couchtisch eine weiße Kanne und zwei passende Tassen stehen sah. »Würden Sie mir dabei vielleicht Gesellschaft leisten? Draußen ist es so kalt und düster. Ich hole nur schnell noch eine Tasse für Ihre Assistentin.«

»Machen Sie sich keine Mühe.« Trotz des leisen, wehmütigen Seufzers, der Peabody entfuhr, fügte Eve hinzu: »Wir haben keinen Durst.«

»Sollen wir uns dann setzen?«

Sie selbst nahm auf dem Sofa Platz, strich die Falten ihres langen, bronzefarbenen Rockes glatt und nahm die Kanne in die Hand. Im Hintergrund erklang leise Klaviermusik und der Duft der Zentifolien, die in einer niedrigen Vase neben der Lampe standen, mischte sich mit dem Duft der Frau.

Es war eine hübsche, durch und durch zivilisierte Szene, dachte Eve.

»Ich bin erst seit gestern Abend in New York«, fing Anja an. »Ich hatte ganz vergessen, wie sehr mir diese Stadt gefällt. Das Tempo und die Energie. Die Hitze, die sie selbst während der endlosen Wintermonate verströmt. Ihr Amerikaner füllt alle Räume aus und findet trotzdem immer mehr.«

»Woher sind Sie gekommen?«

»Montreal.« Sie nippte an ihrer Schokolade und balancierte dabei die Untertasse mit derselben femininen Geste, die Eve schon oft bei Dr. Mira hatte bewundern können, zwischen zwei Fingern ihrer linken Hand. »Lieutenant, ich fürchte, dass Kenneth Ihnen gegenüber nicht ganz ehrlich gewesen ist. Ich hoffe, Sie machen ihm deshalb keinen Vorwurf. Er hat dabei an mich gedacht.«

»Ms Carvell, ich brauche Ihre Erlaubnis, um dieses Gespräch mitschneiden zu können.«

»Oh.« Anja blinzelte verwirrt, nickte jedoch sofort. »Ja, natürlich. Ich nehme an, Sie brauchen eine offizielle Aussage von mir.«

»Rekorder an, Peabody.« Als Eve sie über ihre Rechte und Pflichten aufklärte, riss Anja überrascht die Augen auf, fragte dann jedoch in einem beinahe amüsierten Ton: »Dann stehe ich also anscheinend unter Mordverdacht?«

»Ich halte mich nur an die vorgeschriebenen Verfahrensweisen. Sie dienen Ihrem Schutz. Haben Sie alles verstanden, was ich gesagt habe, Ms Carvell?«

»Ja, Sie haben sich sehr verständlich ausgedrückt.«

»Ms Carvell, weshalb sind Sie gestern aus Montreal hierher nach New York gekommen?«

»Kenneth ... Kenneth Stiles hat sich mit mir in Verbindung gesetzt. Er hat gesagt, er müsste mich dringend sehen. Er war ziemlich niedergeschlagen und vor allem völlig verängstigt. Er glaubt, Sie denken, dass er für den Tod von Richard Draco verantwortlich ist. Lieutenant Dallas, das ist total unmöglich.«

»Und warum?«

»Kenneth ist ein warmherziger, sanfter Mensch.«

»Nur, dass dieser warmherzige, sanfte Mensch Richard Draco vor vierundzwanzig Jahren krankenhausreif geschlagen hat.«

Anja schnalzte ungeduldig mit der Zunge und stellte ihre Tasse unsanft auf der Untertasse ab. »Die Unbesonnenheit der Jugend. Weshalb wird er so hartnäckig von einer einzelnen törichten Tat verfolgt, die er vor einer halben Ewigkeit aus Liebe und Sorge um das Wohlergehen eines anderen Menschen begangen hat?«

»Wir alle werden von allen unseren Taten ein Leben lang verfolgt.«

»Das glaube ich nicht. Ich selbst bin der Beweis dafür, dass man ein Leben aus reiner Willenskraft grundlegend verändern kann.« Sie ballte die Faust. »Lieutenant Dallas, als ich Kenneth gestern Abend traf, war er verängstigt und erregt. Ich schwöre Ihnen, wenn er wirklich getan hätte, wessen er von Ihnen verdächtigt wird, hätte er mich niemals kontaktiert.«

»Wann haben Sie ihn zuletzt gesehen?«

»Gegen acht. Wir hatten uns in einem kleinen Club getroffen. Ich glaube, er hieß *Streuner* oder so.«

»Den kenne ich.«

»Wir haben etwas getrunken und uns miteinander unterhalten. Dabei hat er mir gesagt, dass er Ihnen meinen Namen gegeben hat und dass Sie sich wegen meiner Jahre zurückliegenden Beziehung zu Richard für mich interessieren.«

Ihr Lächeln erblühte nicht weniger strahlend als die Rosen in der Vase, die schräg neben ihr auf dem kleinen Tischchen stand. »Wissen Sie, er wollte mich warnen, damit ich mich verstecken und mir dadurch das Ungemach eines Treffens wie diesem ersparen kann. Ich habe ihn, so gut es ging, beruhigt und ihm gesagt, dass ich mich bei Ihnen melde.«

»Und nach dem Treffen hat er Sie nicht noch einmal kontaktiert?«

»Nein. Ich hoffe, dass ich nach dem Gespräch mit Ihnen noch einmal mit ihm reden und ihn dahingehend beruhigen kann, dass Sie nicht länger glauben, er hätte irgendetwas mit Richards Tod zu tun.«

»Kenneth Stiles hat gestern Abend versucht, die Stadt zu verlassen.« Eve sah Anja aufmerksam ins Gesicht. »Als er verhaftet werden sollte, hat er versucht zu fliehen und wurde dabei verletzt.«

»Nein. Nein, nein.« Anjas Arm zuckte quer über den Tisch. Sie packte Eve am Handgelenk und fragte entsetzt: »Verletzt? Wie schlimm? Wohin haben Sie ihn gebracht?«

»Er liegt im Krankenhaus. Sein Zustand ist stabil.

Die Ärzte erwarten, dass er sich vollständig erholt. Warum, Ms Carvell, versucht ein unschuldiger Mann zu fliehen?«

Anja zog den Arm zurück, stand auf und trat ans Fenster. Sie presste eine Hand vor ihren Mund, als wollte sie bestimmte Worte daran hindern, aus ihr herauszubrechen, glitt dann mit ihren Fingern hinab zu ihrer Bluse, fing an, nervös mit einem Knopf zu spielen, und als sie endlich wieder etwas sagte, klang ihre Stimme deutlich rauer und weniger gelassen als zuvor.

»Oh, Kenneth. Vielleicht haben Sie Recht, Lieutenant. Vielleicht werden wir tatsächlich ein Leben lang von allem, was wir tun, verfolgt. Falls er etwas getan hat, hat er es, genau wie damals, eindeutig für mich getan.« Gerahmt vom grauen Himmel, wandte sie sich den beiden Frauen wieder zu. In ihren Augen schwammen Tränen, doch drängte sie sie, ehe sie ihr auf die Wangen tropfen konnten, entschieden wieder zurück. »Wird man mir erlauben, ihn zu sehen?«

»Wahrscheinlich. Ms Carvell, wusste Kenneth Stiles, dass Sie ein Kind von Richard Draco ausgetragen haben?«

Anja riss den Kopf zurück, als hätte Eve ihr einen Faustschlag mitten ins Gesicht verpasst. Sie lachte unsicher auf, riss sich dann jedoch zusammen und kehrte zurück zu ihrem Sitzplatz auf der Couch. »Ich sehe, Sie haben wirklich gründlich recherchiert. Ja,

Kenneth hat es gewusst. Er hat mir geholfen, als ich in einer äußerst schwierigen Lage war.«

»Weiß er, dass dieses Kind Carly Landsdowne ist?«

»Er kann unmöglich wissen, welchen Namen das Kind von seinen Adoptiveltern bekommen hat. Die Akte wurde versiegelt. Niemand außer dem Notar, der die Adoptionspapiere aufgesetzt hat, wusste, wohin das Kind gekommen ist. Das ist schließlich der Sinn einer versiegelten Akte, Lieutenant. Aber was hat dieses Kind – nein, inzwischen ist sie eine junge Frau – mit all dem zu tun?«

»Sie haben also niemals Kontakt zu Carly Landsdowne aufgenommen?«

»Warum hätte ich das tun sollen? Ah, Sie denken, dass ich entweder eine Lügnerin oder aber total kaltherzig bin.«

Anja schenkte sich Kakao nach, hob die Tasse aber nicht an ihren Mund. Einziges Zeichen ihrer inneren Erregung war das ruhelose Trommeln der Finger ihrer rechten Hand an ihrem Hals.

»Ich glaube, ich bin weder das eine noch das andere«, stellte sie schließlich fest. »Als ich merkte, dass ich schwanger war, war ich sehr jung und grenzenlos verliebt. Ich hatte mich Richard Draco hingegeben. Er war für mich der allererste Mann. Er hat es genossen, dass er der Erste war. An Verhütung habe ich vor lauter Glück überhaupt nicht gedacht.«

Sie zuckte mit den Schultern und lehnte sich zurück. »Wie gesagt, ich war jung und grenzenlos verliebt, als ich merkte, dass ich von Richard schwanger war. Ich war selig, denn ich hatte die romantische Vorstellung, dass er mich heiraten würde, sobald er erführe, dass ich von ihm ein Kind bekam. Doch er hat dafür gesorgt, dass meine Freude schon bald abgrundtiefer Verzweiflung wich. Es gab keinen Streit, keine leidenschaftliche Auseinandersetzung, doch genauso wenig gab es die zärtlichen, liebevollen Worte und Versprechen, die ihm in freudiger Erwartung von mir ins Drehbuch geschrieben worden waren. Stattdessen sah er mich völlig desinteressiert, ja regelrecht gelangweilt an.«

Ihre Miene wurde hart, und ihre Hand glitt von ihrem Hals zurück in ihren Schoß. »Ich werde nie vergessen, wie er mich angesehen hat. Er meinte, das wäre mein Problem, und falls ich erwarten würde, dass er für die Abtreibung bezahlt, dächte ich besser noch mal nach. Natürlich bin ich in Tränen ausgebrochen und habe ihn angefleht, es sich noch mal zu überlegen. Daraufhin hat er mich mit einigen höchst unschönen Ausdrücken belegt, mir erklärt, meine sexuellen Fähigkeiten wären bestenfalls als mittelmäßig zu bezeichnen und er hätte nicht mehr das mindeste Interesse an jemandem wie mir. Dann ist er gegangen, und ich blieb schluchzend und auf den Knien allein im Raum zurück.«

Offenkundig gleichmütig nahm sie nun einen

Schluck Kakao. »Ich hoffe, Sie verstehen, wenn ich nicht trauere, weil er ermordet worden ist. Er war das verabscheuungswürdigste Wesen, dem ich je begegnet bin. Unglücklicherweise habe ich das damals nicht rechtzeitig erkannt. Ich wusste, dass er Fehler hatte«, fuhr sie fort. »Aber mit dem wunderbaren, blinden Optimismus der Jugend hatte ich mir allen Ernstes eingebildet, ich könnte ihn ändern.«

»Und diesen Optimismus hat er Ihnen genommen.«

»Allerdings. Ich hörte auf zu glauben, dass ich Richard Draco jemals ändern könnte. Gleichzeitig jedoch war ich der festen Überzeugung, ohne ihn nicht leben zu können. Außerdem hatte ich eine Heidenangst. Ich war gerade achtzehn Jahre alt, schwanger und mutterseelenallein. Bis dahin hatte ich davon geträumt, einmal eine große Schauspielerin zu werden, doch diese Träume waren mit einem Mal geplatzt. Wie also hätte ich jemals weiterleben sollen?«

Sie machte eine kurze Pause, als dächte sie an jene unglückliche Zeit zurück. »Mit achtzehn ist man so unendlich dramatisch. Können Sie sich noch daran erinnern, wie Sie mit achtzehn waren, Lieutenant Dallas, wie Sie geglaubt haben, alles, was mit Ihnen passiert, wäre furchtbar wichtig, und die ganze Welt drehte sich ausschließlich um Sie? Tja, nun.«

Erneut zuckte sie mit den Schultern. »Ich habe versucht, mich umzubringen. Ich habe die Sache, Gott sei Dank, vermasselt, obwohl es mir vielleicht gelungen wäre, wäre nicht Kenneth rechtzeitig aufgetaucht. Hätte er mich nicht daran gehindert und mir Hilfe besorgt.«

»Aber die Schwangerschaft haben Sie nicht abgebrochen.«

»Nein. Im Krankenhaus hatte ich Zeit, um nachzudenken, um mich zu beruhigen. Als ich mir die Pulsadern aufgeschnitten habe, habe ich nicht an das Kind gedacht, sondern nur an mich. Ich hatte das Gefühl, als hätte man mir eine zweite Chance gegeben und als wäre die einzige Möglichkeit zu überleben, dass ich das Leben austrage, das in mir entstanden war. Ohne Kenneth hätte ich das wahrscheinlich nicht geschafft.«

Sie sah Eve aus ihren ausdrucksvollen Augen an. »Er hat mein Leben gerettet und das des Kindes. Er hat mir geholfen, die Klinik in der Schweiz und den Notar zu finden, der die Adoption vermittelt hat. Er hat mir Geld geliehen und jede Unterstützung gewährt, die er mir nur geben konnte.«

»Er war, beziehungsweise ist, in sie verliebt.«

»Ja.« Diese schlichte Feststellung klang traurig. »Ich bedauere zutiefst, dass ich diese Liebe nicht auf die Art, die er verdient hätte, erwidern konnte oder kann. Sein Angriff auf Richard vor all den Jahren war eine einmalige Entgleisung, die ihn sehr viel gekostet hat.«

»Und nachdem Sie das Kind fortgegeben hatten?«
»Nahm ich mein Leben wieder auf. Den Traum, Schauspielerin zu werden, hatte ich jedoch begraben. Um ihn weiterzuverfolgen, fehlte mir der Mut.«
»Als leibliche Mutter haben Sie das Recht, sich regelmäßig nach dem Wohlergehen Ihres Kindes zu erkundigen.«
»Von diesem Recht habe ich nie Gebrauch gemacht. Ich hatte getan, was für sie und mich das Beste war. Danach hatte ich keinen Anspruch mehr auf sie. Inwiefern könnten wir beide heute noch wichtig füreinander sein?«
»Sie hat sich für Richard Draco interessiert. Carly Landsdowne stand an dem Abend, an dem er ermordet wurde, mit ihm zusammen auf der Bühne.«
»Ach ja?« Überraschung und Nachdenklichkeit blitzten in Anjas Augen auf. »Sie ist Schauspielerin? Hier in New York? Wie sich die Dinge wiederholen. Und sie hat zusammen mit Richard und Kenneth gespielt. Seltsam, aber irgendwie auch passend, finden Sie nicht auch?«
Eve sah sie abwartend an. »Sie stellen keine weiteren Fragen nach der jungen Frau.«
»Lieutenant, hätten Sie es möglicherweise gern, dass ich so tue, als ob es irgendeine spirituelle Verbindung zwischen uns beiden gibt? Ihre Carly Landsdowne ist für mich eine Fremde. Natürlich wünsche ich ihr alles Gute. Aber das zarte, dünne

Band, das es einmal zwischen uns gab, ist bereits vor langer Zeit zerrissen. Der Einzige von damals, zu dem ich noch Verbindung habe, ist der treue Kenneth Stiles.«

»Kannten Sie Areena Mansfield?«

»Flüchtig. Sie war bereits damals eine äußerst vielversprechende junge Frau. Sie hat es ziemlich weit gebracht. Ich glaube, Richard hat auch mit ihr für kurze Zeit gespielt. Warum fragen Sie?«

»Sie war ebenfalls Mitglied des Ensembles. Und Natalie Brooks?«

»Natalie Brooks?« Ein schmales Lächeln umspielte Anjas Mund. »Diesen Namen habe ich vor einer halben Ewigkeit zum letzten Mal gehört. Ja, ich kann mich daran erinnern, dass sie eine kleine Rolle in dem Stück hatte, das zu der Zeit auf dem Spielplan stand, als Richard und ich ein Verhältnis miteinander hatten. Genau wie ich war sie noch sehr jung. Sie war hübsch auf eine frische, unverbrauchte Art. Und natürlich leichte Beute. Nachdem er mich hatte fallen lassen, hat er sie verführt. Vielleicht auch schon früher. Das kann ich nicht sagen. Hat sie ebenfalls in dem Stück mitgespielt?«

»Nein, aber ihr Sohn war die Zweitbesetzung des Leonard Vole.«

»Faszinierend.« Ihre Augen blitzten belustigt auf. »Bitte, Sie müssen mir erzählen, wer sonst noch alles Mitglied des Ensembles war.«

»Eliza Rothchild.«

»Aber ja! Eine wunderbare Frau. So würdevoll und streng. Sie konnte Richard nicht ausstehen. Natürlich war sie nicht sein Typ, und er hat sich nicht die Mühe gemacht, das vor irgendjemand zu verbergen. Ja, es ist wirklich faszinierend. So viele Geister der Vergangenheit bewegen sich wie Schatten auf der Bühne. Und Richard stand im Mittelpunkt, so wie es ihm gefiel.

Ich selbst gehe nur noch äußerst selten ins Theater, aber wenn ich das gewusst hätte, hätte ich mir wahrscheinlich eine Karte für den Abend besorgt. Ja, ich hätte ganz bestimmt dafür bezahlt, seine letzte Aufführung zu sehen.«

»Sie hatten in den letzten vierundzwanzig Jahren zu keinem dieser Menschen den mindesten Kontakt?«

»Wie ich bereits sagte, außer zu Kenneth, nein. Mir ist klar, dass Kenneth Ihnen gegenüber behauptet hat, er hätte mich bereits seit Jahren nicht mehr gesprochen oder gesehen und hätte keine Ahnung, wo ich zu finden bin. Diese Lüge hat er Ihnen meinetwegen aufgetischt. Und nun, da Sie mir erzählt haben, wer sonst noch alles an der Sache beteiligt ist, wird mir auch klar, warum. Bestimmt hatte er Angst, die Geister der Vergangenheit brächten mich erneut aus dem Gleichgewicht. Aber ich versichere Ihnen und werde auch ihm versichern, dass das nicht der Fall ist.«

»Hat er Ihnen erzählt, dass Richard Draco und Carly Landsdowne ein Verhältnis miteinander hatten?«

Die Tasse Schokolade hielt auf halbem Weg zu ihren Lippen an. Ohne Eve aus den Augen zu lassen, stellte Anja sie vorsichtig zurück auf den Tisch. »Was sagen Sie da?«

»Dass Ihr ehemaliger Geliebter und das Kind, das er mit Ihnen gezeugt hat, miteinander intim gewesen sind. Sie hatten ein Verhältnis, das erst kurz vor seinem Tod geendet hat.«

»Heilige Mutter Gottes.« Anja schloss die Augen. »Ist dies die Strafe für eine kleine Sünde, die vor vielen Jahren von mir begangen worden ist? Jetzt haben Sie mich komplett aus dem Gleichgewicht gebracht, Lieutenant.« Sie schlug die Augen wieder auf und bedachte Eve mit einem kalten Blick. »Falls das Ihre Absicht war, hatten Sie damit Erfolg. Sicher hat keiner der beiden etwas davon gewusst.«

Sie stand auf und trat ans Fenster.

»Sie ist jung. Ist sie auch attraktiv?«, fragte sie und schaute Eve über die Schultern hinweg an.

»Ja. Äußerst attraktiv.«

»Dann dürfte es ihm schwer gefallen sein, ihr zu widerstehen. Dann hat er sicher keinen Grund gesehen, ihr zu widerstehen. Und es ist ihm halt stets gelungen, die Frauen in sein Bett zu locken, an denen er Gefallen fand.«

»Vielleicht ist es ja auch andersherum gewesen. Vielleicht hat sie es ja gewusst.«

»Welche Frau schläft wohl freiwillig mit ihrem eigenen Vater?«, fuhr Anja sie zornig an. Sie ballte die Fäuste und wirbelte zitternd zu den beiden Polizistinnen herum. »Weshalb hätte sie es wissen sollen? Die Akte ist versiegelt.«

»Siegel können gebrochen werden«, erklärte Eve milde. »Die betroffenen Personen sind befugt, Einsicht in die Akte zu verlangen. Vielleicht war sie neugierig, vielleicht wollte sie wissen, wer ihre leiblichen Eltern sind.«

»Ich hätte eine Mitteilung erhalten, wenn ein solcher Antrag eingegangen und ihm stattgegeben worden wäre. Es ist gesetzlich vorgeschrieben, dass man mich darüber informiert.«

»Wenn Gesetze nicht regelmäßig übertreten würden, hätten ich und meine Assistentin keinen Job. Eventuell hat ja Draco selber Einsicht in die Unterlagen verlangt.«

Anja lachte böse auf. »Und zu welchem Zweck? Er hatte bereits damals nicht das mindeste Interesse an dem Kind, und es ist höchst unwahrscheinlich, dass er sich nach all den Jahren daran erinnert hat, dass er Vater einer Tochter ist.«

»Es gab eine ziemlich große Ähnlichkeit zwischen den beiden. Sie hatten den gleichen Teint, die gleichen Augen und das gleiche Kinn.«

»Tja.« Sie atmete tief durch, nickte und nahm wieder Platz. »Dann hat er in ihr womöglich sich selbst gesehen. Vielleicht«, murmelte sie und spielte abermals mit dem Knopf von ihrer Bluse. »Vielleicht. Dann hätte er sie aus reinem Narzissmus in sein Bett gelockt. Aber ob es so gewesen ist, kann ich nicht sagen. Ich weiß es einfach nicht. Richard ist mir im Verlauf der Jahre genauso fremd geworden wie die junge Frau, von der Sie mir erzählen. Ich kenne die beiden nicht.«

»Aber Kenneth Stiles hat sie beide gekannt.«

Vor Entsetzen stieg Anja eine heiße Röte in die Wangen, die jedoch ebenso schnell wieder verflog. »Nein. Was auch immer er gewusst oder vermutet hat, hätte er doch niemals einen Mord begangen. Ich sage Ihnen, der Angriff auf Richard vor vierundzwanzig Jahren war etwas Spontanes, er hat sich in einer Situation des Zorns auf ihn gestürzt. Sie haben gesagt, dass die Geschichte zwischen Richard und der jungen Frau bereits vor seiner Ermordung vorbei gewesen ist. Kenneth hätte niemals dauerhaft deshalb einen Groll gegen Richard gehegt. Das hätte er nie geschafft.«

»Vielleicht nicht. Vielleicht nicht ohne Hilfe. Aber vielleicht hat ja irgendjemand diesen Groll weiterhin genährt. Wo waren Sie am Abend des fünfundzwanzigsten März?«

»Ah. Ich verstehe. Ich verstehe«, meinte Anja leise

und faltete die Hände. »Ich glaube, ich war zu Hause. Und zwar ganz allein.«

»Sie haben an dem Abend niemanden gesehen, mit niemandem gesprochen?«

»Soweit ich mich entsinne, nicht. Allerdings wüsste ich nicht, wie ich beweisen könnte, dass es so gewesen ist.«

»Wie steht es mit Ihrer Familie, Ms Carvell?«

»Ich habe keine. Ich kann Ihnen nur mein Wort geben, dass ich nicht von Montreal nach New York gereist bin, um mich an einer Verschwörung zu beteiligen, deren Ziel Richards Ermordung gewesen ist.« Abermals erhob sie sich von ihrem Platz. »Lieutenant, ich glaube, jetzt ist der Zeitpunkt erreicht, an dem ich gerne einen Anwalt sprechen würde. Bis ich das getan habe, habe ich Ihnen nichts mehr in dieser Angelegenheit zu sagen.«

»Das ist Ihr gutes Recht. Danke für Ihre Kooperation. Peabody, schalten Sie bitte den Rekorder aus.«

»Wären Sie vielleicht so nett, mir zu sagen, in welchem Krankenhaus der arme Kenneth liegt? Ich würde gern dort anrufen und mich erkundigen, wie es ihm geht.«

»Er liegt im Roosevelt.« Eve stand auf und wandte sich zum Gehen. »Ihr Anwalt kann mich auf dem Hauptrevier erreichen, falls er mit mir sprechen will.«

»Sehr gut.« Anja brachte sie zur Tür.

»Guten Tag, Lieutenant«, meinte sie leise, schloss,

als Eve und Peabody gegangen waren, sorgfältig hinter ihnen ab, bedeckte ihr Gesicht mit beiden Händen und fing lautlos an zu weinen.

»Was hatten Sie für einen Eindruck, Peabody?«

»Cool, weltgewandt und selbstsicher. Entweder glaubt sie tatsächlich, dass Stiles unschuldig ist, oder sie ist fest entschlossen, ihn zu schützen. Ihre Sorge um ihn hat echt auf mich gewirkt. Carly hingegen war ihr offensichtlich völlig egal.«

Stirnrunzelnd glitt Eve hinter das Lenkrad ihres Wagens. »Sollte sie denn Interesse an ihr haben?«

»Tja, ich denke halt, dass es eine, Sie wissen schon, emotionale Bindung geben sollte.«

»Warum? Sie war mit dem Mädchen schwanger und hat es auf die Welt gebracht, hatte also gerade mal neun Monate mit ihm zu tun. Wie sollte da also eine emotionale Bindung zwischen den beiden entstehen?«

»Dadurch, dass das Baby in ihrem Bauch gewachsen ist. Sie hat seine Tritte und Bewegungen gespürt und … Ich weiß nicht, Dallas. Ich bin nie schwanger gewesen. Ich spreche also weniger aus eigener Erfahrung als aus einem bloßen Gefühl heraus.«

Peabody rutschte unbehaglich auf ihrem Sitz herum. Die Atmosphäre im Fahrzeug war erschreckend düster. Sie hatte keine Ahnung, was sie davon halten sollte, und warf einen vorsichtigen Blick auf

Eve, die grüblerisch vor sich auf die Straße sah. »Wenn das stimmt, was sie uns erzählt hat«, wagte sich Peabody behutsam weiter vor. »Dann hat sie das Baby einfach fortgegeben und mit ihrem Leben weitergemacht, als wäre nie etwas passiert. Aber ich kann irgendwie nicht glauben, dass es so einfach war. Ich dachte, Sie gingen davon aus, dass sie an dem Mord beteiligt war.«

»Das halte ich nach wie vor für möglich.« Allerdings hatte das Gespräch mit Anja sie derart aus dem Gleichgewicht gebracht, dass sie etwas übersehen hatte, und deshalb meinte sie: »Gehen Sie noch mal rein und finden Sie heraus, wann die Carvell eingezogen ist, ob sie vorher reserviert hat und wie lange sie bleiben will.«

»Okay.« Erleichtert stieg Peabody wieder aus dem Wagen aus.

Welche Frau schläft wohl freiwillig mit ihrem eigenen Vater?

Eve hatte einen dicken Kloß im Magen, seit diese Frage aufgetaucht war. *Was, wenn sie keine Wahl hatte? Was dann?* Sie warf ihren Kopf nach hinten und drehte die Frage herum. *Welcher Mann schlief wohl freiwillig mit seiner eigenen Tochter?*

Die Antwort darauf war ihr schmerzlich bekannt. Sie kannte diese Art von Mann, denn noch immer flüsterte sein eklig süßer Atem nachts an ihrem Ohr.

Na, was macht mein kleines Mädchen?

Sie atmete keuchend aus und gierig wieder ein.

Und was war mit der Mutter?, überlegte sie und wischte sich die feuchten Hände an ihrer Hose ab. Was machte eine Mutter aus? Sicher nicht allein die Tatsache, dass ein anderes Leben in ihr wuchs. Eve legte den Kopf auf die Seite und blickte hinauf zu den Fenstern, hinter denen Anja Carvell mit ihrer Kanne heißer Schokolade in Gesellschaft der Geister aus ihrem früheren Leben saß. Nein, sie glaubte nicht, dass es so einfach war.

Es war sicher mehr. Es musste mehr sein, davon war sie überzeugt.

Das Bedürfnis der meisten vernunftbegabten, anständigen Menschen, Säuglinge und kleine Kinder zu beschützen, war eine Sache des Instinkts. Das Verlangen, einen anderen Erwachsenen zu schützen, entsprang entweder reinem Pflichtgefühl oder aber Liebe, dachte sie.

Als Peabody zurückkam, richtete sich Eve hinter dem Lenkrad auf. »Sie hat gestern am frühen Abend angerufen, ein Zimmer reserviert und kam zwei Stunden später an. Eigentlich will sie nur bis morgen bleiben, hat sich aber die Option offen gehalten zu verlängern.«

»Mutter, Vater, treuer Freund«, murmelte Eve. »Kommen Sie, kümmern wir uns jetzt um das Kind.«

»Carly. Auf dem Weg zu ihrer Wohnung kommen wir an ein paar Lebensmittelgeschäften vorbei. Wir könnten doch an einem halten, damit ich uns zwei Tassen heiße Schokolade holen kann.«

»Das Zeug, das sie dort verkaufen, ist doch eklig.«

»Ja, aber es schmeckt nach Schokolade.« Peabody versuchte es mit einem flehenden und zugleich jämmerlichen Blick. »Und Sie haben ja nicht zugelassen, dass sie uns eine Tasse von dem wirklich guten Zeug serviert.«

»Sicher hätten Sie dazu gern noch ein paar Kekse. Oder ein paar bunt glasierte Törtchen.«

»Das wäre natürlich super. Danke, dass Sie danach fragen.«

»Das war ironisch gemeint, Peabody.«

»Ja, Madam. Ich weiß. Meine Antwort auch.«

Das Lachen ihrer Assistentin riss Eve aus ihrer depressiven Stimmung, und vor lauter Dankbarkeit steuerte sie tatsächlich einen dementsprechenden Laden an und wartete geduldig, bis Delia mit einer voll bepackten Tüte zurück zum Wagen kam.

»Wissen Sie, ich versuche ehrlich, nicht mehr ganz so viel von diesem Zeug zu essen. Aber …« Gierig riss Peabody die erste Plätzchenpackung auf. »… auch wenn es seltsam ist, hält McNab mich nicht für fett. Obwohl er, da er mich regelmäßig nackt sieht, meine Speckrollen genauestens kennt.«

»Peabody, glauben Sie ernsthaft, dass ich hören möchte, dass McNab Sie ohne Ihre Kleider sieht?«

Sie biss in einen Keks. »Ich meine ja nur. Aber Sie

wissen sowieso, dass wir beide miteinander schlafen, und sind wahrscheinlich bereits zu dem Schluss gekommen, dass wir dabei nackig sind. Schließlich sind Sie eine begnadete Ermittlerin.«

»Peabody, auch wenn ich es als Ihre Vorgesetzte aufgrund meiner erstaunlichen Gutmütigkeit hin und wieder dulde, dass Sie auf eine ironische Bemerkung von mir ebenfalls ironisch reagieren, steht es Ihnen nicht zu, mir gegenüber von sich aus derart sarkastisch zu sein. Und jetzt geben Sie mir endlich ein verdammtes Plätzchen.«

»Die hier sind mit Kokosnuss. Sie hassen Kokosnuss.«

»Warum haben Sie dann Kokosnuss gekauft?«

»Weil es mir Spaß macht, Sie zu ärgern.« Grinsend zog Peabody eine zweite Packung Keks aus der Tasche und erklärte: »Aber außerdem habe ich, extra für Sie, noch eine Packung Chocolate-Chips geholt.«

»Her damit.«

»Okay.« Peabody riss die zweite Packung auf und hielt Eve eins der Plätzchen hin. »Tja, im Gegensatz zu mir hat McNab einen viel zu kleinen, entsetzlich knochigen Hintern und eine viel zu schmale Brust. Und trotzdem ...«

»Hören Sie auf! Hören Sie sofort auf! Falls Sie es tatsächlich schaffen, mich dazu zu bringen, mir McNab ohne Kleidung vorzustellen, werden Sie zur Strafe zur Verkehrspolizei zurückversetzt.«

Fröhlich summend kaute Peabody auf ihrem Keks herum.

»Verdammt! Jetzt sehe ich ihn bildlich vor mir.«

Peabody lachte quietschend auf. »Tut mir Leid, Dallas. Tut mir wirklich Leid. Ich konnte nicht anders. Aber er ist echt niedlich, finden Sie nicht auch?«

Und, dachte sie, vor allem hatte sie mit dem kleinen Manöver ihren Lieutenant endgültig von seinem Elend abgelenkt.

»Halten Sie die Klappe«, warnte Eve, musste jedoch ein leises Lachen unterdrücken. »Entfernen Sie die Kekskrümel von Ihrem Hemd und bemühen Sie sich um ein Minimum an Würde.« Direkt vor Carlys Haus hielt sie den Wagen an.

Dieses Mal riefen die noble Umgebung, das exklusive Haus und die elegante Eingangshalle andere Gedanken in Eve wach. Anja Carvell hatte wohlhabende Eltern für ihre Tochter ausgesucht. Die Art von Eltern, die dafür Sorge tragen würden, dass ihr Kind Privilegien, Luxus sowie Sicherheit genoss.

»Peabody, wir haben doch Carly Landsdownes Lebenslauf überprüft. Sie war auf Privatschulen, nicht wahr?«

»Ja, Madam, ich glaube.« Zur Sicherheit zog Peabody, als sie in den Fahrstuhl stiegen, ihren Handcomputer aus der Tasche und gab die Daten ein. »Vom Kindergarten bis zum College hat sie ausschließlich die besten Privatschulen besucht. Außerdem haben ihre Eltern noch jede Menge Privatlehrer für Schauspiel-, Tanz-, Gesangs- und Sprechunterricht bezahlt.«

»Was machen die beiden beruflich?«

»Der Vater ist Arzt, Mikrochirurg. Die Mutter hat ein eigenes Reisebüro, war jedoch zwischen 2036 und 2056, also die gesamten pro Kind erlaubten zwanzig Jahre, hauptberuflich als Mutter registriert.«

»Keine Geschwister?«

»Nein.«

»Sie hat echte Gewinner für das Mädchen ausgewählt. Es war ihr also wichtig, wie es mit ihrer Tochter weiterging«, murmelte Eve zu sich selbst, während sie aus dem Fahrstuhl trat und den Korridor hinab zu Carlys Apartment ging.

Erst nach zweimaligem Klingeln kam die junge Mimin an die Tür. Sie hatte schwere Lider, ihr Haar wirkte zerzaust und sie fragte gähnend: »Was wollen Sie denn jetzt noch?«

»Ein kurzes Gespräch.«

»Zu nachtschlafender Zeit?«

»Es ist bereits nach neun.«

»Wie gesagt, zu nachtschlafender Zeit!« Schulterzuckend trat sie einen Schritt zurück. »Fragen Sie mich bloß nichts, bevor ich nicht eine Tasse Kaffee in den Händen halte. Der Genuss von Kaffee sollte in den Katalog der Rechte und der Pflichten aufgenommen werden, den Sie so gern zitieren.«

»Sie wirkt leicht gereizt.« Peabody blickte Carly, die Richtung Küche schlenderte, nachdenklich hinterher.

Eve versuchte, den Duft des echten Kaffees, der ihr in die Nase stieg, zu ignorieren, und sah sich in der Wohnung um.

»Ich habe Sie gestern auf Richards Gedenkfeier gesehen«, verkündete Carly, während sie ins Wohnzimmer zurückkam, und ihr Morgenmantel glitt von einer ihrer Schultern, als sie mit gekreuzten, nackten Beinen auf dem Sofa Platz nahm. »Sie kommen offensichtlich viel herum.«

»Einige der Dinge, über die ich mich mit Ihnen unterhalten möchte, sind persönlicher Natur. Eventuell wäre es Ihnen deshalb lieber, wenn Ihr Besuch vor Anfang unseres Gespräches geht.«

»Mein Besuch?«

»Zwei Weingläser«, erklärte Eve mit einem kurzen Nicken in Richtung des niedrigen Tischs. »Zerknautschte Sofakissen und verstreute Unterwäsche.« Sie schob die Hand unter eins der Kissen und zog einen langen, schwarzen Seidenstrumpf hervor.

»Woraus Sie richtig schließen, dass ich letzte Nacht mit jemandem geschlafen habe.« Sie zuckte mit der Schulter, wobei ihr Morgenmantel noch ein Stückchen weiter an ihrem Arm herabglitt. »Aber weshalb denken Sie, dass dieser Jemand jetzt noch hier ist?«

»Weil Sie durch unser Erscheinen unsanft beim Sex

unterbrochen worden sind. Der kleine Knutschfleck links an Ihrem Hals ist nämlich noch frisch.«

»Ah.« Sie seufzte amüsiert. »Wir waren einfach etwas ausgelassen. Warum kommst du nicht einfach rüber, Schätzchen?«, rief sie über ihre Schulter, ohne dass sie Eve dabei für eine Sekunde aus den Augen ließ. »Lieutenant Dallas hat die Stimmung sowieso kaputtgemacht.«

Man hörte, dass eine Tür geöffnet wurde, dass jemand zögernd barfuß näher trottete. Und dann kam, wild zerzaust und leicht errötend, Michael Proctor in den Raum.

19

»Äh ...« Er räusperte sich leise und suchte nach einer Beschäftigung für seine Hände, bevor er seine Arme schlaff zu beiden Seiten seines Körpers herunterbaumeln ließ. Er hatte ungekämmte Haare, wirkte ziemlich verschlafen und hatte sich das Hemd verkehrt zugeknöpft. »Guten Morgen, Lieutenant.«

Carlys lang gezogenes, fröhliches Gelächter füllte das Zimmer. »Oh, Michael, gib dir doch ein bisschen Mühe. Versuch wenigstens befriedigt und trotzig, statt schuldbewusst und verlegen auszusehen. Schließlich ist sie nicht von der Sittenpolizei.«

»Carly«, drang es jämmerlich aus seiner Kehle.

Sie wedelte lässig ab. »Geh und hol dir einen Kaffee. Dann fühlst du dich sicher besser.«

»Hm ... kann ich irgendjemandem ... was mitbringen?«

»Ist er nicht süß?« Carly lächelte wie eine stolze Mutter über ein wohlerzogenes Kind. »Nun geh schon, Schatz.«

Während Michael in die Küche tapste, wandte sie

sich wieder an Eve und bedachte sie, als hätte sie eine freundlich-weiche Maske abgestreift, mit einem kalten, feindseligen Blick. »Ich glaube, freiwilliger Sex zwischen zwei Erwachsenen ist in diesem Staat erlaubt. Vielleicht wenden wir uns also dem eigentlichen Grund Ihres Erscheinens zu.«

»Wie lange Sind Sie und Michael schon ein Paar?«

Carly studierte ihre Fingernägel und kratzte beiläufig an einem winzig kleinen Riss im Lack. »Da Sie gesagt haben, es wäre schon nach neun, seit ungefähr zwölf Stunden. Ich fürchte, den genauen Zeitpunkt, zu dem der Akt vollzogen wurde, kann ich Ihnen nicht nennen. Ich hatte nämlich meine Armbanduhr nicht an.«

»Wollen Sie Punkte für Arroganz bei mir gewinnen?«, fragte Eve ruhig. »Meinetwegen. Wir können gerne auf die Wache fahren und gucken, wer von uns den längeren Atem hat. Oder Sie erklären mir jetzt rundheraus, wie es dazu kam, dass Michael Proctor gestern Abend in Ihrem Bett gelandet ist.«

Carly verzog verärgert das Gesicht, riss sich jedoch zusammen, da ihr der Gedanke, andernfalls auf das Revier gezerrt zu werden, keineswegs gefiel. »Wir sind uns gestern auf der Gedenkfeier über den Weg gelaufen, haben anschließend zusammen was getrunken und kamen dann hierher. Eins führte auf angenehmste Art und Weise zum Nächsten. Haben Sie damit ein Problem?«

»Dass Sie auf der Gedenkfeier für den verstorbenen Verflossenen den nächsten Liebhaber aussuchen? Manche Leute hätten damit sicher ein Problem.«

Carlys Augen blitzten zornig auf, doch meinte sie mit ruhiger Stimme: »Heben Sie sich Ihre engstirnige Sicht der Dinge für jemand anderen auf, der sich dafür interessiert. Zufällig haben Michael und ich sehr vieles gemeinsam, die Chemie zwischen uns beiden hat gestimmt, und wir haben darauf reagiert. Davon abgesehen habe ich ihn wirklich gerne.«

»Eins, was Sie gemeinsam haben, ist die Bekanntschaft mit Richard Draco.«

»Das ist natürlich richtig. Aber Richard ist tot. Und das sind wir beide nicht.«

Michael kam langsam ins Wohnzimmer zurück. »Carly, soll ich lieber gehen?«

»Meinetwegen nicht.« Sie klopfte neben sich aufs Sofa, befahl herausfordernd: »Setz dich!«, und hakte sich, als er der Aufforderung nachkam, zufrieden lächelnd bei ihm ein. »So, Lieutenant, wo waren wir stehen geblieben?«

»Michael, Sie haben mir gegenüber bisher nicht erwähnt, dass auch Ihre Mutter Richard Draco kannte.«

Er fuhr derart zusammen, dass etwas von seinem Kaffee auf seine Hose schwappte, und fragte mit erstickter Stimme: »Meine Mutter? Was hat sie damit zu tun?«

»Sie stand einmal in einem Stück neben Draco auf der Bühne.«

»Deine Mutter ist ebenfalls Schauspielerin?«, fragte Carly verblüfft.

»Sie war es, aber sie hat ihren Beruf vor Jahren an den Nagel gehängt. Noch vor meiner Geburt.« Er stellte seine Tasse auf den Tisch und rieb sinnlos an dem feuchten Fleck auf seinem Bein herum. »Lassen Sie meine Mutter aus dem Spiel. Sie hat nichts getan.«

»Habe ich gesagt, sie hätte was getan?« Er war total nervös, konnte die Hände nicht still halten vor lauter Aufregung, erkannte Eve. »Aber Sie scheinen zu wissen, dass sie einmal mit Draco intim gewesen ist.«

»Das war völlig bedeutungslos. Und es ist Jahre her.«

»Deine Mutter und Richard?« Carly rückte etwas von ihm ab, um ihm besser ins Gesicht sehen zu können, und erklärte: »Oh. Das ist natürlich heikel.« Sie musterte ihn mitfühlend. »Aber lass dich dadurch nicht aus der Ruhe bringen, Schatz.«

Doch um seine Ruhe war es längst geschehen. »Hören Sie, sie hatte eine kleine Nebenrolle, das war alles. Sie war keine richtige Schauspielerin. Kurz danach hat sie meinen Vater kennen gelernt und ist seither mit ihm zusammen. Sie hätte mir nichts davon erzählt, wenn sie nicht mitbekommen hätte, dass ich Draco bewundert und deshalb als Zweitbesetzung für ihn vorgesprochen habe. Er hat sie benutzt. Er hat die Frauen ständig benutzt.«

Er wandte sich an Carly. »Sie ist darüber hinweggekommen. Intelligente Frauen schaffen das.«

Seine Mutter, dachte Eve, oder vielleicht Frauen generell, waren seine Schwäche. »Ja, er hat die Frauen gern benutzt. Junge, hübsche Frauen. Sie waren Spielzeug für ihn und er hat sich regelmäßig schnell mit ihnen gelangweilt. Ihre Mutter hat ihre Hoffnungen auf eine Karriere am Theater seinetwegen begraben.«

»Möglich.« Michael atmete hörbar aus. »Vielleicht war das einer der Gründe, weshalb sie die Schauspielerei aufgegeben hat. Aber sie hat sich ein neues Leben eingerichtet, mit dem sie glücklich ist.«

»Er hat ihr wehgetan.«

»Ja.« Bitterkeit blitzte in seinen Augen auf. »Ja, er hat ihr wehgetan. Wollen Sie von mir hören, ich hätte ihn deswegen gehasst? Vermutlich habe ich das wirklich auf eine bestimmte Art getan.«

»Michael, sag am besten nichts mehr«, warnte Carly.

»Verdammt.« Seine Stimme verriet neben heißem Ärger ehrliche Überzeugung, als er der jungen Frau erklärte: »Sie spricht von meiner Mutter. Aber meine Mutter war kein billiges Flittchen, kein kleines Spielzeug, das er sich einfach nehmen und dann achtlos wegwerfen konnte, als es ihn gelangweilt hat. Sie war ein nettes, naives junges Mädchen. Das hat er schamlos ausgenutzt.«

»Hat er ihr irgendwelche illegalen Rauschmittel verabreicht?«, fragte Eve. »Hat er sie abhängig gemacht?«

»Nein. Aber er hat es versucht. Der Hurensohn hat es tatsächlich versucht.«

»Michael, du brauchst ihre Fragen nicht zu beantworten.«

»Ich werde diese Sache ein für alle Mal klären, und zwar jetzt sofort.« Heiße Wogen des Zorns gingen von ihm aus. »Sie hat mir erzählt, dass sie ins Zimmer kam, als er gerade ein paar Tropfen von irgendeinem Zeug in ihr Glas gegeben hat. Sie hat ihn gefragt, was das war, und er hat nur gelacht. Er hat gesagt ... meine Mutter drückte sich für gewöhnlich nicht derart unflätig aus, aber sie hat wortwörtlich wiederholt, was sie von ihm zu hören bekommen hat. Er hat gesagt, mithilfe dieser Tropfen würde sie wie ein Karnickel rammeln.«

Ein Muskel in seiner Wange zuckte, als er Eve erklärte: »Sie hatte keine Ahnung, was das zu bedeuten hatte, aber ich habe es sofort gewusst. Mir war klar, dass dieser Schweinehund ihr Wild Rabbit in den Drink geschüttet hat.«

»Aber sie hat nichts davon getrunken?«

»Nein, es hat ihr Angst gemacht. Sie hat ihm gesagt, sie hätte keinen Durst, und da wurde er wütend. Hat sie wüst beschimpft und zu zwingen versucht, dass sie ein paar Schlucke trinkt. Da wurde ihr bewusst, was für eine Sorte Mann er war, und sie rannte davon. Sie war am Boden zerstört und völlig desillusioniert. Und dann ist sie heimgekehrt. Sie hat mir gesagt, dass das die beste Entscheidung ihres Lebens gewesen ist.

Er hat sich nicht an sie erinnert«, fügte Michael hinzu. »Er besaß nicht mal den Anstand, sich an ihren Namen zu erinnern.«

»Sie haben mit ihm über sie gesprochen?«

»Ich wollte sehen, wie er darauf reagiert. Er hat nicht mal so getan, als ob er sich erinnert. Sie hat ihm nichts bedeutet. Ich bin der festen Überzeugung, dass ihm nie ein Mensch etwas bedeutet hat.«

»Haben Sie ihm erzählt, was er mit ihr gemacht hat? Haben Sie ihn daran erinnert?«

»Nein.« Er sank in sich zusammen, denn der Zornausbruch hatte ihn regelrecht erschöpft. »Nein, ich habe keinen Sinn darin gesehen. Außerdem hätte er, wenn ich ihn weiter damit genervt hätte, sicher für meine Kündigung gesorgt.«

»Nicht. Lass dir nicht wehtun von dieser Geschichte, lass sie nicht so nah an dich heran.«

Eve verfolgte mit zusammengekniffenen Augen, wie Carly ihre Arme um den unglücklichen Michael schlang und mit einem giftigen Blick in ihre Richtung zischte: »Lassen Sie ihn in Ruhe. Macht es Ihnen Spaß, Leute fertig zu machen, die schwächer sind als Sie?«

»Es ist meine Lieblingsbeschäftigung«, antwortete Eve und fügte in Gedanken hinzu: *Aber du bist alles andere als schwach. Haben deine leiblichen Eltern dir diese Stärke mitgegeben? Oder eher die Menschen, bei denen du aufgewachsen bist?*

»Es muss hart für Sie gewesen sein, Michael, all diese Dinge zu wissen und Draco Tag für Tag zu sehen.«

»Ich habe es, so gut es ging, verdrängt. Schließlich konnte ich das, was damals passiert war, nicht mehr ändern, oder?« Er bemühte sich, das Zucken seiner Achseln trotzig aussehen zu lassen, was ihm jedoch kläglich misslang. »Und nichts, was ich hätte tun können, hätte einen Unterschied gemacht. Außerdem habe ich mir gesagt, dass ich eines Tages an seiner Stelle auf der Bühne stehen und besser sein würde als er. Das reichte mir als Rache aus.«

»Diese Chance haben Sie nun, nicht wahr? Die Chance, in seine Fußstapfen zu treten. Und zwar nicht nur auf der Bühne, sondern obendrein bei einer seiner Frauen.«

Seine zusammengepressten Lippen fingen an zu zittern. »Carly. So war es nicht. Ich will nicht, dass du denkst ...«

»Natürlich ist es nicht so gewesen.« Sie nahm seine Hand. »Der Lieutenant hat einfach eine widerliche Fantasie.«

»Ms Landsdowne.«

Carly ignorierte Eve und küsste Michael zärtlich auf die Wangen. »Du hast deinen Kaffee verschüttet. Warum gehst du nicht schnell in die Küche und holst uns beiden frischen?«

»Ja. Sicher.« Er stand auf. »Meine Mutter ist eine wunderbare Frau.«

»Natürlich ist sie das«, antwortete Carly und wandte sich erst, als er zur Küche trottete, an Eve. »Es gefällt mir nicht, dass Sie Michaels Schwächen derart ausnutzen, Lieutenant. Die Starken sollen die Schwachen schützen, statt nach ihnen zu treten.«

»Eventuell trauen Sie ihm zu wenig zu.« Eve nahm auf der Lehne eines Sessels Platz. »Er hat seine Mutter vehement verteidigt. Für manche Menschen sind die familiären Bindungen die stärksten. Und wie sieht das bei Ihnen aus, Ms Landsdowne? Dass Sie adoptiert worden sind, haben Sie bisher mit keinem Wort erwähnt.«

»Was?« Carlys Blick verriet ehrliche Verwirrung. »Um Himmels willen, weshalb hätte ich das sollen? Meistens vergesse ich das sogar. Und was geht Sie meine Familiengeschichte überhaupt an?«

»Es war eine private Adoption, sofort nach Ihrer Geburt.«

»Ja. Das haben meine Eltern mir weder verschwiegen noch wurde bei uns zu Hause je ein sonderliches Aufhebens darum gemacht.«

»Haben sie Ihnen Einzelheiten von Ihren leiblichen Eltern erzählt?«

»Einzelheiten? Natürlich haben Sie mich über die medizinische Geschichte und den ethnischen Hintergrund dieser beiden Menschen aufgeklärt. Sie haben mir erklärt, dass meine leibliche Mutter mich zur Adoption freigegeben hat, weil sie mir eine gute Zukunft sichern wollte und so weiter und so fort. Ob das wahr ist oder nicht, hat mich niemals wirklich interessiert. Ich hatte nämlich stets eine Mutter, die für mich da gewesen ist.«

Sie machte eine kurze Pause, bevor sie gluckste: »Gehen Sie womöglich davon aus, dass auch meine Mutter einmal eine Beziehung zu Richard Draco hatte?« Sie fing schallend an zu lachen und warf die Wolke wild zerzauster rötlich brauner Haare schwungvoll über ihre Schultern zurück. »Ich kann Ihnen versichern, dass das nicht der Fall ist. Sie und mein Vater sind seit beinahe dreißig Jahren glücklich miteinander liiert. Und vor meiner Geburt hat sie ein Reisebüro geleitet, hatte mit der Schauspielerei also nicht das Mindeste zu tun.«

»Sie haben sich nie für die Frau, die Sie auf die Welt gebracht hat, interessiert?«

»Nicht besonders. Ich habe wunderbare Eltern, die ich liebe und die mich lieben. Weshalb sollte ich mir also Gedanken machen über eine Frau, die eine Fremde für mich ist?«

Wie die Mutter, so die Tochter, dachte Eve.

»Viele Adoptivkinder wollen Kontakt zu ihren leiblichen Eltern haben, wollen Antworten auf Fragen und manchmal sogar eine Beziehung.«

»Ich habe das niemals gewollt und werde es sicherlich nie wollen. Es gibt keine Leerstelle in meinem Leben, die ich ausfüllen muss. Ich bin sicher, dass meine Eltern mir geholfen hätten, sie zu finden, wenn ich sie darum gebeten hätte. Wenn es mir wichtig gewesen wäre. Doch das war es nicht. Außerdem hätte es sie verletzt, und ich würde ihnen niemals wehtun wollen«, fügte sie leise hinzu. »Aber weshalb interessiert Sie all das überhaupt?«

»Sagt Ihnen der Name Anja Carvell etwas?«

»Nein.« Sie straffte ihre Schultern. »Wollen Sie etwa behaupten, dass das der Name der Frau ist, die mich zur Adoption freigegeben hat? Ich habe nicht danach gefragt. Ich wollte keinen Namen wissen.«

»Sie kennen also keine Frau mit diesem Namen, haben nie Kontakt zu ihr gehabt?«

»Nein, und ich will auch keinen haben.« Sie sprang wütend auf. »Sie haben nicht das Recht, mir diese Dinge zu erzählen. Haben nicht das Recht, derart mit meinem Leben zu spielen.«

»Und nach Ihrem leiblichen Vater haben Sie ebenfalls niemals gefragt?«

»Gottverdammt, wenn schon sie mir nichts bedeutet, ist er noch viel unwichtiger für mich. Nichts weiter als ein Spermium, dem ein zufälliger Glückstreffer gelungen ist. Sie wollten mich aus der Fassung bringen, und das ist Ihnen gelungen. Ich hoffe, dass Sie jetzt zufrieden sind. Aber was hat das alles mit Richard Dracos Tod zu tu?«

Eve schwieg, und in der Stille, die sich über das Zimmer senkte, blitzte erst Ablehnung, dann Unglauben und schließlich ehrliches Entsetzen in Carlys Augen auf. »Nein, das ist eine Lüge. Eine bösartige, widerliche Lüge. Du elendige Hexe.«

Sie riss einen kleinen Blumentopf vom Tisch und warf ihn kraftvoll gegen die Wand. »Das ist nicht wahr.«

»Es ist dokumentiert«, erklärte Eve tonlos. »Richard Draco war ihr leiblicher Vater.«

»Nein. Nein.« Carly stürzte sich auf Eve, schubste sie unsanft gegen den Tisch, und das Porzellan der Lampe, die dabei auf den Boden fiel, zerbarst mit einem lauten Knall. Eve schüttelte den Kopf, als Peabody ihr helfen wollte, und blieb, als ihr Carly eine schallende Ohrfeige verpasste, völlig reglos stehen.

»Nehmen Sie das zurück! Nehmen Sie das zurück!«, schrie sie und war mit ihren dunklen Augen und den tränennassen kreidebleichen Wangen wunderschön. Sie packte Eve am Kragen ihres Hemdes, schüttelte sie durch und brach dann mit einem abgrundtiefen Stöhnen über ihr zusammen.

»O Gott. Oh, mein Gott.«

»Carly.« Michael kam aus der Küche ins Wohnzimmer gestürzt. Ein Blick in sein Gesicht genügte, um zu wissen, dass er alles mitbekommen hatte, doch als er zu Carly rannte und versuchte, sie tröstend zu umarmen, schubste sie ihn heftig von sich und kreuzte abwehrend die Arme vor der Brust.

»Rühr mich nicht an. Rühr mich bloß nicht an.« Wie das Wachs einer erloschenen Kerze glitt sie auf den Boden.

»Peabody, bringen Sie Michael zurück in die Küche.«

Er trat einen Schritt zurück und starrte Eve feindselig an. »Das, was Sie da getan haben, war unglaublich grausam. Jawohl, grausam.« Damit stapfte er, gefolgt von Peabody, zurück in den angrenzenden Raum.

Eve hockte sich neben Carly. Ihre Wange brannte von dem Schlag, innerlich jedoch war ihr eiskalt. »Es tut mir Leid.«

»Tatsächlich?«

»Ja.«

Carly hob den Kopf und betrachtete sie mit einem gequälten Blick: »Ich weiß nicht, wen ich momentan mehr verabscheue: Sie oder mich selbst.«

»Wenn Ihnen nicht bewusst war, dass Sie eine Blutsverwandte von ihm waren, gibt es keinen Grund, aus dem Sie Abscheu vor sich empfinden müssten.«

»Ich habe mit ihm geschlafen. Ich habe ihn angefasst und habe zugelassen, dass er mich überall berührt. Können Sie sich vorstellen, wie ich mich deshalb fühle? Wie schmutzig ich mir vorkomme?«

O Gott, ja. Mit einem Mal war Eve unermesslich müde. Sie kämpfte gegen ihre eigenen Dämonen an und schaute Carly ins Gesicht. »Er war für Sie ein Fremder.«

Carlys Atem stockte. »Er hat es gewusst, nicht wahr? Plötzlich ergibt alles einen grauenhaften Sinn. Dass er derart hinter mir her war, wie er mich angesehen, was er zu mir gesagt hat. Wir wären aus demselben Holz geschnitzt, hat er zu mir gesagt und dabei gelacht.« Wieder packte sie den Kragen von Eves Hemd. »Hat er es gewusst?«

»Das weiß ich nicht.«

»Ich bin froh, dass er tot ist. Ich wünschte, ich hätte ihn getötet. Ich wünschte bei Gott, dass ich selbst das Messer in der Hand gehalten hätte. Ich werde niemals aufhören zu wünschen, ich hätte ihn selber umgebracht.«

»Haben Sie mir nichts zu sagen, Peabody?« Sie fuhren mit dem Lift hinunter ins Foyer, und Peabody guckte streng geradeaus.

»Nein, Madam.«

Jede Faser ihres Körpers tat Eve weh. »Es hat Ihnen nicht gefallen, wie ich in dieser Sache vorgegangen bin.«

»Es steht mir nicht zu, Ihre Vorgehensweise zu kommentieren, Lieutenant.«

»So ein Blödsinn.«

»Also gut. Ich verstehe wirklich nicht, weshalb Sie es ihr sagen mussten.«

»Es ist wichtig«, schnauzte Eve. »Jede Verbindung, die es zwischen Draco und den anderen gibt, kann von Bedeutung sein.«

»Sie haben sie eiskalt erwischt.«

»Dann hat meine Vorgehensweise also nicht Ihren Ansprüchen genügt.«

»Sie haben mich gefragt«, raunzte Peabody zurück. »Wenn Sie es ihr schon sagen mussten, warum dann ohne jede Vorwarnung mitten ins Gesicht? Warum haben Sie es ihr nicht etwas schonender beigebracht?«

»Schonender? Ihr Vater hat sie gefickt. Sagen Sie mir, wie man so was vorsichtig formuliert. Sagen Sie mir, wie man eine solche Nachricht nett verpackt.«

Als sie Peabody ansah, war ihr Blick nicht weniger gequält als der von Carly, nachdem ihr die Bedeutung von Eves Worten aufgegangen war. »Was zum Teufel wissen Sie von solchen Dingen? Sie mit Ihrer großen, glücklichen Hippie-Familie, in der man mit sauberen Gesichtern fröhlich plappernd beim Abendessen sitzt?«

Sie bekam nur noch mit Mühe Luft. Hatte den Eindruck zu ersticken. Doch die Worte mussten raus.

»Wenn Ihr Daddy abends in Ihr Zimmer gekommen ist, um Ihnen einen Gutenachtkuss zu geben, ist er nicht zu Ihnen unter die Bettdecke gekrochen, um Sie mit seinen schweißnassen Händen zu begrapschen. In Ihrer hübschen, ordentlichen Welt rammen Väter ihre Schwänze bestimmt nicht in ihre kleinen Töchter rein.«

Sie marschierte aus dem Fahrstuhl, quer durch das Foyer und durch die Tür nach draußen. Peabody blickte ihr verdattert hinterher.

Eve lief auf dem Gehweg auf und ab und hätte den beiden weißen Pudeln, die ihr, geführt von einem Droiden, munter kläffend entgegensprangen, am liebsten einen Tritt verpasst. Ihr Schädel drohte zu zerspringen, und sie ballte die Fäuste, damit niemand das Zittern ihrer Hände sah.

»Dallas.«

»Nicht«, warnte sie ihre Assistentin. »Lassen Sie mich ein paar Minuten allein.«

Sie käme ganz bestimmt dagegen an. Sie könnte den heißen Zorn bekämpfen, der das Bedürfnis in ihr weckte, wild um sich zu schlagen und laut zu brüllen. Und wenn es ihr gelungen wäre, blieben nur das Kopfweh und die Übelkeit zurück.

Und tatsächlich wirkte sie, als sie wenig später zu Peabody zurückkam, bleich, aber gefasst. »Meine persönlichen Bemerkungen waren unangemessen. Ich bitte Sie, mein Benehmen zu entschuldigen.«

»Nicht nötig.«

»Doch. Genau, wie es meiner Meinung nach nötig gewesen ist, dort oben derart grausam vorzugehen. Ich habe mich nicht gerade gut dabei gefühlt, aber es klaglos zu erdulden, wenn ich meine schlechte Laune an Ihnen auslasse, gehört eindeutig nicht zu Ihrem Aufgabenbereich.«

»Schon gut. Das bin ich gewohnt.«

Peabody bemühte sich zu lächeln, rang jedoch entsetzt nach Luft, als sie einen feuchten Schimmer in Eves Augen erkannte. »Oh, Himmel. Dallas.«

»Nicht. Scheiße. Ich brauche etwas Zeit für mich.« Sie starrte auf die Fassade des Gebäudes, aus dem sie gekommen war. »Ich mache ein paar Stunden frei. Nehmen Sie den Bus oder die U-Bahn zurück aufs Revier.« Noch ein paar Sekunden länger, und sie bräche tatsächlich vor Peabody in Tränen aus. »Wir treffen uns in zwei Stunden im Roosevelt-Krankenhaus.«

»In Ordnung, aber ...«

»Zwei Stunden«, wiederholte Eve, hechtete geradezu hinter das Lenkrad ihres Wagens und ließ den Motor an.

Sie musste nach Hause. Sie musste nach Hause, denn sonst hielte sie nicht länger durch. Aufgrund ihrer elenden Verfassung stellte sie den Autopiloten ihres Fahrzeugs ein, ballte die Fäuste im Schoß, kniff die Augen zusammen und legte ihren Kopf zurück.

Seit ihrem achten Lebensjahr hatte sie eine hohe Mauer um ihr Unterbewusstsein errichtet, die die Hässlichkeit der Dinge, die ihr bis dahin widerfahren waren, gnädig vor ihr verbarg. Für sie war die Vergangenheit ein weißer Fleck, und schmerzlich hatte sie ihn Stück für Stück mit der Eve Dallas, die sie heute war, gefüllt.

Sie wusste, was für ein Gefühl es war, wenn durch Risse in der Mauer etwas von der Hässlichkeit der frühen Jahre in ihr Bewusstsein drang.

Sie wusste, wie es Carly ging. Und sie wusste, was die Ärmste durchzumachen hätte, bis sie halbwegs mit dem Wissen leben könnte, mit dem sie jetzt belastet war.

Mit dröhnendem Schädel, glasigen Augen und vor Übelkeit verkrampftem Magen erreichte sie das Haus. Halt durch, halt durch, befahl sie sich und wankte mühsam die Stufen zur Tür hinauf.

»Lieutenant«, begann Summerset, als sie über die Schwelle stolperte.

»Lassen Sie mich bloß in Ruhe«, schnauzte sie ihn an, doch ihre Stimme zitterte, und während sie hinauf in die obere Etage rannte, rief er bereits über die Gegensprechanlage ihren Mann.

Am besten, sie legte sich ins Bett. Eine Stunde Ruhe, und sie wäre wieder okay. Doch die Übelkeit wurde stärker, und so bog sie eilends ab zum Bad, fiel dort auf die Knie und spuckte alles, was sie in sich hatte, aus.

Zu schwach, um wieder aufzustehen, rollte sie sich auf dem Fußboden zusammen und schlug erst, als sie eine herrlich kühle Hand auf ihrer Stirn spürte, die Augen wieder auf.

»Roarke. Lass mich in Ruhe.«

»Oh, nein, ganz bestimmt nicht.«

Sie versuchte, ihm den Rücken zuzukehren, aber er schob seine Arme unter sie und drehte sie zu sich herum.

»Mir ist schlecht.«

»Ja, Baby, ich weiß.« Sie fühlte sich zerbrechlich an wie Glas, als er sie vom Boden zog und zu ihrem Bett trug.

Als er ihr die Stiefel auszog und sie fürsorglich in eine Decke hüllte, fing sie an zu zittern. »Ich musste nach Hause kommen.«

Wortlos holte er ein feuchtes Tuch und wischte ihr damit den Schweiß aus dem Gesicht. Sie war viel zu blass und die Ringe unter ihren Augen waren viel zu dunkel, dachte er. Als er jedoch ein Glas an ihre Lippen hob, wandte sie sich ab.

»Nein. Keine Beruhigungsmittel. Nein.«

»Es ist gegen die Übelkeit. Hier, bitte.« Er strich ihr die Haare aus der Stirn und hoffte, er müsste sie nicht zwingen, die Flüssigkeit zu trinken. »Das ist alles. Versprochen.«

Da sich ihr Magen abermals zusammenzog und ihre Kehle brannte, als hätte eine Bestie ihre Krallen an der Innenwand gewetzt, leerte sie das Glas. »Ich wusste nicht, dass du zu Hause bist.« Sie schlug die Augen wieder auf, und endlich brachen sich die Tränen, die sie allzu lange hatte unterdrücken müssen, Bahn. »Roarke. O Gott.«

Sie presste sich eng an ihn, vergrub ihr Gesicht an seiner Schulter, und er nahm sie in den Arm. »Lass los«, murmelte er leise. »Was auch immer es ist, lass es einfach los.«

»Ich hasse, was ich getan habe. Ich hasse mich dafür, dass ich es getan habe.«

»Pst. Egal, was es gewesen ist, du hattest sicher keine andere Wahl.«

»Ich hätte einen anderen Weg finden müssen.« Sie schmiegte ihre Wange an seine feste Schulter, schloss die Augen und erzählte ihm, was vorgefallen war.

»Ich weiß, was in ihr vorgegangen ist.« Langsam ging es ihr ein wenig besser, denn die Übelkeit nahm etwas ab. »Ich weiß, was sie empfunden hat. Und als sie mich angeguckt hat, habe ich mich selbst in ihr gesehen.«

»Eve, niemand weiß besser als wir beide, welche Schlechtigkeit es überall in der Welt gibt. Du hast getan, was du tun musstest.«

»Ich hätte ...«

»Nein.« Er lehnte sich zurück, umfasste ihr Gesicht mit beiden Händen und sah sie zärtlich an. Ohne jedes Mitleid, denn das hätte sie gehasst. Ohne jedes Mitgefühl, denn dann wäre es endgültig um sie geschehen.

Sein Blick drückte einzig Verständnis für sie aus.

»Nein. Du hast keine andere Möglichkeit gehabt. Du musstest es wissen. Du musstest völlig sicher sein, dass sie nicht gewusst hat, dass er ihr Vater war. Jetzt weißt du es bestimmt.«

»Ja, jetzt weiß ich es bestimmt. Niemand kann sich so gut verstellen. Aber jetzt wird sie sich immer wieder mit ihm zusammen sehen. Wird immer wieder vor sich sehen, wie sie mit ihrem eigenen Vater schläft.«

»Hör auf. Du kannst nichts daran ändern. Selbst wenn sie es auf einem anderen Weg erfahren hätte, hätte ihr das nichts genützt.«

»Vielleicht nicht.« Seufzend klappte sie die Augen wieder zu. »Außerdem habe ich Peabody entsetzlich zur Schnecke gemacht.«

»Das wird sie überleben.«

»Um ein Haar wären mitten auf der Straße die Nerven mit mir durchgegangen. Fast hätte ich ...«

»Aber das ist nicht passiert.« Er schüttelte sie sanft. »Dein Verhalten ärgert mich. Warum musst du dich derart mit Selbstvorwürfen quälen? Du hast seit über dreißig Stunden kein Auge mehr zugemacht. Die Ermittlungen sind in eine Phase eingetreten, die dem persönlichen Trauma, das du selbst erlitten hast, derart nahe kommt, dass fast jeder andere an deiner Stelle entweder die Beine in die Hand genommen oder tatsächlich die Nerven verloren hätte. Dir aber ist weder das eine noch das andere passiert.«

»Ich bin völlig abgedreht.«

»Nein, Eve. Du warst schlicht am Ende deiner Kräfte.« Er presste seine Lippen auf ihre klamme Stirn. »Und deshalb bist du heimgekommen. Bleib ein bisschen liegen und mach die Augen zu. Ruh dich einfach etwas aus.«

»Ich hätte dir nicht sagen sollen, dass du mich in Ruhe lassen sollst. Das habe ich nicht so gemeint.«

»Selbst wenn, hätte mich das nicht gestört.« Fast hätte sie gelächelt, weil seine Stimme derart überheblich klang. »Ich hätte dich nämlich nicht allein gelassen. Das tue ich niemals.«

»Ich weiß. Ich wollte, dass du hier bist.« Ehe er sie liebevoll ins Kissen drücken konnte, schmiegte sie sich an seine Brust. »Ich habe dich gebraucht. Und du warst zur Stelle.« Suchend glitt ihr Mund über sein Gesicht. »Roarke.«

»Du brauchst dringend Schlaf.«

»Ich bin völlig leer, und alles tut mir weh.« Ihre Hände strichen über seinen Rücken. »Füll mich mit irgendetwas an. Bitte.«

Egal, wie groß die Leere in ihrem Innern wäre, würde seine Liebe reichen, um sie auszufüllen. Das wusste er. Er würde sie ihr geben, weil er dabei genauso viel bekam. Geduldiger und zärtlicher als je zuvor.

Er presste seinen Mund auf ihre Lippen, bis er spürte, dass ihr Zittern nachließ, und küsste dann zärtlich ihr Gesicht, ihr Haar und ihren Hals. Dadurch spendete er Trost.

Sie wandte sich ihm zu und bot ihm willig mehr, seine Hände jedoch glitten leicht wie Flügel unter den Saum ihres Hemdes und über ihre Haut. Bis ihre innere Erregung schwand.

Als sie sich seufzend auf das Kissen fallen ließ, zog er sie behutsam aus, folgte mit den Lippen den Spuren seiner Finger. Und rief dadurch heißes Verlangen in ihr wach.

Sie öffnete sich ihm wie nie zuvor in ihrem Leben irgendeinem Menschen. Bot ihm völlig ungeschützt ihren Leib, ihr Herz und ihre Seele an. Weil sie sicher wusste, dass er das Gleiche tat.

Ohne sie zu drängen oder etwas von ihr zu verlangen, führte er sie sanft zum Höhepunkt und ließ sie dort verweilen, bis sie vollkommen erfüllt war von dem Glück, dass jeder von ihnen ein Teil des anderen war.

Ihrer beider Herzen schlugen in absolutem Gleichklang, und sie schlang ihre Arme wie zwei weiche und doch feste Bänder um seinen straffen Leib.

»Ich liebe dich.« Während er sich langsam in sie hineinschob, sah er ihr ins Gesicht. »Vollkommen. Bis ans Ende aller Zeit.«

Ihr stockte der Atem, dann aber schloss sie mit einem zufriedenen Seufzer ihre Augen und nahm, als er sie endlich heimbrachte, die Schönheit des Moments für alle Zeiten in sich auf.

Da sie seine Nähe noch ein wenig brauchte, zog sie ihn dicht an sich heran. »Danke.«

»Auch wenn ich nur äußerst ungern etwas sage, was offensichtlich ist, war es mir ein Vergnügen. Geht es dir jetzt wieder besser?«

»Viel besser sogar. Roarke – nein, bleib noch ein paar Minuten so liegen.« Ihr Gesicht lag dicht an seiner Schulter, als sie ihm erklärte: »Wenn wir so zusammen sind, ist es, als hätte es niemals einen anderen gegeben.«

»Für mich auch.«

Sie lachte leise auf und empfand Erleichterung, weil ihr das gelang. »Dabei hattest du wesentlich mehr andere als ich.«

»Wen interessiert das jetzt noch?« Er rollte sich auf den Rücken und zog sie auf seinen Bauch. Sie wirkte nicht länger zerbrechlich, fiel ihm zu seiner Freude auf. Ihre Bewegungen waren erneut so geschmeidig und behände, wie es für sie typisch war.

Sie hatte wieder etwas Farbe im Gesicht, doch ihr Blick wirkte noch gepeinigt und erschöpft. Weshalb es ihm inzwischen Leid tat, dass er ihr nicht doch ein Beruhigungsmittel verabreicht hatte.

»Vergiss es.« Sie strich sich die Haare aus der Stirn und runzelte die Augenbrauen.

»Was?«

»Ich will nicht, dass du mich bemutterst. Ich komme allein zurecht.« Auch ohne das amüsierte Blitzen seiner Augen wusste sie, wie lächerlich diese Aussage unter den gegebenen Umständen klang, und so fügte sie hinzu: »Zumindest meistens.«

»Lass uns ein kurzes Schläfchen machen.«

»Ich kann nicht, und ich glaube, dass du das genauso wenig kannst. Ich habe dich schon lange genug von deiner Arbeit abgehalten. Wahrscheinlich warst du, als ich heimkam, gerade dabei, irgendein Sonnensystem oder etwas in der Richtung zu erstehen.«

»Nur einen kleinen, größtenteils unbewohnten Planeten. Aber der läuft mir nicht weg. Ich könnte eine Pause brauchen, und du brauchst dringend etwas Schlaf.«

»Ja, aber ich habe keine Zeit.«

»Eve …«

»Hör zu, sobald der Fall abgeschlossen ist, mache ich ein paar Tage frei. Außerdem hast du in letzter Zeit kaum mehr Schlaf gekriegt als ich.«

»Aber wir beide funktionieren auch verschieden.«

Sie hielt im Verlassen des Bettes inne. »Was zum Teufel soll das heißen?«

»Nur das, was ich gesagt habe.«

Sie runzelte nachdenklich die Stirn. »Klingt, als sollte ich beleidigt sein. Ich weiß noch nicht genau, warum. Aber sobald ich mir darüber klar werde, muss ich dir möglicherweise eine scheuern.«

»Ich freue mich darauf. Wenn du schon nicht schlafen willst, iss wenigstens etwas. Du brauchst etwas im Magen. Und warum grinst du plötzlich so?«

»Ich grinse über dich. Weil du dich wie die typische Ehefrau benimmst«, erklärte sie auf dem Weg zur Dusche.

Er saß einen Moment völlig bewegungslos da. »Ich glaube, dass jetzt ich beleidigt bin.«

»Siehst du, jetzt weißt du, was das für ein Gefühl ist. Tja, dann bestell mir halt was zu essen«, rief sie aus dem Bad. »Wasser an, zweiunddreißig Grad.«

»Du kannst mich mal gerne haben«, murmelte er sauer, bestellte ihr aber doch noch eine Suppe mit einem proteinhaltigen Zusatz, damit sie wieder zu Kräften kam.

Ebenso aus Hunger wie um ihm eine Freude zu machen, aß sie ihre Suppe bis auf den letzten Tropfen auf. Sie hatte inzwischen wieder einen halbwegs klaren Kopf, und so schlüpfte sie nach dem Essen rasch in ihre Kleidung und legte ihr Waffenhalfter an. »Ich muss noch ins Krankenhaus und schauen, was ich aus Stiles herausbekommen kann.«

»Warum? Du weißt doch schon Bescheid.« Als sie ihn verwundert betrachtete, erklärte er ihr schulterzuckend: »Ich kenne dich, Lieutenant. Du hast, während du gegessen hast, gründlich über alles nachgedacht und auch die letzten Puzzleteile ordentlich an ihren Platz gelegt. Jetzt geht es lediglich darum, die Sache zu beenden.«

»Bisher sind noch nicht alle Lücken ausgefüllt. Ich will ein paar offene Fragen klären, und dann muss ich etwas mit Whitney besprechen, bei dem es auch um dich geht.«

»Und was könnte das sein?«

Sie schüttelte den Kopf. »Wenn er die Sache nicht genehmigt, ist es egal. Ich kann dich doch bestimmt irgendwo erreichen, oder? Falls ich mit dir reden muss, bevor ich wieder hier bin.«

»Ich stehe dir jederzeit zur Verfügung. Ich dachte, ich backe, bis du dich meldest, vielleicht ein paar Plätzchen.«

Leise schnaubend schnappte sie sich ihre Jacke. »Tu das, Schätzchen.« Sie wandte sich ihm zu, um ihn zu küssen, und kreischte auf, als er ihr Ohrläppchen erwischte und unsanft daran zog. »He!«

»Überarbeite dich nicht, Liebling.«

»Mann.« Schmollend rieb sie sich das Ohr. »Wenn ich das jedes Mal mit dir machen würde, wenn du mich als deine Ehefrau bezeichnest, hättest du keine Ohren mehr.«

An der Tür blieb sie noch einmal stehen, drehte sich zu ihm herum, erklärte: »Aber du bist wunderhübsch, wenn du wütend bist« und floh eiligst in den Korridor hinaus.

Mit wegen der Kälte hochgezogenen Schultern und leuchtend roter Nase stand Peabody vor der Eingangstür des Hospitals.

»Warum zum Teufel haben Sie nicht drinnen auf mich gewartet?«, fragte Eve. »Es ist doch eisig kalt.«

»Ich wollte vorher kurz mit Ihnen sprechen. Haben Sie eine Minute Zeit?«

Eve studierte Peabodys ernstes Gesicht. *Es ging um etwas Persönliches*, überlegte sie, *nicht um ihren Fall*. Na ja, sie hatte eine Entschuldigung verdient. »Okay. Lassen Sie uns ein bisschen gehen, damit unser Blut nicht einfriert.« Während laute Sirenen davon kündeten, dass ein weiterer unglücklicher Bewohner ihrer Stadt die Leistungen des Krankenhauses würde in Anspruch nehmen müssen, marschierten sie los.

»Wegen vorhin ...«, fing ihre Assistentin an.

»Hören Sie, ich war völlig daneben und habe meine schlechte Laune an Ihnen ausgelassen, weil sonst niemand anderes in der Nähe war. Das tut mir Leid.«

»Nein, das habe ich nicht sagen wollen. Inzwischen habe ich begriffen, weshalb Sie so vorgegangen sind. Hat etwas gedauert«, fügte sie hinzu. »Sie haben es ihr eiskalt ins Gesicht gesagt, weil Sie sehen mussten, wie sie darauf reagiert. Wenn sie gewusst hätte, dass Draco ihr Vater gewesen ist, tja, dann hätte sie ein eindeutiges Tatmotiv gehabt. Egal, ob sie es bereits gewusst hätte, bevor die beiden ... na,

Sie wissen schon ... oder aber auch erst nachher, hätte das bestimmt etwas bei ihr ausgelöst.«

Eve sah dem Krankenwagen, der an ihnen vorbeisauste, hinterher. »Sie hat es nicht gewusst.«

»Ich glaube auch nicht, dass sie es gewusst hat. Wenn Sie es ihr schonend beigebracht hätten, hätte sie dadurch Zeit bekommen, um sich zu überlegen, wie sie darauf reagieren, was sie dazu sagen soll. Das hätte mir sofort klar sein müssen, aber ich habe eine ganze Stunde für diese Erkenntnis gebraucht.«

»Ich hätte Sie einweihen sollen, bevor wir bei ihr eingelaufen sind.« Kopfschüttelnd machte Eve kehrt und lief zur Eingangstür zurück. »Aber ich wusste selbst noch nicht, welches die beste Vorgehensweise war.«

»Das war nicht leicht. Ich glaube nicht, dass ich den Mut besessen hätte, ohne jede Umschweife darüber zu sprechen.«

»Das hatte nichts mit Mut zu tun.«

»O doch, das hatte es.« Peabody blieb stehen und wartete, bis Eve sie ansah. »Wenn Sie keine Gefühle hätten, wäre es nicht schwer für Sie gewesen. Mut kann auch dasselbe wie Gemeinheit oder fehlendes Mitgefühl mit anderen sein. Aber Sie sind jemand, der jede Menge Mitgefühl mit anderen besitzt. Es ist Ihnen schwer gefallen, aber Sie haben es trotzdem getan. Eine bessere Polizistin als ich hätte das sofort kapiert.«

»Ich habe Ihnen gar nicht erst die Chance gegeben, darüber nachzudenken, weil ich Ihnen sofort an die Gurgel gegangen bin. Trotzdem haben Sie darüber nachgedacht und dadurch selbst herausgefunden, wie es für mich gewesen ist. Anscheinend machen wir beide im Umgang miteinander irgendetwas richtig. Also, sind wir jetzt quitt?«

»So quitt es nur geht.«

»Gut, dann lassen Sie uns reingehen. Ich friere mir nämlich den Arsch ab, wenn ich noch länger hier draußen rumlungere.«

20

Erst wollten sie zu Trueheart, und Peabody erklärte, sie bräuchten für den armen Kerl noch ein kleines Geschenk.

»Es wird nur fünf Minuten dauern«, meinte sie, während sie entschieden in Richtung der Ladenreihe ging.

»Wir haben doch schon für seinen Blumenstrauß gesammelt.« Angesichts der Unmengen an Produkten, der verschlungenen Pfade, die zu ihnen führten, und der trällernden Stimmen, die die Sonderangebote priesen, schlug Eves bereits malträtierter Magen einen warnenden Purzelbaum.

Eher hätte sie sich unbewaffnet mit einem hundertfünfzig Kilo schweren Gewaltverbrecher angelegt, als in dieses Warenmeer einzutauchen.

»Die waren von uns allen«, erklärte Peabody geduldig. »Dieses Geschenk hingegen ist allein von uns.«

Eve blieb vor einem dunkelgrünen, mit dem bunten Logo des Krankenhauses versehenen Chirurgenkittel stehen. Für zehn Dollar mehr bekam man dieses Prachtstück auch mit Flecken künstlichen Bluts.

»Die Welt ist krank. Sie ist schlichtweg krank.«

»Wir nehmen auf gar keinen Fall so ein Souvenir«, erwiderte ihre Assistentin, obwohl sie die überdimensionalen Kotproben wirklich zum Brüllen komisch fand. »Wenn ein Mann im Krankenhaus liegt, will er was zum Spielen.«

»Selbst wenn ein Mann nur einen kleinen Splitter im Fuß hat, will er was zum Spielen«, knurrte Eve, folgte Peabody jedoch in einen Laden für Computerspiele, durch dessen Tür ihr ein ohrenbetäubendes Kreischen, Piepsen, Brüllen und Krachen entgegenschlug.

Den grellen Leuchtschildern zufolge hatte man die Auswahl zwischen über zehntausend verschiedenen Programmen zur Unterhaltung, für die Freizeit oder für die Fortbildung, entdeckte sie. Von Sport bis hin zu Programmen, die die Quantenphysik erläuterten, brauchte man nur das Thema, das einen interessierte, auf einem Bildschirm anzuklicken, und schon wies einem eine Karte oder aber einer der gut ausgebildeten, freundlichen Spielpartner das richtige Regal.

Total überfordert glotzte Eve auf den leuchtend gelben Monitor.

Sämtliche durchsichtigen Testkabinen waren mit Leuten, die irgendwelche Demo-Programme ausprobierten, gefüllt. Andere schlenderten mit leuchtenden oder aber angesichts der Überfrachtung ihrer Sinne völlig erschlafften Gesichtern durch das Geschäft.

»Muss von diesen Leuten niemand arbeiten?«, wunderte sich Eve dann.

»Wir haben gerade die Mittagspause erwischt.«

»Was haben wir doch für ein Glück.«

Peabody marschierte geradewegs auf die Abteilung mit Kampf-Programmen zu. »Mann gegen Mann«, erklärte sie entschieden. »Dann hat er das Gefühl, dass er alles unter Kontrolle hat. Wow, sehen Sie sich das an! Das ist der neue Super-Street-Fighter. Soll fantastisch sein.« Sie drehte die diebstahlgesicherte Plastikhülle herum, zuckte, als sie den Preis entdeckte, leicht zusammen und entdeckte schließlich, wer der Hersteller des Super-Spieles war.

»Roarke Industries. Da kriegen wir doch garantiert einen Rabatt. Aber selbst wenn nicht, ist es nicht so schlimm, wenn wir beide teilen.« Sie lief in Richtung der automatischen Kasse, spähte dabei über die Schulter zu ihrer Vorgesetzten und fragte: »Ich schätze, dass Ihr Mann eine ganze Fabrik voll mit diesen Spielen hat.«

»Wahrscheinlich.« Eve zog ihre Kreditkarte hervor, schob sie in den Schlitz und wies sich mit ihrem Daumenabdruck aus.

Danke für Ihren Besuch in unserem Geschäft, Eve Dallas.

Einen Moment, bitte. Ihre Kreditkarte wird noch geprüft.

»Ich gebe Ihnen meine Hälfte am nächsten Zahltag, okay?«

»Wie Sie wollen. Warum braucht dieses Ding so elend lange?«

Danke, dass Sie gewartet haben, Eve Dallas. Der Preis für die Taschencomputerversion des Super-Street-Fighter beträgt einschließlich sämtlicher Steuern einhundertsechszehn Dollar und achtundfünfzig Cent. Aufgrund einer geschäftsinternen Regelung wird Ihr Konto jedoch nicht mit diesem Betrag belastet. Ich wünsche Ihnen noch einen angenehmen Tag.

»Was zum Teufel soll das heißen? Was heißt geschäftsinterne Regelung?«

Sämtliche Produkte von Roarke Industries werden Ihnen kostenlos von uns zur Verfügung gestellt.

»Wahnsinn. Dann können wir ja den halben Laden ausräumen.« Peabody schaute begeistert zurück auf die mit allen nur erdenklichen Herrlichkeiten gefüllten Regale. »Kann ich mir dann auch den neuen Super-Fighter holen?«

»Halten Sie die Klappe, Peabody. Ich werde dieses Spiel bezahlen. Buchen Sie das Geld also gefälligst von meinem Konto ab.«

Dazu bin ich leider nicht befugt. Haben Sie sonst noch einen Wunsch?

»Verdammt.« Sie drückte das Spiel ihrer Assistentin in die Hand. »Aber damit kommt er nicht durch.«

Geistesgegenwärtig schob Peabody die Hülle in das Gerät zur Aufhebung des Diebstahlschutzes und rannte Eve hastig hinterher. »Hören Sie, wenn wir schon einmal hier sind, kann ich nicht vielleicht doch ...«

»Nein.«

»Aber ...«

»Nein.« Eve trat einmal kurz wütend gegen das Gleitband, das sie in die medizinische Abteilung des Gebäudes trug.

»Die meisten Frauen wären glücklich, wenn sie unbegrenzt auf Kosten ihrer Männer shoppen gehen könnten.«

»Ich bin aber nicht die meisten Frauen.«

Peabody rollte mit den Augen. »Wem sagen Sie das?«

Auch wenn sie noch ein wenig schmollte, weil ihr

die Bildung des Grundstocks einer großen Spielesammlung nicht gegönnt gewesen war, zauberte Truehearts Freude über das Geschenk ein zufriedenes Lächeln auf ihr Gesicht.

»Super. Das Spiel ist ganz neu auf dem Markt.«

Er drehte die Hülle in seiner gesunden Hand herum. Der andere Arm lag noch in einer Schiene, damit der Knochen, den er sich bei seinem Sturz gebrochen hatte, richtig zusammenwuchs.

Sein Hals steckte in einer Krause, er hing an einem Tropf und das Violett und Schwarz seiner geprellten Schultern hob sich leuchtend von dem weißen Nachthemd ab. Sein linkes Bein lag leicht erhöht, und Eve fiel spontan ein, wie sein Blut aus der offenen Wunde über ihre Hände geflossen war.

Sie hörte das Summen technischer Geräte und dachte, wenn sie an seiner Stelle wäre, wäre sie garantiert nicht derart gut gelaunt.

Den Smalltalk überließ sie ihrer Assistentin. Sie hatte echt keine Ahnung, worüber man mit Krankenhauspatienten sprach.

»Ich kann mich an kaum etwas von dem erinnern, was passiert ist, nachdem ich getroffen worden bin.« Er wandte sich an Eve. »Commander Whitney hat gesagt, wir hätten ihn erwischt.«

»Ja.« Auf diesem Terrain war sie in ihrem Element. »Das heißt, *Sie* haben ihn erwischt. Er liegt eine Etage tiefer. Nach dem Besuch bei Ihnen gehen wir zu ihm runter, um ihn zu befragen. Sie haben Ihre Sache wirklich hervorragend gemacht, Trueheart. Wenn Sie nicht so schnell reagiert und ihn zu Fall gebracht hätten, wäre er uns vielleicht entwischt.«

»Der Commander hat gesagt, Sie hätten mich für eine Belobigung vorgeschlagen.«

»Wie gesagt, Sie haben Ihre Sache wirklich gut gemacht.«

»Ich habe kaum etwas getan.« Auf der Suche nach einer etwas bequemeren Position rutschte er vorsichtig unter seiner Decke hin und her. »Aber wenn mir dieses schießwütige Arschloch von der Bahnhofspolizei keinen Strich durch die Rechnung gemacht hätte, hätte ich ihn ganz bestimmt gehabt.«

»Das ist genau die richtige Einstellung. Aber das schießwütige Arschloch und seine trottelige Vorgesetzte kriegen deshalb auch ordentlich Feuer unter den Hintern.«

»All das wäre nicht passiert, wenn sie auf Sie gehört hätten. Sie hatten die Situation unter Kontrolle.«

»Wenn ich sie unter Kontrolle gehabt hätte, lägen Sie jetzt nicht hier. Sie haben einen bösen Treffer abbekommen und sind dann noch schwer gestürzt. Wenn Sie damit Probleme haben, sollten Sie auf jeden Fall mit unserer Psychologin sprechen. Die kann Ihnen sicher helfen.«

»Ich habe kein Problem. Ich will so schnell wie möglich wieder meine Uniform anziehen und in den Dienst. Ich hoffe, wenn Sie den Fall zum Abschluss bringen, erzählen Sie mir, wie es abgelaufen ist.«

»Versprochen.«

»Ah, Lieutenant, ich weiß, Sie müssen los, aber ich wollte Ihnen noch etwas sagen ... ich weiß, dass Sie meiner Mutter begegnet sind.«

»Ja, wir sind uns zufällig über den Weg gelaufen. Sie ist eine nette Frau.«

»Ist sie nicht fantastisch?« Er fing an zu strahlen. »Sie ist die beste Mutter, die man sich nur wünschen kann. Mein Alter hat uns sitzen lassen, als ich noch ein kleiner Junge war, und seither waren wir immer füreinander da. Sie hat mir erzählt, dass Sie hier gewartet haben, bis die Operation vorüber war.«

»Sie standen unter meinem Kommando, als Sie verletzt worden sind.« *Meine Hände waren mit deinem Blut befleckt.*

»Es hat ihr viel bedeutet, dass Sie hier gewesen sind. Das wollte ich Ihnen nur sagen. Also, vielen Dank.«

»Sehen Sie lieber zu, dass Sie niemals mehr ein Laserstrahl erwischt.«

Ein Stockwerk weiter unten wandte Kenneth Stiles sich an die Krankenschwester, die regelmäßig nach ihm sah. »Ich will ein Geständnis ablegen.«

Sie bedachte ihn mit einem freundlichen, professionellen Lächeln und erklärte: »Dann sind Sie also wach. Sie sollten erst mal etwas essen, Mr Stiles.«

Er war bereits seit einer ganzen Weile wach und hatte gründlich nachgedacht, weshalb er wiederholte: »Ich will ein Geständnis ablegen.«

Sie trat neben sein Bett, tätschelte seine Hand und fragte, da sie dachte, dass er vielleicht beichten wollte: »Soll ich Ihnen einen Priester schicken?«

»Nein.« Er drehte seine Hand und umklammerte unerwartet heftig ihren Arm. »Dallas. Lieutenant Dallas. Sagen Sie ihr, dass ich ein Geständnis ablegen will.«

»Regen Sie sich bitte nicht so auf.«

»Finden Sie Lieutenant Dallas und richten Sie ihr das aus.«

»Also gut, keine Sorge. Aber in der Zwischenzeit ruhen Sie sich aus. Sie haben einen bösen Sturz erlitten.«

Sie strich seine Decke glatt und erklärte, als er sich zurücklegte und die Augen schloss, zufrieden: »Außerdem kümmere ich mich darum, dass man Ihnen was zu essen bringt.«

Sie trug die Werte, die die Messgeräte zeigten, in seiner Krankenakte ein, wandte sich zum Gehen und erklärte der uniformierten Wache vor der Tür: »Er ist jetzt wach.«

Dann zog sie ein Handy aus der Tasche, rief in der

Küche an und bat, dass Patient K. Stiles, Zimmer 6503, sein Mittagessen heraufgeschickt bekam. Als der Wachmann etwas zu ihr sagen wollte, hob sie abwehrend die Hand.

»Eine Sekunde. Ich will das hier schnell regeln, damit er sein Essen noch vor Mitternacht bekommt. In der Küche läuft bereits seit Tagen wieder irgendetwas schief.« Der Patient hatte den Essenszettel noch nicht ausgefüllt, und so bestellte sie ihm Hühnerbrust mit Reis und Brokkoli, ein Vollkornbrötchen mit Butter, ein Glas fettarme Milch und Blaubeergrütze, weil sie dachte, dass leichte Kost anfangs das Beste für ihn war.

»Das Essen müsste innerhalb der nächsten Stunde kommen.«

»Ich darf nur autorisiertes Personal zu ihm ins Zimmer lassen«, erklärte ihr der Polizist.

Sie schnaubte leise, zog einen kleinen Block aus ihrer Tasche und machte sich eine Notiz. »Oh, Patient Stiles hat nach jemandem namens Dallas gefragt. Sagt Ihnen das was?«

Der Beamte nickte, zog sein Handy aus der Tasche und gab eine Nummer ein.

»Er ist wirklich mit Leib und Seele Polizist«, erklärte Peabody, als sie neben Eve den Korridor hinunterging.

»Er ist noch ein ziemlich grüner Junge, aber ich

bin sicher, dass er mit der Zeit noch reifen wird.« Dann hob sie ihr piepsendes Handy an ihr Ohr. »Dallas.«

»Lieutenant. Hier spricht Officer Clark. Ich halte Wache vor der Tür von Kenneth Stiles. Er ist jetzt wach und hat nach Ihnen gefragt.«

»Bin schon unterwegs.«

»Gutes Timing.« Peabody drückte den Knopf des Fahrstuhls und meinte, als Eve die Tür des Treppenhauses öffnete, mit einem schicksalsergebenen Seufzer: »Ich schätze, wir gehen zu Fuß.«

»Es ist nur eine Etage tiefer.«

»Das sind jede Menge Stufen.«

»Unterwegs arbeiten Sie die Plätzchen wieder ab.«

»Die sind nur noch eine schöne, ferne Erinnerung für mich. Glauben Sie, dass Stiles bereit ist, endlich auszupacken?«

»Für irgendetwas scheint er auf jeden Fall bereit zu sein.« Sie öffnete die Tür der chirurgischen Station und wandte sich nach links. »Er weiß nicht, dass wir Anja Carvell gefunden haben, und dass wir inzwischen wissen, dass Draco Carlys Vater war. Aber bevor wir ihm das erzählen, warten wir erst mal ab, was er uns zu sagen hat.«

Vor der Tür des Zimmers blieb sie stehen. »Clark.«

»Ja, Madam.«

»Hat er irgendwelchen Besuch gehabt?«

»Keine Menschenseele. Bis vor ein paar Minuten

hat er fast die ganze Zeit geschlafen. Nach Aussage der Schwester ist er aber eben wach geworden und hat nach Ihnen gefragt.«

»Okay, machen Sie eine viertel Stunde Pause.«

»Danke. Die kann ich brauchen.«

Eve öffnete die Tür, stürzte fluchend los, umklammerte Stiles' Beine, stemmte sie in die Höhe und trug sein gesamtes Gewicht. »Holen Sie ihn runter!«

Peabody kletterte bereits aufs Bett und kämpfte mit dem Knoten, als Clark hinter ihnen hereinstürmte.

»Ich habe ihn, Lieutenant.« Er stemmte seine breiten Schultern unter den leblos baumelnden Körper und schob ihn weitere siebeneinhalb Zentimeter hoch.

Stiles hatte sich mit seinem eigenen Bettlaken erhängt.

»Er atmet nicht«, erklärte Clark, als der Körper über ihm herunterkrachte. »Ich glaube nicht, dass er noch atmet.«

»Holen Sie einen Arzt.« Eve setzte sich Stiles rittlings auf die Brust und fing sofort mit einer Herzmassage an. »Komm schon, du Hurensohn. Fang endlich wieder an zu atmen.« Sie presste ihren Mund auf seine Lippen und spendete ihm, während sie unablässig weiterpumpte, von ihrer eigenen Luft.

»Oh, mein Gott. Oh, mein Gott. Kenneth!« Areena Mansfield fiel der große Blumenstrauß, mit dem sie durch die Tür gekommen war, vor Entsetzen aus der Hand.

»Bleiben Sie, wo Sie sind! Komm schon, komm schon, alter Junge.« Eve rann der Schweiß in Bächen über das Gesicht. Schnelle Schritte und das Schrillen einer Klingel drangen an ihr Ohr.

»Gehen Sie an die Seite. Gehen Sie bitte an die Seite.«

Sie glitt von Stiles herunter, als ein junger Arzt ihre Arbeit übernahm.

Kein Puls. Kein Herzschlag. Keine Atmung.

Komm zurück, befahl Eve im Stillen. *Verdammt, komm bloß zurück.*

Sie verfolgte, wie Stiles eine Adrenalinspritze bekam.

Keine Reaktion.

Kleine Metallplatten wurden mit einem Gel bestrichen, knappe Befehle erteilt, und Stiles' bis dahin regloser Körper bäumte sich unter einem Stromschlag auf. Die Linie auf dem Monitor jedoch, die seinen Herzschlag zeigte, blieb weiter flach.

Zum zweiten Mal wurden ihm die Platten auf die Brust gedrückt, zum zweiten Mal riss es ihn in die Höhe, zum zweiten Mal fiel er zurück. Gleichzeitig jedoch erklang ein leises Piepsen, und die bisher flache, blaue Linie zeigte kleine Wellen und wurde leuchtend rot.

Er ist wieder da. Wir haben einen Puls.

An der Tür schlug Areena ihre Hände vors Gesicht.

»Sagen Sie mir, wie es ihm geht.«

»Er lebt.« Der Arzt, ein Mann mit safrangelbem Teint und kühlen, dunklen Augen, schrieb etwas auf einen Block. »Infolge des Sauerstoffmangels hat er einen minimalen Hirnschaden davongetragen, der jedoch, wenn wir ihn am Leben halten können, zu beheben ist.«

»Werden Sie ihn am Leben halten können?«

»Dazu sind wir da.« Er schob den Block in die Tasche seines Kittels und musterte sie. »Die Aussichten sind gut. Ein paar Minuten später, und er hätte keine Chance mehr gehabt. Die Medizin hat in den letzten Jahren große Fortschritte gemacht, aber die Toten wieder zum Leben zu erwecken gehört noch nicht dazu.«

»Wann kann ich mit ihm sprechen?«

»Das kann ich noch nicht sagen.«

»Schätzungsweise.«

»Vielleicht ist er morgen wieder ansprechbar, aber solange die Untersuchungen nicht abgeschlossen sind, kann ich nicht sicher sagen, wie groß der Schaden ist, den er davongetragen hat. Möglicherweise dauert es Tage oder sogar Wochen, bis er nur die einfachsten Fragen beantworten kann. Das Hirn findet Wege, um geringe Schäden auszugleichen, es organisiert sich neu, wenn Sie so wollen, und wir können ihm dabei helfen. Aber das braucht Zeit.«

»Ich möchte, dass man mich informiert, sobald er wieder sprechen kann.«

»Ich werde veranlassen, dass dann sofort eine Mitteilung an Sie ergeht. Aber jetzt muss ich nach meinen anderen Patienten sehen.«

»Lieutenant.« Clark trat auf sie zu. »Dies ist die Schwester, die Sie sprechen wollten.«

»Schwester Ormand«, las Eve von deren Namensschildchen ab. »Erzählen Sie mir, was passiert ist.«

»Ich hatte keine Ahnung, dass er sich umbringen wollte. Ich hätte es auch nicht für möglich gehalten, dass er körperlich dazu in der Lage ist. Er war schwach wie ein Säugling.«

»Wenn ein Mann Selbstmord begehen will, findet er einen Weg. Niemand macht Ihnen einen Vorwurf wegen dem, was vorgefallen ist.«

Die Schwester nickte und atmete erleichtert auf. »Ich war in seinem Zimmer, um routinemäßig nach ihm zu sehen. Er war bei Bewusstsein und sagte, dass er ein Geständnis ablegen wollte. Ich dachte, er wollte einen Priester für die Beichte. Das kommt ziemlich oft vor, sogar bei Patienten, die keiner Kirche angehören. Aber er wurde furchtbar aufgeregt und hat ausdrücklich verlangt, dass man Sie ruft. Meinte, ich sollte Ihnen sagen, dass er ein Geständnis ablegen will.«

»Was für ein Geständnis?«

»Das hat er nicht gesagt. Ich dachte, vielleicht hat er diesen anderen Schauspieler, Richard Draco, umgebracht.« Als Eve darauf nicht reagierte, zuckte die Schwester mit den Schultern und fuhr fort: »Ich habe ihn beruhigt und ihm versprochen, Sie zu finden. Dann habe ich das Mittagessen für den Patienten bestellt und den Beamten, der vor seiner Tür saß, informiert. Mehr kann ich dazu nicht sagen.«

»Okay.« Sie entließ die Schwester und wandte sich erneut an Clark. »Bitte bleiben Sie noch kurz auf Ihrem Posten. Ich werde dafür sorgen, dass spätestens in einer Stunde die Ablösung erscheint. Falls sich Stiles' Zustand bis dahin irgendwie verändert, geben Sie mir umgehend Bescheid.«

»Zu Befehl, Madam. Mit seinem eigenen Laken«, murmelte der junge Polizist. »Dazu braucht man wirklich Mumm.«

»Irgendetwas braucht man«, stimmte Eve ihm zu, machte kehrt und marschierte in den Warteraum, in dem ihre Assistentin zusammen mit Areena saß.

»Kenneth?« Areena stand unsicher auf.

»Sie haben ihn auf die Intensivstation verlegt.«

»Ich dachte, er wäre ... als ich ihn gesehen habe, dachte ich ...« Sie sank zurück auf ihren Stuhl. »Oh, was wird denn noch alles passieren?«

»Eliza Rothchild hat behauptet, Tragödien passierten immer dreifach.«

»Aberglaube. Ich bin besonders abergläubisch gewesen, aber jetzt ... Wird er wieder gesund werden?«

»Der Arzt ist ziemlich optimistisch. Woher haben Sie gewusst, dass Kenneth hier zu finden ist?«

»Wie? Ach so. Ich hatte es heute Morgen in den Nachrichten gehört. Es hieß, er wäre verletzt worden, als er versuchte, die Stadt zu verlassen. Und dass er der Hauptverdächtige für den Mord an Richard ist. Das glaube ich nie und nimmer. Ich wollte ihn besuchen, um ihm zu versichern, dass ich davon überzeugt bin, dass das alles ein grauenhafter Irrtum ist.«

»Warum glauben Sie das?«

»Weil Kenneth eindeutig niemals in der Lage wäre, so etwas zu tun. Ein Mord erfordert Kaltblütigkeit und Berechnung. Und das sind Eigenschaften, die er einfach nicht besitzt.«

»Manchmal erfolgt ein Mord auch aus einem Impuls heraus, völlig spontan.«

»Das wissen Sie natürlich besser als ich. Aber ich kenne Kenneth. Er hat niemanden umgebracht.«

»Kennen Sie eine gewisse Anja Carvell?«

»Carvell? Nein, ich glaube nicht. Sollte ich sie kennen? Werde ich Kenneth sehen dürfen?«

»Das kann ich nicht entscheiden.«

»Ich versuche es wenigstens.«

Als Areena aufstand, meinte Eve: »Ihnen ist doch

wohl bewusst, dass, falls Kenneth Stiles den Mord an Richard Draco geplant hat, er derjenige gewesen ist, der Ihnen das Messer in die Hand gegeben hat.«

Areena wurde kreidebleich. »Das ist ein weiterer Grund, weshalb ich weiß, dass er es ganz bestimmt nicht war.«

»Warum?«

»Er ist durch und durch ein Gentleman und täte einer Frau so etwas niemals an. Darf ich jetzt gehen, Lieutenant?«

»Ja, Sie dürfen gehen.«

In der Tür blieb sie noch einmal stehen und sah Eve fragend an. »Sie haben um sein Leben gekämpft. Ich habe Sie dabei beobachtet. Sie glauben, dass er ein Mörder ist, und trotzdem haben Sie um sein Leben gekämpft. Warum?«

»Vielleicht wollte ich einfach nicht, dass er sich der gerechten Strafe für sein Tun entzieht.«

»Ich glaube, dass noch mehr dahintersteckt. Ich bin mir allerdings nicht klar, was.«

»Was für ein Tag«, murmelte Peabody, als sie beide alleine waren.

»Und er fängt gerade erst richtig an. Los, Peabody. Wir haben noch alle Hände voll zu tun.«

Sie wandte sich zum Gehen und wäre um ein Haar mit Nadine zusammengeprallt, die den Korridor heraufgeschlendert kam.

»Ach, machen Sie neuerdings Unfallberichte?«, fragte Eve mit leiser Ironie. »Ich dachte, dass Sie für derart niedere Arbeiten inzwischen viel zu wichtig sind.«

»Dafür ist man nie zu wichtig. Wie geht es Kenneth Stiles?«

»Kein Kommentar.«

»Kommen Sie schon, Dallas. Ich habe einen Informanten hier im Krankenhaus. Ich habe gehört, Stiles hätte versucht, sich aufzuhängen. Ist er also verantwortlich für Richard Dracos Tod?«

»Welches der beiden Worte haben Sie nicht verstanden, das *Kein* oder das *Kommentar?*«

Die hohen, schmalen Absätze ihrer modernen Schuhe machten es Nadine nicht leicht, schnellen Schrittes den Korridor hinunterzustöckeln, doch hielt sie weiter mit dem Lieutenant Schritt. »Wird er wegen Mordes unter Anklage gestellt? Gibt es noch andere Verdächtige? Bestätigen Sie, dass Stiles während eines Fluchtversuchs Verletzungen erlitten hat?«

»Das wurde bereits in den Nachrichten gemeldet.«

»Sicher, wobei es überall *angeblich* und *möglicherweise* geheißen hat. Ich brauche eine offizielle Bestätigung dieser Geschichte.«

»Und ich brauche dringend Urlaub. Sieht nicht so aus, als würde eine von uns ihren Wunsch in absehbarer Zeit erfüllt bekommen.«

»Dallas.« Nadine packte Eve am Arm und zog sie in eine Ecke, wo weder Peabody noch ihre leiderprobte Kamerafrau ihre Worte mitbekam. »Ich brauche dringend Informationen. Ich kriege vor lauter Panik kaum ein Auge zu. Sagen Sie mir etwas, geben Sie mir einen Hinweis, auch wenn ich ihn nicht bringen kann. Der Kreis muss sich für mich schließen, bevor ich weitermachen kann.«

»Sie sollten gar nicht über die Sache berichten.«

»Ich weiß, und falls je herauskommt, dass Richard und ich mal etwas miteinander hatten, bricht bestimmt sowohl privat als auch beruflich die Hölle für mich los. Aber wenn ich nur herumsitze und Däumchen drehe, werde ich verrückt. Da gehe ich lieber das Risiko ein, dass es im Anschluss Ärger für mich gibt.«

»Wie viel hat er Ihnen bedeutet?«

»Eindeutig viel zu viel. Aber die Sache war für mich wesentlich früher gestorben als der Kerl. Was nicht heißt, dass ich nicht trotzdem wissen muss, von wem er ermordet worden ist.«

»Kommen Sie um vier aufs Revier. Dort kriegen Sie von mir so viel ich Ihnen geben kann.«

»Danke. Wenn Sie mir vielleicht nur schnell noch sagen könnten, ob Kenneth ...«

»In einer Stunde, Nadine.« Eve wandte sich zum Gehen. »Und fordern Sie bis dahin Ihr Glück nicht allzu sehr heraus.«

Zwanzig Minuten später waren Eve und Peabody erneut in Anja Carvells Suite, von der Frau jedoch war keine Spur zu sehen.

»Sie hat sich aus dem Staub gemacht«, zischte Peabody, als sie die leeren Schränke sah, und musterte Eve stirnrunzelnd. »Sie haben gewusst, dass sie nicht mehr hier sein würde, oder?«

»Ich habe zumindest nicht unbedingt erwartet, sie hier anzutreffen. Sie ist clever, und sie hat sich ausgerechnet, dass ich sie noch einmal beehren würde.«

»*Sie* hat Draco umgebracht?«

»Zumindest steckt sie in der Sache drin.« Eve wanderte ins Bad. Es war noch erfüllt von Anjas kühlem, femininem Duft.

»Soll ich die Kollegen in Montreal verständigen und einen Auslieferungsantrag stellen?«

»Die Mühe können Sie sich sparen. Das kalkuliert sie ein, dass Sie so reagieren. Falls Sie also je in Montreal gelebt hat, kehrt sie wohl kaum dorthin zurück. Sie ist untergetaucht«, murmelte Eve. »Aber sie ist noch in unserer Nähe. Also spielen wir ein bisschen Katz und Maus. Rufen Sie die Spurensicherung.«

»Ohne Durchsuchungsbefehl?«

»Mein Mann ist der Besitzer dieses Hotels. Also rufen Sie ruhig die Kollegen an. Ich gehe währenddessen runter und gucke, ob auf den Sicherheitsdisketten irgendwas zu sehen ist.«

Bis Eve im Palace Hotel fertig war und nach ihrer Rückkehr auf die Wache ihr Anliegen Whitney vorgetragen hatte, war vier Uhr längst vorbei.

Wie üblich ärgerte es sie, dass Nadine bereits an ihrem Schreibtisch saß.

»Warum werden Sie ständig ohne weiteres reingelassen?«, fragte sie deshalb erbost.

»Weil ich Doughnuts mitbringe. Und Polizisten sind seit Generationen dafür bekannt, dass sie eine Schwäche dafür haben.«

»Wo ist meiner?«

»Tut mir Leid, Ihre Kollegen haben sich wie halb verhungerte Ratten auf die Dinger gestürzt. Ich glaube, Baxter hat dann sogar noch die letzten Krümel aus der Packung aufgeleckt.«

»Das sieht dem Typen ähnlich.« Sie nahm in ihrem Schreibtischsessel Platz. »Wo ist Ihre Kamerafrau?«

»Draußen.«

»Rufen Sie sie rein. Ich habe nicht den ganzen Tag lang Zeit.«

»Aber ich dachte ...«

»Na, wollen Sie nun ein Exklusivinterview zu dieser Sache oder nicht?«

»Und ob.« Sie schnappte sich ihr Handy und rief Lucy herein. »Ein bisschen Schminke wäre bei den Tränensäcken, die Sie zurzeit tragen, nicht übel.« Sie grub in ihrer großen, gut bestückten Tasche nach ihrem Make-up. »Hier, versuchen Sie es damit.«

»Bleiben Sie mir bloß mit diesem Zeug vom Hals.«

»Das können Sie natürlich halten, wie Sie wollen, aber Sie sehen aus, als hätten Sie seit Tagen kein Auge

zugemacht.« Nadine klappte einen kleinen Taschenspiegel auf und verschönerte ihr eigenes Gesicht.
»Aber Sie sehen diensteifrig und leidenschaftlich aus.«
»Weil ich diensteifrig und leidenschaftlich bin.«
»Was sich auf dem Bildschirm hervorragend macht. Übrigens haben Sie einen tollen Pullover an. Kaschmir?«

Eve schaute auf ihren marineblauen Rolli. »Keine Ahnung. Ich weiß nur, dass er blau ist und dass mir Blau gefällt. Kommt das Interview noch heute Abend?«

»Sie können Ihren Arsch darauf verwetten, dass es noch heute kommt.«

»Gut.« Jemand, dachte Eve, würde heute Nacht kein Auge zubekommen. Und endlich einmal wäre dieser Jemand nicht sie selbst.

Nadine rückte ihren Stuhl zurecht, damit sie vorteilhaft ins Bild kam, blickte in den Monitor und wies die Kamerafrau an, die Beleuchtung zu verändern, damit ihr Teint nicht blass erschien.

»Dies ist, verdammt noch mal, kein Schönheitswettbewerb, Nadine.«

»Dieser Satz zeigt nur, dass Sie keine Ahnung vom Fernsehen haben. So, jetzt ist es gut. Können Sie wohl einen Teil des Luftverkehrs rausfiltern, Lucy, damit es nicht so aussieht, als ob der Lieutenant mich in einem Transport-Zentrum getroffen hat?«

»Bin schon dabei.« Die Kamerafrau drückte noch ein paar Knöpfe und nickte dann zufrieden. »Ich bin bereit.«

»Den Zusammenschnitt machen wir, wenn wir wieder in der Redaktion sind. So, jetzt fangen wir an. Hier spricht Nadine Furst vom Channel 75«, begann sie. »Ich befinde mich auf dem Hauptrevier der New Yorker Polizei im Büro von Lieutenant Eve Dallas, der Ermittlungsleiterin im Mordfall Richard Draco. Lieutenant«, wandte sie sich an Eve. »Können Sie uns sagen, wie weit Sie bisher mit Ihren Ermittlungen sind?«

»Wir kommen gut voran. Unsere Abteilung geht einer Reihe von Spuren nach.«

»Mr Draco wurde auf der Bühne eines Theaters vor Tausenden von Zuschauern erstochen. Sie selbst waren ebenfalls dabei.«

»Das ist richtig. Die Natur dieses Verbrechens, der Ort, an dem es begangen wurde, und die Art der Ausführung haben dazu geführt, dass tatsächlich Tausende von Zeugenaussagen von uns aufgenommen worden sind.«

Und da es immer das Beste war, wenn man seine Schulden umgehend beglich, fügte Eve hinzu: »Detective Baxter aus unserer Abteilung hat die Mühe auf sich genommen und den Großteil dieser Aussagen auf ihre Richtigkeit und Wichtigkeit hin überprüft.«

»Stimmt es, dass verschiedene Menschen ein und dasselbe Ereignis häufig völlig unterschiedlich sehen?«

»Auf Zivilpersonen trifft das häufig zu. Polizisten jedoch lernen, die Dinge aus einem bestimmten, einheitlichen Blickwinkel zu sehen.«

»Dann sind Sie selbst also Ihre beste Zeugin?«

»So könnte man es ausdrücken.«

»Stimmt es, dass Kenneth Stiles, ein Kollege und Bekannter Richard Dracos, der an jenem schicksalhaften Abend mit ihm auf der Bühne stand, der Hauptverdächtige ist?«

»Er wurde genau wie alle anderen Mitglieder des Ensembles gründlich von uns befragt. Wie ich bereits sagte, gehen wir einer ganzen Reihe von Spuren nach, haben jedoch das Feld der Ermittlungen inzwischen so weit eingeengt, dass in den nächsten vierundzwanzig Stunden mit einer Verhaftung gerechnet werden kann.«

»Einer Verhaftung.« Diese Neuigkeit brachte die Journalistin, wenn auch nur für ein paar Sekunden, aus dem Gleichgewicht. »Können Sie uns den Namen Ihres Hauptverdächtigen nennen?«

»Ich bin nicht befugt, Ihnen diese Information zum jetzigen Zeitpunkt zu geben. Alles, was ich sagen kann, ist, dass die Person, die Richard Draco und Linus Quim auf dem Gewissen hat, innerhalb der nächsten vierundzwanzig Stunden festgenommen wird.«

»Wer ...«

»Das ist alles, was Sie von mir bekommen. Ende des Gesprächs.«

Bevor Nadine ihr widersprechen konnte, stand Eve bereits auf. »Kamera aus, Lucy. Das war eine echte Bombe, die Sie da haben platzen lassen, Dallas. Wenn ich das gewusst hätte, hätte ich die Sache sogar live gebracht.«

»Heute Abend ist noch früh genug. Sie haben Ihre Story, Nadine, und werden die Erste mit dieser Nachricht sein.«

»Das ist schon mal nicht schlecht. Können Sie mir noch was verraten, womit ich die Folgeberichte etwas füllen kann? Einzelheiten Ihres Vorgehens, irgendwelche Fakten. Die genaue Zahl von Gesprächen, die Zahl von Beamten, die dafür im Einsatz waren, so was in der Art.«

»Das gibt Ihnen alles die Pressestelle.« Mit einem kurzen Winken schickte Eve die Kamerafrau aus dem Büro, und nach einem schnellen Blick auf ihre Chefin schleppte Lucy ihre Ausrüstung kommentarlos hinaus.

»Jetzt, wo wir allein sind, Dallas ...«

»Morgen erfahren Sie alles, was Sie wissen müssen. Aber ich habe noch eine Frage. In Ihrem Bericht haben Sie Roarke und seine Verbindung zum Theater, dem Stück und mir mit keinem Wort erwähnt. Warum nicht?«

»Es ist inzwischen allgemein bekannt, dass Sie beide liiert sind. Ich wiederhole mich nicht gern.«

»Keine Ausflüchte, Nadine. Schließlich ist Roarkes Name ein Garant für hohe Einschaltquoten.«

»Also gut, dann war es halt eine kleine Gegenleistung.« Sie zuckte mit den Schultern und hob ihre Handtasche vom Boden auf. »Für den Weiberabend in Ihrem Haus.«

»Okay.« Eve zog eine versiegelte Diskette aus der Hosentasche und hielt sie der Journalistin hin. »Hier.«

»Was ist das?« Sobald Nadine jedoch die Diskette in der Hand hielt, war es ihr schon klar. »Das ist die Aufnahme, die Richard von mir gemacht hat, oder?«

»Sie wird nicht mehr als Beweismittel gebraucht. Es gibt keine Kopie. Ich denke, dass der Kreis für Sie damit geschlossen ist.«

Mit zugeschnürter Kehle erwiderte Nadine: »Ja. Ja, das ist er. Aber ich sollte ihn noch besser unterbrechen«, meinte sie und brach die grässliche Diskette in der Mitte durch.

Eve nickte zustimmend. »Andere Frauen hätten eventuell der Versuchung nicht widerstehen können, sich die Aufnahme anzusehen. Ich hatte mir bereits gedacht, dass Sie so dumm nicht sind.«

»Nun, aus Schaden wird man klug. Danke, Dallas. Ich weiß nicht, wie ich Ihnen …«

Eve trat abwehrend einen Schritt zurück. »Kommen Sie bloß nicht auf die Idee, mich zum Dank zu küssen.«

Mit einem unsicheren Lachen stopfte die Reporterin die zerbrochene Diskette in ihre große Tasche. In der ersten Mülltonne, die sie auf dem Weg zurück zum Sender fände, würde das unselige Ding endgültig entsorgt. »Okay, keine allzu große Rührung. Aber dafür bin ich Ihnen etwas schuldig, Dallas.«

»Wenn das so ist, heben Sie mir, wenn Sie mich das nächste Mal hier überfallen, gefälligst einen Doughnut auf.«

21

Nachdem sie Roarke einen kurzen Überblick über die neuesten Entwicklungen gegeben hatte, klappte sie erschöpft die Augen zu und schlug sie erst zehn Stunden später wieder auf.

Sie hatte einen klaren Kopf, war energiegeladen und allein.

Da Roarke nicht in der Nähe war, um ihr Vorwürfe zu machen, genehmigte sie sich zum Frühstück einen Eiscremeriegel, spülte ihn mit Kaffee herunter und sah sich währenddessen die Frühnachrichten an. Mit dem Interview, das sie Nadine gegeben hatte, war sie durch und durch zufrieden, und sie kam zu dem Ergebnis, dass sie für den Tag gerüstet war.

Sie stieg in eine braune Hose und ein weißes Hemd mit schmalen braunen Streifen. Sie hatte keine Ahnung, seit wann sie dieses Hemd besaß, denn seit Roarke Kleidung für sie kaufte, verschwendete sie, da sie wusste, dass ganz sicher irgendetwas da war, keinen Gedanken mehr an den Inhalt ihres Schranks.

Er besorgte ihr geradezu absurde Mengen an Garderobe, doch zumindest blieb ihr so die Qual des Einkaufens erspart.

Da sie direkt neben dem Hemd gehangen hatte und das Wetter weiter kühl zu bleiben drohte, zog Eve eine ebenfalls braune Weste über ihre Bluse, knöpfte sie bis unten zu, legte ihr Waffenhalfter an und begab sich auf die Suche nach dem ihr angetrauten Mann.

Er saß bereits hinter dem Schreibtisch in seinem Büro. Wie die drei Monitore zeigten, befasste er sich mit den Aktienkursen und zur selben Zeit mit irgendeinem außerplanetarischen Geschäft und irgendeinem offenbar gravierenden mathematischen Problem.

»Wie kannst du dich so früh am Morgen schon mit Zahlen beschäftigen?«

»Sie sind meine Leidenschaft.« Er drückte ein paar Tasten seines Keyboards und das Durcheinander auf dem dritten Bildschirm löste sich in ordentlichen Zahlenreihen auf, in denen, wie Eve sicher annahm, es nicht den allerkleinsten Fehler gab. »Außerdem bin ich schon eine ganze Weile auf. Du siehst ausgeschlafen aus«, stellte er nach einem Blick in ihr Gesicht zufrieden fest. »Und erstaunlich schick. Du bist wahrhaftig zäh.«

»Ich habe geschlafen wie ein Stein.« Sie trat zu ihm hinter den Tisch, beugte sich zu ihm herunter und gab ihm einen Kuss. »Du hast in den letzten Nächten ebenfalls kaum ein Auge zugemacht.« Sie legte warm eine Hand auf seine Schulter und weckte dadurch bereits seinen Argwohn, ehe sie erklärte: »Vielleicht brauchen wir beide mal wieder einen kurzen Urlaub.«

Er schickte die Zahlen seinem Broker, damit dieser entsprechende Verkäufe oder Käufe für ihn vornahm, und wandte sich ihr zu. »Was willst du?«

»Einfach ein bisschen Zeit für uns. Für dich und mich allein. Wir könnten zum Beispiel ein verlängertes Wochenende machen.«

»Noch einmal.« Er griff nach seiner Kaffeetasse und trank einen Schluck. »Was willst du?«

Ihre Augen blitzten zornig auf. »Habe ich das nicht gesagt? Fang bloß nicht schon wieder mit diesem Schwachsinn an. Letztes Mal hast du mich auch schon um Verzeihung bitten müssen, weil du so argwöhnisch gewesen bist.«

»Dieses Mal ganz sicher nicht. Hältst du mich für blöd?«, fragte er mit Plauderstimme. »Ich bin durchaus nicht unbestechlich, Lieutenant, aber ich weiß gern, worum es für mich geht. Weshalb also versuchst du, mich bereits am frühen Morgen weich zu klopfen?«

»Ich könnte dich noch nicht mal weich klopfen, wenn ich einen Riesenknüppel dafür nähme. Außerdem werde ich dich nie bestechen. Schließlich bin ich Polizistin.«

»Und wie allgemein bekannt ist, wissen Polizisten nicht mal, was Bestechung ist.«

»Vorsicht, Kumpel. Wer sagt, dass ich nicht einfach mal Urlaub mit dir machen will? Wenn ich dich rein zufällig gleichzeitig um einen Gefallen bitte, hat das ja wohl nicht unbedingt etwas miteinander zu tun.«

»Verstehe. Tja, dann mache ich dir einen Vorschlag. Ich tue dir einen Gefallen und dafür verbringst du eine Woche mit mir an einem von mir gewählten Ort.«

»Eine ganze Woche ist unmöglich. Ich habe Gerichtstermine und jede Menge Papierkram zu erledigen, wenn der Fall erst abgeschlossen ist. Sagen wir, drei Tage.«

Er hatte schon immer mit Begeisterung verhandelt und schlug ihr deshalb erheitert vor: »Fünf Tage sofort und fünf im nächsten Monat.«

»Das ist ja noch mehr als eine Woche. So gut rechnen kann selbst ich. Drei Tage jetzt, zwei nächsten Monat.«

»Vier jetzt und drei später.«

»Also gut, also gut.« Ihr schwirrte schon der Kopf. »Das kriege ich bestimmt irgendwie hin.«

»Dann sind wir im Geschäft.« Um es zu besiegeln, nahm er ihre Hand.

»Fliegen wir ans Meer?«

»Das können wir machen. Im Olympus Resort haben sie inzwischen wunderbare Strände angelegt.«

»Olympus.« Sie erbleichte. »Du willst mich noch einmal zwingen, einen Weltraumflug zu machen? Da weigere ich mich. Das war nicht abgemacht.«

»O doch. Du hast gesagt, du fliegst mit mir, wohin ich will. Also, was für einen Gefallen soll ich dir tun?«

Sie verzog beleidigt das Gesicht. Sie schmollte nur sehr selten, aber wenn, dann echt gelungen. »Der Gefallen ist nicht einmal besonders groß.«

»Daran hättest du denken sollen, bevor du versucht hast, mich über den Tisch zu ziehen. Vielleicht hätte dein Hirn ja besser funktioniert, wenn du ordentlich gefrühstückt hättest, statt dich mit Eiscreme zu begnügen.«

»Woher ...« Sie brach ab und zischte böse. »Summerset.«

»Nun, wenn eine Frau ihren Mann um einen Gefallen bittet, könnte sie ihm die Sache zum Beispiel dadurch etwas versüßen, dass sie sich auf seinen Schoß setzt.« Er klopfte auf sein Knie.

»Das wird kaum noch möglich sein, wenn erst deine Beine von mir gebrochen worden sind.« Erbost nahm sie auf der Schreibtischkante Platz. »Hör zu, du hast doch immer schon gerne deine Nase in meine Ermittlungen gesteckt. Jetzt gebe ich dir offiziell die Möglichkeit dazu.«

»Tja.« Er warf gut gelaunt die Arme in die Luft. »Hättest du von Anfang an gesagt, dass du mir einen Gefallen tust und nicht ich dir, hättest du dir dadurch das aus deiner Sicht schlechte Geschäft erspart. Und wärst jetzt nicht beleidigt.«

»Ich bin nicht beleidigt. Du weißt, dass ich es hasse, wenn du sagst, dass ich beleidigt bin. Und bevor ich es vergesse – was ist das für ein Blödsinn, dass ich nicht bezahlen darf, wenn ich etwas kaufe, was in einem deiner Werke hergestellt worden ist?«

»Du hast etwas gekauft?« Er hielt ihr den Rest seines Kaffees hin. »Das streiche ich mir am besten rot im Kalender an. Eve Dallas ist einkaufen gegangen. Ein dreifaches Hurra.«

Sie runzelte die Stirn. »Ich hatte ziemlich gute Laune, bevor ich hier reingekommen bin.«

»Siehst du, du bist doch beleidigt. Und im Übrigen ist es doch wohl völlig normal, wenn du als meine Frau für die Produkte meiner Unternehmen nichts bezahlst.«

»Nächstes Mal gehe ich zu einem Konkurrenten. Falls ich einen finde.« Sie schnaubte, riss sich dann jedoch zusammen und kam auf ihr eigentliches Anliegen zurück. »Ich werde den Fall heute zum Abschluss bringen. Ich habe einen Plan entwickelt, wie man die für Dracos und Quims Tod verantwortliche Person zu einem Geständnis bewegen kann. Aber das geht nur mit ein bisschen Schauspielerei. Es hat eine halbe Ewigkeit gedauert, bis mir Whitney sein Okay gegeben hat. Und falls es nicht funktioniert …« Nachdenklich brach sie ab.

»Was brauchst du?«

»Als Erstes dein Theater. Und dann musst du mir helfen, das Drehbuch zu einem kleinen Stück zu schreiben und es danach zu inszenieren.«

Eine Stunde später war Eve auf dem Weg zur Wache, und Roarke führte sein erstes Telefongespräch.

In ihrem Büro schob Eve die Diskette mit der Aufnahme der schicksalhaften Premiere in den Schlitz ihres Computers und nahm, da sie in Gedanken war, nur am Rande wahr, wie schnell die Maschine die Aufnahme herunterlud und wie klar sowohl die Töne als auch die Bilder waren, die sie hörte und sah. Als sie dem Gerät befahl, zur letzten Szene vorzuspringen, tat es das, ohne dass es dabei die geringsten Schwierigkeiten gab.

Da waren sie, ging es ihr durch den Kopf. Draco, der als Vole vergnügt einen Mord gestand, dessentwegen er nicht mehr verurteilt werden konnte. Selbstgefällig zog er Carlys, das hieß Dianes Hand durch seinen Arm.

Und sie stand neben ihm, bildhübsch und charmant, und sah ihn mit einem liebevollen Lächeln an.

Das Gesicht von Kenneth Stiles, dem streitsüchtigen und gewieften Sir Wilfred in dem Stück, verriet Betroffenheit und Zorn, als er erkennen musste, dass er manipuliert und ausgenutzt worden war. Eliza, die pedantische Miss Plimsoll, stand mit empörter Miene neben ihm und umklammerte so heftig die Griffe seines Rollstuhls, dass man das Weiß ihrer Knöchel sah.

Areena, die wunderschöne, viel gesichtige Christine, die alles geopfert und eine lebenslange Haftstrafe in Kauf genommen hatte, um den Mann, den sie liebte, davor zu bewahren.

Michael Proctor, kaum mehr als ein Schatten, der in den Kulissen stand und sich die Frage stellte, wann wohl endlich einmal er die Gelegenheit bekäme, in der Rolle des gewissenlosen Mörders im Rampenlicht zu stehen.

Und über allen schwebte unsichtbar der Geist von Anja Carvell.

Eve zuckte nicht zusammen, als der Mord geschah, als das Messer Dracos Herz durchbohrte, von dem man angenommen hatte, dass es eine Attrappe war.

Da, dachte sie und schaltete auf Standbild. *Da.*

Tausende von Zeugen hatten es übersehen.

Sie selbst nicht etwa genauso?

Die beste schauspielerische Leistung, wurde ihr bewusst, wurde im Tod erbracht.

»Programmende«, wies sie den Computer an. »Diskette aus.«

Sie packte sie in eine Tüte, sammelte noch andere Tüten ein und drückte einen Knopf auf ihrem Link. »Peabody, geben Sie Feeney und McNab Bescheid. Wir machen uns auf den Weg.«

Sie tastete nach ihrer Waffe und machte sich bereit für die Inszenierung ihres eigenen Stücks.

Eves Fahrstil, überlegte Dr. Mira, die auf dem Rücksitz Platz genommen hatte, entsprach genau dem Menschen, der sie war. Zielgerichtet, kompetent. Und leidenschaftlich, dachte sie. Während Eve im flotten Zickzack, unter Ausnutzung der kleinsten Lücken, immer wieder Stoßstange an Stoßstange mit anderen Wagen, in Richtung des Theaters brauste, überprüfte Dr. Mira verstohlen, ob ihr Gurt auch richtig saß.

»Sie gehen ein Risiko ein.«

»Ein kalkuliertes Risiko.« Eve sah kurz in den Rückspiegel, blickte jedoch sofort wieder nach vorn.

»Ich glaube …« Die Psychologin merkte, dass sie stumme Stoßgebete gen Himmel sandte, als Eve den Wagen unvermittelt in die Vertikale lenkte, einen harten Rechtsschwenk unternahm und quer über die verstopfte Straße schießen ließ.

»Ich glaube«, wiederholte sie, als sie wieder zu Atem kam, »Sie haben die Situation richtig eingeschätzt. Trotzdem könnte uns bei der Sache irgendein gravierender Fehler unterlaufen, was, wenn Sie sich an die vorgegebenen Verfahrensweisen hielten, so gut wie auszuschließen wäre.«

»Wenn ich mich irre, nehme ich das ganz allein auf meine Kappe. Aber wie dem auch sei, wird die Person, die Draco und Quim auf dem Gewissen hat, noch heute festgenommen werden. Davon bin ich überzeugt.«

Ohne das Tempo merklich zu verringern, schoss Eve auf die Absperrung der Tiefgarage zu. Dr. Mira röchelte leise. Eve hielt blitzartig ihren Ausweis an das Fenster, worauf die Schranke, wie Dr. Mira geschworen hätte, mit einem erschreckten Kreischen in die Höhe fuhr. Sie preschten hindurch, quetschten ihr Gefährt in die für sie reservierte schmale Lücke, und Eve schaltete den Motor aus.

»Nun«, ächzte Dr. Mira mühsam. »Das war eine aufregende Fahrt.«

»Wie bitte?«

»Ich bin noch nie vorher mit Ihnen gefahren. Und jetzt ist mir klar, warum.«

Schnaubend öffnete Peabody ihre Tür. »Glauben Sie mir, Dr. Mira, verglichen mit anderen Touren war das eine gemütliche Spazierfahrt.«

»Ist irgendwas mit meinem Fahrstil nicht in Ordnung?«

»Nichts, was nicht mit einer Ladung Zoner behoben werden könnte«, murmelte Peabody und sah Eve mit zynisch hochgezogenen Brauen an.

»Auf alle Fälle …«, lenkte Dr. Mira Eve von ihrer Assistentin ab, »… bin ich froh, dass Sie mich gebeten haben, Sie hierher zu begleiten. Nicht, weil ich womöglich nützlich wäre, sondern weil ich dadurch die Gelegenheit bekomme, Ihnen bei der Arbeit zuzusehen.«

»Sie halten sich am besten etwas abseits.« Eve wandte sich zum Gehen.

»Ja, aber ich möchte auf jeden Fall alles mitkriegen.«

»Wir haben noch ein bisschen Zeit, bevor die Show beginnt.« Eve gab den ihr von Roarke genannten Code am Bühneneingang ein. »Wahrscheinlich wird es ziemlich langweilig für Sie.«

»Oh, ich bin mir sicher, dass das nicht der Fall sein wird.«

Sie gingen Richtung Bühne, wo bereits die ersten Vorbereitungen getroffen wurden, und hörten aus der Luft ein gut gelauntes: »Hallo, Lieutenant! Hi, She-Body! Wie geht's?«

Sechs Meter über ihren Köpfen schwang McNab in einem Sicherheitsgeschirr. Er strampelte mit seinen leuchtend grünen Stiefeln und segelte in einem eleganten Bogen auf sie zu.

»Hören Sie auf mit diesem Blödsinn.« Feeney kniff die Augen zusammen, als sein Untergebener so tat, als schwämme er durch die Luft.

»Was treibt er da oben?«, fragte Eve. »Abgesehen davon, dass er sich zum Affen macht?«

»Installiert die Überwachungskameras. Man muss wahrscheinlich jung sein, um solche Sachen zu genießen. Die meisten Geräte waren allerdings schon da.

Roarke hat das Haus wirklich bestens ausgestattet, nur war er natürlich nicht auf einen Polizeieinsatz gefasst. Wir bringen jetzt noch ein paar zusätzliche Geräte an, damit jeder noch so kleine Winkel des Theaters einzusehen ist.«

»Ist Roarke schon da?«

»Ja, er ist im Kontrollraum und zeigt ein paar von meinen Technikern Dinge, von denen sie bisher nur haben träumen können. Der Mann ist ein echtes Elektronikgenie. Was könnte ich mit ihm in meiner Abteilung nicht alles anfangen ...«

»Tu mir einen Gefallen und sag ihm das nicht selbst. Er ist auch so schon eingebildet genug. Sind sämtliche Ausgänge gesichert?«

»Ja. Sobald sie alle da sind, kommt niemand mehr heraus. Wir haben drei uniformierte Beamte, zwei Techniker, dich, mich, Peabody. Und natürlich unseren Vogel. McNab, kommen Sie, verdammt noch mal, endlich wieder da runter. Bist du sicher, dass du nicht doch noch ein paar zusätzliche Leute willst?«

Eve drehte sich einmal langsam um die eigene Achse und sah sich dabei gründlich um. »Die werden wir nicht brauchen.«

»Feeney.« Roarke trat aus der Kulisse auf die Bühne. »Die Überwachungskameras sind alle richtig eingestellt.«

»Dann gehe ich mal rüber und sehe mir die Sache aus dem Kontrollraum an. McNab! Zwingen Sie mich nicht, zu Ihnen raufzukommen. Himmel, wie oft habe ich diesen Satz zu meinen eigenen Kindern gesagt?« Kopfschüttelnd verschwand er von der Bühne.

»Er wird sich wehtun.« Hin- und hergerissen zwischen Belustigung und Sorge klopfte Peabody Eve auf die Schulter und bat: »Sagen Sie ihm, dass er runterkommen soll.«

»Warum ich?«

»Weil er vor Ihnen Angst hat.«

Da der Gedanke ihr durchaus gefiel, stemmte Eve die Hände in die Hüften, runzelte die Stirn und brüllte: »McNab, hören Sie auf, sich lächerlich zu machen, und schwingen Sie Ihren Hintern her zu mir.«

»Zu Befehl, Madam.«

Mit vor Aufregung gerötetem Gesicht schwang er sich noch einmal quer durch das Theater und kam direkt vor den Frauen auf der Bühne auf.

»Mann, das müssten Sie unbedingt einmal versuchen. Dabei kriegt man einen regelrechten Höhenrausch.«

»Freut mich, dass wir Ihnen etwas Unterhaltung bieten konnten, Detective. Weshalb sollten wir auch nicht ein bisschen Spaß bei einem komplizierten, kostspieligen Polizeieinsatz genießen, vor allem, wenn dabei die elektronische Gerätschaft einer Zivilperson im Wert von mehreren Millionen Dollar zum Einsatz kommt?«

»Hm«, war alles, was ihm dazu einfiel. Sein Grinsen war bereits verflogen, und er räusperte sich leise, ehe er erklärte: »Die Überwachungskameras sind installiert und in Betrieb, Lieutenant, Madam.«

»Dann können Sie sich netterweise noch irgendwo anders nützlich machen. Falls Ihnen das nicht zu viel Aufwand ist.«

»Nein, Madam. Ich werde also einfach ... gehen.« *Und zwar egal, wohin,* ging es ihm durch den Kopf, während er hastig das Weite suchte.

»Jetzt bleibt er vielleicht während der nächsten fünf Minuten ernst«, gurrte Eve schmunzelnd Roarke ins Ohr.

»Ich habe zwar keine Angst vor dir«, antwortete er. »Aber trotzdem habe ich dir ein kleines Bestechungsgeschenk mitgebracht.« Er zwinkerte und drückte ihr eine Mini-Fernbedienung in die Hand. »Damit kannst du von überall aus dem Theater die Lichter, die Geräusche und die Kulisse ändern. Auf diese Weise bleibt der Ablauf unserer kleinen Aufführung fest in deiner Hand.«

»Die Hauptrolle im ersten Akt hast aber du.«

»Dafür ist schon alles vorbereitet.« Er warf einen Blick auf seine Uhr. »Bis sich der Vorhang öffnet, ist noch über eine Stunde Zeit.«

»Die werde ich auch brauchen, denn ich möchte mich noch einmal gründlich umsehen, ob wirklich nichts vergessen worden ist. Peabody, drehen Sie mal eine Runde durchs Theater, schauen, ob tatsächlich sämtliche Ausgänge gesichert sind, und begeben sich, bis Sie weitere Anweisungen von mir erhalten, auf die Ihnen zugewiesene Position.«

»Zu Befehl, Madam.«

»Roarke, würdest du wohl bitte Dr. Mira zeigen, von wo aus sie das Geschehen am besten mitverfolgen kann?«

»Selbstverständlich.«

»Super.« Sie zog ihr Handy aus der Tasche und rief bei Feeney im Kontrollraum an. »Feeney, stell mal kurz die – wie nennt man sie doch gleich? – Zuschauerraumbeleuchtung an.«

Sobald die Lichter angeschaltet waren, stellte Eve ihr Handy auf mehrere Empfänger um und erklärte: »Hier spricht Lieutenant Dallas. Ich möchte, dass in dreißig Minuten jeder die ihm zugewiesene Position eingenommen hat. Wenn ich einen von euch nur an einer anderen Stelle ahne, kriegt er es mit mir zu tun. Der Schutz von Zivilisten ist oberstes Gebot. Wiederhole, oberstes Gebot ist der Schutz von Zivilisten. Waffen sind auf die niedrigste Stufe einzustellen und nur im Notfall zu ziehen. Ich möchte keine Wiederholung dessen, was am Bahnhof vorgefallen ist.«

Damit steckte sie ihr Handy wieder ein. »Roarke, sag mir Bescheid, wenn Dr. Mira ihren Platz eingenommen hat.«

»Natürlich. Hals- und Beinbruch, Lieutenant.«

»Was? Ach, richtig.«

»Sie ist dafür einfach wie geschaffen«, meinte Dr. Mira, als sie Eve über die Bühne stapfen sah. »Nicht nur dafür, das Kommando über andere zu haben, sondern auch dafür, Unrecht nicht nur zu ahnden, sondern obendrein dafür zu sorgen, dass es durch Recht ausgeglichen wird. Jemand anderes, womöglich sogar jeder andere, hätte diesen Fall auf eine andere Art zum Abschluss gebracht.«

»Für sie ist das unmöglich.«

»Ja. Aber es hat sie sehr viel gekostet. Sie wird Sie brauchen, wenn das alles vorüber ist.«

»Wir werden ein paar Tage Urlaub machen.«

Dr. Mira legte den Kopf schräg und musterte ihn fragend. »Wie haben Sie es geschafft, sie zu überreden?«

»Die Kunst des Handelns. Darf ich Sie jetzt an Ihren Platz geleiten, Doktor?«, frage er und bot ihr höflich seinen Arm.

»Lieutenant. Hier spricht McNab, Position vier. Die erste Zielperson nähert sich dem Bühneneingang des Theaters.«

»Gut.« Eve spähte auf den Monitor der Überwachungskamera und dann zu ihrem Mann. »Das ist dein Stichwort. Versuch nicht von der vorgegebenen Linie abzuweichen, ja? Ich glaube, das Risiko, dass jemand körperlich zu Schaden kommt, ist minimal, aber ...«

»Vertrau mir.«
»Ich wollte nur ...«
»Lieutenant, ist dir schon mal der Gedanke gekommen, dass ich weiß, was ich hier mache?«
»Du scheinst immer ganz genau zu wissen, was du machst.«
»Gut, dann kann ich es nur noch einmal wiederholen. Vertrau mir.« Damit wandte er sich zum Gehen.

Als sie auf dem Bildschirm sah, wie er auf die Bühne trat und im Licht der Scheinwerfer seine Position einnahm, kam ihr der Gedanke, ob er je auf die Idee gekommen war, Schauspieler zu werden. Nein, natürlich nicht. Er hatte von klein auf eine Vorliebe für Geschäfte aller Art gehabt. Doch er hatte das Gesicht, die Statur, die Eleganz und Ausstrahlung eines echten Stars. Und, überlegte sie, er hatte das angeborene Talent, andere glaubhaft zu belügen.

War das nicht auch Schauspielerei?

»Michael.« Roarke reichte Proctor seine Hand. »Sie sind pünktlich.«

»Ich wollte niemanden warten lassen.« Lächelnd sah Michael sich um. »Nur ist das Problem, wenn man selber pünktlich ist, dass man stets auf alle anderen warten muss. Ich habe mich sehr über Ihren Anruf gefreut. Ich war mir nämlich nicht sicher, dass die Polizei Sie das Theater rechtzeitig wieder eröffnen lässt, bevor *Zeugin der Anklage* aus dem Programm genommen wird.«

»Sie sind sicher gut vorbereitet.«

»Ich möchte Ihnen danken, dass Sie mir die Chance geben, den Vole zu spielen. Mir ist bewusst, dass Sie durchaus einen weitaus berühmteren Schauspieler für den Part hätten bekommen können.«

»Sie haben kein Problem damit, in Dracos Fußstapfen zu treten?« Nein, überlegte Roarke, Michael hatte kein Problem damit, dafür war sein Ehrgeiz viel zu groß. »Wenn man bedenkt, wie es für ihn geendet hat, wäre es durchaus verständlich, wenn Sie leichte Bedenken hätten.«

»Nein. Das ist für mich okay. Das heißt, nicht unbedingt okay«, verbesserte er sich und war so anständig, ein wenig zu erröten. »Es ist schrecklich, was mit Richard passiert ist. Einfach schrecklich. Aber ...«

»Die Show muss weitergehen«, führte Roarke den Satz zu Ende und wandte den Kopf. »Ah, Eliza und Areena. Ich danke Ihnen, meine Damen, dass Sie gekommen sind.«

»Ihr Anruf hat uns vor weiterer Langeweile und Grübeleien bewahrt.« Eliza küsste Roarke zur Begrüßung auf die Wangen. »Der Langeweile zwischen zwei Auftritten und den Grübeleien über Kenneth. Ich kann nach wie vor nicht glauben, was ich in den Nachrichten gehört habe.«

»Nein«, meinte Areena, »das alles ist bestimmt ein Irrtum. Es muss ein Irrtum sein.« Sie rieb sich die kalten Arme. »Es ist wirklich seltsam, wieder hier zu sein. Ich war seit ... seit der Premiere nicht mehr da.«

»Kommst du damit zurecht?« Roarke nahm ihre Hand und hielt sie wärmend fest.

»Ja. Weil ich damit zurechtkommen muss. Wir alle haben keine andere Wahl. Wir müssen schließlich weitermachen.«

»Warum denn wohl auch nicht?« Carly hatte ihren Auftritt sorgfältig inszeniert. Sie hatte sich auffällig geschminkt und trug ein tief ausgeschnittenes, knapp bis auf die Oberschenkel reichendes, leuchtend blaues Kleid.

Damit wirkte sie stark, hatte sie sich gesagt. Und, verdammt, sie würde ihnen allen zeigen, was für eine starke Frau sie war.

»Im Grunde ist der verstorbene Richard Draco, dem niemand eine echte Träne nachgeweint hat, uns doch allen völlig egal.«

»Carly«, murmelte Areena tadelnd.

»Oh, heb dir die Rolle des zerbrechlichen, empfindsamen Persönchens für das Publikum auf. Schließlich hat er jedem von uns irgendwann einmal ans Bein gepisst. Und bei einigen von uns hat er es nicht einmal dabei belassen«, fügte sie mit einem boshaften Lächeln hinzu. »Wir sind nicht hier, um die nächste Gedenkfeier für Richard zu inszenieren, sondern, weil wir endlich weiterarbeiten wollen, oder etwa nicht?«

»Auch wenn er vielleicht ein Schwein war, meine

Liebe«, meinte Eliza milde, »ist und bleibt er tot. Und Kenneth liegt im Krankenhaus und wird dort, weil man ihn verdächtigt, Richard umgebracht zu haben, von der Polizei bewacht.«

»Kenneth sollte eine Medaille verliehen werden, dass er die Welt von Richard Draco befreit hat.«

»Bisher haben sie ihn nicht unter Anklage gestellt.« Areena rang nervös die Hände. »Können wir jetzt vielleicht das Stück besprechen und diesem hässlichen Thema wenigstens für kurze Zeit entfliehen? Soll dies eine richtige Probe werden, Roarke?« Sie fuhr sich mit der Hand durchs Haar und sah sich suchend um. »Wenn ja, müsste doch auch der Regisseur dabei sein.«

»Es ist momentan ein wenig schwierig, eine richtige Probe anzusetzen«, antwortete Roarke. »Schließlich ist die Rolle des Sir Wilfred noch nicht neu besetzt.«

»Könnten wir nicht mit einem Ersatzmann proben?«, fragte Michael. »Ich habe noch nie einen ganzen Akt zusammen mit der Erstbesetzung durchgespielt. Es wäre mir eine große Hilfe, wenn ich bald die Gelegenheit dazu bekäme.«

»Aber hallo, Michael«, meinte Carly lachend. »Du verlierst wirklich keine Zeit.«

»Du hast eben selbst gesagt, dass wir hier sind, um zu arbeiten. Es gibt also keinen Grund, dass du derart schnippisch zu mir bist.«

»Vielleicht will ich einfach schnippisch sein. Du

bist doch nur beleidigt, weil ich dich rausgeworfen habe, statt mich an deiner Schulter auszuweinen.«

»Ich hätte dir geholfen«, erwiderte er leise. »Oder hätte es wenigstens versucht.«

»Ich brauche deine Hilfe nicht. Ich brauche niemanden.« Ihr Gesichtsausdruck und ihre Stimme verrieten heißen Zorn. »Ich habe mit dir geschlafen. Aber das war keine große Sache. Bilde dir deshalb ja nicht ein, dass du mir was bedeutest. Nie mehr in meinem Leben wird ein Mann mir irgendwas bedeuten.«

»Und wieder einmal zeigt der Sex sein hässliches Gesicht«, murmelte Eliza. »Weshalb in aller Welt mischen sich ständig die Hormone in die Kunst?«

»Eliza.« Areena machte einen Schritt nach vorn und legte eine Hand auf Carlys Arm. »Carly, bitte. Irgendwie müssen wir weitermachen. Wir sollten zusammenhalten.« Sie bemühte sich um ein aufmunterndes Lächeln. »Was muss Roarke von uns denken, wenn er uns derart streiten hört?«

»Ich denke, dass hier alle ziemlich unter Druck stehen.« Er machte eine Pause und sah den umstehenden Menschen nacheinander ins Gesicht. »Und dass ich es am liebsten gleich erfahren würde, falls einer, oder möglicherweise alle, sich außerstande sehen, weiter in dem Stück auf der Bühne zu stehen.«

Carly warf den Kopf zurück und fing schallend an zu lachen. »Oh, bitte. Jeder Einzelne von uns würde barfuß über einen Scherbenhaufen laufen, um die Chance zu bekommen, weiter hier auftreten zu dürfen. Die Publicity, die Richards Tod dem Stück beschert hat, sichert uns wochenlang ein volles Haus. Selbst wenn Richards Ermordung eventuell ein wenig lästig ist, steht sie unserem weiteren Erfolg garantiert nicht im Weg.«

Sie warf ihr Haar zurück, streckte beide Arme aus und marschierte theatralisch quer über die Bühne. »Selbst wenn ein verdammter Droide die Rolle des unschätzbaren Sir Wilfred übernimmt, ist das Theater trotzdem jeden Abend bis auf den letzten Platz besetzt.«

Nach wie vor mit erhobenen Armen drehte sie sich wieder zu den anderen um. »Los, Roarke, werfen Sie die Türen auf. Lassen Sie das Stück beginnen.«

Es lief geradezu perfekt, überlegte Eve, murmelte: »Es hat niemals aufgehört« und trat aus den Kulissen ins gleißend helle Licht.

22

»Lieutenant Dallas.« Langsam ließ Carly ihre Arme sinken, stemmte eine ihrer Hände in die Hüfte und erklärte: »Was für eine ärgerliche Überraschung, Sie hier zu sehen.«

»Oh, Carly, spielen Sie nicht die Diva«, meinte Eliza mit ärgerlicher Stimme. »Für diese Rolle sind Sie eindeutig viel zu jung. Lieutenant, ich hoffe, Sie sind hier, um uns zu sagen, dass die von Ihnen versprochene Verhaftung vorgenommen worden ist. In dem Interview auf Channel 75 haben Sie sehr zuversichtlich gewirkt.«

»Eine Verhaftung steht unmittelbar bevor.«

»Nicht Kenneth.« Areena presste eine Hand an ihre Brust.

»Falls es Kenneth war«, warf Eliza ein, »dann hoffe ich, dass wir uns alle anständig verhalten und geschlossen zu ihm stehen. Ich für meinen Teil habe auf jeden Fall die Absicht, ihm zu helfen.« Sie straffte ihre Schultern und erklärte in erhabenem Ton: »Ich lasse meine Freunde nämlich nie im Stich.«

»Das ist bewundernswert, Ms Rothchild.« Eve schob eine Hand in ihre Hosentasche und tastete an der Mini-Fernbedienung herum. »Aber Kenneth Stiles ist nicht mehr der Hauptverdächtige in diesem Fall. Richard Dracos Mörder steht hier auf der Bühne.«

Während sie sprach, dämpfte sie das Licht im Zuschauerraum, sodass man auf der Bühne deutlich die Kulisse des Gerichtssaals sah. Sie trat an den Tisch, auf dem die Beweismittel ausgebreitet waren, und nahm das dort liegende Messer in die Hand.

»Der Mord hat auf dieser Bühne stattgefunden. Genau wie die Verhaftung hier erfolgen wird.«

»Tja, Sie bekommen von uns die volle Punktzahl für Dramatik, Lieutenant«, meinte Carly und warf sich lässig auf den Stuhl im Zeugenstand. »Bitte fahren Sie fort. Wir alle hängen an Ihren Lippen.«

»Hör auf, Carly. Es muss Kenneth gewesen sein.« Michael bedachte Areena mit einem entschuldigenden Blick. »Tut mir Leid, Areena, aber er muss es ganz einfach gewesen sein. Er hat versucht zu fliehen, und dann wollte er sich ... nun, er wollte sich offensichtlich seiner gerechten Strafe ein für alle Mal entziehen. Wenn er nicht der Mörder ist, weshalb hätte er das dann veranstaltet?«

»Um jemand anderen zu schützen«, antwortete Eve. »Das ist ein Thema, dass auch in *Zeugin der Anklage* immer wiederkehrt.« Sie berührte mit dem

Finger die Spitze des Messers und legte es wieder fort. »Miss Plimsoll macht ein unglaubliches Theater um Sir Wilfred, weil sie seine Gesundheit schützen will, obwohl sie ein ums andere Mal auf das Gröbste von dem Mann beleidigt und hintergangen wird.«

»Also bitte, Lieutenant, das ist nur die Rolle, die ich spiele«, plusterte sich Eliza wie ein Vogel auf, dem jemand an die Schwanzfedern gegangen war. »Sie wollen doch wohl nicht ernsthaft behaupten, ich hätte etwas mit der Sache zu tun.«

»Es geht die ganze Zeit um irgendwelche Rollen.« Eve studierte Elizas empörtes Gesicht. »Sir Wilfred schützt seinen Mandanten und riskiert dabei seine Gesundheit, nur um am Ende zu erfahren, dass er einen Mörder vor der Verurteilung bewahrt hat. Leonard Vole tut, als verteidige er seine geliebte Frau, der er Jahre zuvor die Flucht aus dem untergehenden Deutschland ermöglicht hatte, obwohl er sie in Wahrheit ein ums andere Mal benutzt hat, um sich selbst zu schützen. Und Christine.« Eve wandte sich Areena zu. »Sie setzt ihren Ruf aufs Spiel und opfert ihre Freiheit, um einen Mann zu decken, der, nachdem sie ihren Zweck erfüllt hat, die Liebe, die sie ihm entgegenbringt, auf das Grausamste mit Füßen tritt.«

»Wir kennen das Stück«, erklärte Carly mit einem herablassenden Gähnen. »Ich nehme an, dass sogar Michael, auch wenn er nur die Zweitbesetzung war, in Ihren Augen irgendetwas oder jemand schützen oder rächen will.«

»Genau. Denn nun, da Draco nicht mehr da ist, wird er selber endlich Vole. Hätte es einen besseren Weg für ihn gegeben, das alte Unrecht wieder gutzumachen, das seiner Mutter von Draco angetan worden ist?«

»Einen Moment. Es reicht. Jetzt habe ich endgültig genug. Ich brauche mir so etwas nicht von Ihnen sagen zu lassen.« Mit geballten Fäusten machte Michael drohend einen Schritt auf den Lieutenant zu.

»Michael«, sagte Roarke mit ruhiger Stimme, stellte sich dem jungen Schauspieler in den Weg und erklärte ihm: »Ich könnte Ihnen auf Arten wehtun, die Ihnen bisher selbst in Ihren schlimmsten Albträumen nie in den Sinn gekommen sind.«

»Roarke.« Eve hätte über diese Einmischung am liebsten laut geflucht, doch wollte sie die Atmosphäre auf der Bühne nicht verändern, weil bisher alles genau nach Plan verlief.

»Hör auf, Michael«, rief Carly, wobei die Art, in der sie plötzlich ihre Stuhllehne umklammerte, ihre Sorge um den jungen Mann verriet. »Du machst dich doch nur lächerlich. Jetzt haben Sie so ziemlich alle von uns durch, Lieutenant.«

Carly schlug nun die Beine lässig übereinander und meinte, um weiterhin von Michael abzulenken: »Nur mich und meine Rolle hatten Sie bisher nicht im Visier. Aber es scheint, als hätte Diane niemanden beschützt und zudem keinen Grund für Rachegelüste gehabt.«

»O doch.« Eve drehte sich um, trat vor den Zeugenstand und fixierte Carly reglos. »Wäre ihr am Schluss nicht klar geworden, dass es ihr nicht anders als Christine ergehen würde? Dass Vole sie nur benutzt, bis die Nächste, noch Jüngere kommt!? Ich glaube, dafür hätte sie ihn gehasst. Sie hätte ihn gehasst«, wiederholte Eve. »Dafür, dass er all ihre hübschen Träume zerstört und ihr unbarmherzig klar macht, dass sie eine Närrin und auf einen verabscheuungswürdigen, widerwärtigen Halunken hereingefallen ist.«

Die Schlagader an Carlys Hals fing sichtbar an zu pochen. »Sie sprechen der Diane wesentlich mehr Tiefgang zu, als sie verdient.«

»Ich glaube nicht. Ich glaube, Vole hat sie unterschätzt. Menschen, insbesondere Männer, haben schöne Frauen schon immer gerne unterschätzt. Sie blicken nicht hinter die Fassade. Er hat Sie nicht gekannt, nicht wahr? Er hatte keine Ahnung, wie viel Stärke, Leidenschaft und Zielgerichtetheit sich in Ihrem Inneren verbirgt.«

Während Eve dies sagte, tauchte ein zusätzlicher Strahler Carly in ein kaltes, weißes Licht.

»Sie machen mir keine Angst, Lieutenant.«

»Nein, Ihnen Angst zu machen, ist tatsächlich alles

andere als leicht. Und wenn jemand Ihnen wehtut, schlagen Sie zurück. Und zwar härter, als Sie selbst geschlagen worden sind. Das ist bewundernswert. Er dachte, er könnte Sie einfach abservieren wie eine kleine Nutte, wenn die Zeit vorbei ist. Er dachte, er könnte Sie in aller Öffentlichkeit auf der Bühne vor sämtlichen Kollegen erniedrigen, um Sie der Schadenfreude auszuliefern, wenn er mit Ihnen fertig ist. Aber das konnten Sie nicht hinnehmen. Dafür musste er bezahlen.«

»Hören Sie endlich auf, sie derart zu quälen.« Michael umkrallte den Rand des Tisches, der auf der Bühne stand. »Lassen Sie sie in Ruhe. Sie wissen, was sie durchgemacht hat.«

»Sie klammert sich an irgendwelche Strohhalme«, erklärte Carly trotz ihres staubtrockenen Mundes in überraschend ruhigem Ton.

»Sie lassen sich nicht einfach von den Männern abservieren, nicht wahr, Carly?« Eve warf einen Blick zurück auf Michael. »Das ist nicht erlaubt. Das wird nicht geduldet. Und eigentlich war der Plan ja völlig simpel. Sie mussten einfach überlegt und exakt zu Werke gehen. Vor allem war es herrlich passend. Er hat hier, direkt zu Ihren Füßen, sein Leben ausgehaucht.«

»Ich verlange einen Anwalt.«

»Sie können sich eine ganze Horde von Anwälten nehmen.« Eve trat einen Schritt zurück, wanderte erneut in Richtung des Tisches und strich mit einem Finger über den Griff des Messers, das dort lag. »Es war gar kein Problem, das Messer aus der Küche zu entwenden. Wem fällt schon ein fehlendes Messer auf, wenn es doch so viele gleiche Messer gibt. Sie kannten das Tempo der Inszenierung, wussten, wie viel Zeit Ihnen zwischen den verschiedenen Szenenwechseln blieb. Selbst, wenn jemand Sie gesehen hätte, wäre es egal gewesen. Schließlich gehörten Sie hierher, wie ein Teil der Kulisse oder eine Requisite. Sie brauchten also nur das falsche Messer in den Ärmel Ihrer Kostümjacke gleiten zu lassen, die Mordwaffe zu platzieren und konnten wieder gehen. War es schwer zu warten?« Sie drehte das Messer so in ihrer Hand, dass es das Licht der Lampen auffing und in Form von kleinen Blitzen in Carlys Richtung zuckte. »Ihren Text zu sprechen und den anderen zuzuhören, während Sie die ganze Zeit die letzte Szene vor Ihrem geistigen Auge sahen, die Sekunde, in der das Messer seine Brust durchbohren würde, den Schock in seinem Gesicht, wenn er endlich bestraft würde für das, was er Ihnen angetan hat.«

»Das ist völlig absurd, das wissen Sie genau. Sie können nichts davon beweisen, weil nichts davon stimmt. Sie werden sich zum Narren machen mit dieser Theorie.«

»Das Risiko gehe ich ein. Carly Landsdowne, ich verhafte Sie wegen Mordes an Richard Draco und

Linus Quim. Sie haben das Recht zu schweigen«, fuhr sie fort, während Peabody zu ihnen auf die Bühne eilte. »Sie haben das Recht auf einen Anwalt Ihrer Wahl. Sie haben ...«

»Lassen Sie sie los!«, ertönte ein gellender Ruf, als Peabody Handschellen aus ihrer Jackentasche zog. »Wagen Sie es nicht, sie anzurühren. Sie hat nichts getan!«

Areena stieß Michael zur Seite, stürzte mit verzerrter Miene auf den Tisch zu und schnappte sich das Messer. »Rühren Sie sie nicht an. Verdammt. Lassen Sie sie in Ruhe.«

Sie wirbelte zu Eve herum. »Sie hat Richard nicht umgebracht. Ich war es. Ich wünschte nur, ich hätte es schon viel früher getan, bevor er auch sie in seine dreckigen Pfoten bekommen hat.«

»Ich weiß.« Eve trat auf sie zu und nahm ihr das harmlose, unechte Messer aus der Hand. »Ich weiß. Anja.«

»Anja? O Gott. Mein Gott.« Carly kreuzte die Arme vor der Brust und wiegte sich wie unter Schmerzen langsam hin und her.

»Peabody, bringen Sie die Leute raus. Carly, setzen Sie sich. Es gibt da etwas, was Sie wissen müssen.«

»Lassen Sie sie gehen.« Areenas Stimme klang verzweifelt. Sie baute sich schützend zwischen Eve und Carly auf. »Ich werde Ihnen alles sagen. Hat sie nicht bereits genug durchmachen müssen? Ich verzichte auf alle meine Rechte. Sie sind mir bekannt, aber ich nehme keins davon in Anspruch. Und jetzt lassen Sie sie gehen.«

»Du.« Carlys Augen bohrten sich regelrecht in sie hinein. »Du und Richard.«

»Es tut mir Leid. Es tut mir so entsetzlich Leid.«

»Du hast es gewusst.« Carly sprang zornbebend auf. »Du hast es die ganze Zeit gewusst. Und du hast nicht das Geringste unternommen, als er ...«

»Nein. Oh, Carly, du kannst unmöglich denken, ich hätte dagestanden und es tatenlos mit angesehen. Ja, ich habe es gewusst. Sofort, nachdem ich dich zum ersten Mal gesehen hatte, war mir klar, dass du ... meine Tochter bist. Zugleich hast du genau der Art von Frau entsprochen, auf die Richard es zeit seines Lebens abgesehen hatte. Jung, frisch und wunderschön. Also war ich bei ihm und habe mit ihm gesprochen, weil ich dachte, dass er dich in Ruhe lassen würde, wenn er wüsste, wer du bist. Und genau das war mein Fehler.«

Unter dieser Last schloss sie unglücklich die Augen. »Ich werde niemals wissen, ob nicht sein Interesse an dir dadurch erst ausgelöst worden ist. Ich dachte, ich würde dich beschützen, und stattdessen ... stattdessen hat er dich in dem Bewusstsein, dass du seine Tochter bist, verführt. Er hat es gewusst. Du konntest nichts dazu. Du hattest keine Schuld. Du hattest niemals irgendeine Schuld.«

»Er hat es gewusst.« Carly presste eine Hand vor ihren Bauch. »Und nicht nur er hat es gewusst, sondern du ebenfalls.«

»Als ich herausfand, was er getan hatte und immer weiter tat, habe ich ihn zur Rede stellen wollen. Wir beide hatten einen fürchterlichen Streit. Ich habe ihm damit gedroht, die Geschichte öffentlich zu machen. Das hätte ich natürlich nie gekonnt, denn dadurch hätte ich dir abermals etwas Fürchterliches angetan. Aber er hat mir, zumindest anfänglich, geglaubt und die Beziehung zu dir abgebrochen. Wobei er, weil er wusste, dass er mir dadurch wehtun würde, absichtlich besonders grausam mit dir umgegangen ist.«

»Wie hast du mich erkannt?«

»Carly, ich ...« Areena schüttelte den Kopf. »Ich habe mich niemals in dein Leben eingemischt. Aber ich wurde regelmäßig über alles informiert.«

»Weshalb habe ich dich jemals interessiert?«, fragte Carly bitter. »Schließlich war ich nur ein Fehler, der dir irgendwann mal unterlaufen ist.«

»Nein. Nein. Du warst ein Geschenk. Ein Geschenk, das ich nicht behalten durfte und an deine Eltern weitergab, weil ich wusste, dass sie dich lieben und beschützen würden. So, wie ich es ebenso versucht habe«, fügte sie müde hinzu. »Ich hätte dir niemals etwas davon gesagt, Carly. Niemals. Nur bleibt mir jetzt keine andere Wahl. Ich kann unmöglich zulassen, dass sie dir eine Tat anlasten, die von mir begangen worden ist.«

Sie wandte sich an Eve. »Sie hatten nicht das Recht, sie all das durchmachen zu lassen.«

»Wir alle müssen unsere Arbeit tun.«

»So nennen Sie das, was Sie tun?« Carly rang erstickt nach Luft. »Und das alles nur, um herauszufinden, wer von uns aus welchem Grund eine widerliche Kakerlake in den Staub getreten hat. Gut, nun wissen Sie Bescheid. Ich frage mich, wie Sie nachts jemals ein Auge zubekommen. Und jetzt will ich endlich gehen.« Sie fing an zu schluchzen. »Ich will nicht länger hier sein. Ich will endlich gehen.«

»Dr. Mira?«

»Ja.« Dr. Mira kam zu ihnen auf die Bühne, legte einen Arm um die unglückliche junge Frau und sagte: »Kommen Sie, Carly. Kommen Sie mit mir.«

»Ich bin innerlich tot.«

»Nein, nur taub. Sie müssen sich ein bisschen ausruhen.« Mit einem aufmunternden, ruhigen Blick auf Eve führte Dr. Mira Carly fort.

»Sehen Sie nur, was Sie ihr angetan haben. Sie sind nicht besser als Richard. Sie haben sie schamlos für Ihre Zwecke ausgenutzt. Wissen Sie, was für grauenhafte Träume sie in Zukunft quälen werden? Was für Stimmen sie in Zukunft pausenlos hören wird?« Areena schüttelte den Kopf. »Das hätte ich ihr ersparen können. Ich hätte es ihr erspart.«

»Sie haben ihn getötet, nachdem er aufgehört hatte, sie zu missbrauchen. Warum haben Sie gewartet, bis es vorüber war?«

»Es war nicht vorüber.« Seufzend gab Areena dem Zittern ihrer Knie nach und sank auf einen Stuhl. »Ein paar Tage vor der Premiere kam er zu mir. Er hatte irgendwelche Drogen genommen, und dann war er noch bösartiger als sonst. Er hat mir gedroht, sich erneut an sie heranzumachen. Wenn ich wollte, dass er sich weiter von ihr fern hält, müsste ich ihre Stelle übernehmen. Das habe ich getan. Es war nur Sex, es hat mir nichts bedeutet. Es hat mir nicht das Mindeste bedeutet.«

Doch ihre Hände zitterten, als sie in ihrer Tasche nach einer Zigarette grub. »Ich hätte so tun sollen, als wäre ich verletzt, total verängstigt oder außer mir vor Zorn. Diese Gefühle hätten ihn befriedigt. Ich hätte es ihm vorspielen können, doch ich habe ihm nichts anderes als Ekel und Desinteresse gezeigt. Also hat er sich an mir gerächt, indem er einen ›flotten Dreier‹ zusammen mit Carly für den Abend nach der Premiere vorschlug. Indem er mir ausführlich erzählte, wie er es genossen, wie es ihn erregt hatte zu wissen, dass er sein eigen Fleisch und Blut, seine eigene Tochter fickt. Er war ein Monster, und ich habe ihn hingerichtet, weil er ein Monster war.«

Sie stand entschlossen wieder auf. »Ich habe keine Gewissensbisse, empfinde keine Reue wegen dieser

Tat. Ich hätte ihn schon an dem Abend töten können, als er in meinem Zimmer stand und sich damit gebrüstet hat, er wäre Manns genug, um es mit Mutter und Tochter gleichzeitig zu treiben.«

Übelkeit stieg in Eves Kehle auf. »Warum haben Sie es nicht getan?«

»Ich wollte sichergehen, dass es klappt. Ich wollte, dass es irgendwie gerecht ist, was ihm widerfährt. Und ...«, zum ersten Mal an diesem Abend verzog sie ihren Mund zu einem schmalen Lächeln, »... ich hatte die Hoffnung, dass man mich nicht erwischt. Ich dachte, das könnte mir gelingen. Ich dachte, das hätte ich geschafft.«

Als sie anfing, mit ihrem Feuerzeug zu kämpfen, trat Roarke lautlos vor sie, nahm es ihr aus der kalten Hand und zündete es an. Über die Flamme hinweg blickte sie ihm ins Gesicht. »Danke.«

»Gern geschehen.« Er legte das Feuerzeug zurück in ihre Hand und schloss sanft ihre Finger um das glänzende Metall.

Mit geschlossenen Augen nahm Areena ihren ersten tiefen Zug. »Dies ist die einzige Sucht, gegen die ich niemals wirklich angekommen bin.« Sie seufzte leise auf. »Ich habe in meinem Leben viele unschöne Dinge getan, Lieutenant. Ich war häufig egoistisch und habe mich allzu oft in Selbstmitleid geaalt. Aber ich habe noch niemals Menschen, die ich gern habe, benutzt. Ich hätte nicht zugelassen, dass Kenneth verhaftet wird. Ich hätte einen Weg gefunden, ihm zu helfen. Aber wer hätte jemals vermutet, dass die ruhige, umgängliche Areena vor den Augen von Tausenden von Zuschauern einen kaltblütigen Mord begeht?«

»Das war Ihre Tarnung, dass er hier, mitten auf der Bühne, von Ihnen erstochen worden ist.«

»Ja, denn es hätte sicher niemand angenommen, dass ich in aller Öffentlichkeit einen Mord begehen würde. Ich war der festen Überzeugung, dass ich sofort als Tatverdächtige ausscheiden würde. Und naiv, wie ich nun mal leider manchmal bin, dachte ich allen Ernstes, dass auch für die anderen, die schließlich wirklich unschuldig waren, nichts Störenderes als eine kurze Befragung zu befürchten stand.«

Sie lachte leise auf. »Und wie ich die anderen kenne, war ich sicher, sie hätten an der Sache sogar noch ihren Spaß. Offen gestanden, Lieutenant, hatte ich nicht angenommen, dass die Polizei sich so bemühen würde, die Umstände von Richards Ableben zu klären, wenn sie erst erführe, was für eine Art von Mensch er war. Ich habe Sie eindeutig unterschätzt. Genau wie Richard mich.«

»Bis zu dem Augenblick, in dem Sie ihn erstochen haben. Da wurde ihm bewusst, dass ihm ein Fehler unterlaufen war.«

»Das stimmt. Allein für seinen Blick, für die plötzliche Erkenntnis, was mit ihm geschah, hat sich die gründliche Tatplanung gelohnt. Er hatte Todesangst. Es ist genauso abgelaufen, wie Sie es vorhin geschildert haben, nur, dass ich die Rolle innehatte, die Sie Carly angedichtet hatten.«

Sie sah alles ganz deutlich vor sich, Szene für Szene, Schritt für Schritt. Ihr ganz privates Stück. »Ich habe einfach eines Tages ein Messer aus der Küche mitgenommen, als ich mit Eliza dort war, um ein paar Brote zu erbitten, und es bis zum Abend der Premiere in meiner Garderobe aufbewahrt. Bis zum Szenenwechsel. Zu dem Zeitpunkt sind einige von uns hinter der Bühne hin und her gelaufen, sodass es überhaupt nicht auffiel, was ich tat. Ich habe die Messer vertauscht und als zusätzliche Sicherheit das falsche Messer, als meine Garderobiere mal nicht hinsah, in meinem Zimmer versteckt. Direkt vor ihrer Nase. Damals dachte ich, dass dieses Vorgehen ganz besonders clever war.«

»Es hätte tatsächlich funktionieren können. Es hat beinahe funktioniert.«

»Beinahe. Aber warum nur beinahe?«

»Wegen Anja Carvell.«

»Ah. Ein Name aus der Vergangenheit. Wissen Sie, woher er kommt?«

»Nein, aber ich habe mich das schon gefragt.«

»Eine kleine, bedeutungslose Rolle in einem kleinen, bedeutungslosen Stück, von dem es nur eine einzige Aufführung in einem kanadischen Provinznest gab. Es wurde weder in meiner noch in Kenneths Liste von Engagements jemals aufgeführt. Aber dort haben wir uns kennen gelernt. Und dort hat er sich, wie mir erst Jahre später klar geworden ist, in mich verliebt. Ich wünschte nur, ich wäre klug genug gewesen, diese Liebe zu erwidern. Hin und wieder nennt er mich noch heute Anja, um uns an das junge Mädchen und den jungen Mann von damals zu erinnern, die beide davon träumten, eines Tages große Schauspieler zu sein.«

»Sie haben den Namen ebenfalls verwendet, als Ihre Tochter von Ihnen zur Adoption freigegeben worden ist.«

»Ja, aus Sentimentalität. Und um sie zu schützen, dachte ich, falls sie je versuchen sollte rauszufinden, wer ihre leibliche Mutter ist. Ich hatte sie guten Menschen anvertraut. Die Landsdownes sind sehr gute Menschen. Freundlich, warmherzig und liebevoll. Ich wollte für sie das Beste und habe dafür gesorgt, dass sie es bekam.«

Ja, und zwar todsicher, dachte Eve. »Danach hätten Sie die Angelegenheit einfach vergessen können. Weshalb hat Sie das weitere Schicksal des Kindes weiter interessiert?«

»Glauben Sie, nur, weil ich sie nur einmal gesehen und im Arm gehalten habe, würde ich sie nicht lieben?« Areenas Stimme wurde schrill. »Ich bin nicht mehr ihre Mutter. Das ist mir bewusst. Aber in den letzten vierundzwanzig Jahren ist kein Tag vergangen, an dem ich nicht an sie gedacht habe.«

Sie unterbrach sich und atmete tief durch. »Aber darum geht es nicht. Ich war als Anja durchaus überzeugend. Ich weiß, dass ich überzeugend war.«

»Ja, sehr. Äußerlich habe ich Sie nicht erkannt. Es waren die Gefühle, die Sie verraten haben. Ich habe mich gefragt, wer hatte das stärkste Motiv, ihn nicht nur zu ermorden, sondern auch noch vor Publikum bezahlen zu lassen? Sein Leben auf dieselbe Art und Weise zu beenden, wie Voles Leben beendet worden ist? Wen hatte er am schlimmsten verraten, am grässlichsten missbraucht? Nachdem Carly ausgeschieden war, blieb nur noch ein Mensch übrig. Und das war Anja Carvell.«

»Wenn Carly schon nicht mehr unter Verdacht stand, weshalb haben Sie sie dann dieser grauenhaften Szene ausgesetzt?«

»Anja Carvell«, ging Eve achtlos über die Frage hinweg. »Sie hat auf mich gewirkt wie eine starke, beherrschte und sehr direkte Frau. Aber wie hat sie die Messer vertauscht? Ich ging davon aus, dass sie sicher einen Weg gefunden hätte, aber trotzdem hat es nicht richtig gepasst. Und zwar aus einem sehr einfachen Grund. Sie hätte das Messer selber halten müssen, um das Kind zu rächen, das von ihr, um es zu schützen, vor vielen Jahren aufgegeben worden war.«

»Ja, Sie haben Recht. Das hätte ich niemand anderem überlassen.«

»Und als ich an Sie beide dachte, fiel es mir plötzlich auf. Sie hatten Ihr Aussehen, Ihre Stimme, Ihr Auftreten verändert. Aber es gibt Dinge, die gleich geblieben sind. Da«, erklärte Eve und zeigte dabei auf Areenas Hand. »So, wie Sie jetzt mit Ihrer Kette spielen, haben Sie als Anja mit Ihrem obersten Blusenknopf gespielt, als Sie überlegt haben, was Sie mir erzählen und wie Sie es zum Ausdruck bringen wollen.«

»Was für eine Nebensächlichkeit.«

»Eine Nebensächlichkeit, aber sie war nicht die einzige, die mir aufgefallen ist. So können Sie zum Beispiel zwar die Farbe und sogar die Form Ihrer Augen verändern, nicht aber Ihren Blick, wenn Sie wütend oder traurig sind. Und während des einen kurzen Moments, in dem Sie Richard auf der Bühne ins Gesicht gesehen haben, ist darin Ihre mörderische Absicht aufgeblitzt. In dem Augenblick, bevor Sie zugestochen haben. Ich brauchte dabei nur an Anja zu denken, und schon wurde mir bewusst, dass Sie beide ein und dieselbe sind.«

»Also waren Sie schlauer als ich.« Areena zuckte besiegt die Schultern. »Sie haben das Rätsel gelöst und dem zum Sieg verholfen, was in Ihren Augen Gerechtigkeit ist. Bravo, Lieutenant. Ich nehme an, dass Sie heute Nacht gut schlafen werden.«

Ohne Areena aus den Augen zu lassen, befahl Eve: »Peabody, begleiten Sie Ms Mansfield zu dem Einsatzwagen, der draußen auf sie wartet. Alle übrigen Schauspieler können nach Hause gehen.«

»Zu Befehl, Madam. Ms Mansfield?«

»Eve«, murmelte Roarke, als die Schritte aller Beteiligten in der Ferne verklangen, doch sie schüttelte stumm den Kopf.

Er durfte ihr jetzt nicht zu nahe kommen, damit sie nicht zusammenbrach. »Feeney, haben wir alles aufgenommen?«

»Laut und deutlich, Dallas, und vor allem vor Gericht verwertbar, da sie auf das Recht zu schweigen oder einen Anwalt zu dem Gespräch hinzuzuziehen ausdrücklich verzichtet hat.«

»Dann sind wir hier fertig. Baut eure Kameras ab und schließt bitte hinter euch ab.«

»Wird gemacht. Wir treffen uns dann auf der Wache. Gute Arbeit. Verdammt gute Arbeit.«

»Ja.« Als Roarke eine Hand auf ihre Schulter legte, kniff sie die Augen zu. »Danke für deine Hilfe. Wir haben es geschafft. Wir haben weder irgendwas vermasselt noch allzu große Umstände gemacht.«

Als sie ihm nicht erlaubte, sie zu sich herumzudrehen, ging er um sie herum. »Tu das nicht.«

»Ich bin okay. Ich muss auf die Wache und die Sache ordentlich zu Ende bringen.«

»Ich werde dich begleiten.« Als sie erneut anfing,

den Kopf zu schütteln, nahm er ihre Hand. »Eve, glaubst du etwa allen Ernstes, ich lasse dich in einer solchen Situation allein?«

»Ich habe doch gesagt, ich bin okay.«

»Lügnerin.«

Endlich gab sie auf und ließ zu, dass er sie zärtlich in die Arme nahm.

»Ich habe sie beobachtet, habe ihr in die Augen gesehen und mich gefragt, wie ich mich gefühlt hätte an Carlys Stelle, wie es für mich gewesen wäre zu erkennen, dass ich einem anderen Menschen derart wichtig bin, dass er alles täte, um mich vor ihm zu beschützen. Und dann habe ich sie eiskalt ins Messer laufen lassen und den Menschen gegen sie verwendet, den sie mehr als alles andere liebt.«

»Nein, du hast den Menschen gerettet, den sie mehr als alles andere liebt. Das weißt du genauso gut wie ich.«

»Ach ja? Nein, das ist Dr. Miras Job.« Sie atmete tief durch. »Ich will den Fall zum Abschluss bringen. Ich muss dafür sorgen, dass es endgültig vorüber ist.«

Manchmal war Papierkram regelrecht beruhigend. Sie schrieb ihren Bericht mit der leidenschaftslosen, nüchternen Effizienz, die dafür nötig war, gab ihn zu der Akte und fügte sämtliche neuen Beweise hinzu.

»Lieutenant?«

»Ihre Schicht ist fast vorbei, Peabody. Fahren Sie nach Hause.«

»Das werde ich. Ich wollte Sie nur wissen lassen, dass Mansfield in die U-Haft eingeliefert worden ist. Sie hat darum gebeten, dass Sie noch mal mit ihr sprechen.«

»Okay. Lassen Sie sie in einen der Vernehmungsräume bringen, und dann hauen Sie ab.«

»Mit Vergnügen.«

Eve schaute zu Roarke, der an ihrem Fenster stand und den trübseligen Ausblick, der ihm dort geboten wurde, klaglos über sich ergehen ließ. »Tut mir Leid. Ich muss das unbedingt noch tun. Warum fährst du nicht schon mal nach Hause?«

»Ich werde auf dich warten.«

Ohne ein weiteres Wort stand sie auf und begab sich ins Verhörzimmer hinüber, in dem Areena bereits saß.

Als Eve den Raum betrat, verzog Areena das Gesicht, befingerte das kragenlose Oberteil des langweiligen, grauen Gefängnisoveralls und erklärte: »Ich kann nicht behaupten, dass mir die Kleiderordnung hier besonders gut gefällt.«

»Wir müssen uns echt mal anstrengen, etwas Pfiffigeres zu entwerfen. Rekorder an ...«

»Ist das nötig?«

»Ja. Es ist gesetzlich vorgeschrieben, dass jedes Gespräch zwischen uns beiden aufgenommen wird. Zu unser beider Schutz. Lieutenant Eve Dallas in Verhörraum eins mit Areena Mansfield. Das Treffen findet auf Ms Mansfields Wunsch hin statt. Ms Mansfield, Sie wurden über Ihre Rechte aufgeklärt. Möchten Sie eines oder mehrere von diesen Rechten jetzt in Anspruch nehmen?«

»Nein. Ich habe Ihnen etwas zu sagen. Sie wissen, dass ich es gewesen bin«, erklärte sie und beugte sich etwas über den Tisch. »Sie wussten bereits, bevor wir heute ins Theater kamen, dass ich es gewesen bin.«

»Darüber haben wir bereits gesprochen.«

»Ich möchte von Ihnen wissen, ob es vor meinem Geständnis irgendwelche Beweise gegen mich gegeben hat.«

»Was macht das jetzt noch für einen Unterschied? Mit Ihrem Geständnis haben wir die Sache unter Dach und Fach.«

»Trotzdem befriedigen Sie doch bitte meine Neugier. Der Anwalt, den ich zu meiner Verteidigung heranziehen werde, hat Anspruch auf derartige Informationen und wird sie an mich weitergeben. Weshalb ersparen wir uns nicht diesen Mittelsmann?«

»Also gut. Auf meinen Verdacht hin, dass Anja Carvell und Sie identisch sind, habe ich Stimmanalysen von Ihnen beiden erstellen lassen. Obwohl Sie Ihren Tonfall, Ihren Sprechrhythmus und Ihre Stimmlage verändert hatten, sodass die Übereinstimmung mit bloßem Ohr nicht mehr zu hören war, hat die Analyse zweifelsfrei ergeben, dass es ein und dieselbe Stimme war. Das gilt auch für die Fingerabdrücke, die Sie in dem Raum zurückgelassen haben, der auf den Namen Carvell gebucht worden war. Außerdem haben wir Strähnen einer Perücke in der Farbe, wie Anja sie getragen hatte, und Strähnen Ihres eigenen Haars nicht nur in besagter Suite gefunden, sondern auch in der Penthouse-Wohnung im selben Hotel, in der Sie schon seit Wochen wohnen.«

»Verstehe. Ich hätte mich genauer mit der Vorgehensweise der Polizei befassen sollen. Ich war zu unvorsichtig.«

»Nein, das waren Sie nicht. Ihr Verhalten war schlichtweg menschlich, was heißt, dass es nicht möglich war, alles zu bedenken.«

»Sie hätten es also auch so geschafft, mich zu überführen.« Jetzt lehnte Areena sich zurück und sagte nachdenklich: »Sie hätten genügend Beweise gegen mich gehabt, um mich für ein Verhör hierher zu bringen und meine Beziehung zu Richard und zu Carly dazu zu verwenden, um mich dazu zu bewegen, alles zu gestehen. Stattdessen haben Sie mich im Theater überführt. Vor den Augen von Carly.«

»Vielleicht hätten Sie hier nie etwas gestanden. Ich habe halt darauf gebaut, dass es im Theater besser funktioniert.«

»Nein, das haben Sie nicht. Das wissen wir beide

sehr genau. Gegen Sie hätte ich mich nicht behaupten können. Sie haben dieses ganze Theater aus einem bestimmten Grund speziell für Carly inszeniert.«

»Ich weiß nicht, wovon Sie reden. Und vor allem ist inzwischen meine Schicht vorbei.«

Bevor sich Eve jedoch erheben konnte, packte Areena ihre Hand. »Sie haben es für sie getan. Sie muss damit leben zu wissen, wozu ihr eigener Vater in der Lage war. Zu wissen, was er ihr angetan hat. Zu wissen, dass sie einen Teil seiner Gene hat. Das hätte sie vielleicht zerstört.«

»Trotzdem wird sie damit leben müssen.« *Jeden Tag,* ging es Eve durch den Kopf. *Und vor allem jede Nacht.*

»Ja, das wird sie. Aber Sie haben dafür gesorgt, dass sie zusätzlich etwas anderes gesehen hat. Sie haben ihr gezeigt, dass der andere Mensch, der sie gezeugt hat, sie um jeden Preis beschützen und seine eigene Freiheit opfern würde, um ihr ihre Freiheit zu erhalten. Dass dieser andere Mensch sie derart geliebt hat. Dass auch Dinge wie Anstand, Loyalität und Willensstärke ein Teil ihres Erbes sind. Eines Tages, wenn sie sich etwas beruhigt hat, wenn die Wunde ein wenig verheilt ist, wird sie das erkennen. Vielleicht wird sie mir dann verzeihen. Wenn ihr das bewusst wird, Lieutenant Dallas, hoffe ich, hat sie den Mut, Ihnen dafür ebenso zu danken, wie ich Ihnen heute bereits danke.«

Sie schloss die Augen und atmete tief durch. »Könnte ich wohl bitte einen Schluck Wasser haben?«

Eve trat vor den Wasserspender, füllte einen Becher und stellte ihn vor Areena auf den Tisch. »Sie werden beide für das zahlen, was er verbrochen hat. Daran führt kein Weg vorbei.«

»Ich weiß.« Areena nippte vorsichtig an ihrem Becher und kühlte dadurch ihren wunden Hals. »Aber sie ist jung und stark. Sie wird eine Möglichkeit finden, damit fertig zu werden.«

»Sie wird Hilfe bekommen. Dr. Mira wird Gespräche mit ihr führen. Sie ist die Beste auf diesem Gebiet.«

»Das ist gut zu wissen. Ich war so stolz darauf, wie sie sich heute gegen Sie behauptet hat. Sie ist zäh. Und sie ist einfach wunderbar, finden Sie nicht auch?«

»Ja, sehr.«

»Ich habe nicht ertragen, was er ihr antat. Habe den Gedanken nicht ertragen, dass er es womöglich wieder tut.« Tränen stiegen hinter ihren Augen auf, doch sie drängte sie zurück.

Zerbrechlich? Nie und nimmer, dachte Eve.

»Das mit Quim«, fuhr Areena schließlich fort, »war für mich viel schwerer. Ich hatte Angst. Aber er war ein widerlicher kleiner Mann, und ich hatte von widerlichen kleinen Männern einfach die Nase voll. Lieutenant?«

»Ja?«

»Werden Sie mir, wenn ich im Gefängnis bin, Auskunft über Carlys Zustand geben können? Ich möchte nicht aufdringlich sein. Ich würde nur gern wissen, ob die Möglichkeit besteht, mir zu sagen, wie es ihr geht.«

»Ich werde sehen, was ich tun kann.« Eve zögerte und fluchte leise. »Rekorder aus«, befahl sie und schaltete auch die externe Überwachung des Gesprächsraums aus. »Besorgen Sie sich einen Anwalt, der weiß, wie man mit den Medien umgeht, und nicht nur einen, der ein guter Strafverteidiger ist. Am besten nehmen Sie gleich zwei, einen Spezialisten für jedes dieser beiden Gebiete. Sie sollten die Öffentlichkeit auf Ihre Seite ziehen. Sie sollten dafür sorgen, dass die Leute die ganze Geschichte erfahren, dass sie Mitgefühl mit Ihnen bekommen und Draco verabscheuen für das, was er gewesen ist. Machen Sie endlich Gebrauch von Ihren verdammten Rechten und sprechen Sie nicht noch mal mit mir oder irgendeinem anderen Polizisten, ohne dass Ihr Anwalt bei dem Gespräch zugegen ist.«

Areena bedachte sie nun mit einem amüsierten Blick. »Retten Sie eigentlich alle Menschen, Lieutenant?«

»Halten Sie den Mund und hören Sie mir zu. Plädieren Sie auf verminderte Zurechnungsfähigkeit, bedingt durch extremen emotionalen Stress. Selbst wenn die Tat langfristig geplant war, kommen Sie

damit vielleicht durch. Sie haben den Mann, der Ihre Tochter missbraucht hat, und einen Erpresser umgebracht. Wenn Sie die Sache richtig angehen, setzen sich wahrscheinlich auch die Medien für Sie ein.«
Mit Hilfe von Nadine könnte sie selbst eventuell bereits bewirken, dass die Berichterstattung gleich von Anfang an die von ihr gewünschte Richtung nahm. »Der Staatsanwalt wird keine lange öffentliche Verhandlung wollen, bei der Mütter mit Plakaten vor Gericht und Rathaus stehen. Und das werden sie tun. Er wird Ihnen also einen Deal anbieten. Womöglich müssen Sie eine Zeit lang ins Gefängnis, aber mit ein bisschen Glück bleibt es vielleicht bei Hausarrest, und Sie kriegen für den Rest eine saftige Bewährungsstrafe aufgebrummt.«

»Warum tun Sie das für mich?«

»Gibt es nicht ein Sprichwort, demzufolge man einem geschenkten Gaul nicht ins Maul gucken soll?«

»Ja. Das kenne ich.« Jetzt stand Areena auf. »Ich wünschte von ganzem Herzen, wir hätten uns unter anderen Umständen kennen gelernt. Auf Wiedersehen, Lieutenant.«

Wortlos ergriff Eve die ihr gereichte Hand und hielt sie einen Moment lang fest.

Als sie zurück in ihr Büro kam, saß Roarke nach wie vor dort. Sie griff nach ihrer Jacke und ihrer Tasche und fragte: »Wie sieht's aus? Hauen wir ab?«

»Gute Idee.« Statt jedoch zu gehen, nahm er ihre Hand, sah ihr prüfend ins Gesicht und meinte: »Du siehst irgendwie erleichtert aus.«

»Das bin ich auch. Und zwar unheimlich.«

»Und Areena?«

»Eine wirklich erstaunliche Person. Seltsam.« Nachdenklich nahm sie auf der Kante ihres Schreibtischs Platz. »In den elf Jahren, in denen ich jetzt meine Arbeit mache, ist dies das erste Mal, dass ich einer Mörderin begegne, für die ich ehrliche Bewunderung empfinde, und einem Opfer, das mir ...«

»... unendlich zuwider war«, beendete Roarke für sie den Satz.

»Ich sollte weder das eine noch das andere empfinden, sondern stoisch meine Arbeit tun.«

»Aber du hast nun mal Gefühle, Lieutenant. Auch wenn dir das die Arbeit nicht immer leicht macht. Und dieses Mal bist du in dem Opfer auf jemanden gestoßen, der einfach verdient hatte, was ihm widerfahren ist.«

»Es ist nie verdient, wenn ein Mensch ermordet wird«, antwortete sie und schnalzte ungeduldig mit der Zunge. »Ach, was soll's. Auch wenn das Urteil auf einer Bühne vollzogen wurde, war es tatsächlich echt. Es war nicht gespielt, als Areena Mansfield Richard Draco das Messer in das Herz gerammt hat, das er gar nicht hatte. Und als sie diesen Schritt tat, hat sie damit der Gerechtigkeit gedient.«

»Die Geschworenen werden ihr aus der Hand fressen, und bevor die Sache abgeschlossen ist, wird sie von ihnen wahrscheinlich als Heilige verehrt.«

»Ja. Verdammt, ich verlasse mich darauf. Weißt du, was mir für ein Gedanke gekommen ist?«

»Erzähl's mir.«

»Man kann nicht in die Vergangenheit zurück, um dort zu reparieren, was falsch gelaufen ist. Aber man kann stetig weiter vorwärts gehen. Und jeder Schritt ist wichtig. Jeder Schritt macht einen Unterschied.« Sie stand auf und rahmte sein Gesicht mit ihren Händen. »Und der beste Schritt in meinem ganzen bisherigen Leben war eindeutig der zu dir.«

»Dann machen wir doch jetzt mal den nächsten Schritt und fahren endlich heim.«

Lächelnd trat sie mit Roarke zusammen in den Korridor hinaus.

Heute Nacht würde sie schlafen. Ruhig und friedlich schlafen. Das wusste sie genau und nahm, da das zu ihrer Stimmung passte, im Gehen fest seine Hand.